나의 첫 문학 수업

문학을 열다

6

나의 첫 문학 수업

문학을 열다 6 – 한국 고전 소설 베스트

초판 1쇄 발행 2020년 09월 10일
초판 16쇄 발행 2024년 07월 22일

글 김시습·박지원·혜경궁 홍씨 외   **그림** 에토프
발행처 주식회사 스푼북   **발행인** 박상희   **총괄** 김남원
출판신고 2016년 11월 15일 제2017- 000267호
주소 (03993) 서울시 마포구 월드컵북로6길 88-7 ky21빌딩 2층
전화 02- 6357- 0050(편집) 02- 6357- 0051(마케팅)
팩스 02- 6357- 0052   **전자우편** book@spoonbook.co.kr

ISBN 979 - 11 - 6581 - 032 - 0 (44810)
ISBN 979 - 11 - 6581 - 026 - 9 (세트)

나의 첫 문학 수업

문학을 열다

6

한국 고전 소설 베스트

김시습·박지원·혜경궁 홍씨 외 글 | 에토프 그림

스푼북

들어가며

"과거는 다른 나라와 같다."라는 말이 있습니다. 생각과 행동이 전혀 다른 외국처럼 과거도 현대인에게는 그만큼 낯설게 다가온다는 말일 것입니다. 우리는 현대의 가치관과 문화를 당연하게 받아들이고 이를 심각하게 분석하는 반면, 과거 시대와 문화는 현재와는 동떨어진 대상으로 파악하고 단편적인 조각만으로 판단하기 쉽습니다. 분명 우리의 시대는 고전 문학 속 시대와는 다릅니다. 그러나 절대 무관하지만은 않습니다.

〈홍계월전〉은 주인공 홍계월이 전쟁과 가정사에서 주도적인 역할을 하는 작품입니다. 독자는 이 작품이 중국 명을 배경으로 한 점, 당시 시대에서 불가능했을 여성의 활약상을 지적하면서 작품이 비현실적이며 사대주의적이라고 비판할 수 있습니다. 그러나 당대의 한계를 뛰어넘은 또 다른 세계를 꿈꾸는 것은 과거의 일일 뿐이며 현대에는 존재하지 않을까요? 그 답은 간단하지 않습니다. 지금도 미디어에서 흔히 보이는 새로운 세계의 설정은, 현대 사회에서 인간의 욕망을 충족시키는 데 환상성이 한몫을 하고 있음을 암시합니다. 시대와 공간은 다를지라도 우리는 모두 일정한 시대적 한계 속에 살고 있으며 일부는 그 한계를 넘어서기 위해 다양한 방법을 시도합니다. 〈홍계월전〉은 남존여비의 시대 속에서도 자신의 목소리를 내고 싶었던 여성들의 열망을 바탕으로 나온 작품입니다. 당시 이 작품이 누렸던 높은 인기는 이러한 열망이 단지 한두 명 여성에게서 비롯된 것이 아님을 말해 줍니다. 한편 고전 작품 속에서 시간이 지나도 변하지 않는 감성을 찾는 것도 재미있습니다. 〈이생규장전〉 속 최랑의 부모는 자신의 딸이 상사병에 못 이겨 병에 걸리자 딸의 목숨을 구하기 위해 결혼을 적극적으로 추진하는 지극한 자녀 사랑을 보여 줍니다. 이러한 과거와 현재의 대화는 고전 문학 작품을 읽어야 하는 하나의 이유가 됩니다.

고전 문학은 기본적으로 수많은 옛날 작품 중에서 모범이 될 만한 것을 가리킵니다. 많은 사람에게 시공간을 뛰어넘어 보편적으로 공감할 수 있는 무엇을 제공해 주는 것이지요. 이러한 장점에도 불구하고 고전 작품은 쉽게 다가가기 어렵습니다. 많은 고전 읽기 자료가 원전의 맛을 살리기 위해 고어와 한자어를 그대로 쓰고, 과거 우리 역사와 문화의 세부적인 사항을 알아야 깊은 감상이 가능하기 때문입니다. 사실 공부로서의 고전 읽기와 교양 혹은 재미로서 고전 읽기는 근본적으로 다르지 않습니다. 작품 속에 담긴 의미를 충실히 이해한다면 재미를 느낄 수 있고, 문제 풀이에도 한층 더 쉽게 다가갈 수 있으며, 나아가 문화 전반에 대한 좀 더 깊은 탐구를 가능하게 합니다. 이러한 점을 고려하여 〈문학을 열다〉 시리즈는 원전에 가능한 한 충실하면서도 청소년들에게 쉽게 읽히고 이해하기 쉬운 자료를 제공합니다.

김정한 작가의 〈수라도〉에는 주인공 가야 부인이 참대 숲에서 나는 소리를 들으며 〈사씨남정기〉의 한 구절을 떠올리는 장면이 있습니다. 이 작품은, 앞으로 그녀의 삶이 〈사씨남정기〉의 사 씨와 같이 격한 파도가 넘실대는 삶이 될 것이며, 그녀는 관세음보살과 같이 만물을 보살피는 삶을 살 것이라고 속삭입니다. 가야 부인은 그 속삭임처럼 평생 도덕성과 불심을 지키며 시대의 어려움에 꺾이지 않는 의젓한 인생을 살아가게 됩니다. 당장은 성적과 입시 때문에 고전 작품을 읽고 내용 대부분은 기억의 저편으로 사라지겠지만, 우리가 살면서 겪는 중대한 선택과 위기의 순간에 작품 속 인물이 문득 나타나 여러분의 손을 한 번쯤 잡아 줄 것을 기대합니다.

김유미(연세대학교 조교수)

차례

일러두기

1. 표기는 원문에 충실히 따르는 것을 원칙으로 하되, 띄어쓰기는 최대한 현행 표기법을 따랐습니다. 단, 작품의 분위기에 영향을 준다고 판단되는 방언이나 구어체 표현, 의성어, 의태어 등은 그대로 두었습니다.
2. 책 제목, 장편 소설은 《 》, 단편 소설, 연극·잡지·노래 제목은 〈 〉로 표시하였습니다.
3. 부가적으로 설명이나 단어 풀이가 필요하다고 판단한 경우에는 각주로 설명을 붙여 놓았습니다.
4. 작품의 말미에 밝혀 둔 작품 출처는 저작권사의 요청으로 인한 것입니다.

이생규장전(李生窺牆傳)

김시습

김시습 (1435~1493)

세 살 때 시를 지어 천재라는 소리를 들었고, 다섯 살 때에는 세종에게 불려 가 장차 크게 쓰겠다는 약속을 받을 만큼 뛰어난 재능을 타고난 사람이었다. 그는 어려움 속에서도, 관리가 되어 조정에서 그 재능을 펼치려는 뜻을 가지고 스물한 살이 될 때까지 과거 공부에 정진했다. 그러나 수양 대군이 단종을 내몰고 왕위에 올랐다는 소식을 들은 후 읽던 책을 불사르고 전국 방방곡곡을 떠돌았다. 김시습이 경주 금오산 자락에 잠시 머물며 지은 작품이 바로 우리나라 최초의 한문 소설인 《금오신화》이다. 《금오신화》에는 〈만복사저포기〉〈이생규장전〉〈취유부벽정기〉〈용궁부연록〉〈남염부주지〉의 다섯 작품이 수록되어 있다. 이 외에도 김시습은 수많은 한시와 논설들을 남겼다.

이생이 담 너머를 엿보다

송도 낙타교 옆에 이생이라는 사람이 살았다. 그는 열여덟이었는데 풍모가 맑고, 자질이 뛰어났다. 일찍부터 국학에서 공부했는데 길을 다니면서도 시를 읽고는 하였다.

한편 선죽리의 부잣집에는 최 씨 처녀가 살고 있었다. 그녀의 나이는 열대여섯 살쯤 되었는데 자태가 아름답고 수를 잘 놓았으며 시도 잘 지었다. 그래서 세상 사람들이 그 두 사람을 이렇게 칭찬하였다.

풍류가인 이 도령
요조숙녀 최 낭자
그 재주 그 용모를 듣기만 해도
굶주린 창자를 채울 수가 있다네.

이생은 책을 옆에 끼고 글공부하러 갈 때마다 항상 최 씨의 집을 지나쳐 갔다. 그 집의 북쪽 담 밖에는 가지를 간들거리는 수양버들 수십 그루가 빙 둘려 있었는데 이생은 그 밑에서 잠깐씩 쉬곤 하였다.

어느 날 이생이 담 안을 엿보았더니 온갖 이름난 꽃들이 활짝 핀 가운데 벌과 새들이 다투어 노래하고 있었다. 그리고 옆쪽에는 작은 누각이 있었다. 구슬발이 반쯤 가려 있고, 비단 장막이 낮게 드리운 모습이 꽃떨기들 사이로 은은히 비쳤다. 그런데 그 안에서 한 미인이 수를 놓다가 지쳐서 잠깐 바늘을 놓고 턱을

긴 채 시를 읊었다.

홀로 사창(沙窓)가에 기대앉아 수놓기도 더디구나.
온갖 꽃떨기 속에 꾀꼬리 울음 곱기도 해라.
괜스레 마음속으로 봄바람을 원망하며
말없이 바늘 멈추고 생각에 잠기네.

길 가는 저이는 어느 집 도련님일까.
푸른 옷깃 너른 띠가 늘어진 버들 사이로 어른거리네.
어떻게 하면 대청 위의 제비가 되어
나지막이 주렴을 스쳐 담장을 날아 넘으리.

이생이 그 소리를 듣고 자기도 글재주를 뽐내고 싶은 마음을 누를 길이 없었
다. 그러나 그 집의 문은 아득히 높았고, 뜨락과 안채도 깊숙한 곳에 있었으므로
하릴없이 서운한 마음을 품고 자리를 떠날 수밖에 없었다.

돌아오는 길에 이생은 흰 종이 한 폭에 시 세 수를 써서 기와 조각에 매달아
담장 안으로 던졌다.

무산 열두 봉우리에 안개가 첩첩 싸였는데
반쯤 드러난 뾰족 봉우리 울긋불긋하구나.
양왕(襄王)의 외로운 꿈이 번뇌스러워
기꺼이 구름 되고 비 되어 양대(陽臺)로 내려오려나[1].

---

[1] 기꺼이 구름 되고 비 되어 양대로 내려오려나 중국 초(楚) 때 회왕과 사랑을 나눈 무산선녀(무산신녀)가 떠나면서, 자신
은 무산 남쪽 언덕에 사는데 아침이면 구름이 되고 저녁이면 비가 되어 양대에 내릴 것이라고 했다는 이야기가 있다.

사마상여가 탁문군을 꾀어내려 할 때[2]

마음속에 품은 정은 이미 흠씬 깊었도다.

울긋불긋 담장 머리 농염한 복사꽃과 오얏[3] 꽂은

바람 따라 어느 곳에 어지러이 지려나.

좋은 인연인가 나쁜 인연인가.

부질없는 이내[4] 시름 하루가 1년 같아라.

스물여덟 자 시로 중매가 이뤄졌으니

남교에서 어느 날 신선을 만나려나.

최 씨는 시녀 향아에게 가서 그 던진 것을 살펴보라고 시켰다. 시녀가 주워 온 것을 보니 바로 이생의 시였다. 최 씨는 시를 여러 번 읽은 후 마음속으로 그윽이 기뻐하였다. 그리고 종이쪽지를 담 밖으로 던졌다.

"그대는 의심하지 마시고 황혼을 기약하세요."

이생은 그 말대로 날이 저물기를 기다려 최 씨의 집으로 갔다. 문득 복사꽃 나뭇가지 한 줄기가 담장 너머로 휘어져 나와 눈앞에서 한들거리는 것이 보였다. 이생이 다가가서 살펴보니 그넷줄에 대바구니가 매달린 채 아래로 드리워 있었다. 이생은 그 줄을 타고 담을 넘었다.

마침 달이 동산 위에 떠올라 꽃 그림자가 땅 위에 가득하니,

---

2 사마상여가 탁문군을 꾀어내려 할 때 전한(前漢)의 문인 사마상여가 젊었을 때 촉(蜀)에 갔다가 부잣집 탁왕손의 딸인 과부 탁문군을 거문고 연주로 꾀어내어 부부가 되었다.
3 오얏 '자두'의 잘못.
4 이내 '나의'를 강조하여 이르는 말.

맑은 향기가 사랑스러웠다. 이생은 자기가 신선 세계에 들어온 것이 아닌가 생각했다. 은근히 마음이 기쁘면서도 품은 정이 은밀하고 하는 일도 비밀스러워 머리칼이 곤두설 정도로 긴장되었다.

이생이 좌우를 둘러보니 여인은 이미 꽃 무더기 속에 앉아 있었다. 그녀는 시녀 향아와 더불어 꽃을 꺾어 머리에 꽂고 있있고, 한구석 후미진 곳에는 자리가 깔려 있었다.

최 씨가 이생을 보고 미소 지으며 시 두 구절을 먼저 읊었다.

복사나무 오얏나무 가지 사이에 꽃송이 탐스럽고
원앙 베개 위에는 달빛이 곱디고와라.

이생이 그 뒤를 이어서 읊조렸다.

다음날 어쩌다가 봄소식[5]이 새어 나가면
무정한 비바람[6]에 가련해지리라.

최 씨는 낯빛이 변하여 말하였다.

"저는 본래 당신과 부부가 되어 아내로서의 도리를 다하며 영원히 즐거움을 누리려고 했습니다. 그런데 당신께서는 어찌하여 이런 말씀을 하시나요? 저는 비록 여자의 몸이어도 마음이 태연한데 당신은 장부의 의기를 가지고 어찌 이런 말씀을 하십니까? 이다음에 규중의 일이 누설되어 부모님께서 저를 꾸짖으시면 제가 혼자 책임을 지겠어요. 향아야, 방에 가서 술과 다과를 차려 오너라."

---

5 봄소식 여기서는 '두 사람의 사랑'을 의미한다.
6 비바람 여기서는 '두 사람의 부모들'을 가리킨다. 이 구절은 두 사람의 사랑이 탄로되면 부모들의 노여움으로 가련한 신세가 되리라는 뜻이다.

향아는 명령을 따르기 위해 자리를 떴다. 사방은 적막하고 고요하여 아무런 인기척이 없었다. 이생이 최 씨에게 물었다.

"이곳은 어디입니까?"

최 씨가 대답하였다.

"이곳은 뒷동산 작은 누각 아래예요. 부모님께서는 저 하나를 외동딸로 두셔서 사랑이 각별하시답니다. 그래서 따로 이 누각을 연못가에 지어 주셨지요. 봄이 무르익을 때 이름난 꽃들이 만발하면 시녀를 거느리고 즐겁게 놀라고 하신 것이지요. 부모님 계신 거처는 여기에서 멀리 떨어져 있어서 아무리 크게 웃고 떠들어도 좀처럼 아실 수 없을 거예요."

최 씨는 향기로운 술 한 잔을 따라 이생에게 권하면서 고풍(古風) 시 한 편을 지어 읊었다.

구부러진 난간 부용 연못 굽어보는데
연못 위 꽃떨기 속에 연인들 속삭이네.
향기로운 안개 뭉게뭉게 봄기운이 화창할 때
새로운 가사를 지어 〈백저사(白貯詞)〉[7]를 노래하네.
달 기우니 꽃 그림자가 방석 위로 스며들고
긴 가지 함께 잡아당기니 붉은 꽃비 내리네.
바람결에 흩날린 맑은 향내 옷에 스미니
가충의 딸[8]이 봄볕 아래 춤을 추네.
비단 적삼 가벼이 해당화 가지를 스쳤다가
꽃 사이에 자고 있던 앵무새만 깨웠네.

---

7 〈백저사〉 악부(樂府)에 속한 악곡.
8 가충의 딸 가충의 딸이 한수와 사랑에 빠져 자기 집안에 전해 오는 귀한 향수를 훔쳐 한수에게 주었는데 한수에게서 그 향내를 맡은 가충이 사실을 알게 되어 두 사람을 혼인시켰다는 고사가 있다.

이생이 바로 시를 지어 화답하였다.

무릉도원에 잘못 들었나, 복숭아꽃 만발한데
많고 많은 이내 정회 말로 다 못 하겠네.
구름 같은 갈래머리에 금비녀 낮게 꽂고
산뜻한 봄 적삼을 푸른 모시로 지어 입었네.
한 가지에 달린 꽃이 봄바람에 피었으니
무성한 꽃가지에 비바람아 불지 마라.
선녀의 소맷자락 나부껴 그림자 너울대고
계수나무 그늘 아래 항아가 춤을 추네.
좋은 일 다하기 전에 근심이 따르나니
새로 지은 가사를 앵무새에게 가르치지 마오.

시를 다 읊고 나자 최 씨가 이생에게 말했다.

"오늘의 일은 분명 작은 인연이 아니에요. 그대는 부디 제 뒤를 따라오셔서 사랑을 나누시지요."

말을 마치고 최 씨가 북쪽 창문으로 들어가니 이생도 그 뒤를 따라갔다. 누각에 달린 사다리가 방 안에 있었는데 그 사다리를 타고 올라가니 과연 다락이 나타났다. 문방구와 책상이 매우 말끔했다. 한쪽 벽에는 〈연강첩장도(烟江疊嶂圖)〉[9]와 〈유황고목도(幽篁古木圖)〉[10]가 걸려 있었는데 모두 이름난 그림이었다. 그림에는 시가 적혀 있었는데 누가 지은 것인지는 알 수 없었다.

---

9 〈연강첩장도〉 안개 낀 강 위에 첩첩이 싸인 산봉우리를 그린 그림으로 원래 송(宋)의 왕선이 그렸는데 이후 여러 사람에 의해 계승되었다.
10 〈유황고목도〉 대나무와 고목을 함께 그린 그림으로 원(元)의 가구사 이후 여러 사람이 이 화제로 그림을 그렸다.

첫 번째 그림에 적힌 시는 이러하였다.

누구의 붓끝에 힘이 넘쳐

이렇게 강 한가운데에 첩첩 산을 그려 놓았나.

웅장하도다, 삼만 길의 방호산[11]이여.

아득한 구름 속에 반만 솟아 있네.

저 멀리 산세는 몇백 리까지 아득하고

가까이엔 푸른 소라 모양 산봉우리가 우뚝하네.

푸른 물결 아득히 하늘까지 닿았는데

낙조를 바라보니 고향이 그립구나.

이 그림 바라보니 사람 마음 쓸쓸해져

비바람 부는 소상강에 배 띄운 듯하여라.

두 번째 그림에 적힌 시는 이러하였다.

그윽한 대숲에선 바람 소리 들리는 듯

비스듬히 누운 고목, 정감을 품은 듯.

구불구불 서린 뿌리엔 이끼가 끼었고

뻗쳐오른 늙은 가지 바람과 우레를 물리쳤네.

가슴속에 홀로 조화를 품었으니

기묘한 이 경지를 어찌 남에게 말하리오.

위언(韋偃)[12]과 여가(與可)[13]도 이미 귀신이 되었으니

---

11 방호산 신선이 산다는 산으로 발해 동쪽 큰 바다에 있는 다섯 개의 산 중에 셋째가 방호산이다.
12 위언 당(唐) 시절의 화가.
13 여가 송대 화가 문동(文同)의 아들.

천기를 누설해야 몇이나 알겠는가.

맑은 창가에서 그윽이 바라보니

오묘한 붓 솜씨에 빠져 삼매경에 들겠네.

한쪽 벽에는 사계절의 경치를 읊은 시가 각각 네 수씩 붙어 있었는데 역시 누가 지었는지는 알 수 없었다. 글씨는 조맹부의 서체를 본받아 글자체가 아주 정밀하고도 고왔다.

그 첫째 폭에 쓰인 시는 이러하였다.

연꽃 휘장 따뜻하고 향내가 퍼지는데

창밖에는 살구꽃 비[14]가 부슬부슬.

다락 머리에서 새벽 종소리에 꿈 깨고 보니

개나리 무성한 둑에 백설조[15] 우짖네.

제비 새끼 날로 자라는데 규방 깊숙이 들어앉아

나른하여 말도 없이 금바늘을 멈추었네.

꽃 속에 나비들 쌍쌍이 날아

앞다투어 정원 그늘로 지는 꽃을 따라가네.

누그러진 추위, 초록 치마를 스쳐 가면

부질없는 봄바람에 애간장만 끊어지네.

막막한 이 심정을 누구라서 헤아릴까.

온갖 꽃 만발한데 원앙새만 춤추누나.

---

14 **살구꽃 비** 청명(淸明) 전후에 살구꽃이 필 때 내리는 비.
15 **백설조** 지빠귀, 티티새, 때까치 등을 이르는 말.

봄빛이 황사양의 집에 깊이 잠겨[16]
붉은 꽃잎 푸른 나뭇잎 사창에 어른대네.
뜰 가득한 봄풀에 봄 시름만 괴로워
살며시 주렴 걷고 지는 꽃을 바라보네.

두 번째 폭에 쓰인 시는 이러하였다.

밀 이삭 처음 패고 제비 새끼 날아드는데
남쪽 뜨락엔 석류꽃이 두루 피었구나.
푸른 창가에 가위질하는 아가씨
치마를 지으려고 자줏빛 노을을 자르는가.

황매화 피는 시절 가랑비가 부슬부슬
홰나무 그늘엔 꾀꼬리 울고 제비는 주렴으로 날아드네.
또 이렇게 한 해 풍경이 시들어 가니
연화(楝花) 떨어지고 죽순이 삐죽 돋아나네.

푸른 살구 손에 집어 꾀꼬리에게 던져 보네.
남쪽 난간에 바람 일고 해그림자 더디구나.
연잎에 향내 나고 연못 물 가득한데
푸른 물결 깊은 곳에서 가마우지 멱을 감네.

등나무 평상 대자리에 무늬가 물결치고

---

16 봄빛이 황사양의 집에 깊이 잠겨 두보의 시에 "황사양의 집에는 꽃이 가득하여 천만 떨기가 가지를 무겁게 누르고 있다."라는 구절이 있다.

병풍 속 소상강엔 한줄기 구름.

나른한 게으름에 낮 꿈을 깨지 못하는데

반쯤 창에 비낀 햇살이 서쪽 하늘을 물들이네.

세 번째 폭에 쓰인 시는 이러하였다.

가을바람 스산하니 찬 이슬 맺히고

달빛도 곱디고와 가을 물결 푸르도다.

한 소리 두 소리 기러기 울며 돌아가고

우물에 오동잎 지는 소리 다시금 들리네.

침상 밑에 온갖 벌레 구슬피 울고

침상 위엔 아름다운 아가씨 구슬 눈물 흘리네.

우리 임은 만 리 밖 전쟁터에 계시는데

오늘 밤 옥문관(玉門關)[17]에도 달빛이 환하겠지.

새 옷을 마르려니[18] 가위가 차가워라.

나직이 아이종 불러 다리미 가져오라네.

다리미에 불 꺼진 것도 미처 모르고

거문고 뜯다가 머리를 긁적이네.

작은 못에 연꽃도 지고 파초도 누레지자

원앙 그린 기와 위에 첫서리가 내렸구나.

---

17 옥문관 중국의 옛 관문으로 국경 지대에 있어 군사들이 많이 지나다닌 곳.
18 마르다 옷감이나 재목 따위의 재료를 치수에 맞게 자르다.

묵은 시름 새 원한을 막을 길 없는데
골방에 귀뚜라미 우는 소리마저 들리는구나.

네 번째 폭에 쓰인 시는 이러하였다.

한 가닥 매화 그림자 창가에 비끼고
바람 센 서쪽 행랑엔 달빛이 밝구나.
화롯불 꺼졌는지 부저[19]로 헤쳐 보고
아이종 불러 차 솥을 바꿔 오라네.

수풀 잎사귀는 밤 서리에 자주 놀라고
회오리바람은 눈을 몰아 긴 회랑에 들이치네.
한밤 내내 임 그리는 꿈속에서
빙하의 옛 전쟁터에 가 있도다.

창에 가득 붉은 해는 봄날처럼 따사로운데
시름 잠긴 눈썹에는 졸음 흔적 어려 있네.
병에 담긴 어린 매화 뺨을 반쯤 보이는데
수줍어 말 못 하고 원앙새만 수놓는다네.

우수수 서릿바람 북쪽 숲을 할퀴고
달빛에 까마귀 우니 마음에 걸려라.
등잔불 앞에 두고 임 생각에 눈물 흘러

---

19 부저 화로에 꽂아 두고 불덩이를 집거나 불을 헤치는 데 쓰는 쇠로 만든 젓가락.

실뜸[20]을 적시니 잠깐 바느질을 멈추네.

한쪽에는 작은 방 하나가 따로 있었고 그 안에는 휘장, 요, 이불, 베개가 역시 아주 곱게 정돈되어 있었다. 휘장 밖에서는 사향을 태우고, 난향 기름 등잔불을 켜 놓았는데 불빛이 휘황하여 마치 대낮처럼 밝았다.

이생은 최 씨와 더불어 지극한 사랑의 즐거움을 맛보며 그곳에 며칠을 머물렀다. 그러던 어느 날 이생이 최 씨에게 말했다.

"옛 성인의 말씀에 '어버이가 계시면 나가 놀더라도 반드시 가는 곳을 고해야 한다.'라고 했소. 그런데 지금 나는 부모님께 아침저녁 문안 인사를 드리지 못한 채 벌써 사흘이나 보냈구려. 분명 부모님께서는 문간에 기대어 나를 기다리실 것이니 이 어찌 자식 된 도리라 하겠소."

최 씨는 서운해하면서도 고개를 끄덕였다. 그러고는 이생이 담을 넘어 돌아가게 해 주었다.

이생은 그 뒤부터 밤마다 최 씨를 찾아가지 않는 날이 없었다. 어느 날 저녁에 이생의 아버지가 아들에게 물었다.

"네가 아침에 집을 나갔다가 저녁에 돌아오는 것은 옛 성인이 남기신 인의(仁義)의 가르침을 배우려는 것이다. 그런데 요즘은 황혼 녘에 나갔다가 새벽에야 돌아오니 이게 어찌 된 일이냐? 분명 경박한 놈들의 행실을 배워 남의 집 담장을 넘어가서 누구네 집 규수와 정을 통하고 다니는 것일 테지. 이 일이 탄로 나면 남들은 모두 내가 자식을 엄하게 가르치지 못한 탓이라고 책망할 것이다. 또 만일 그 규수가 지체 높은 집안의 딸이라면 필시 네 행동 때문에 가문을 더럽히고 남의 집에 누를 끼치게 될 것이야. 이 일은 작은 일이 아니로다. 너는 지금 당

---

20 **실뜸** 한 땀 한 땀 실로 꿰맨 자리.

장 영남으로 가서 종들을 거느리고 농사나 감독하여라. 그리고 다시 돌아오지 말아라."

이생은 그 이튿날 울주로 보내졌다.

최 씨는 매일 저녁 화원에서 이생을 기다렸다. 그러나 몇 달이 지나도록 그는 돌아오지 않았다. 최 씨는 이생이 병에 걸렸나 보다고 생각하여 향아를 시켜 이생의 이웃들에게 몰래 물어보게 하였다. 이웃집 사람은 이렇게 말하였다.

"이 도령이 그 부친에게 죄를 지어 영남으로 내려간 지 이미 여러 달이 되었다오."

최 씨는 그 말을 전해 듣고 병이 나서 자리에 눕게 되었다. 몸만 이리 뒤척 저리 뒤척 할 뿐 일어나지도 못하고, 물조차도 삼키기 어려운 지경에 이르렀다. 말도 두서가 없어지고, 얼굴도 초췌해졌다.

최 씨의 부모가 이상히 여겨 병의 증상을 물어보아도 최 씨는 입을 다물고 아무 말도 하지 않았다. 그러던 중 최 씨의 부모가 딸의 글 상자를 들추어 보다가 전에 이생이 최 씨에게 화답한 시를 발견하게 되었다. 그들은 그제야 깜짝 놀라며 말하였다.

"하마터면 우리 딸을 잃을 뻔했구나."

그러고는 딸에게 물었다.

"이생이 누구냐?"

일이 이렇게 되자 최 씨도 더 이상 숨길 수가 없었다. 그녀는 목구멍에서 겨우 나오는 작은 목소리로, 부모님께 사실을 아뢰었다.

"아버님, 어머님, 길러 주신 은혜가 깊으니 감히 숨기질 못하겠습니다. 혼자 가만히 생각해 보니 남녀가 서로 사랑을 느끼는 것은 인간의 정리로서 지극히 중요한 일이옵니다. 그러므로 매실이 떨어지는 것을 보고 혼기를 놓치지 말라고 《시경》의 〈주남(周南)〉편에서 노래하였고, 여자가 정조를 지키지 못하면 흉하다는 말을 《주역》에서 경계하였습니다.

저는 버들처럼 가녀린 몸으로 뽕나무 잎이 시들기 전에 시집가야 한다는 말을 유념치 못하고 길가 이슬에 옷을 적셔 주위 사람들의 비웃음을 받게 되었습니다. 덩굴이 다른 나무에 의지해서 살듯 벌써 위당 처녀의 행실[21]을 하고 말았으니 죄가 이미 넘쳐 가문에 누를 끼치게 되었습니다.

그러나 저 신의 없는 도련님이 한 번 가 씨 집안의 향을 훔친 뒤로 원망이 천 갈래로 생겨났습니다. 여리디여린 몸으로 서러운 고독을 견디다 보니 그리운 정은 나날이 깊어 가고 큰 병은 나날이 더해 가서 거의 죽을 지경에 이르렀습니다. 장차 한 맺힌 귀신이 될 듯합니다.

부모님께서 저의 소원을 들어주신다면 제 남은 목숨을 보존하게 될 것이고, 만약 간곡한 청을 거절하신다면 그저 죽음만이 있을 뿐입니다. 이생과 저승에서 함께 노닐지언정 맹세코 다른 가문으로 시집가지는 않겠습니다."

이에 최 씨의 부모도 그녀의 뜻을 알게 되었으므로 다시 병의 증세를 묻지 않았다. 그저 한편으로는 경계하고 한편으로는 달래 가면서 딸의 마음을 누그러뜨리려고 노력하였다. 그러고는 중매의 예를 갖추어 이생의 집에 혼인 의사를 물었다.

이생의 아버지는 최 씨 가문의 문벌이 어떤지를 물은 후 말하였다.

"우리 집 아이가 비록 나이가 어려 잠시 바람이 나긴 했지만 학문에 정통하고 풍모도 남부끄럽지 않으니 바라는 바는 앞으로 장원 급제하여 훗날 세상에 이름을 떨치는 것이오. 서둘러 혼처를 구하고 싶지 않소."

중매쟁이가 돌아와 최 씨 부친에게 이 말을 아뢰니 최 씨 집안에서 다시 이 씨 집안에 이러한 말을 전했다.

"한 시대의 벗들이 모두 그 댁 아드님의 재주가 뛰어나다고 칭찬들을 하더이다. 지금은 웅크리고 있지만 어찌 끝내 연못 속에만 머물러 있겠습니까? 속히

---

21 위당 처녀의 행실 원(元) 때 왕 서생이 위당에 갔다가 위당의 처녀와 눈이 맞아 부부가 된 이야기.

좋은 날을 정해 두 가문의 즐거움을 합하는 것이 좋을 듯합니다."

중매쟁이가 또 가서 그 말을 이생의 부친에게 고하니 그 부친이 말하였다.

"나 역시 젊어서부터 책을 잡고 경전을 공부했지만 늙도록 성공하지 못했소. 노비들은 도망가 흩어지고, 친척들의 도움도 적어 생활이 어렵고 살림도 궁색하다오. 그러니 문벌 좋고 번성한 집에서 어찌 한갓 한미한[22] 선비를 사위로 삼으려 하신단 말이오? 이는 반드시 일 만들기 좋아하는 사람들이 우리 집안을 과도하게 칭찬해서 귀댁을 속인 것일 겁니다."

중매쟁이가 다시 최 씨 가문에 고하자 최 씨 부친이 말하였다.

"납채[23]의 예와 의복에 관한 일은 제가 모두 알아서 하겠습니다. 좋은 날을 가려서 화촉을 밝힐 날짜만 정해 주시면 좋겠습니다."

중매쟁이가 또 돌아가서 고하였다.

이 씨 집안에서는 일이 여기에 이르자 마음을 돌려 곧 이생을 불러다 그의 의사를 물었다. 이생은 기쁨을 이기지 못하여 시 한 수를 지었다.

깨진 거울이 다시 합쳐 둥글게 되는 것도 때가 있는 법,

은하수의 까막까치들이 아름다운 기약을 도와주었네.

이제 월하노인이 붉은 실로 매어 주리니

봄바람 불어도 두견새를 원망 마시오.

최 씨는 이 소식을 듣고 병이 차츰 회복되었다. 그리고 그녀 역시 시 한 수를 지었다.

나쁜 인연이 바로 좋은 인연이었던가.

---

22 한미하다 가난하고 지체가 변변하지 못하다.
23 납채 약혼할 때 신랑 집에서 신부 집에 예물을 보내는 것.

맹세의 말이 마침내 이루어졌네.

임과 함께 작은 수레 끌고 갈 날[24]이 어느 때일까.

부축받고 일어나 꽃 비녀를 추스르려네.

이에 길일을 가려 혼례를 치르니 끊어졌던 사랑의 줄이 다시 이어지게 되었다. 그들은 혼인 후 부부가 서로 사랑하고 공경하면서 손님을 대하듯 예를 갖추니 비록 양홍과 맹광[25], 포선과 환소군[26] 같은 부부라도 그 절개와 의리를 따를 수가 없었다.

이생은 이듬해에 과거에 급제하여 높은 벼슬에 올랐는데 그 명성이 조정에 자자하였다.

신축년[27]에 홍건적이 고려의 서울인 개성을 점령하자 임금은 복주(福州)로 피난 갔다. 홍건적은 집을 불태우고 사람을 죽이고 가축을 잡아먹었다. 백성들은 부부, 친척끼리도 서로를 보호하지 못하고 이리저리 달아나 숨은 채 각자 자기 살길을 도모해야 하는 처지가 되었다.

이생도 가족들을 데리고 외진 산골로 숨었는데 도적 한 명이 칼을 빼어 들고 그들의 뒤를 쫓아왔다. 이생은 달아나 겨우 목숨을 건졌지만 최 씨는 도적에게 사로잡히고 말았다. 도적이 자신을 겁탈하려 하자 최 씨는 크게 꾸짖으며 말하였다.

"호귀(虎鬼)[28]야, 나를 죽여 삼켜 버려라. 차라리 죽어 승냥이와 이리의 배 속에 들어갈지언정 어찌 개돼지 같은 놈의 짝이 되겠느냐."

도적은 노하여 최 씨를 죽이고 난자질하였다. 이생은 거친 들판에 숨어서 겨

---

24 임과 함께 작은 수레 끌고 갈 날 부부가 함께 작은 수레에 살림을 싣고 귀향한다는 말에서 유래한 말이다.
25 양홍과 맹광 중국 한(漢) 때의 부부로, 아내 맹광은 밥상을 들고 올 때 눈썹 높이로 가지런하게 들 정도로 남편 양홍에게 공손하게 예를 다하고, 남편과 해로했다고 한다. 모범이 될 만한 부부 사이를 비유한 말이다.
26 포선과 환소군 중국 한(漢) 때의 부부로, 아내 환소군이 남편 포선의 뜻을 따라 검소하게 시집와 청빈하게 살았다.
27 신축년 고려 공민왕 10년(1361)을 말한다.
28 호귀 호랑이에게 물려 죽은 귀신. 창귀라고도 한다.

우 목숨을 보전하다가 얼마 후 도적이 물러갔다는 소식을 듣고 부모님이 사시던 옛집을 찾아갔다. 그러나 집은 이미 전쟁 통에 불타 버린 후였다. 그래서 이번에는 최 씨의 집으로 가 보았더니 행랑채만 덩그러니 남아 황량한 가운데 쥐들이 찍찍대고 새들이 지저귀고 있었다.

이생은 슬픈 마음을 억누를 길이 없어 작은 누각에 올라가서 눈물을 훔치며 길게 탄식할 뿐이었다. 어느새 날이 저물었다. 그는 우두커니 홀로 앉아 지난날을 가만히 떠올려 보았지만 모든 게 한바탕 꿈만 같았다.

이경(二更)[29]쯤 되어 달빛이 희미한 빛을 토하며 들보를 비추었다. 그런데 회랑 끝에서 웬 발자국 소리가 들려왔다. 그 소리는 멀리서부터 들려오더니 차츰 가까워졌다. 발자국 소리가 이생 앞에 이르렀을 때 보니 바로 최 씨였다.

이생은 그녀가 이미 죽은 것을 알고 있었지만 너무도 사랑하는 나머지 한 치의 의심도 없이 물었다.

"당신은 어디로 피난하여 목숨을 부지하였소?"

최 씨는 이생의 손을 잡고 한바탕 통곡하더니 그간의 사정을 이야기하기 시작했다.

"저는 본디 양가의 딸로서 어려서부터 어버이의 가르침을 받들어 수놓기와 바느질에 힘쓰고 시서(詩書)와 인의(仁義)의 방도를 배울 뿐이었습니다. 오로지 규문의 법도만 알았을 뿐 어찌 집 밖의 일을 헤아릴 수 있었겠습니까? 그런데 당신께서 붉은 살구꽃이 핀 담장 안을 한 번 엿보신 후 제가 스스로 푸른 바다의 구슬을 바쳤지요. 꽃 앞에서 한 번 웃고는 평생의 은혜를 맺었고, 휘장 안에서 다시 만났을 때에는 은정이 100년을 넘칠 것 같았지요.

말이 여기에 이르고 보니 슬프고 부끄러워 견딜 수가 없군요. 장차 평생을 함께하려고 하였는데 뜻밖의 횡액을 만나 구덩이에 뒹굴게 될 줄 어찌 생각이나

---

29 이경 하룻밤을 오경(五更)으로 나눈 둘째 부분. 밤 9시부터 11시 사이이다.

했겠습니까? 그러나 저는 끝까지 짐승 같은 놈에게 몸을 내맡기지 않고 스스로 진흙창에서 육신이 찢기는 길을 택하였지요. 그건 천성이 저절로 그렇게 한 것이지 인정으로야 차마 견딜 수 있는 일이 아니었답니다.

외진 산골짜기에서 당신과 헤어진 후로 짝을 잃고 홀로 날아가는 새의 신세가 된 것이 너무 한스러웠습니다. 집도 없어지고, 부모님도 돌아가셨으니 고단한 혼백조차 의지할 곳이 없었지만 절의는 귀중하고 목숨은 가벼우니 쇠잔한 몸뚱이일망정 치욕을 면한 것만으로도 다행이라 생각했지요. 하지만 누가 마디마디 끊어져 재처럼 식어 버린 제 마음을 불쌍히 여겨 주겠습니까? 그저 조각조각 끊어진 썩은 창자만 모아 두었을 뿐, 해골은 들판에 던져졌고 간과 쓸개는 땅바닥에 버려져 흙먼지를 뒤집어쓰고 있지요. 가만히 지난날의 즐거움을 헤아려 보기도 하지만 오늘의 근심과 원한만이 마음에 가득 차 버렸습니다.

이제 추연(鄒衍)[30]이 피리를 불어 적막한 골짜기에 봄바람을 일으켰으나 저도 천녀(倩女)[31]의 혼이 이승으로 돌아왔듯이 이곳으로 돌아오렵니다. 봉래산에서 12년 만에 만나자는 약속을 이미 단단히 맺었고, 취굴(聚窟)[32]에서 삼생(三生)의 향이 그윽이 풍겨 나오니 그동안 오래 떨어져 있던 정을 되살려서 옛 맹세를 저버리지 않겠다고 약속하겠어요. 만약 당신이 아직도 옛 맹세를 잊지 않으셨다면 저는 끝까지 잘해 보고 싶어요. 당신도 허락하시는 거지요?"

이생은 기쁘고도 감격하여 말했다.

"그건 바로 내가 바라던 바요."

두 사람은 다정하게 마주 앉아 그간의 회포를 풀었다. 그러다가 재산을 얼마나 도적에게 약탈당했는가에 대해 묻자 최 씨가 말하였다.

"조금도 잃지 않았어요. 아무 산 아무 골짜기에 묻어 두었답니다."

---

30 추연 전국 시대 제(齊)의 사상가로 음양오행설을 제창하였다.
31 천녀 당의 진현우(陳玄祐)가 지은 전기 소설 《이혼기(離魂記)》에 나오는 인물로 영혼이 되어서도 애인과 함께 살았던 여인이다. '천랑'이라고도 한다.
32 취굴 중국 서해에 있다고 하는 신선의 거처.

이생이 또 물었다.

"양가 부모님의 유해는 어디에 있소?"

최 씨가 대답하였다.

"아무 곳에 그냥 버려져 있는 상태랍니다."

두 사람은 그간의 정회를 다 나눈 후 나란히 잠자리에 들었다. 지극한 즐거움이 예전과 같았다.

다음 날 최 씨와 이생은 함께 재물이 묻혀 있다는 곳을 찾아갔다. 과연 금은 여러 덩이와 얼마간의 재물을 얻을 수 있었다. 그들은 양가 부모님의 유골을 수습한 후 금과 재물을 팔아 각각 오관산 기슭에 합장하였다. 묘소에 나무를 심고 제사를 드려 예를 극진히 갖추었다.

그 뒤 이생은 벼슬을 구하지 않고 최 씨와 함께 살았다. 목숨을 구하고자 달아났던 종들도 다시 스스로 돌아왔다. 이생은 이때부터 인간사에 게을러져서 비록 친척이나 손님들의 길흉사에 하례하고 조문해야 할 일이 있더라도 문을 걸어 잠그고 밖으로 나가지 않았다. 그는 항상 최 씨와 더불어 시를 지어 주고받으며 금실 좋게 행복한 시간을 보냈다. 그렇게 몇 년이 흘러갔다.

어느 날 저녁 최 씨가 이생에게 말했다.

"세 번이나 좋은 시절을 만났지만 세상일은 뜻대로 되지 않고 어그러지기만 하네요. 즐거움이 다하기도 전에 갑자기 슬픈 이별이 닥쳐오니 말이에요."

그러고는 마침내 오열하기 시작하였다. 이생은 깜짝 놀라서 물었다.

"무슨 일로 그러시오?"

최 씨가 대답하였다.

"저승길의 운수는 피할 수가 없답니다. 하느님께서 저와 당신의 연분이 아직 끝나지 않았고, 또 저희가 아무런 죄악도 저지르지 않았음을 아시고 이 몸을 환생시켜 당신과 지내며 잠시 시름을 잊게 해 주신 것이었어요. 그러나 인간 세상에 오랫동안 머물면서 산 사람을 미혹시킬 수는 없답니다."

최 씨는 시녀를 시켜 술을 올리게 하고는 〈옥루춘(玉樓春)〉[33]에 맞추어 노래를 부르면서 이생에게 술을 권하였다.

> 창과 방패가 눈에 가득한 싸움터
> 옥이 부서지고 꽃도 흩날리고 원앙도 짝을 잃네.
> 여기저기 흩어진 해골을 그 누가 묻어 주랴.
> 피에 젖어 떠도는 영혼 하소연할 곳 없어라.
>
> 무산선녀가 고당에 한번 내려온 후
> 깨졌던 거울이 거듭 갈라지니 마음만 쓰려라.
> 이제 한번 이별하면 둘 사이 아득하니
> 하늘과 인간 사이에 소식마저 막히리라.

최 씨는 한 마디씩 노래를 부를 때마다 눈물을 삼키느라 곡조를 제대로 이어 가지 못하였다.

이생도 슬픔을 걷잡지 못하여 말하였다.

"내 차라리 당신과 함께 저세상으로 갈지언정 어찌 무료히 홀로 살아남을 수 있겠소? 지난번 난리를 겪은 후 친척과 종들이 뿔뿔이 흩어지고, 돌아가신 부모님의 유해가 들판에 버려져 있을 때 당신이 아니었다면 누가 부모님을 묻어 드릴 수 있었겠소? 옛 성현이 말씀하시기를 '어버이 살아 계실 때는 예로써 섬기고, 돌아가신 후에는 예로써 장사 지내야 한다.'라고 했는데 당신의 천성이 효

---

33 〈옥루춘〉 곡조의 이름.

수성궁[1]은 안평 대군[2]의 옛집으로, 서울 서쪽의 인왕산 아래에 있다. 이곳은 산천이 수려하며, 용이 서리고 호랑이가 웅크린 형상을 하고 있다. 그 남쪽에 사직[3]이 있고 동쪽에는 경복궁이 있다. 인왕산의 한 줄기가 굽이굽이 휘돌아 내려오다 수성궁 앞에 이르러 우뚝 일어선다. 비록 높고 험준하지는 않으나 산에 올라 내려다보면 큰길에 늘어선 시장이며 성 가득 으리번쩍한 집들이 바둑판의 바둑돌 모양, 하늘의 별들 모양 펼쳐져 있어 하나하나 손가락으로 가리킬 수 있고, 베틀에다 실을 가로세로로 짜 놓은 것처럼 구획이 뚜렷하였다. 동쪽으로는 아득히 궁궐이 바라보여 구름다리가 하늘을 가로지르고 있고, 구름 안개가 쌓여 내는 비췻빛이 아침저녁으로 자태를 드러내니, 참으로 경치가 빼어난 곳이라 할 만하다. 당대의 술꾼들과 활쏘기 즐기는 이들, 노래하고 피리 부는 아이들, 시인이며 서화가들이 꽃 피는 봄날이건 단풍 지는 가을날이건 날마다 여기서 노닐며 자연을 노래하고 즐기다가 집에 가는 것도 잊는다.

청파[4]에 사는 선비 유영(柳泳)은 이곳 경치가 아름답다는 말을 하도 들어 여기서 한번 노닐고 싶은 마음이 있었다. 그러나 옷이 남루하고 얼굴빛도 꾀죄죄하여 놀러 온 길손들에게 비웃음당할 것이 뻔하기에 그쪽으로 발길을 옮기려다가도 머뭇머뭇한 지 오래였다.

---

1 수성궁(壽成宮) 원래 문종(文宗)의 후궁이 거처하던 별궁이었다.
2 안평 대군(安平大君) 세종(世宗)의 셋째 아들 이용(李瑢)을 말한다. 계유정난으로 강화에 유배되었다가 교동으로 옮겨져 죽음을 당했다. 시문(詩文)에 뛰어났고 당대의 명필이었으며, 그림과 음악에도 조예가 깊었다.
3 사직 사직단(社稷壇)을 말한다. 나라에서 백성의 복을 빌기 위해 토지의 신인 사(社)와 곡식의 신인 직(稷)에게 제사를 올리던 곳이다.
4 청파(青坡) 지금의 서울시 용산구 청파동 일대.

만력(萬曆)⁵ 신축년(1601) 3월 16일, 유영이 막걸리 한 병을 사서는 아이종도 친구도 하나 없이 혼자 술병을 차고 궁궐 문을 들어서니 보는 사람마다 모두 돌아보며 손가락질하고 비웃었다. 유영은 창피하고 무안하여 후원(後園)으로 들어갔다. 높은 곳에 올라 사방을 바라보니, 전쟁을 겪은 지 얼마 안 된 터라 서울의 궁궐이며 성 가득 화려한 집들이 모두 사라지고 없었다. 무너진 담장, 깨진 기와, 못 쓰게 된 우물, 무너진 계단에 초목이 무성하고 오직 동쪽에 결채 몇 칸만 덩그러니 남아 있었다.

유영은 서쪽 정원의 샘과 바위가 그윽한 곳으로 걸어 들어갔다. 온갖 풀들이 빽빽이 자라 그 그림자가 맑은 연못에 드리워져 있고 땅 가득 떨어진 꽃잎에는 사람 지나간 흔적이 없는데, 산들바람이 불자 향기가 가득 퍼졌다. 유영은 홀로 바위 위에 앉아 소동파⁶의 시 한 구절을 읊조렸다.

반쯤 지나간 봄날 조원각(朝元閣)에 오르니
뜰에 가득한 꽃잎 아무도 쓸지 않았네⁷.

유영은 차고 온 술병을 풀어 술을 모두 마시고는 취하여 돌을 베개 삼아 바위 한편에 누웠다.

얼마 뒤 술이 깨어 눈을 들어 보니 놀던 사람들이 다 흩어지고 없었다. 산은 달을 토하고 안개는 버들잎을 감싸고 바람은 꽃잎에 살랑 불었다. 그때 한 줄기 가녀린 목소리가 바람을 타고 들려왔다. 유영이 이상하게 여겨 일어나 보니 소년 한 사람이 젊은 미인과 정답게 마주 앉아 있었다. 소년은 유영이 다가오는 것을 보고 반갑게 일어서서 맞이했다. 유영이 인사하고 물었다.

---

5 만력 명 신종(神宗)의 연호.
6 소동파 송의 문장가 소식(蘇軾)을 말한다. '동파'는 그의 호이다.
7 반쯤 지나간 봄날 조원각에 오르니 / 뜰에 가득한 꽃잎 아무도 쓸지 않았네 소동파의 시 〈여산(驪山)〉의 일부이다. '조원각'은 당 현종(玄宗)이 여산에 세운 누각 이름이다.

"수재[8]는 어떤 분이시기에 낮에 놀지 않고 밤을 택하여 노십니까?"

소년이 빙긋이 웃으며 말했다.

"옛사람이 '처음 만나 오랜 친구처럼 이야기를 주고받는다.'라고 한 말이 꼭 이런 경우로군요."

셋은 둘러앉아 이야기를 나누었다. 여인이 낮은 목소리로 "애야!" 하고 부르자 여종 둘이 숲속에서 나왔다. 여인이 여종에게 말했다.

"오늘 밤 옛사랑을 만난 이 자리에서 생각지 않던 훌륭한 손님을 만났구나. 오늘 같은 밤을 적막히 보낼 수는 없으니, 너희들은 술과 안주를 마련하고 붓과 벼루를 가져오너라."

두 여종이 분부를 받고 나가더니 잠시 후 돌아오는데, 마치 새가 날아서 오가는 듯 몸놀림이 가벼웠다. 유리로 만든 술동이에는 좋은 술이 그득하고 은쟁반에는 진귀한 과일과 안줏거리가 벌여 있었다. 백옥으로 만든 잔에 술을 따라 마시니, 술이며 안주의 맛이 모두 인간 세상의 것이 아니었다. 술 석 잔을 마시자 여인이 새로운 곡조의 노래를 불러 술을 권했는데, 그 노랫말은 다음과 같았다.

> 깊고 깊은 곳에서 임 이별한 뒤
> 인연은 다하지 않았건만 만날 길 없었네.
> 우리가 나눈 사랑 정녕 꿈이던가
> 화려한 봄날에 얼마나 자주 마음 상했던고.
> 지난 일은 이미 먼지 되어 사라졌건만
> 지금도 괜스레 눈물 적시네.

---

8 수재(秀才) 미혼 남자를 높여 부르는 말.

노래를 마치고 탄식하며 울음을 삼키는데, 구슬 같은 눈물이 얼굴에 가득하였다. 유영이 이상하게 여기고는 일어나 절하고 말했다.

"제가 비록 훌륭한 글을 짓는 재주는 없으나 일찍부터 학업을 일삼아 글 쓰는 일을 조금은 압니다. 지금 이 노랫말을 듣자니 격조가 맑고 탁월하면서도 담긴 뜻은 슬프고 처량하니 참으로 괴이합니다. 오늘 밤의 모임은 달빛이 그림 같고 맑은 바람이 솔솔 불어 족히 즐길 만하거늘, 마주하여 슬피 우시는 까닭이 무엇인지요? 함께 술을 몇 잔 마셔 사귄 정이 이미 두터워졌는데 아직 서로 이름도 밝히지 않고 가슴속의 생각도 펼치지 못했으니, 이 또한 의아합니다."

유영이 먼저 제 이름을 말하고 다른 두 사람의 이름을 거듭 물었다. 소년이 탄식하며 대답했다.

"이름을 밝히지 못하는 데는 이유가 있습니다만, 이토록 알고 싶어 하시니 알려 드리는 것이 뭐 그리 어렵겠습니까? 허나[9] 말씀을 드리자면 사연이 길답니다."

소년은 한참 동안 서글픈 표정을 짓더니 이렇게 말했다.

"제 성은 김입니다. 나이 열 살에 글을 잘 지어 서당에서 이름이 났고, 열네 살에 진사 시험에 합격해 당시 사람들이 모두 김 진사라고 불렀지요. 저는 어린 마음에 호방한 기운과 호탕한 뜻을 억제하지 못해 이 여인과 인연을 맺었습니다. 그 때문에 부모님이 물려주신 몸을 지키지 못하고 끝내 불효를 저질러 천지간의 한 죄인이 되고 말았으니, 죄인의 이름은 굳이 알아 무엇 하시겠습니까? 이 여인의 이름은 운영(雲英)이고, 저 두 아이의 이름은 녹주와 송옥입니다. 모두 옛날 안평 대군의 궁녀들이랍니다."

유영이 말했다.

"말을 꺼내고 다 하지 않으시면 아예 안 하신 것만 못하지요. 안평 대군 시절

---

9 허나 '하나(주로 구어체에서, 앞 내용과 뒤 내용이 상반될 때 쓰여 앞뒤 문장을 이어 주는 말)'를 예스럽게 이르는 말.

의 성대했던 일들과 진사가 마음 상한 까닭을 소상히 들어 볼 수 있겠습니까?"

김 진사가 운영을 돌아보고 말했다.

"세월이 많이 흘렀는데, 그 당시 일을 기억할 수 있겠소?"

운영이 대답했다.

"마음속에 쌓인 원망을 어느 날엔들 잊었겠어요? 제가 한번 이야기해 볼 테니 낭군이 곁에서 빠진 부분을 보충하여 기록해 주세요."

그러고는 여종에게 이렇게 분부했다.

"네가 벼루 시중을 들도록 하여라."

운영이 이야기를 시작하였다.

세종대왕의 여덟 대군 중에 안평 대군이 가장 총명하여 임금께서 매우 아끼며 무수히 상을 내리셨습니다. 그래서 토지며 노비며 재산이 여러 왕자들 중에서도 단연 많았지요. 안평 대군이 열세 살에 사궁(私宮)으로 나가 사니 그곳이 곧 수성궁이었습니다. 대군은 선비의 학업을 자임하여, 밤에는 독서하고 낮에는 시를 짓거나 서예를 하며 잠시도 허투루 시간을 보낸 적이 없었습니다. 당대의 문인들이며 재주 많은 선비들이 모두 대군의 문하에 모여 서로 기량을 겨루면서 새벽닭이 올 때까지 열심히 토론을 벌이기도 했지요. 대군은 또 서예에 특출하여 나라 안에 명성이 높았습니다. 문종(文宗)께서 세자로 계시던 때 집현전 학사들과 함께 안평 대군의 서예를 논하시면 늘상, "내 아우가 만일 중국에서 태어났더라면 비록 왕희지에는 못 미친다 하더라도 조맹부에게는 뒤지지 않을 게야!"라고 말씀하시며 칭찬하기를 그치지 않으셨답니다.

하루는 안평 대군이 궁인들에게 말했습니다.

"천하 여러 대가들의 재주는 반드시 편안하고 고요한 곳에서 연마한 뒤에야 완성되는 법이다. 도성 문밖은 산천이 고요하고 마을과 약간 떨어져 있으니, 이곳이라면 정신을 집중해서 학업에 몰두할 수 있을 것이야."

그러고는 즉시 그곳에 열두세 칸 되는 학당(學堂)을 짓고 '비해당[10]'이라는 현판을 걸었습니다. 또 그 옆에 단을 하나 세우고 '맹시단[11]'이라고 이름을 지었습니다. 두 곳 모두 명분에 따르고 의리를 생각한다는 의미를 담고 있지요. 당대의 뛰어난 문장가들이 모두 맹시단에 모였습니다. 그중 문장으로는 성삼문이 으뜸이요 서예로는 최흥효가 으뜸이었습니다만, 모두 안평 대군의 재주에는 미치지 못했지요.

하루는 대군이 술에 취한 참에 여러 궁인들을 불러 이렇게 말했습니다.

"하늘이 재주를 내리시매 어찌 남자에게만 넉넉하고 여자에게는 인색하게 하셨을 리 있겠느냐? 지금 세상에 문장으로 이름을 내세우는 이들이 적다고는 할 수 없으나 모두 그만그만한 수준이어서 우뚝 빼어난 이가 없구나. 너희들은 분발하도록 해라!"

그리하여 궁녀 중에서 나이가 어리고 용모가 아름다운 열 사람을 뽑아 가르쳤습니다. 먼저 《소학언해》를 가르쳐 모두 외게 한 뒤에 《중용》《대학》《논어》《맹자》와 《시경》《서경》《통감절요》를 가르치고, 또 이백(李白)과 두보(杜甫)의 당시(唐詩) 수백 수를 가르치니, 5년 안에 과연 모두 재주를 이루었습니다.

대군은 집에 들어와서는 저희들을 항시 눈앞에 두고 시를 짓게 한 뒤 지도했고 작품의 잘잘못을 품평하여 상벌을 내림으로써 더욱 분발하게 만들었지요. 궁녀 열 사람의 시로 말할 것 같으면, 그 우뚝하고 큰 기상은 대군에 미치지 못하였으나 청아한 음률과 글귀를 만드는 완숙한 솜씨는 성당[12] 시인의 울타리를 엿볼 만했습니다. 열 사람의 이름은 소옥, 부용, 비경, 비취, 옥녀, 금련, 은섬, 자란, 보련, 운영이니 운영은 곧 접니다.

대군은 열 사람 모두를 매우 아껴서, 항상 궁중에 가두어 기르며 다른 사람과

---

10 비해당(匪懈堂) '비해'는 게을리하지 않는다는 뜻으로, 인왕산 북쪽 기슭인 지금의 서울 종로구 부암동이 그 터이다.
11 맹시단(盟詩壇) '맹시'는 시 짓기를 맹세한다는 뜻.
12 성당(盛唐) 시(詩)의 발달을 기준으로 당의 역사를 논할 때 초당(初唐)·성당(盛唐)·중당(中唐)·만당(晚唐), 네 가지 시기로 나누는데, 그 둘째 시기이다. 이백과 두보는 성당의 대표적인 시인이다.

는 마주하여 말하지 못하게 했습니다. 날마다 선비들과 술을 마시고 기예를 겨룰 때조차 저희들을 한 번도 가까이 있게 한 적이 없으니, 외부인들이 혹 저희들의 존재를 알까 염려했기 때문이지요. 이런 분부를 내린 적도 있으니까요.

"궁녀가 한 번이라도 궁문을 나서면 그 죄는 죽음에 해당한다. 외부인이 궁녀의 이름을 알게 되면 그 죄 또한 죽음에 해당한다."

하루는 대군이 밖에서 들어오더니 저희를 불러 이렇게 말했습니다.

"오늘 선비 아무개 아무개와 술을 마시는데, 희미한 푸른 연기가 궁궐 나무로부터 일어나더니 혹은 성곽을 두르고 혹은 산기슭으로 날아가더구나. 그 광경을 보고 내가 먼저 오언 절구[13] 한 수를 지은 다음 손님들로 하여금 차운시[14]를 짓게 하였으나 모두 마음에 들지 않았다. 너희들이 나이 순서대로 한 편씩 지어 올려 보아라."

소옥이 먼저 이런 시를 지어 올렸습니다.

> 실처럼 가는 초록빛 연기
> 바람 따라 살짝 문을 들어서네.
> 희미한 빛깔 짙었다 옅었다
> 그사이 날은 저물어 가고.

부용은 이런 시를 올렸습니다.

> 허공을 날아 비를 띠었다가
> 땅에 떨어져선 또 구름이 되었지.
> 해 질 녘 어둑어둑한 산빛에

---

13 절구(絕句) 네 구절로 이루어진 한시 형식을 말한다.
14 차운시(次韻詩) 다른 시의 운(韻)이 되는 글자를 그대로 써서 지은 시.

초(楚)나라 임금[15] 향하는 그윽한 마음.

비취는 이런 시를 올렸습니다.

꽃 덮으면 벌들이 힘을 못 쓰고
대숲 둘러싸니 새들이 둥지 못 찾네.
저물녘에 부슬비 되어
창밖엔 부슬부슬 비 오는 소리.

비경은 이런 시를 올렸습니다.

살구나무는 눈 맺히기 어렵고
대나무 홀로 푸르름을 간직했어라.
연기 잠깐 다시 뵈더니
해 저물자 컴컴하여라.

옥녀는 이런 시를 올렸습니다.

가볍고 작은 깁[16]은 해를 가리고
비췻빛 긴 띠[17]는 산에 걸렸네.
산들바람 불어 조금 흩어지더니
작은 연못을 적시네그려.

---

15 초(楚)나라 임금 꿈에 무산(巫山)의 신녀(神女)가 나타나, 자기는 아침에는 구름이 되고 저녁에는 비가 된다고 말한
뒤 잠자리를 함께했다는 전설의 주인공인 회왕을 가리킨다.
16 가볍고 작은 깁 여기서는 '연기'를 가리킨다.
17 비췻빛 긴 띠 여기서는 '연기'를 가리킨다.

금련은 이런 시를 지어 올렸습니다.

산 아래 쌓였던 찬 연기
궁궐 나뭇가지에 비끼어 나네.
바람 불어 흩어지는데
기운 해는 하늘에 가득.

은섬은 이런 시를 올렸습니다.

산골짝에 연기 피어오르니
연못에 푸른 그림자 흐르네.
날아가매 보이지 않더니
연잎에 이슬방울 남았네그려.

자란은 이런 시를 올렸습니다.

일찍이 어둔 골짝 향하더니만
비끼어 높은 나무들 아래 깔렸네.
잠깐 사이에 날아가 버려
서쪽 산과 앞 시내에 있어라.

저 또한 이런 시를 올렸습니다.

가느다란 푸른 연기 멀리 바라보다
미인은 깁 짜는 걸 그만두누나.

바람 맞으며 홀로 설워하나니

날아가 무산(巫山)에 떨어지누나.

보련은 이런 시를 올렸습니다.

작은 골짝의 봄 그늘 속이요

한성의 물 기운 가운데로다.

인간 세상에다

문득 비취 궁전을 만들었고나.

대군이 다 보고 크게 놀라며 말했습니다.

"만당(晩唐)의 시와 비교해서는 우열을 가릴 수 없겠으나, 성삼문 이하의 사람들 중에는 너희보다 앞섰다고 할 자가 없겠구나!"

재삼 읊조리며 누구 시가 더 나은지 알 수 없어 고심하더니 이윽고 이렇게 말했습니다.

"부용의 시는 초나라 임금을 그리는 마음이 참으로 아름답다. 비취의 시는 《시경》의 대아(大雅)·소아(小雅)나 《이소(離騷)》에 견줄 만하고, 옥녀의 시는 속세에 얽매이지 않은 구상이 좋은 데다 마지막 구절은 은근히 여운이 있으니, 이 두 편을 으뜸으로 삼는 게 옳겠다."

또 이렇게 말했습니다.

"처음 보았을 때에는 우열을 가릴 수 없었으나 거듭 읽노라니 자란의 시가 뜻이 심원하여 나도 모르게 감탄하고 흥겨운 마음이 드는구나. 나머지 시들 또한 모두 맑고 좋은데, 유독 운영의 시만은 서글피 누군가를 그리워하는 마음이 보이거늘 그리는 사람이 누군지 모르겠다. 준엄히 캐물을 일이로되 그 재주가 아까워 그냥 덮어 두기로 한다."

저는 뜰로 내려가 엎드려 울며 대답했습니다.

"시를 짓는 중에 우연히 나온 말이지, 어찌 다른 뜻이 있겠습니까? 지금 주군께 의심을 받으니 첩은 만 번 죽어도 유감이 없나이다."

대군은 자리에 앉으라 명하고 이렇게 말했습니다.

"시는 진정한 마음에서 우러나오는 것이라서 가리고 숨길 수가 없는 법이다. 너는 더 말하지 말아라."

그러고는 비단 열 꾸러미를 내어 우리 열 사람에게 나누어 주었습니다. 대군이 일찍이 제게 사사로운 마음을 보인 적이 없으나 궁중 사람들은 모두 대군의 마음이 제게 있다는 걸 알고 있었습니다.

우리 열 사람은 방으로 돌아와 아름다운 등불을 환히 밝히고는 칠보로 만든 책상 위에 《당율》[18] 한 권을 놓아두고 옛사람들이 지은 궁원시[19] 중 어떤 작품이 훌륭한지 토론을 벌였습니다. 저 혼자 병풍에 기대어 흙으로 빚어 놓은 인형처럼 근심스레 말이 없자 소옥이 저를 돌아보고 말했습니다.

"낮에 연기를 읊은 시로 주군에게 의심을 받더니 그 때문에 근심스러워 말이 없는 거니? 아니면 주군의 뜻이 함께 잠자리하자는 데 있겠기에 속으로 기뻐서 말이 없는 거니? 네 속을 모르겠구나."

제가 옷깃을 여미고 대답했습니다.

"너는 내가 아닌데 어찌 내 마음을 안단 말이니? 지금 막 시 한 편을 지으려는데, 묘안이 떠오르지 않아 고심하느라 말하지 않았던 것뿐이야."

은섬이 이렇게 말했습니다.

"어딘가 뜻이 향하는 곳이 있어 마음이 여기 있지 않으니 옆 사람의 말이 지나가는 바람 소리처럼 들리겠지. 네가 말하지 않는 까닭은 알긴 어렵지 않아. 어디 내가 한번 맞혀 볼까?"

---

18 《당율(唐律)》 당의 시인들이 쓴 칠언 율시(七言律詩)만을 뽑아 엮은 책.
19 궁원시(宮怨詩) 궁녀들의 원망을 노래한 시.

그러더니 창밖의 포도 시렁[20]을 주제로 칠언 사운의 시를 지어 보라 재촉하더군요. 저는 곧바로 이런 시를 읊었습니다.

구불구불 포도나무 용이 서린 듯한데
푸른 잎이 그늘을 이뤄 정다웁구나.
여름 해 뜨겁게 내리비추나
맑은 하늘에 찬 그림자[21] 도리어 환하네.
덩굴 내어 난간 잡으니 뜻이 머무는 듯하고
열매 맺어 구슬 드리우니 정성을 다하고자 하네.
만일 훗날 다른 것으로 환생한다면
비구름 타고 삼청궁[22]에 오르지 않겠나.

소옥이 한참 동안 읊조려 보더니 일어나 절하고 이렇게 말했습니다.

"참으로 천하의 기이한 재주로구나. 풍격(風格)은 낮에 지은 시와 마찬가지로 높지 못한 듯하나, 별안간에 지은 시가 이만한 수준이니 이는 시인들이 가장 어렵게 여기는 일이지. 내 기쁜 마음으로 진정 승복하는 것이 공자(孔子)의 70명 제자가 공자에게 그랬던 것과 같단다."

자란은 이렇게 말했습니다.

"말이란 삼가지 않으면 안 되는 법, 어찌 그리도 칭찬이 지나칠까? 다만 글이 완곡하면서도 날아오르는 기세가 있는 점은 인정해 주어야겠구나."

모두들 이 말이 정확한 평가라고 입을 모았습니다. 제가 비록 이 시를 지어 혐의를 풀긴 했으나 여럿의 의심이 말끔히 해소된 것은 아니었습니다.

---

20 시렁 물건을 얹어 놓기 위하여 방이나 마루 벽에 두 개의 긴 나무를 가로질러 선반처럼 만든 것.
21 맑은 하늘에 찬 그림자 여기서는 '포도 그림자'를 의미한다.
22 삼청궁(三淸宮) 도교에서 신선이 산다고 하는, 하늘에 있는 세 궁궐.

이튿날, 문밖에 거마(車馬) 소리가 요란하더니 문지기가 분주히 들어와 아뢰었습니다.

"손님들이 오십니다요!"

대군이 동쪽 누각을 치우게 하고 맞이하는데, 손님들은 모두 당대의 문인 재사(才士)들이었습니다. 자리에 앉자 대군은 전날 우리가 지었던 시를 내보였습니다. 모여 있던 사람들이 모두 몹시 놀라며 이렇게 말했습니다.

"오늘 성당(盛唐)의 음조를 다시 보게 될 줄 몰랐군요. 저희들도 어깨를 나란히 할 수 없겠습니다. 이처럼 훌륭한 보물을 나리께서는 어디서 얻으셨습니까?"

대군이 미소 지으며 말했습니다.

"그렇게까지 대단한 것일 리야 있겠소? 아이종이 길에서 우연히 주워 왔는데, 누가 지은 것인지는 몰라도 필시 여염집 재주 많은 선비의 손에서 나왔을 것 같소."

모인 사람들이 의심하며 의견이 분분한 가운데 잠시 후 성삼문이 도착해 이렇게 말했습니다.

"재주란 딴 시대에서 빌려 오지 않습니다[23]. 고려 때부터 지금에 이르기까지 600여 년 동안 우리나라에서 시로써 이름을 떨친 이가 부지기수입니다. 하지만 이들이 지은 시는 무겁고 탁하나 아담하지 않고, 가볍고 맑으나 경박한 단점이 있습니다. 그리하여 한결같이 음률에 부합하지 않고 참된 마음을 잃고 말았으니, 저는 이들 모두를 좋아하지 않습니다.

그런데 지금 이 시들을 보니 품격이 맑고 참되며 생각이 고매하여 조금도 속세의 태깔이 없습니다. 이 시를 지은 이는 필시 깊은 궁궐에 살면서 속세 사람들과 접하지 않은 채 오직 옛사람의 시만 읽고 밤낮으로 읊조리다가 스스로 깨달음을 얻은 사람일 것입니다.

시의 뜻을 자세히 음미해 보도록 하겠습니다. '바람 맞으며 홀로 설워하나니'

---

23 재주란 딴 시대에서 빌려 오지 않습니다 여기서는 '그 시대에는 그 시대의 재주 있는 사람이 있게 마련'이라는 의미이다.

라는 구절에는 임을 그리는 뜻이 담겨 있습니다. '대나무 홀로 푸르름을 간직했어라'라는 구절에는 정절을 지키는 뜻이 있습니다. '바람 불어 흩어지는데'라는 구절에는 정절을 지키기 어려운 태도가 보입니다. '초나라 임금 향하는 그윽한 마음'이라는 구절에는 대군을 향한 정성이 담겨 있습니다. '연잎에 이슬방울 남았네그려'라는 구절과 '서쪽 산과 앞 시내에 있어라'라는 구절은 천상의 신선이 아니고선 이처럼 형용할 수 없을 것입니다.

격조에서는 높고 낮은 차이가 있으나, 교양과 기상으로 말하면 모든 시가 거의 같은 경지라 하겠습니다. 나리의 궁중에 열 사람의 신선이 살고 있음에 틀림없습니다. 숨기지 마시고 한번 보게 해 주십시오."

대군이 이 말에 내심 승복하면서도 겉으로는 수긍하지 않으며 이렇게 말했습니다.

"누가 근보[24]더러 시를 잘 본다고 했던가? 나의 궁중에 어찌 이런 인물이 있을 리 있겠소? 착각이 참으로 심하기도 하구려."

이때 우리 열 사람은 창틈으로 엿듣고 있다가 탄복해 마지않았답니다.

그날 밤에 자란이 지극정성으로 제게 이렇게 물었습니다.

"여자로 태어나, 시집가서 부모가 되고 싶은 마음은 누구나 가지고 있을 거야. 네가 사모하는 이는 어떤 사람이니? 네 모습이 날로 예전만 못해지는 게 보기 안쓰러워 진심으로 묻는 것이니 숨기지 마."

제가 일어나 고마움을 표하고 말했습니다.

"궁궐에 사람이 많으니 누가 엿들을까 싶어 감히 입을 열 수 없었어. 지금 이렇게 정성스레 물으니 어찌 감히 숨기겠니? 작년 가을, 노란 국화가 갓 피어나고 단풍잎이 시들려던 때였지. 대군께서 홀로 서재에 앉아 궁녀에게 먹을 갈게 한 다음 흰 비단 한 폭을 펼치고는 사운시 열 수를 쓰고 계셨어. 그때 아이종이

---

24 근보(謹甫) 성삼문의 자(字).

밖에서 들어와 '김 진사라고 하는 젊은 선비가 뵙기를 청합니다.' 하고 아뢰더라. 대군이 기뻐하며 '김 진사가 왔군!' 하셨어. 맞이하게 하니 베옷을 입고 가죽 띠를 두른 선비가 빠른 걸음으로 공손히 들어와 계단을 오르는데, 마치 새가 날개를 펼치는 듯하더라구. 자리에 이르러 절하고 앉는데, 얼굴이며 몸가짐이 신선 세계의 사람이었어. 대군이 한 번 보시고는 반해서 즉시 자리를 옮겨 마주 앉자 김 진사는 자리를 피해 절하고 이렇게 말했어.

'외람되이 은혜를 입고도 거듭 존귀하신 명을 따르지 못하다가 지금에야 뵙게 되니 황송하기 그지없나이다.'

그러자 대군이 이렇게 진사를 위로하셨지.

'오래도록 명성을 우러러 오다가 공연히 어려운 걸음을 하시게 했소이다. 이제 빛이 방에 가득하여 내게 큰 기쁨을 주는구려.'

진사가 처음 들어왔을 때 곁에 있던 궁녀들과 얼굴을 마주했지만, 대군은 진사가 나이 어린 선비인지라 마음속으로 만만히 여기고는 우리더러 자리를 피하라 하지 않으셨어. 대군이 진사에게 말했지.

'가을 경치가 매우 좋소. 시 한 편을 지어 이 집을 빛나게 해 주셨으면 하오.'

진사는 자리를 피해 사양하는 말을 했어.

'허튼 명성일 뿐 실상은 그렇지 못합니다. 시의 격조와 음률을 제가 어찌 감히 알겠습니까?'

대군이, 금련은 노래를 부르게 하고 부용은 거문고를 타게 하고 보련은 퉁소를 불게 하고 비경은 술을 따르게 하고 내게는 벼루 시중을 들게 하셨어. 그때 나는 나이 어린 여자로 낭군을 한 번 보고는 넋이 나가 버렸고, 낭군 또한 나를 돌아보며 웃음을 머금고 자주 눈길을 보냈지. 대군이 진사에게 말씀하셨어.

'내 정성을 다해 대접했거늘, 그대는 왜 아름다운 시 한 편 짓는 일을 아끼어 나를 무안하게 하오?'

진사가 즉시 붓을 잡더니 오언 사운의 시 한 수를 썼어.

기러기 남쪽을 향하여 가니

궁중의 가을빛 깊어라.

물이 차니 연밥이 옥처럼 벌어졌고

서리 내려 국화가 금빛을 드리웠네.

비단 자리에는 아리따운 여인이요

거문고에서는 〈백설곡〉[25]이 연주되네.

한 동이 좋은 술로

먼저 취하니 이 마음 막을 수 없네.

대군이 거듭 읊조리더니 놀라워하며 말씀하셨어.

'참으로 천하의 기이한 재주로다! 왜 이제야 만나게 되었단 말이오!'

우리 열 사람은 동시에 서로 돌아보며 낯빛을 바꾸고 이렇게 말했지.

'이분은 필시 학을 타고 속세에 온 왕자진(王子晉)[26]일 거야. 그렇지 않고서야 어찌 이런 사람이 있단 말야!'

대군이 술잔을 잡고 물으셨어.

'옛날의 시인으로는 누가 으뜸이겠소?'

진사가 대답했어.

'제 생각을 말씀드려 보겠습니다. 이백은 천상의 신선으로, 오랫동안 옥황상제의 곁에 있다가 현포[27]에서 노닐던 중 신선의 술을 다 마시고 취흥을 못 이겨 천상의 꽃을 꺾고는 비바람을 따라 인간 세상으로 떨어진 듯한 기상입니다. 노조린과 왕발[28]은 바다의 신선으로, 해와 달의 뜨고 짐과 오색구름의 천변만화[29],

---

25 〈백설곡(白雪曲)〉 곡조 이름.
26 왕자진 중국 주(周) 때 영왕(靈王)의 태자 왕자교(王子喬)를 말한다. 피리를 잘 불었으며, 훗날 신선이 되었다고 한다.
27 현포(玄圃) 곤륜산(崑崙山)에 있다는 신선의 거처.
28 노조린(盧照鄰)과 왕발(王勃) 초당(初唐)의 대표적인 시인.
29 천변만화 끝없이 변화함.

바다 물결의 출렁임, 고래가 물을 뿜어내는 모습, 섬의 아득함, 초목의 무성함, 물보라와 마름 잎, 물새의 노래, 교룡(蛟龍)의 눈물, 이 모두를 드넓은 가슴속에 품었으니, 시 속의 조화가 무궁하다 하겠습니다. 맹호연[30]은 소리의 울림이 가장 뛰어나니, 사광[31]을 배워 음률을 익혔기 때문입니다. 이상은[32]은 신선술(神仙術)을 배워 일찍부터 시마(詩魔)[33]의 부림을 받았으니, 일생 동안 지은 시가 귀신의 말 아닌 것이 없습니다. 그 밖의 여러 사람들이야 굳이 다 말할 것이 없습니다.'

대군이 말씀하셨어.

'일전에 선비들과 시를 토론할 적에 두보를 두고 으뜸으로 치는 이들이 많았는데, 어떻게 생각하오?'

진사가 말했어.

'그렇습니다. 속된 선비들이 숭상하는 것을 비유로 들어 말한다면 불고기나 회가 사람들의 입을 즐겁게 하는 것과 같거늘, 두보의 시는 참으로 불고기나 회라 하겠습니다.'

대군이 말씀하셨어.

'온갖 형식을 두루 갖추었고 비(比)와 흥(興)[34]이 지극히 정밀한데, 어찌 두보를 가벼이 여기시오?"

진사가 조심스레 말했어.

'제가 어찌 감히 가벼이 여기겠습니까? 그 장대한 점을 논하자면 마치 한나라 무제(武帝)가 미앙궁[35]에 납시어 사방의 오랑캐가 중국을 어지럽힌 데 분개하여 정벌하라는 명을 내리자 백만 용사가 수천 리를 연달아 진군하는 모습

---

30 맹호연(孟浩然) 성당(盛唐)의 시인.
31 사광(師曠) 춘추 시대 진(晉)의 악사(樂師). 귀가 밝아 음을 잘 분별했던 것으로 유명하다.
32 이상은(李商隱) 만당(晚唐)의 시인.
33 시마 자꾸 시를 짓게 만드는 마귀. 시 짓고 싶은 마음을 불러일으키는 알 수 없는 충동을 일컫는 말이다.
34 비와 흥 '비'는 비유법, '흥'은 다른 사물이나 풍경을 먼저 제시하고 이로부터 정작 말하고 싶은 내용을 이끌어 내 노래하는 방법으로, 《시경》 이래 중국 시의 대표적인 표현 수법으로 꼽는다.
35 미앙궁(未央宮) 한의 궁전.

과 같고, 그 성대한 점을 논하자면 사마상여의 〈장문부(長門賦)〉[36]와 사마천의 〈봉선서(封禪書)〉[37]에 비길 만하며, 신선을 노래한 시를 보면 동방삭[38]이 좌우에서 모시고 서왕모가 천상에서 나는 복숭아를 바칠 것만 같습니다. 이 때문에 두보의 문장은 가히 100가지 문체를 모두 갖추었다고 할 만합니다. 그러나 이백과 견주어 보자면 하늘과 땅, 바다와 강의 차이가 난다 할 것이요, 왕발과 맹호연에 견주자면 두보가 수레를 몰아 앞서 달리매 왕발과 맹호연이 채찍을 들고 길을 다툰다 하겠습니다.'

대군이 말씀하셨어.

'그대의 말을 들으니 가슴속이 시원하게 뚫려 장대한 바람을 타고 태청[39]에 오른 듯이 황홀하구려. 헌데 두보의 시는 천하의 높은 문장으로, 비록 악부[40]는 부족한 점이 있다 하겠으나 어찌 왕발이나 맹호연과 더불어 길을 다툰다 하오? 그러나 이 문제는 놓아두고 시 한 수를 지어 이 집에 광채를 더해 주기 바라오.'

진사는 즉각 칠언 사운의 시를 한 수 짓더니 복사꽃 무늬가 있는 종이에 써서 대군에게 올렸어. 그 시는 이랬단다.

안개 흩어지는 연못에 이슬 기운 서늘한데
물처럼 파란 하늘, 밤은 왜 이리 긴지?
산들바람 유정한지 주렴에 불고
흰 달은 다정히 작은 대청에 들어오네.
뜰가가 훤하니 소나무 그림자 비치고
잔 가운데 술이 좋으매 국화 향기 남았고나.

---

36 사마상여(司馬相如)의 〈장문부〉 '사마상여'는 한 무제 때의 문장가로, 특히 부(賦)를 잘 지었다. 〈장문부〉는 사마상여가 지은 부이다.
37 사마천(司馬遷)의 〈봉선서〉 '사마천'은 한 무제 때의 역사가로, 《사기(史記)》의 저자이다. 〈봉선서〉는 《사기》 8서(書) 중의 하나로 명문(名文)으로 꼽힌다. '봉선'은 천자가 하늘과 산천에 지내던 제사이다.
38 동방삭(東方朔) 한 무제 때 황제의 측근에 있으면서 박학다식과 해학으로 총애를 받았던 인물이다.
39 태청(太淸) 도교에서 신선이 산다고 하는, 하늘에 있는 궁궐.
40 악부(樂府) 민간의 노래를 옮기거나 본떠 만든 한시.

완적[41]은 어려서도 술을 잘 마셨으니

술에 취해 광태(狂態) 부려도 괴이타 보지 마소.

대군이 더욱 기이하게 여기고는 앞으로 다가와 진사의 손을 잡고 말씀하셨어.

'진사의 재주는 지금 세상의 것이 아니니, 진사는 내가 뛰어나다 못하다 논할 수 있는 분이 아니오! 문장에 능할 뿐만 아니라 글씨 또한 극히 신묘하구려. 하늘이 동방에 그대를 낳으신 것은 필시 우연이 아닐 게요.'

대군이 이번에는 초서를 쓰게 하자 진사가 붓을 휘둘렀는데, 그만 먹물이 잘못 튀어 내 손가락에 작은 먹점이 묻게 되었지. 내가 그걸 영광으로 여겨 닦아 없애지 않으니 곁에 있던 궁인들이 서로를 돌아보며 미소 짓고 용문[42]에 오른 데 비유하더군. 시간이 흘러 밤이 한참 깊어지자 대군이 하품하고 기지개를 켜는 것이 잠이 오는 듯했어. 그러자 이렇게 말씀하셨지.

'나는 취했으니 그대는 물러가 쉬도록 하오[43]. 내일 아침에 생각 있거든 거문고 들고 오길[44],이라는 말을 잊지 말구려.'

이튿날 대군이 진사의 시 두 편을 거듭 읊조리더니 탄식하며 말씀하셨어.

'의당 성삼문과 자웅을 다툴 것이로되 그 청아한 태깔은 성삼문보다 낫구나!'

나는 이때부터 자려 해도 잠을 이루지 못하고 먹는 것이 줄었으며 마음이 답답하여 모르는 사이에 옷과 허리띠가 헐렁해졌단다. 너는 이 일을 기억 못 하겠니?"

자란이 이렇게 대답했습니다.

"잊고 있었는데 지금 네 말을 듣고 보니 술에서 막 깨어난 듯 어슴푸레 생각이 날 듯 말 듯하구나."

---

41 완적(阮籍) 죽림칠현(竹林七賢)의 한 사람으로 술을 잘 마신 것으로 유명하다.
42 용문(龍門) 황허강 중류에 있는 여울목. 이곳 아래는 물살이 매우 빨라 물고기가 거슬러 올라갈 수 없는데, 이 물살을 거슬러 용문에 오르면 용으로 변한다는 전설이 있다.
43 나는 취했으니 그대는 물러가 쉬도록 하오 이백의 시 〈산중여유인대작(山中與幽人對酌)〉 중 "아취욕면경차거(我醉欲眠卿且去)" 즉 "나는 취하여 자려 하니 그대는 가 보시게."라는 구절을 염두에 두고 한 말이다.
44 내일 아침에 생각 있거든 거문고 들고 오길 이백의 시 〈산중여유인대작〉의 한 구절인 "명조유의포금래(明朝有意抱琴來)"에서 따온 말이다.

그 뒤로 대군이 진사와 자주 만났으나 저희들을 가까이 두지 않았기에 저는 그때마다 문틈으로 엿보곤 했답니다. 하루는 설도전[45]에 오언 사운의 시 한 수를 적었어요.

베옷 입고 가죽띠 두른 선비
옥 같은 얼굴 신선과 같지.
늘 주렴 사이로만 바라보나니
월하노인의 인연 어이 없는지?
얼굴 씻으매 눈물이 물을 이루고
거문고 타매 한스러움 현(絃)을 울리네.
가슴속 원망 끝이 없어서
고개 들고 하늘에 하소연하네.

이 시와 금비녀 하나를 함께 싸서 열 겹으로 거듭 봉하여 진사에게 주고자 했지만 전달할 방법이 없었답니다. 그날, 달 밝은 밤에 대군이 술자리를 크게 열어 손님을 모으고 진사의 재주를 매우 칭찬하며 일전에 진사가 지은 시 두 편을 내보였습니다. 모인 사람들이 돌려 보며 칭찬하기를 마지않더니 모두들 진사를 한번 만나 보고 싶어 했습니다. 대군이 즉시 하인과 말을 보내 진사를 초청했습니다. 잠시 후 진사가 도착하여 자리로 오는데, 얼굴이 수척하고 몸은 홀쭉한 것이 예전의 기상이라곤 전혀 찾아볼 수가 없었습니다. 대군이 위로하며 이렇게 말했습니다.

"진사는 굴원의 마음[46]이 있는 것도 아니면서 연못가에서의 초췌한 모습[47]부

---

45 설도전(薛濤牋) 당 때의 명기(名妓) 설도(薛濤)가 처음 만든 색종이로, 종이 폭을 줄인 품목이다.
46 굴원의 마음 전국 시대 초의 충신 굴원이 나라를 걱정하던 마음.
47 연못가에서의 초췌한 모습 굴원의 〈어부사〉 중 "굴원이 조정에서 쫓겨나 강에서 노닐고 연못가에서 읊조리는데 안색이 초췌하고 모습이 수척하였다."라는 구절에서 따온 말이다.

터 미리 가진 게요?"

모여 있던 이들이 한바탕 크게 웃었지요. 진사가 일어나 인사하고 말했습니다.

"저는 빈천한 유생으로서 외람되이 나리의 은총을 받았습니다. 그러나 복이 지나치면 재앙이 생기는 법인지, 질병이 온몸을 휘감아 요사이 식음을 전폐하고 있습니다. 다른 사람의 도움 없이는 움직이기 어려우나 지금 부르심을 받자와 겨우 부축을 받고 와서 인사드립니다."

손님들이 모두 몸가짐을 바루어 공손함을 표했습니다. 진사는 나이 어린 유생으로서 말석에 앉았기에 저희가 있던 안쪽 방과는 단지 벽 하나를 사이에 두고 있을 뿐이었습니다.

밤이 이미 다하여 손님들이 모두 취했을 때입니다. 제가 벽에 구멍을 뚫고 엿보니 진사 역시 제 뜻을 알고 모퉁이를 향해 앉아 있더군요. 저는 봉한 편지를 구멍 사이로 던졌습니다. 진사는 편지를 주워 집으로 돌아가서 뜯어보고는 슬픔을 이기지 못해 편지를 차마 손에서 놓지 못했답니다. 그리워하는 정이 지난날보다 곱절이 되어 버틸 수 없을 지경이었고, 답장을 보내고자 하나 전할 방도가 없는지라 홀로 수심에 잠겨 탄식할 뿐이었지요.

마침 동대문 밖에 사는 무녀(巫女) 하나가 영험하기로 소문이 나서 궁중을 드나들며 매우 신임을 얻고 있다 했습니다. 진사가 그 집에 가 보니 무녀는 나이가 서른이 못 되었고 미모가 빼어났습니다. 일찍 과부가 되어 음탕한 여인으로 자처하고 있었는데, 진사가 온 것을 보고는 술과 안주를 푸짐하게 차려 대접했습니다. 진사가 술잔을 들고 마시지는 않은 채 이렇게 말했습니다.

"오늘은 급박한 일이 있으니 내일 다시 오겠네."

이튿날 가니 똑같은 상황이 되풀이되었는데, 진사는 좀체 입을 열지 못하다가 또 이렇게 말했습니다.

"내일 다시 오겠네."

무녀는 속세의 티가 없는 진사의 얼굴을 보고 마음속으로 기뻐했으나 날마다 왕래하면서 한마디 말도 하지 않으므로 이렇게 생각했지요.

'나이 어린 사람이 부끄러움 때문에 말하지 못하는 게 틀림없어. 내가 먼저 집적여서 밤늦게까지 붙잡아 두었다가 잠자리를 같이 하자 해야겠구나.'

무녀는 이튿날 목욕을 하고는 정성스레 꽃단장을 하고 온갖 장신구로 멋을 부렸습니다. 그리고 나서 꽃무늬 자리에 옥구슬 방석을 편 다음 어린 여종더러 문밖을 살피라 했습니다. 진사가 또 이르러 무녀의 화려하게 꾸민 얼굴과 아름다운 방 안 치장을 보고 속으로 괴이하게 여겼습니다. 무녀가 이렇게 말했지요.

"오늘 밤이 어떤 밤이기에 이처럼 옥 같은 사람을 만나게 되었을까요?"

진사는 전혀 엉뚱한 말을 듣자 대답도 않고 근심스레 달갑잖은 표정을 지었습니다. 그러자 무녀는 화를 내며 이렇게 말했어요.

"젊은 사내가 과부 집에 어찌 이리도 거리낌 없이 왕래한단 말이오!"

"만일 자네가 신통하다면 내가 왜 왔는지 알 게 아닌가?"

무녀는 즉시 신을 모신 자리로 나아가 절하더니 방울을 흔들고 거문고를 문지르며 온몸을 부르르 떨어 댔습니다. 얼마 뒤 몸을 흔들며 이렇게 말했지요.

"낭군 처지가 참으로 딱하구나. 어설픈 꾀로 이루기 어려운 일을 이루려 하니, 뜻을 이루지 못할 뿐 아니라 3년 안에 저승 사람이 되리로다!"

진사가 울며 부탁했습니다.

"자네가 말하지 않아도 나 역시 알고 있다네. 허나 마음속에 맺힌 원한을 어떤 약으로도 풀 수 없으니, 만약 영험한 무당을 통해 편지나마 전할 수 있다면 죽어도 다행이겠네."

"천한 무당이 신에게 올리는 제사 때문에 때때로 궁궐에 출입하기는 하나 부르심을 받지 않고는 감히 들어갈 수 없어요. 하지만 낭군을 위해 한번 가 보기는 하겠어요."

진사가 품속에서 편지 한 통을 꺼내 주며 말했습니다.

"잘못 전해져 재앙의 빌미가 되지 않도록 조심해 주시게."

무녀가 편지를 가지고 궁문에 들어섰습니다. 궁중 사람들은 모두 무녀가 온 것을 이상하게 여겼지요. 무녀는 그럴듯한 말로 둘러대고는 잠시 틈을 얻어 제게 눈짓을 하더니 뒤뜰 아무도 없는 곳으로 저를 데리고 가 편지를 전해 주었습니다. 제가 방으로 돌아와 뜯어보니 편지 내용은 이러했습니다.

한 번 그대와 눈이 마주친 뒤로 넋이 날아가 버린 듯 마음을 진정할 수 없게 되었습니다. 도성 서쪽을 향할 때마다 애간장이 끊어지려 해요. 마침 벽 틈으로 편지를 전해 주시어 결코 잊지 못할 아름다운 말씀을 받들게 되었군요. 편지를 미처 열어 보기도 전에 숨이 막혔고, 채 반도 읽기 전에 눈물이 떨어져 글자를 적셨습니다. 자려 해도 잠을 이루지 못하고 먹으려 해도 음식이 목에 걸립니다. 병이 가슴속 깊이까지 들어와 백약이 무효한 지경이랍니다. 저승이 눈앞에 와 있어 오직 목숨이 다하기만을 기다릴 따름입니다. 천지신명이 도우사 살아생전에 한 번만이라도 이 한을 풀 수 있다면 마땅히 이 몸을 천지신명의 제물로 바치겠습니다. 종이를 앞에 두고 목이 메니 더 무슨 말을 하겠습니까!

편지 아래에 시 한 편이 더 있었습니다.

깊디깊은 누각 사립문 닫힌 저녁
나무 그늘 구름 그림자 모두 희미해라.
떨어진 꽃과 흐르는 물은 도랑으로 나오고
제비는 진흙 물고 둥지로 돌아가네.
베개 베도 호접몽(胡蝶夢) 이루지 못하고[48]

---

48 베개 베도 호접몽 이루지 못하고 **꿈에서도 임을 만나지 못한다는 의미이다.**

눈 빠지게 기다리나 소식이 없네.

그대 얼굴 눈앞에 어른거리건만 왜 말이 없는지?

수풀에 꾀꼬리 우니 눈물이 옷을 적시네.

다 읽고 나자 저는 말문이 닫히고 기가 막혔습니다. 아무 말도 할 수 없었고 눈물이 흐르다 흐르다 피가 되어 떨어졌습니다. 남들이 알까 두려워 병풍 뒤로 몸을 숨겼습니다. 그 후 잠시도 잊지 못하고 바보처럼 미치광이처럼 지내다가 속마음을 말과 얼굴빛에 드러내고야 말았으니, 대군의 의심을 받고 다른 궁녀들의 입에 오르내린 일은 실로 근거가 없지 않았습니다. 자란 또한 원망을 품고 사는 여인인지라, 제 이야기를 듣고는 눈물을 머금고 이렇게 말했습니다.

"시는 진정한 마음에서 우러나오는 것이라 속일 수 없단다."

하루는 대군이 비취를 불러 이렇게 말했습니다.

"너희 열 사람이 한곳에 함께 있어 공부에 전념하지 못하니 다섯 사람은 서궁(西宮)에 두는 게 좋겠다."

저는 자란, 은섬, 옥녀, 비취와 함께 그날로 서궁으로 옮겨 갔습니다. 서궁에 와서 옥녀가 이렇게 말했습니다.

"그윽한 꽃과 가녀린 풀, 흐르는 물이며 향기로운 수풀이 있으니 꼭 산속의 집 같기도 하고 들판의 별장 같기도 하구나. 참으로 글공부하는 집이라 할 만해."

제가 이렇게 대꾸했습니다.

"궁궐의 벼슬아치도 아니요 승려도 아니건만 이 깊은 궁궐에 갇혀 있으니, 여기는 참으로 장신궁[49]이라 할 만하구나."

이 말에 다들 한탄하고 말았습니다.

---

49 장신궁(長信宮) 중국 한(漢) 때의 궁전 이름. 황제의 할머니가 홀로 거처하던 곳으로, 전통적으로 깊고 쓸쓸한 곳이라는 이미지가 있었다.

그 뒤 저는 편지 한 통을 써서 진사에게 전하고자 무녀를 지극정성으로 대하며 몹시 간절히 부탁해 보았습니다. 그러나 무녀는 끝내 오려 들지 않았습니다. 진사가 자기에게 아무 뜻이 없는 데 유감을 품었기 때문이지요.

어느 밤 자란이 제게 몰래 이런 말을 했습니다.

"궁중 사람들이 해마다 추석이면 탕춘대[50] 아래 시냇가에서 빨래하며 술자리를 벌인단다. 올해는 그리로 가지 말고 소격서동[51]에서 놀자고 해서 오가는 사이에 그 무당을 찾아가 보는 게 제일 좋은 계책일 거야."

저도 그렇게 여기고 추석이 오기만을 고대하니 하루가 3년처럼 느껴졌어요. 비취가 자란의 말을 얼핏 듣고도 겉으로는 모르는 체하며 제게 이런 말을 했습니다.

"네가 처음 궁궐에 왔을 때는 얼굴빛이 배꽃과 같아 화장하지 않아도 천연 그대로의 아리따운 모습이 있었지. 그래서 궁중 사람들이 너를 괵국부인[52]이라고 불렀잖니. 그런데 요사이엔 얼굴이 예전만 못해 점점 처음 모습을 잃어만 가니 무슨 까닭이니?"

저는 이렇게 대답했습니다.

"타고난 체질이 허약해서 늘상 더운 철만 되면 더위 먹는 병이 있다가 오동잎이 떨어지고 서늘한 바람이 부는 시절이 되면 저절로 조금씩 낫는단다."

비취가 시 한 편을 장난스레 지어 주었습니다. 온통 저를 희롱하는 뜻을 절묘하게 담았더군요. 저는 비취의 재주가 대단하다 여기면서도 저를 조롱한 데에는 부끄러움을 느꼈습니다.

몇 달이 지나 청명한 가을이 왔습니다. 밤이면 서늘한 바람이 일고 가녀린 국화가 노란빛을 토해 내며, 풀벌레들은 소리를 가다듬고 하얀 달은 빛을 흘려보냈

---

50 탕춘대(蕩春臺) 지금의 종로구 세검정 물가에 있던 돈대(평평한 땅)로, 이곳에 누각을 짓고 연회를 즐겼다.
51 소격서동(昭格署洞) 지금의 종로구 삼청동 부근의 동네 이름. 일월성신(日月星辰)에 대한 제사를 맡아보던 소격서가 이곳에 있었기에 붙여진 이름이다.
52 괵국부인(虢國夫人) 양귀비의 둘째 언니. 미모를 자부하여 화장하지 않은 얼굴로 황제를 대했다고 한다.

습니다. 저는 내심 기뻤지만 마음을 드러내지 않도록 조심했습니다. 은섬이 말했습니다.

"편지에서 말하던 아름다운 기약이 오늘 밤으로 다가왔구나. 인간 세계의 즐거움이 어찌 천상과 다르겠니?"

저는 서궁 사람들에게 이미 숨길 수 없음을 깨닫고 이실직고한 뒤 이렇게 말했습니다.

"제발 남궁(南宮) 사람들에게는 알리지 말아 줘."

이때 기러기는 남쪽으로 날고 옥 같은 이슬이 방울져, 맑은 시내에서 빨래할 그 시기가 찾아왔습니다. 여러 궁인들과 날짜를 잡았으나 장소를 어디로 할지에 대해서는 의견이 분분했지요. 남궁 사람들은 이렇게 말했습니다.

"맑은 시내와 깨끗한 돌로 치자면 탕춘대 아래보다 좋은 곳이 없어."

반면 서궁 사람들은 이렇게 말했습니다.

"소격서동의 산수도 성문 밖 경치에 못지않은데, 가까운 곳을 놓아두고 하필 먼 곳에서 찾을 이유가 무어람?"

남궁 사람들이 고집을 부리며 우리 말을 듣지 않아 결정을 내리지 못한 채 헤어지고 말았습니다.

그날 밤 자란이 말했습니다.

"남궁 다섯 사람 중에 소옥이 의견을 주도하고 있더구나. 내가 기묘한 꾀로 그 마음을 돌릴 수 있을 것 같아."

자란이 옥등(玉燈)을 밝히고 남궁으로 가자 금련이 기쁘게 맞이하며 말했습니다.

"서궁과 남궁으로 갈린 뒤로 진나라와 초나라처럼[53] 소원하게 지냈는데, 오늘

---

53 진나라와 초나라처럼 진(秦)과 초(楚)는 중국 전국 시대의 왕국들인데, 중국의 북서부와 남부에 서로 멀리 떨어져 있었다.

밤 이처럼 귀한 걸음을 해 줘서 정말 고마워."

소옥이 말했습니다.

"고마울 게 뭐 있어. 우릴 설득하러 온 건데."

자란이 옷깃을 여미고 정색을 하며 말했습니다.

"'다른 사람의 마음, 내가 빤히 아네[54].'라는 노래는 바로 너를 두고 한 말이로군!"

소옥이 말했습니다.

"서궁 사람들은 소격서동으로 가고 싶어 하지만 나 혼자 군이 고집하니까 한밤중에 찾아온 것 아니니? 그러니 우리를 설득하러 온 것이라고 한 내 말이 맞지 않니?"

자란이 말했습니다.

"서궁 다섯 사람 중에 나 혼자 성안으로 가고 싶어 한단다."

소옥이 말했습니다.

"너 홀로 성안으로 가고 싶어 하는 이유가 뭐니?"

자란이 대답했습니다.

"들자니 소격서는 하늘과 별에 제사를 지내는 곳이라 마을 이름도 삼청[55]이라 한다더구나. 우리 열 사람은 틀림없이 원래 삼청의 선녀였으나 《황정경》[56]을 잘못 읽어 인간 세계로 유배 오게 된 걸 거야. 이미 속세로 내려왔으니 산속의 외딴집이든 들녘 마을이든 농사짓는 집이든 생선 파는 가게든 어느 곳이라도 좋겠건만, 하필 깊은 궁궐에 갇혀 새장 속의 새처럼 꾀꼬리 우는 소리에 탄식하고 푸른 버

---

54 다른 사람의 마음, 내가 빤히 아네 《시경》 소아(小雅) 〈교언(巧言)〉의 한 구절.
55 삼청(三淸) 지금의 서울 종로구 삼청동. 조선 시대에는 소격서에 삼청전(三淸殿)을 두어 성신(星辰)에 제사를 지내게 했는데, 삼청동이라는 지명은 삼청전이 이곳에 있었던 데서 유래한 것이다.
56 《황정경(黃庭經)》 도가(道家)의 경전.

들을 마주하여 한숨을 내쉬는 것이 우리네 신세로구나. 심지어 제비도 쌍쌍이 날고 수풀에 깃들인 새도 나란히 잠들며 풀 중에도 합환초[57]가 있고 나무 중에도 연리목[58]이 있으니, 무지한 초목부터 지극히 미천한 새들에 이르기까지 음양을 품부[59]받아 서로 사귀며 즐거워하지 않는 것이 없지 않니. 그렇건만 우리 열 사람은 유독 무슨 죄를 지었기에 오래도록 적막한 궁궐 깊숙한 곳에 갇혀 지내며, 꽃 피는 봄이건 달 뜨는 가을이건 외로이 등불을 짝하여 혼을 사그라뜨리고 청춘을 헛되이 보내다가 죽어서까지 공연히 한을 남겨야 하는 걸까? 타고난 운명이 기박하다[60] 해도 어찌 이리 심한 지경에 이를 수 있을까! 인생은 한번 늙으면 다시 젊어질 수 없으니, 너도 다시 생각해 보렴. 왜 슬프지 않겠니? 이제 맑은 시내에서 목욕하여 몸을 깨끗이 한 다음 태을사(太乙祠)[61]에 들어가 머리를 조아려 백번 절하고 두 손 모아 기도하여 신령의 도움으로 내세에서는 이런 괴로움을 면하고자 하는 것이지. 내게 무슨 다른 뜻이 있겠니? 우리 궁인들은 정이 친자매와 같거늘, 이런 일 하나로 부당하게 의심한다면 내가 못난 탓에 믿음을 못받는다고 볼 수밖에 없구나."

소옥이 일어나 사과하고 말했습니다.

"내가 사리에 밝지 못해 네 생각을 미처 헤아리지 못했어. 애초에 성안으로 가는 걸 허락하지 않았던 건 성안에 무뢰배들이 많아 뜻밖에 험악한 일을 당하지 않을까 걱정됐기 때문이야. 지금 네가 나를 멀리하지 않고 다시 가까이해 주니 지금 이후로는 백일 승천[62]한다 해도 따를 것이요, 맨몸으로 바다를 건넌다 해도 따를 테야. 남으로 인해 일을 이룬다 할지라도 성공한 것으로 말하면 매한가지 아니겠니."

---

57 합환초(合歡草) 낮에는 줄기가 100갈래로 나뉘었다가 밤이면 합하여 하나의 줄기를 이룬다는 풀 이름.
58 연리목(連理木) 두 나무의 밑동이 서로 이어져 하나가 된 나무.
59 품부 선천적으로 타고남.
60 기박하다 팔자나 운수가 사납고 복이 없다.
61 태을사 도교에서 받드는 태을신(太乙神)을 모신 사당.
62 백일 승천(白日昇天) 신선이 되어 대낮에 하늘로 날아 올라간다는 뜻.

부용이 말했습니다.

"모든 일은 마음으로 정하는 것이 으뜸이고 말로 정하는 것이 그 밑인데, 두 사람이 다투어 종일토록 결판이 나지 않았으니 이 일이 순리에 맞지 않는다는 거야. 집안의 일을 주군은 모르는 채 시첩(侍妾)들이 몰래 의논하는 건 충성스럽지 못한 일이야. 종일 다투던 일을 금세 승복하는 것도 다른 사람들이 믿기 어려운 일이지. 또 맑은 가을날에 옥처럼 맑은 시냇물이야 어디 간들 없지 않을 텐데, 반드시 성안의 소격서로 가야 한다는 것도 옳지 않은 듯해. 비해당 앞이 물이 맑고 돌이 깨끗해서 해마다 여기서 빨래를 해 왔는데 지금 장소를 바꾼다는 것 또한 마땅치 않은 일 같아. 한 가지 일에 이처럼 다섯 가지 잘못이 있으니 나는 너희들 말을 따를 수 없어."

보련이 말했습니다.

"말이라는 것은 문신 새기는 도구와 같아서 삼가느냐 삼가지 않느냐에 따라 경사와 재앙이 따르는 법이야. 이 때문에 군자는 말조심을 하여 마치 깨지기 쉬운 병을 간수하는 것처럼 입을 단속하는 거란다. 한나라 시절 병길[63]과 장상여[64]는 종일토록 말하지 않았지만 하는 일마다 이루어지지 않은 게 없었다지. 반면 어떤 말단 관리 하나는 청산유수처럼 말을 잘해 황제가 몹시 흡족해했지만 장석지가 나서서 황제께 아뢰어 그 잘못을 꾸짖었다고 하지 않니[65]. 내가 보기에 자란의 말에는 무언가 숨기는 것이 있고, 소옥의 말은 석연찮은 이유로 애써 따르려는 것 같고, 부용의 말은 화려한 수식에만 힘쓴 것이라 모두 내 뜻에 맞지 않아. 이번 나들이에 나는 참여하지 않을래."

금련이 말했습니다.

---

63 병길(丙吉) 전한(前漢)의 선제(宣帝)를 보좌했던 명재상.
64 장상여(張相如) 중국 한 초기의 인물로, 동양후(東陽侯)에 봉해졌으며, 신중한 처신으로 이름 높았다.
65 어떤 말단 관리 하나는 청산유수처럼 말을 잘해 황제가 몹시 흡족해했지만 장석지가 나서서 황제께 아뢰어 그 잘못을 꾸짖었다고 하지 않니 '장석지'는 전한(前漢) 문제(文帝) 때의 인물로, 법을 공정하게 적용한 것으로 유명하다. 문제가 말단 관리를 총책임자에 기용하도록 명령하자, 곁에 있던 장석지는 말 잘하는 사람을 기용하는 것이 나라를 위태롭게 하는 일임을 극구 간했으며, 결국 문제는 이 간언을 받아들여 명령을 취소하였다. 여기서 장석지는 '보련'을, 말 잘하는 관리는 '자란'을 가리킨다.

"오늘 밤의 의논이 결국 하나로 귀결되지 못하고 있으니 내가 점을 한번 쳐 볼게."

즉시 《주역(周易)》을 펴고 점을 쳐서 점괘를 얻더니 이렇게 풀이하는 것이었습니다.

"내일 운영이 필시 장부를 만나겠구나. 운영은 용모와 자태가 인간 세계 사람이 아닌 듯해서 주군이 마음을 쏟은 지 이미 오래지. 그렇지만 운영이 죽기로 거절한 이유는 다른 게 아니라 부인의 은혜를 차마 저버릴 수 없었기 때문이야. 주군은 비록 지엄(至嚴)하시나 운영이 몸을 상할까 저어하여 함부로 가까이하지 않으셨어. 이제 이 적막한 곳을 놓아두고 저 번화한 곳으로 가고자 하는데, 왈패 소년들이 저 자색을 본다면 그중에 분명 넋을 잃고 미치광이처럼 될 자가 있을 것이요, 비록 가까이 다가오진 못한다 하더라도 손가락질하며 눈길을 보낼 터이니 이 또한 욕을 당하는 것이야. 일전에 주군이 명령을 내리시기를, '궁녀가 궁궐 문을 나서거나 외간 사람이 이름을 알게 되면 그 죄는 모두 사죄(死罪)에 해당한다.'고 하셨지. 나도 이번 나들이에 참여하지 않겠어."

자란은 일이 틀렸음을 알고 풀이 죽어 시무룩한 얼굴로 인사하고 물러가려 했습니다. 그때 비경이 울며 비단 허리띠를 잡고 만류하더니 앵무배[66]에 운유주[67]를 따라 권하기에 모두들 함께 마셨습니다. 이윽고 금련이 말했습니다.

"오늘 밤 만남은 일이 잘되도록 주선해 보려는 것이었는데 비경이 우는 걸 보니 내 마음이 참으로 답답하구나."

비경이 말했습니다.

"내가 처음 남궁에 있던 때에는 운영과 매우 친하게 지내며 생사와 영욕을 함께하자고 약속했었지. 지금 비록 사는 곳이 다르다고 하나 어찌 차마 잊을 수 있

---

66 앵무배(鸚鵡杯) 자개로 앵무새의 부리 모양으로 만든 술잔.
67 운유주(雲乳酒) 말젖이나 소젖을 발효시켜 만든 요구르트를 말한다.

겠어? 일전에 주군께 문안드릴 때 대청마루 앞에서 운영을 보니 가느다란 허리가 더욱 야위었고 얼굴은 초췌하며 목소리는 실낱처럼 힘이 없어 입 밖으로 나오지 못하는 듯했어. 일어나 절하다가 힘없이 땅에 엎어지기에 내가 부축해서 일으키고 다정한 말로 위로해 주었더니 이렇게 말하더군.

'불행히도 병에 걸려 조만간 죽을 것 같아. 내 미천한 목숨이야 끊어진들 아까울 게 없지. 다만 나머지 아홉 사람의 문장과 재주가 날로 발전해 훗날 아름다운 시편들이 온 세상을 흔들 텐데 나는 그 모습을 볼 수 없을 테니, 이 때문에 슬픔을 금하지 못하겠어.'

그 말이 너무도 서글프고 절절해서 나는 눈물을 흘렸단다. 지금 생각해 보니 그 병은 그리워하는 사람이 있어 시작된 거였어. 아아! 자란은 운영의 벗이라 다 죽어 가는 사람을 태을사로 데려가 천상으로 인도하려 하거늘, 만일 오늘 계획이 혹 이루어지지 않는다면 운영은 죽어서도 눈을 감지 못할 것이요 그 원망은 남궁으로 돌아올 테지? 《서경(書經)》에 이르기를 '선을 행하면 100가지 상서로움을 내려 주고, 악을 행하면 100가지 재앙을 내려 준다.'고 했는데, 지금 우리가 벌인 의논은 선일까, 악일까? 소옥이 이미 찬성했으니 이제 세 사람의 뜻이 찬성으로 모였는데 어찌 중도에서 그만둘 수 있겠어? 설사 일이 탄로 난다 해도 그 죄는 운영 혼자 입을 것이요, 다른 사람들이야 무슨 상관이 있겠어?"

소옥이 말했습니다.

"나는 두말하지 않겠어. 마땅히 운영을 위해 죽을 테야."

자란이 말했습니다.

"찬성하는 사람이 반, 반대하는 사람이 반이니 합의가 이루어지지 못한 거야."

자란이 일어나 가려다가 돌아와 앉더니 다시 각자의 뜻을 탐지해 보았습니다. 개중에는 찬성하고 싶지만 말을 바꾸는 것이 수치스러워 머뭇거리는 사람도 있었지요. 자란이 말했습니다.

"천하의 일에는 정도(正道)가 있고 권도(權道)[68]가 있는데, 권도를 써서 합당함을 얻는 것 또한 정도야. 변통하는 권도 없이 앞서 한 말만 고집스레 지킬 이유가 어딨어?"

그러자 모두들 일제히 찬성하였습니다. 자란이 말했습니다.

"내가 말재주 부리는 걸 좋아하지는 않지만 다른 사람을 위해 진심으로 일을 꾸며 보자니 어쩔 수 없었어."

비경이 말했습니다.

"옛날 소진[69]은 말재주로 여섯 나라를 동맹하게 만들었는데, 지금 자란은 다섯 사람의 뜻을 바꾸었으니 참으로 변사(辨士)라 할만 하구나!"

자란이 말했습니다.

"소진은 여섯 나라의 재상 인수[70]를 꿰찼거늘, 이제 내게는 어떤 선물을 줄 거야?"

금련이 말했습니다.

"동맹한 일이야 여섯 나라에 이득이었지만, 지금 뜻을 바꿨다고 해서 우리 다섯 사람에게 무슨 이득이 있겠누?"

모두들 마주 보고 한바탕 크게 웃었습니다. 이윽고 자란이 말했습니다.

"남궁 사람들이 선행을 베풀어 거의 끊어질 뻔한 운영의 목숨을 다시 이어 주었으니 어찌 절하여 감사하지 않을 수 있겠어?"

그러고는 일어나 두 번 절했습니다. 소옥 또한 일어나 답례의 절을 했습니다. 자란이 말했습니다.

"오늘 일을 다섯 사람이 찬성해 주었는데, 위로는 하늘이 있고 아래로는 땅이

---

68 권도 목적 달성을 위해 그때그때의 형편에 따라 임기응변으로 일을 처리하는 방도.
69 소진(蘇秦) 전국 시대의 책사(策士). 당시 가장 강력한 나라였던 진(秦)에 대항하기 위해 연(燕)과 조(趙) 등 여섯 나라가 동맹을 맺게 한 후 여섯 나라의 재상이 되었다.
70 인수(印綬) 관인(官印)의 끈. 관인은 관리의 관직이나 작위를 표시하는 도장으로, 관리는 관인의 고리에 끈을 달아 몸에 항상 차고 다녔다.

있으며 등불이 환히 비추고 있고 귀신도 우리를 내려다보고 있으니 내일 딴말을 하진 않겠지?"

자란이 일어나 인사하고 떠나자 다섯 사람 모두 중문 밖까지 나와 전송했습니다.

자란이 돌아와 제게 그사이의 일을 말해 주었습니다. 저는 벽을 붙잡고 일어나 두 번 절하고 감사의 말을 했습니다.

"나를 낳아 주신 분은 부모님이요, 나를 살려 준 사람은 바로 너야! 죽기 전에 꼭 이 은혜에 보답할게."

아침이 올 때까지 앉아서 기다리다가 들어가 대군께 문안을 드렸습니다. 물러 나와 중당[71]에 열 사람이 모였지요. 소옥이 말했습니다.

"하늘은 맑고 물은 차니 빨래하며 노닐 때가 돌아왔구나. 오늘 소격서동에 나가 장막을 치는 게 어떨까?"

여덟 사람 모두 이의가 없었습니다.

저는 서궁으로 물러와 새하얀 비단에다 가슴 가득한 슬픔과 원망을 글로 적어 품 안에 간직했습니다. 그러고는 자란과 함께 일부러 일행에서 뒤처진 뒤 말 모는 아이에게 이렇게 말했습니다.

"동대문 밖의 무당이 가장 영험하다더구나. 그 집에 가서 내 병에 대해 한번 물어보자."

아이종이 제 말대로 해 주었습니다. 저는 그 집에 이르러 무녀에게 공손한 말로 애걸했습니다.

"오늘 제가 온 이유는 오직 김 진사를 한번 만나 보고 싶어서입니다. 급히 가서 소식을 통해 준다면 평생토록 그 은혜를 갚겠어요."

무녀가 제 말대로 즉시 김 진사 댁으로 사람을 보내자 진사가 거꾸러질 듯 도

---

71 중당(中堂) 집 중앙에 있는 방.

착했습니다. 우리 두 사람은 서로 마주하여 한마디 말도 하지 못하고 그저 바라보며 눈물만 흘릴 따름이었습니다. 제가 편지를 주며 말했습니다.

"저녁을 틈타 다시 돌아올 테니 낭군께서는 여기 머물러 기다려 주셔요."

저는 곧바로 말을 타고 떠났습니다. 진사가 편지를 뜯어보았는데, 그 편지 내용은 다음과 같았습니다.

지난번 무산의 신녀가 편지 한 통을 전해 주었습니다. 맑디맑은 음성이 종이 가득 절절하게 담겨 있더군요. 공경하는 마음으로 세 번 거듭 읽으니 슬픔과 기쁨이 극도로 뒤엉켜 마음을 진정할 수 없었습니다. 즉시 답장을 올리고 싶었으나 믿을 만한 심부름꾼이 없는 데다 혹 비밀이 샐까 두려운 마음이 들었습니다. 목을 빼고 먼 곳만 바라볼 뿐, 날아가고 싶지만 날개가 없으니 애가 끊어지고 넋이 사그라들어 오직 죽을 날만 기다릴 따름이었어요. 하오나 죽기 전에 짧은 편지에나마 평생 가슴속에 간직해 오던 것을 모두 토로하려 하니, 낭군께서는 잘 들어 주시기를 간절히 바랍니다.

제 고향은 남쪽 지방이랍니다. 부모님은 여러 자식 중에서도 유독 저를 사랑하셔서 집 밖에서 장난하며 놀 때에도 저 하고 싶은 대로 놓아두셨더랬어요. 그래서 동산 수풀이며 물가에서, 또 매화나무와 대나무, 귤나무와 유자나무가 우거진 그늘에서 날마다 놀곤 했어요. 이끼 낀 물가 바위에서 고기잡이하던 아이들, 나무하고 소 치며 피리 불던 아이들이 아침저녁으로 눈에 선하고, 그 밖에 산과 들의 모습이며 시골집의 흥겨운 풍경을 일일이 손꼽기 어렵네요. 부모님은 처음에 《삼강행실도》와 《칠언당음》을 가르쳐 주셨지요. 열세 살에 주군의 부르심을 받게 되었기에 저는 부모님과 헤어지고 형제들과 떨어져 궁중으로 들어오게 되었습니다. 하지만 고향을 그리는 정을 금할 수 없었기에, 보는 사람들이 저를 천하게 여겨 궁중에서 내보내도록 만들려고 날마다 헝클어진 머리에 꾀죄죄한 얼굴로 남루한 옷을 입은 채 뜨락에 엎드려 울고 있었어요. 그랬더니 궁인 한 사람이 이런 말을 하더군요.

"한 떨기 연꽃이 뜰 안에 절로 피었구나."

부인께서 저를 아끼시어 친자식이나 다름없이 대해 주셨고, 주군 또한 저를 심상한 몸종으로 보지 않으셨어요. 궁중 사람들 중에 저를 친형제처럼 사랑하지 않은 사람이 없었답니다. 공부를 시작한 뒤로는 자못 의리를 알고 음률에 정통하였으므로 나이 많은 궁인들도 모두 저를 공경했습니다. 급기야 서궁으로 옮긴 뒤로는 거문고와 서예에 전념하여 더욱 조예가 깊어졌으니, 손님들이 지은 시는 하나도 눈에 차는 것이 없었지요. 재주가 이러함에도 여자로 태어나 당세에 이름을 날리지 못하고, 운명이 기구하여 어린 나이에 공연히 깊은 궁궐에 갇혀 있다가 끝내 말라 죽게 된 제 처지가 한스러울 따름이었습니다. 사람이 태어나 한번 죽고 나면 누가 알아주겠습니까? 이 때문에 마음속 굽이굽이 한이 맺히고 가슴속 바다에는 원통함이 가득 쌓여, 수놓던 것을 문득 등불에 태우기도 하고 베를 짜다 말곤 북을 던지고 베틀에서 내려오기도 했으며 비단 휘장을 찢어 버리기도 하고 옥비녀를 부러뜨리기도 했습니다. 잠시 술 한잔에 흥이 오르면 맨발로 산보를 하다가 섬돌 곁에 핀 꽃을 꺾어 버리기도 하고, 뜰에 난 풀을 꺾어 버리기도 하는 등 바보인 듯 미치광이인 듯 정을 억누르지 못했어요.

작년 가을밤이었지요. 처음 군자의 모습을 뵙고 '천상의 신선이 인간 세계로 유배 오신 게로구나.' 하고 생각했답니다. 첩의 용모가 다른 아홉 사람보다 훨씬 못하건만 전생에 무슨 인연이 있었던 걸까요? 제 손에 튄 먹물 한 점이 마침내 가슴속 원한을 맺게 한 빌미가 될 줄을 어찌 알았겠습니까? 주렴 사이로 바라보면서는 곁에서 모실 인연을 만들고 싶었고, 꿈속에서 뵈었을 때는 장차 잊지 못할 사랑을 이뤄 보고 싶었어요. 비록 한 번도 이불 속의 기쁨을 나눈 적은 없지만 아름다운 낭군의 모습이 황홀하게도 제 눈 속에 어려 있었습니다. 배꽃에 두견새 우는 소리며 오동나무에 밤비 내리는 소리를 서글퍼 차마 들을 수 없었어요. 뜰 앞에 가녀린 풀이 돋아나고 하늘가에 외로운 구름이 날리는 모습 역시 서글퍼 차마 볼 수 없었지요. 병풍에 기대앉기도 하고 난간에 기대서기도 하여 가슴을 치고 발을 구르며 하늘에 호소해 보건만, 낭군 또한 저를 생각하고 계셨는지요? 다만 한스러운 것은 이 몸이 낭군을 만나 보기도 전에 돌연 죽지 않을까 하는 것이어요. 그리 된다면 천지가 다한들 가슴속 정은 사라지지 않을 것이요, 바다가 마르고 바위가 문드러진다 해도 품은 한은 사그라지지 않을 것입니다.

오늘 나들이는 두 궁의 시녀가 모두 다 모이는 행사이기에 저 혼자 이곳에 오래 머무를 수가 없답니다. 넋으로 짠 비단에다 눈물 섞인 먹물로 편지를 씁니다. 낭군께서 한번 보아 주시기를 엎드려 바라나이다. 또 졸렬한 시를 적어, 지난번 시 한 편을 보내 주신 은혜에 삼가 답합니다. 제가 지은 글이 아름다워서가 아니라 모쪼록 앞으로 내내 좋은 일이 있기를 바라는 뜻에서 드리는 것입니다. 하나는 가을을 아파하는 시요, 또 하나는 그리는 마음을 담은 시입니다.

그날 저녁 돌아올 때 자란과 제가 먼저 나서서 동문 밖을 향하자 소옥이 슬며시 비웃으며 절구 한 편을 지어 주었는데, 온통 저를 조롱하는 뜻이었지요. 저는 내심 부끄럽고 무안했으나 참고 받았습니다. 그 시는 이러했어요.

태을사 앞에서 시냇물 휘돌더니
천단(天壇) 위의 구름 다하고 아홉 문이 열리네.
가느다란 허리가 미친바람 이기지 못해
잠깐 숲속으로 피했다 해 질 녘에 돌아오네.

비경이 즉시 그 운자(韻字)를 따라 시를 짓자 금련과 보련과 부용도 연이어 시를 지었는데, 또한 모두 저를 조롱하는 뜻이었습니다.

제가 말을 타고 앞서가 무녀의 집에 이른즉, 무녀는 내놓고 성난 기색을 보이며 벽을 향해 돌아앉은 채 낯빛을 풀지 않았습니다. 진사는 편지가 적힌 비단을 끌어안고 온종일 눈물을 흘린 듯 보였습니다. 넋이 빠진 사람처럼 제가 온 줄도 모르고 있더군요. 저는 왼손에 끼고 있던 운남산[72] 옥빛 가락지를 뽑아 진사의 품속에 넣으며 말했습니다.

"낭군께서 저를 하찮게 여기지 않으시어 귀한 몸을 굽히고 누추한 곳에서 기다려 주셨군요. 제가 비록 어리석고 둔하나 또한 목석은 아니니 감히 목숨을 걸고 허락하지 않을 수 있겠습니까? 제가 만일 약속을 어긴다면 이 반지를 징표로 삼으시기 바랍니다."

갈 길이 바빠 일어서서 작별하려니 눈물이 비 오듯 쏟아졌습니다. 진사의 귀에 대고 이렇게 말했습니다.

"저는 서궁에 있어요. 낭군께서 밤을 틈타 서쪽 담장을 넘어 들어오시면 삼생[73]동안 다하지 못한 인연을 이룰 수 있을 겁니다."

말을 끝내고 옷을 떨치며 떠났습니다. 제가 자란과 먼저 궁문으로 들어오자 여덟 사람도 연이어 도착했습니다.

그날 밤 10시 무렵이었습니다. 소옥과 비경이 불을 밝히고 앞장서 서궁에 와 이렇게 말했습니다.

"낮에 우리는 별 뜻 없이 시를 지었던 것인데 너를 희롱하는 말이 있었던가 보다. 그래서 밤이 깊었지만 사과하러 왔단다."

자란이 말했습니다.

"다섯 시가 모두 남궁 사람의 글이지 뭐야. 한번 궁이 나뉜 뒤로는 자못 앙금이 있어 마치 당나라 때 우승유와 이덕유[74]의 당쟁을 보는 것 같지 않니? 그러나 여자의 마음이란 누구라도 똑같은 거야. 우리 모두 오래도록 궁궐에 갇혀 외로이 제 그림자만을 바라보며, 마주하는 것이라곤 등불뿐이요 할 수 있

---

72 운남산(雲南産) '운남'은 중국 남서쪽의 성(省) 이름. 베트남의 북쪽에 있다.
73 삼생(三生) 불교에서 전생(前生)·현생(現生)·내생(來生)을 함께 이르는 말.
74 우승유(牛僧孺)와 이덕유(李德裕) 중국 당 때 목종(穆宗)·무종(武宗)·선종(宣宗) 3대에 걸쳐 각각 '우당'과 '이당'의 영수로서 치열한 정쟁을 벌였던 인물.

는 일이라곤 거문고를 타며 노래하는 일뿐이지. 온갖 꽃들은 활짝 피어나 웃음을 머금고 제비는 쌍쌍이 날며 장난질을 하는데, 기박한 운명의 우리들은 깊은 궁궐에 함께 갇힌 채 천지만물을 바라보며 봄의 정취를 품기만 할 따름이니 그 마음이 어떻겠니? 무산의 신녀는 초나라 임금의 꿈에 자주 나타났고, 서왕모는 요대[75]의 잔치에 여러 번 참석했다지. 여자의 마음은 모두 같은 법인데, 남궁 사람은 어찌해서 유독 항아처럼 괴로이 정절을 지키며 불사약을 훔쳤던 옛일[76]을 후회하지 않는지 몰라."

비경과 소옥이 모두 흐르는 눈물을 금하지 못하며 말했습니다.

"한 사람의 마음이 곧 천하 모든 사람들의 마음이지. 이제 훌륭한 가르침을 받으니 슬프디슬픈 마음이 구름처럼 일어난다."

그러고는 일어나 절하고 물러갔습니다. 제가 자란에게 말했습니다.

"오늘 밤 나는 낭군과 굳은 약속을 했어. 오늘 오시지 못한다면 내일은 꼭 담을 넘어 오실 거야. 그런데 오시면 어떻게 해야 할까?"

자란이 말했습니다.

"수놓은 장막을 겹겹이 치고 비단 자리를 휘황찬란하게 편 다음 술은 강물처럼 고기는 산처럼 준비해야지. 오시지 않을까 의심하면 했지, 오시기만 한다면야 어려운 일이 뭐 있겠니?"

그날 밤은 과연 진사가 오지 않았습니다.

한편 진사가 몰래 서궁을 엿보니, 담장이 까마득히 높아 몸에 날개가 달리지 않고서는 오를 수가 없었습니다. 집에 돌아가 멍하니 말이 없는데 얼굴에 근심이 가득했습니다. 진사의 사내종 중에 이름이 특(特)이라고 하는 자가 있었는데, 유능하고 술수가 많았습니다. 특이란 놈이 진사의 안색을 살피더니 앞으로 와서

---

75 요대(瑤臺) 신선이 사는 누각.
76 항아처럼 괴로이 정절을 지키며 불사약을 훔쳤던 옛일 요(堯)임금 때 활 잘 쏘기로 이름난 예(羿)라는 사람이 서왕모에게 불사약을 받았는데, 예의 아내인 항아(姮娥)가 이를 훔쳐 달나라로 달아났다는 고사를 말한다.

꿇어앉아 이렇게 말했습니다.

"진사님께서는 필시 오래 사시지 못할 것 같습니다."

특이 뜰에 엎드려 울자 진사가 가슴속에 품은 말을 다 털어놓았습니다. 특이 말했습니다.

"왜 진작에 말씀하지 않으셨습니까? 제가 일을 꾸며 볼지요."

특은 즉시 사다리를 만들어 왔습니다. 사다리는 매우 가벼운 데다가 접었다 폈다 할 수 있어서 접으면 병풍을 겹쳐 놓은 모양이 되고 펴면 대여섯 길[77] 되는 높이라도 손쉽게 오르내릴 수 있었습니다.

"이 사다리를 타고 궁궐 담장에 올라가신 다음 접었다가 다시 담장 안으로 펼쳐 내리십시오. 오실 때에도 역시 그렇게 하시면 됩니다."

진사가 특으로 하여금 뜰에서 시험해 보게 하니 과연 그 말대로였습니다. 진사는 매우 기뻐했습니다.

그날 밤에 궁궐로 가려는데 특이 또 품속에서 이리 가죽으로 만든 버선을 꺼내 주며 말했습니다.

"이 물건이 없으면 가시기 어렵습니다."

진사가 신고 걸어 보니 날아가는 새처럼 걸음이 가볍고 땅 위에 발소리가 나지 않았습니다. 진사가 특이 가르쳐 준 꾀를 써서 안팎의 담장들을 넘어 들어가 대숲에 엎드려 있노라니 달빛은 낮처럼 환하고 궁궐 안은 고요하기만 했습니다. 잠시 후 누군가가 안에서 나와 산보하며 들릴 듯 말 듯 뭔가 읊조리고 있었습니다. 진사는 대나무를 헤치고 머리를 내밀며 말했습니다.

"여기 누가 와 있소!"

그 사람이 웃으며 대답했습니다.

"낭군님, 나오셔요! 낭군님, 나오셔요!"

---

[77] 길 길이의 단위. 한 길은 여덟 자 또는 열 자로 약 2.4미터 또는 3미터에 해당한다.

진사가 종종걸음으로 나와 인사하고 말했습니다.

"나이 어린 사람이 풍류로운 흥을 이기지 못해 천만번 죽음을 무릅쓰고 감히 이곳에 왔습니다. 바라건대 낭자께서는 저를 가련히, 불쌍히, 슬피, 긍휼히 여겨 주십시오!"

자란이 말했습니다.

"낭군께서 오시기를 고대함이 큰 가뭄에 무지개 바라는 것과 같았는데, 이제 다행히 뵙게 되어 안심이 됩니다. 낭군께서는 의심하지 마셔요."

그러고는 즉시 이끌고 안으로 들어갔습니다. 진사는 어깨를 잔뜩 웅크린 채 층계를 올라가 굽은 난간을 따라 걸었습니다. 저는 비단 창을 열고 옥으로 만든 등을 밝히고 앉아, 길짐승 모양의 금향로에 울금[78]으로 만든 향을 피우고 유리 책상 위에는 《태평광기》 한 권을 펼쳐 놓고 있었습니다. 그러다 진사가 들어오시는 것을 보고는 일어나 맞이하는 절을 했고 진사도 답례를 하셨지요. 손님과 주인의 예법에 따라 동서로 나누어 앉고 자란에게 진수성찬을 올리게 하여 자하주[79]를 따라 드렸습니다. 석 잔을 마시자 진사가 취한 척하며 이렇게 말했습니다.

"시각이 얼마나 되었소?"

자란이 대번에 그 뜻을 알아차리고는 장막을 내린 다음 문을 닫고 나갔습니다. 저는 등불을 끄고 잠자리를 함께했습니다. 그 기쁨이야 짐작하시겠지요.

밤이 지나 새벽이 가까웠습니다. 뭇 닭들이 새벽을 알리자 진사는 즉시 일어나 떠났습니다. 이때부터 밤이면 들어와 새벽에 나가는 일이 날마다 되풀이되었습니다. 그러는 사이에 정은 더욱 깊어져 이젠 우리 스스로 멈출 수 없는 지경에 이르고 말았습니다. 담장 안쪽에 쌓인 눈에 발자국이 남아 궁인들 모두 진사가 출입하는 줄 알고 위태롭게 여기고들 있었는데도 말이어요.

---

78 울금(鬱金) 생강과의 다년초인 강황을 말한다.
79 자하주(紫霞酒) 신선이 마신다는 좋은 술.

하루는 진사가 홀연 좋은 일 끝에 재앙이 있지 않을까 하는 걱정이 들어 마음속으로 몹시 두려워하며 온종일 넋이 나간 듯 침울해 있던 참이었습니다. 하인 특이 밖에서 들어오더니 이렇게 말했습니다.

"내 공이 매우 큰데 여태껏 상을 안 주실 수 있는 겁니까?"

진사가 말했습니다.

"가슴에 새겨 잊지 않고 있느니라. 조만간 마땅히 큰 상을 내릴 게야."

특이 말했습니다.

"지금 안색을 보니 또 근심이 있는 모양인데 무슨 까닭이옵니까?"

진사가 말했습니다.

"안 만나자니 병이 마음속 깊이까지 들어오고, 만나자니 측량할 길이 없는 죄에 빠지게 되는구나. 사정이 이런데 어찌 근심하지 않을 수 있겠느냐?"

특이 말했습니다.

"그러시다면 훔쳐 업고 내빼는 게 어떨깝쇼?"

진사는 그럴싸하게 여기고 그날 밤 제게 특이 가르쳐 준 계책을 전하며 이렇게 물었습니다.

"특이란 종이 원래 지략이 많은데 이런 계책을 알려 줍디다. 어찌 생각하오?"

제가 응낙하며 말했습니다.

"저희 부모님 재산이 많아 제가 이곳으로 올 때 의복이며 금은보화를 많이 싣고 왔어요. 게다가 주군께서 내리신 선물도 매우 많으니 이 물건들을 버려두고 갈 수는 없겠어요. 지금 옮기려면 말 열 필이라도 다 싣지 못할 거예요."

진사가 돌아가 특에게 이 말을 전하자 특이 매우 기뻐하며 말했습니다.

"제 친구 중에 힘깨나 쓰는 장사 스무 명이 있습니다. 날마다 깡패 짓을 일삼고 다니지만 사람들이 감히 당해 내질 못합지요. 허나 저와는 깊이 사귀는 처지라 제 말이라면 그대로 복종합니다. 이 녀석들을 시키면 태산이라도 옮길 수 있고 이 녀석들로 하여금 진사님을 보호하게 한다면 1만 명이 와도 대적할 수 있습니다. 절대 염려하지 마세요."

진사가 들어와 제게 이 말을 전해 주었고, 저도 그렇게 하는 게 좋겠다 여겼습니다. 밤마다 물건을 수습하여 이레[80]째 되는 밤에야 모두 밖으로 옮길 수 있었습니다. 특이 이렇게 말했습니다.

"이처럼 귀중한 보물을 본댁에 쌓아 두었다가는 큰 상전[81]께서 의심하실 것이요, 제 집에 쌓아 두면 이웃 사람들이 의심할 게 틀림없습니다. 다른 방도가 없으니 산속에 구덩이를 파서 깊이 묻어 놓고는 단단히 지키는 게 좋겠습니다."

진사가 말했습니다.

"만일 잘못이 드러나면 너나 나나 도적의 이름을 면하기 어려울 것이다. 네가 잘 지켜야 하느니라."

특이 말했습니다.

"제 꾀가 이렇게나 깊고 제 친구가 이렇게나 많으니 천하에 어려울 일이 없습니다. 하물며 제가 직접 장검을 들고 밤낮으로 그 자리를 뜨지 않을 터이니, 제 눈은 파내 갈지언정 이 보물은 빼앗을 수 없을 것이며 제 발은 자를지언정 이 보물은 가져갈 수 없을 겁니다. 염려 푹 놓으십시오."

특의 의도는 이 보물들을 얻은 뒤에 저와 진사를 산골짜기로 끌어들여 진사를 죽이고 저와 보물을 모두 차지하려는 것이었습니다만, 진사는 세상 물정에 어두운 선비인지라 이를 몰랐던 것이지요.

하루는 대군이 비해당에다 좋은 글귀를 적은 현판을 걸고자 했으나 여러 손님들의 시가 모두 마음에 차지 않자 김 진사를 불러 잔치를 베풀고 글을 청했습니다. 진사가 한 번 붓을 휘둘러 써내니 구구절절 권점[82]이라, 산수 경치며 비해당의 모양을 이루 다 표현하지 않은 것이 없어 가히 비바람을 놀라게 하

---

80 이레 일곱 날.
81 큰 상전 여기서는 김 진사의 부친을 의미한다. '상전'은 종에 상대하여 그 주인을 이르던 말이다.
82 권점(圈點) 글의 중요한 부분이나 빼어난 구절 옆에 찍는 동그라미표.

고 귀신도 곡하게 할 만하였습니다. 대군이 구구절절 칭찬하며 이렇게 말했습니다.

"오늘 왕자안[83]을 다시 보게 될 줄 미처 몰랐구려!"

대군이 읊조리기를 그치지 않다가 다만 '담장 넘어 몰래 풍류스러운 노래를 훔치네.'라는 구절에 이르러 입을 다물고 의심하였습니다. 진사가 일어나 절하고 말했습니다.

"취하여 정신을 못 차리겠으니 이만 물러가겠나이다."

대군은 아이종에게 진사를 부축하여 전송하도록 분부하였습니다.

이튿날 밤에 진사가 들어와 제게 말했습니다.

"떠나야겠소! 어제 내가 지은 시 때문에 대군의 의심을 사게 되었으니 오늘 밤 떠나지 않으면 화를 면하지 못할 것 같소."

제가 대답했습니다.

"어젯밤 꿈에 흉악하게 생긴 사람이 하나 나타나더니 자신이 묵특선우[84]라며 이렇게 말했어요.

'전에 했던 약속이 있어 만리장성 아래에서 오랫동안 기다리고 있었노라.'

화들짝 꿈에서 깨어 일어났는데, 꿈자리가 상서롭지 못한 게 무척이나 이상했어요. 낭군께서도 한번 생각해 보셔요."

진사가 말했습니다.

"꿈속의 황당무계한 일을 어이 믿겠소."

제가 말했습니다.

"'만리장성'이라 한 것은 궁궐 담장이요, '묵특'이라 한 것은 특을 말하는 듯해요. 낭군께서 특의 속마음을 어찌 아셔요?"

---

83 왕자안(王子安) 당 시인 왕발(王勃)을 말한다. '자안'은 그의 자(字)이다. 어려서부터 시와 문으로 명성을 떨쳤다.
84 묵특선우 '묵특(冒頓)'은 한 때의 북방 민족인 흉노(匈奴) 왕의 이름이고, '선우(單于)'는 흉노의 왕을 일컫는 말이다. '묵특'의 '특(頓)'은 등장인물 '특(特)'을 환기시킨다.

진사가 말했습니다.

"특이 원래는 몹시 흉악하지만 나에게만큼은 충성을 다하고 있소. 오늘날 그대와 이처럼 좋은 인연을 맺은 것도 모두 특의 계책이지 않소. 처음에 충성을 바치다가 나중에 가서 해코지를 할 까닭이 있겠소?"

제가 말했습니다.

"낭군의 말씀이 이처럼 간절하니 어찌 감히 거절하겠습니까? 다만 자란은 형제처럼 정을 나눈 사이이니 알리지 않을 수 없어요."

즉시 자란을 불러 세 사람이 둘러앉았습니다. 제가 진사의 계책을 이야기하자 자란은 매우 놀라 손을 치며 이렇게 꾸짖었습니다.

"서로 즐긴 지 오래되더니 스스로 재앙을 앞당기려는 거니? 한두 달 사귀었으면 또한 만족할 만하건만 담장을 넘어 달아나겠다니, 그게 사람이 차마 할 짓이니? 주군께서 네게 마음을 쏟은 지 이미 오래인 점이 떠나서는 안 될 첫째 이유요, 부인의 자상한 보살핌이 떠나서는 안 될 둘째 이유요, 재앙이 네 부모님께 미치리라는 점이 떠나서는 안 될 셋째 이유요, 네 죄가 서궁에까지 미치리라는 점이 떠나서는 안 될 넷째 이유야. 더구나 천지가 하나의 그물 안에 들어 있으니 하늘 위로 오르고 땅속으로 들어가지 않고서야 어디로 달아날 수 있겠니? 만일 잡히면 그 재앙이 네 몸에만 그치겠어? 꿈자리가 안 좋았다는 건 할 필요도 없는 말이야. 만일 좋은 징조였다면 기꺼이 가겠다는 거니? 뜻을 굽히고 고요함 속에 편안히 앉아 하늘의 뜻을 따르는 게 제일 좋아. 네가 좀 더 나이 들어 얼굴이 시들면 주군의 사랑도 차츰 식어 갈 거야. 그즈음 형세를 보아 병들었다며 오래 누워 있으면 필시 고향으로 돌아가라 허락하시겠지. 그때 가서 낭군과 손잡고 돌아가 함께 살면 그 즐거움이 얼마나 크겠니? 지금 이런 생각을 못 하고 감히 사리에 어긋나는 계책을 내다니, 네 비록 사람은 속인다 할지라도 하늘마저 속일 수 있을 것 같니?"

진사는 일이 틀린 줄 알고 한숨을 내쉬며 눈물을 머금고 나갔습니다.

하루는 대군이 서궁 수헌[85]에 앉아 있는데, 왜철쭉[86]이 흐드러지게 피자 서궁 시녀들에게 오언 절구 한 편씩을 지어 바치도록 분부했습니다. 대군이 그 지은 글을 보고 매우 칭찬하며 이렇게 말했습니다.

"너희들의 글이 날로 훌륭해져 내 마음이 무척 기쁘구나. 그러나 다만 운영의 시에는 누군가를 그리워하는 뜻이 현저하구나. 전에 연기를 읊은 시에도 살짝 그런 뜻이 보이더니만 지금 또 이러하니, 네가 따르고자 하는 자가 대체 누구냐? 얼마 전 김 진사가 지은 글에 이상한 글귀가 있어 의심스럽던데, 혹시 네가 김 진사에게 사사로운 마음을 갖고 있는 게냐?"

첩은 즉시 뜰에 내려와 머리를 조아리고 울며 말했습니다.

"주군께 처음 의심을 받았을 때 그 자리에서 자결하고 싶었으나 제 나이 아직 스물이 못 되었고 부모님을 다시 보지 못한 채 죽는 것이 너무도 원통하여 구차히 목숨을 부지하고 고통을 참으며 지금에 이르렀습니다. 하오나 지금 또 의심을 받고 보니 한 번 죽는 것을 어찌 애석히 여기겠습니까? 천지 귀신이 삼엄하게 늘어서 있고 시녀 다섯 사람이 잠시도 떨어져 있지 않건만 더러운 이름이 유독 제게만 돌아오니 첩은 이제 여기서 죽어 마땅합니다."

그러고는 즉시 비단 수건으로 난간에 목을 맸습니다. 그러자 자란이 말했습니다.

"현명하신 주군께서 죄 없는 시녀를 자결케 하신다면 이후 저희들은 결코 붓을 잡지 않겠나이다."

대군이 몹시 노하긴 하였으나 실제 마음속으로는 제가 죽기를 바라지 않았던가 봅니다. 그랬기에 자란을 시켜 저를 구하게 했고, 이로써 저는 죽음에까지는 이르지 않았습니다. 대군이 흰 비단 다섯 단을 저희 다섯 사람에게 나누어 주며 말했습니다.

---

85 수헌(繡軒) 궁녀들이 수를 놓는 방.
86 왜철쭉 진달랫과의 상록 관목으로 원산지는 일본이고, 오뉴월에 붉은빛을 띤 자주색 꽃이 핀다.

"시가 매우 아름다워 상을 내리느니라."

이로부터 진사가 다시는 궁궐에 출입하지 못하게 되었습니다. 진사는 두문불출하고 지내다가 병들어 누워 눈물로 이불을 적셨는데, 그 목숨이 실낱같았습니다. 특이 와서 뵙고 말했습니다.

"대장부가 죽으면 죽었지, 상사병으로 맺힌 원한 때문에 아녀자가 속을 끓이는 것처럼 잗달게[87] 굴며 천금 같은 몸을 스스로 버린단 말입니까? 이제 계책을 부리면 궁녀를 취하는 것 또한 어렵지 않습니다. 한밤중 인적이 없는 때에 담을 넘어 들어가 솜으로 입을 틀어막고 업어 나오면 누가 감히 저를 뒤쫓겠습니까?"

진사가 말했습니다.

"그 계책 또한 위험하구나. 정성을 다해 설득하느니만 못하겠다."

그날 밤 진사가 들어왔는데, 첩은 병으로 일어날 수 없어 자란을 시켜 맞이하게 했습니다. 술 석 잔이 오간 뒤 제가 편지 한 통을 주며 말했습니다.

"이후로는 다시 만날 수 없겠어요. 삼생의 인연도 100년의 기약도 오늘 밤으로 끝이군요. 만일 하늘이 맺어 준 인연이 아직 남아 있다면 저승에서 다시 만날 수 있겠지요?"

진사는 편지를 받아 안고 우두커니 서서 멍하니 바라보다가 가슴을 치고 눈물을 흘리며 나갔습니다. 자란은 애처로운 마음에 차마 보지 못하고 기둥에 기대 몸을 숨긴 채 눈물을 뿌리며 서 있었습니다. 진사가 집에 돌아와 편지를 뜯어 보니 이런 내용이었습니다.

기박한 운명을 타고난 운영이 두 번 절하고 아룁니다. 보잘것없는 제가 불행히도 낭군의 마음을 얻어 서로 그리워한 것이 며칠이요 서로 바라보기만 한 것이 또 얼마였던가요? 다행히 하룻밤 기쁨을 나누었으나 바다처럼 깊은 정은 여전히 다

---

87 잗달다 하는 짓이 잘고 인색하다.

하지 못했습니다. 인간 세계의 좋은 일에는 조물주의 시샘이 많은 법인가요? 궁인들이 알고 주군이 의심하여 재앙이 코앞에 닥쳐왔으니 이젠 죽음이 있을 따름입니다. 엎드려 바라나니 낭군께서는 이별한 뒤 천한 저를 가슴속에 두어 마음 상하지 마시고, 학업에 더욱 힘써 과거에 급제한 후 벼슬길에 나아가 후세에 이름을 드날리고 부모님을 영예롭게 하셔요. 첩의 의복이며 금은보화는 모두 팔아 부처님께 공양하고 지극정성으로 소원을 빌어서 삼생의 연분을 다음 생에서 다시 이을 수 있게 해 주시기를 간절히 바랍니다.

진사는 끝까지 읽기도 전에 기절해 땅에 쓰러졌는데, 하인들이 급히 구한 덕에 소생할 수 있었습니다. 특이 밖에서 들어와 말했습니다.

"궁녀가 뭐라 대답했기에 진사님께서 이처럼 죽을 뻔하셨습니까?"

진사는 다른 말 없이 이렇게만 말했습니다.

"보물은 네가 잘 지키고 있도록 해라. 장차 모두 팔아 부처님께 바치고 너와의 약속도 지키려 한다."

특이 집으로 돌아와 생각했습니다.

'궁녀가 나오지 못한다면 그 보물은 하늘이 내게 주신 거로구나!'

벽을 보고 가만히 웃었으나 사람들은 이를 알 수 없었지요.

하루는 특이 스스로 제 옷을 찢고 제 코를 때려 코피로 온몸을 칠하고는 머리를 마구 헝클어뜨린 채 맨발로 뛰쳐 들어오더니 뜰에 엎드려 울며 말했습니다.

"강도에게 당했습니다요!"

그러고는 더 말을 못 하는 것이 기절한 사람 같았습니다. 진사는 특이 죽으면 보물 묻은 곳을 알 수 없겠다 싶어 직접 약을 먹이며 온갖 방법으로 정신을 차리게 한 다음 술과 고기를 먹였습니다. 특이 10여 일 만에 자리에서 일어나 이렇게 말했습니다.

"저 홀로 산속에서 지키고 있는데 도적 떼가 들이닥쳤습니다. 때려죽이려는 기세여서 목숨을 걸고 달아나 겨우 살아났습지요. 그 보물이 아니었다면 제가 어찌 이런 재액[88]을 당했겠습니까? 타고난 명이 이처럼 험하니 제명에 못 죽지 않겠습니까?"

그러더니 발로 땅을 구르고 손으로 가슴을 치며 통곡했습니다. 진사는 부모님이 알까 두려워 좋은 말로 달래서 보냈습니다.

얼마 뒤 진사는 특이 벌인 짓을 알게 되었습니다. 친구 몇 사람과 종 10여 명을 거느리고 불시에 특의 집을 포위했으나 얻은 것이라곤 겨우 금팔찌 하나와 거울 한 개뿐이었지요. 이것을 장물로 삼아 관아에 고발해서 죄를 추궁하고 싶었지만, 그러자니 그동안의 모든 일이 탄로 날까 걱정이었습니다. 보물을 찾지 못하면 불공을 드릴 수 없으니, 마음으로는 특을 죽이고 싶었으나 힘으로 제압할 수 없기에 끙끙대며 아무런 말도 하지 못하고 있었습니다. 특은 제 죄를 알고 궁궐 담장 밖에서 점을 보는 맹인에게 물었습니다.

"내가 접때 새벽에 이 궁궐 담 밖을 지나다가 궁궐 안에서 서쪽 담장을 넘어 나오는 사람을 보았수. 그자가 도둑으로 보여 소리를 지르며 뒤쫓아 갔더니만, 그자는 가지고 있던 물건을 버리고 달아나더구면. 나는 그 물건을 가지고 돌아가 집에 간직해 두고 원래 주인이 오기를 기다리고 있었수. 그런데 나의 주인은 원래 예의염치와는 거리가 먼 사람이라, 내가 어떤 물건을 얻었다는 말을 듣고는 몸소 와서 내놓으라고 했지. 나는 '다른 건 없고 단지 팔찌하고 거울, 두 가지 물건을 얻었을 뿐입니다.' 하고 대답했수. 그러자 우리 주인이 직접 방에 들어와 찾더니 과연 두 가지 물건을 얻었거든. 그런데도 이 사람 욕심은 끝이 없어 시방 나를 죽이려 든다우. 그래서 내가 달아나려 하는데, 달아나는 게 길하겠수?"

맹인이 말했습니다.

"길합니다."

---

88 재액 재앙으로 인한 불운.

맹인의 이웃 사람이 곁에 있다가 이 말을 듣고는 특에게 말했습니다.

"당신 주인은 어떤 사람이기에 종을 이처럼 학대하는고?"

특이 말했습니다.

"우리 주인은 어린 나이에 글을 잘해서 조만간 급제할 거요. 하지만 이렇게 탐욕스러우니 훗날 조정에 서면 무슨 맘을 먹을지 알 만하지."

이 말이 퍼져서 궁궐에까지 들어가게 되니 궁인 하나가 대군에게 아뢰었습니다. 대군이 몹시 노하여 남궁 사람들로 하여금 서궁을 수색하게 했지요. 그 결과 제 의복과 금은보화가 하나도 남아 있지 않은 게 드러났습니다. 대군이 서궁 시녀 다섯 사람을 뜰 안에 붙잡아 와 곤장이며 형벌 기구를 눈앞에 벌여 두고 분부를 내렸습니다.

"이 다섯 사람을 죽여 다른 사람들에게 경각심을 주도록 하라!"

또 곤장 든 자들에게 분부를 내렸습니다.

"곤장 숫자를 세지 말고 죽을 때까지 치도록 하라!"

우리 다섯 사람이 말했습니다.

"한 말씀만 올리고 죽기를 바라나이다."

대군이 말했습니다.

"무슨 말이더냐? 실정을 남김없이 적어 바치라!"

은섬의 진술은 이러했습니다.

"남녀의 정욕은 음양으로부터 부여받아 귀천을 막론하고 사람이라면 누구나 가지고 있습니다. 그런데 한번 깊은 궁궐에 갇히고 난 뒤에는 이 한 몸 외로운 그림자와 짝하여, 꽃을 보고 눈물을 삼키고 달을 마주해서는 슬픔으로 넋이 나갑니다. 저희가 매화나무에 앉은 꾀꼬리를 쌍쌍이 날지 못하게 하고 주렴 위의 제비 집에 암수가 함께 둥지를 틀지 못하게 하는 이유는 다른 것이 아닙니다. 몹시 부러운 마음과 질투하는 정을 이기지 못해서일 따름입니다. 궁궐 담장을 넘기만 하면 인간 세상의 즐거움을 알 수 있건만 그렇게 안 한 것은 그럴 만한 힘이 없어서거나 그리고 싶은 마음이 없어서였겠습니까? 오직 주군의 위엄이 두려워 이 마음을 단단히 다잡고 궁궐 안에서 말라 죽으리라 생각했던 것입니다. 이제 지은 죄도 없으면서 죽을 곳에 놓였으니, 저희들은 죽어서도 지하에서 눈을 감지 못할 것입니다."

비취는 이렇게 진술했습니다.

"주군께서 보살펴 주신 은혜가 산보다도 높고 바다보다도 깊기에 저희들은 감사하고 황송해하며 오직 글과 음악에만 전념해 왔습니다. 이제 씻을 수 없는 더러운 이름을 서궁에 두루 미치게 되었으니 살아도 죽느니만 못합니다. 엎드려 바라건대 속히 죽여 주옵소서."

옥녀는 이렇게 진술했습니다.

"제가 이미 서궁의 영광을 누렸거늘 서궁의 재앙이라 해서 저 혼자 면할 수 있겠습니까? 곤륜산에 불이 나서 옥과 돌이 한꺼번에 모두 탄다[89] 했지만, 오늘의 죽음은 합당하다 여기겠습니다."

자란은 이렇게 진술했습니다.

"오늘 일은 그 죄가 측량할 길 없으니 가슴속에 품은 생각을 어찌 감추겠나이까? 저희들은 모두 여항[90]의 천한 계집들로, 아비는 순(舜)임금이 아니요 어미는 아황과 여영[91]이 아니니 남녀의 정욕이 어찌 없을 수 있겠습니까? 목왕은 천자로되 늘상 요지의 즐거움을 그리워했고[92], 항우는 영웅이로되 장막 안에서 눈물을 금하지 못하였습니다[93]. 그렇건만 주군은 어찌하여 운영에게만 유독 사랑하는 마음을 갖지 못하게 하십니까? 김 진사처럼 빼어난 인물을 내당(內堂)으

---

89 곤륜산(崑崙山)에 불이 나서 옥과 돌이 한꺼번에 모두 탄다 《서경》〈윤정(胤征)〉에 나오는 말로, 선악을 가리지 않고 모든 사람을 죽인다는 뜻.
90 여항(閭巷) 백성의 살림집이 많이 모여 있는 곳. 여기서는 중인층과 서민층을 아울러 일컫는 말로 쓰였다.
91 아황(娥皇)과 여영(女英) 순(舜)임금의 비(妃).
92 목왕은 천자로되 늘상 요지의 즐거움을 그리워했고 '목왕'은 주(周)의 5대 왕인 목천자(穆天子)를 말한다. 여덟 마리의 준마를 타고 천하를 돌아다니다가 '요지'라는 신선 세계의 연못에서 서왕모와 만나 노닐었다는 고사가 있다.
93 항우는 영웅이로되 장막 안에서 눈물을 금하지 못하였습니다 항우(項羽)가 한의 군대에 포위되어 패배를 예감하고 사랑했던 여인 우(虞)와의 이별을 슬퍼하며 눈물짓던 일을 가리킨다.

로 끌어들인 것은 주군께서 하신 일이며, 운영에게 벼루 시중을 들게 한 것 또한 주군께서 내리신 명령입니다. 운영은 오랫동안 깊은 궁궐에 갇혀 지내며, 가을 달 봄꽃에 늘상 마음 상하고 오동잎 밤비에 자주 애간장이 끊어졌습니다. 그러던 차에 호걸스러운 사내를 보고는 상심하고 실성하여 병이 골수에까지 들어오고 말았으니 불로장생의 약이나 편작[94]의 솜씨로도 효험을 보기 어려웠습니다. 운영이 하룻밤 사이에 아침 이슬처럼 홀연히 스러지고 나면 주군이 비록 측은해하는 마음을 가진다 한들 무슨 이로움이 있겠습니까? 제 어리석은 생각입니다만, 김 진사로 하여금 운영을 얻게 하여 두 사람의 맺힌 원한을 풀어 주신다면 주군의 적선하심이 그보다 클 수는 없을 것입니다. 전에 운영이 절개를 더럽힌 일이라면 그 죄가 저에게 있지 운영에게 있지 않습니다. 제가 드린 말씀은 위로는 주군을 속이지 않고 아래로는 벗들을 저버리지 않는 것이니, 오늘 일은 죽어도 영예롭게 여길 것입니다. 운영의 죄를 제가 대신 받을 수만 있다면 백번 죽어도 좋습니다. 엎드려 바라건대 주군께서는 제 목숨을 끊고 운영의 목숨을 잇게 해 주십시오."

저는 이렇게 진술했습니다.

"주군의 은혜가 산과 같고 바다와 같건만 정절을 지키지 못한 것이 저의 첫째 죄입니다. 전후에 지은 시로 주군의 의심을 받았으면서도 끝내 바른대로 아뢰지 않은 것이 둘째 죄입니다. 서궁의 죄 없는 사람들이 저 때문에 함께 죄를 받게 된 것이 셋째 죄입니다. 이 세 가지 큰 죄를 지었으니 제가 산들 무슨 면목이 있겠습니까? 혹여 죽음을 늦추신다면 마땅히 자결하겠나이다."

대군이 다 읽고 다시 자란의 진술서를 펼쳐 응시하더니 노기를 다소 누그러뜨렸습니다. 소옥이 꿇어앉아 울며 말했습니다.

"지난번 나들이 때 성안으로 가지 말자던 것이 본래 제 주장이었습니다. 그러

---

94 편작(扁鵲) 전국 시대의 유명한 의원.

나 자란이 밤에 남궁으로 와서 매우 간절히 부탁하기에 가련히 여겨 여럿의 반대 의견을 물리치고 제가 앞장서 그 뜻을 따랐으니, 운영이 절개를 더럽힌 죄는 저에게 있지 운영에게 있지 않습니다. 엎드려 바라건대 주군께서는 제 목숨을 끊고 운영을 살려 주소서."

대군의 노기가 점점 풀어져 저를 별당에 가두고 나머지 사람들은 모두 풀어 주었습니다. 그날 밤 저는 비단 수건으로 목을 매 스스로 목숨을 끊었습니다.

진사가 붓을 잡아 기록하고 운영이 옛일을 회상하여 말한 것이 매우 자세하였다. 두 사람은 마주 보며 슬픔을 억누르지 못하였다. 운영이 진사에게 말했다.

"그 뒤의 이야기는 낭군께서 말씀해 보셔요."

진사는 이렇게 이야기를 이어 나갔다.

운영이 자결하자 궁궐 사람들 모두가 마치 친형제를 잃은 듯이 서럽게 울부짖었습니다. 곡소리가 궁궐 문밖에까지 들려 나 또한 그 소리를 듣고는 오랫동안 기절해 있었지요. 사람들이 장례 준비를 하는 한편 나를 살리려 애를 써서 저물녘에야 소생하게 되었습니다. 정신을 차리자 나는 이렇게 생각했습니다.

'일은 이미 끝났다. 부처님께 공양하라는 약속이나마 지켜 구천에 떠도는 혼령을 위로하리라.'

전에 찾은 금팔찌와 거울, 그리고 여러 문방 도구들을 모두 팔아 쌀 40석을 얻었습니다. 청량사[95]에 가 불공을 드리려 하나 믿을 만한 심부름꾼이 없어 특을 불러다 이렇게 말했지요.

---

95 청량사(淸凉寺) 삼각산에 있던 절.

"지난날 네 죄를 모두 용서할 테니 지금부터는 내게 충성을 다할 수 있겠느냐?"

특이 엎드려 울며 대답했습니다.

"쇤네가 비록 어리석고 둔하나 목석은 아닙니다요. 제가 지은 죄는 머리카락을 뽑아도 다 셀 수가 없는데, 이제 용서해 주신다니 죽은 나무에 잎이 나고 해골에 살이 돋아나는 듯하옵니다. 감히 진사님을 위하여 목숨을 바치지 않을 수 있겠습니까?"

"내가 운영을 위해 제사상을 차리고 불공을 드려 소원을 빌려 하는데 믿을 만한 사람이 없구나. 네가 가 주겠느냐?"

특이 말했습니다.

"삼가 분부를 받들겠습니다."

특은 즉시 절에 올라가 사흘 동안 볼기짝을 두드리며 누워 있다가 스님 하나를 불러 이렇게 말했습니다.

"쌀 40석을 어찌 불공드리는 데 다 쓰겠나? 이제 술과 고기를 많이 마련하고 속세 손님들을 널리 초청하여 대접하는 게 좋겠수."

특은 절에 들른 마을의 여인 한 사람을 겁탈하기까지 했습니다. 특이 승방(僧房)에 머문 지 10여 일이 지났건만 도무지 제사 지낼 뜻이 없어 스님들은 모두 분하게 여겼습니다. 제사 지낼 날이 되자 여러 스님들이 말했습니다.

"불공을 드리는 일에는 공양하는 분이 가장 중요합니다. 그런데 공양하는 분이 이처럼 불결하니 참으로 좋지 못합니다. 맑은 시냇물에 목욕하여 몸을 깨끗이 하고 예를 올리는 것이 좋겠습니다."

특은 어쩔 수 없이 나가 몸을 잠깐 물에 담그고 들어와서는 부처님 앞에 꿇어앉아 이렇게 기도했습니다.

"진사는 오늘 빨리 죽고 운영은 내일 다시 살아나 내 아내가 되게 해 주소서!"

사흘 밤낮 동안 빈 소원이 다만 이것뿐이었습니다. 특이 돌아와 내게 말했습니다.

"운영 각시가 살아날 방도가 틀림없이 있습니다. 제사 올리던 밤에 운영 각시가 쇤네의 꿈에 나타나서 '지극정성으로 불공을 드려 주니 감격을 이길 수 없습니다.'라고 말하면서 절하고 또 울었습니다. 그 절의 중들도 모두 이런 꿈을 꾸었답니다."

나는 그 말을 믿고 실성하여 통곡했습니다.

때는 마침 화나무 꽃이 노랗게 피는 시절[96]이었습니다. 나는 과거를 볼 생각은 없었으나 공부를 핑계 삼아 청량사에 올라갔습니다. 며칠을 묵으며 특이란 놈이 한 짓을 자세히 듣게 되었지요. 분을 이기지 못했으나 특을 어찌할 방도가 없었습니다. 목욕재계한 다음 부처님 앞에 나아가 두 번 절하고 세 번 머리를 조아린 뒤 향을 살라 합장하고 이렇게 빌었습니다.

"운영이 죽을 당시 했던 약속이 너무도 서글퍼 차마 저버릴 수 없었나이다. 그래서 특이라는 종놈으로 하여금 정성을 다해 불공을 드리게 하여 명복을 빌려 했었습니다. 그랬건만 지금 이 종놈이 부처님께 빌던 말을 들으니 패악이 극심하여 운영의 마지막 소원마저 모두 물거품이 되고 말았습니다. 이 때문에 제가 감히 다시 비나이다. 부처님, 운영을 다시 살아나게 해 주옵소서. 부처님, 운영을 저의 배필로 맺어 주옵소서. 부처님, 운영과 제가 다음 생에서는 이 같은 원통함을 면하게 해 주옵소서. 부처님, 특이란 종놈의 목숨을 끊고 쇠로 만든 칼을 씌워 지옥에 가두어 주옵소서. 부처님, 특이란 놈을 삶아 개에게 던져 주옵소서. 부처님께서 이렇게 해 주신다면 운영은 12층 금탑을 세우고 저는 큰 절을 세 곳에 세워 부처님 은혜에 보답하겠나이다."

기도를 마치고 일어서서 백번 절하며 머리를 땅에 조아리고 나왔습니다.

이레 뒤에 특은 우물에 빠져 죽었습니다. 그 뒤로 나는 세상사에 뜻이 없어, 몸을 깨끗이 씻고 새 옷으로 갈아입은 다음 조용한 방에 누웠습니다. 나흘 동안

---

96 화나무 꽃이 노랗게 피는 시절 여기서는 과거 시험이 있는 음력 7월을 가리킨다.

먹지 않다가 한 번 장탄식을 하고는 마침내 일어나지 못했습니다.

적기를 마치고 붓을 놓았다. 두 사람은 마주 보고 슬피 울었는데, 울음을 그치지 못했다. 유영이 위로의 말을 건넸다.

"두 분이 다시 만나셨으니 소원을 이룬 셈이요, 원수 같은 종놈이 이미 죽었으니 분도 풀렸을 터인데, 어찌 그리도 하염없이 비통해하십니까? 다시 인간 세상에 나지 못한 것을 한스러워하시는 겁니까?"

김 진사가 눈물을 거두고 감사의 뜻을 표하며 이렇게 말했다.

"우리 두 사람 모두 원한을 품고 죽었기에 염라대왕은 우리가 죄 없이 죽은 것을 가련히 여겨 인간 세상에 다시 태어나게 하려 했습니다. 그러나 지하의 즐거움도 인간 세계보다 덜하지 않거늘 하물며 천상의 즐거움이야 말해 무엇 하겠습니까? 이 때문에 우리는 인간 세계에 태어나기를 소망하지 않았습니다. 다만 오늘 밤 서글퍼하는 것은 다른 이유에서입니다. 대군이 몰락하여 궁궐에 주인이 없어지자 새들은 슬피 울고 사람들의 발길도 끊어졌으니, 이것만 해도 참으로 슬픈 일이지요. 게다가 새로 전쟁[97]을 겪은 뒤 화려하던 집은 잿더미가 되고 고운 담장은 무너져 내려 오직 섬돌의 꽃과 뜨락의 풀만 우거져 있습니다. 봄빛은 예전 모습 그대로이거늘 사람 일은 이처럼 바뀌었으니, 이곳에 다시 와 지난날을 추억하매 어찌 슬프지 않겠습니까!"

유영이 말했다.

"그렇다면 그대들은 모두 천상에 계신 분들인가요?"

김 진사가 말했다.

"우리 두 사람은 본래 천상의 신선으로, 오랫동안 옥황상제를 곁에서 모시고 있었지요. 그러던 어느 날 상제께서 태청궁[98]에 납시어 내게 동산의 과실을 따 오라

___

97 전쟁 여기서는 '임진왜란'을 일컫는다.
98 태청궁(太淸宮) 도교에서 옥황상제가 산다고 하는 궁궐 이름.

는 명을 내리셨습니다. 나는 반도와 경실과 금련자[99]를 많이 따서 사사로이 운영에게 몇 개를 주었다가 발각되고 말았습니다. 그래서 속세로 유배되어 인간 세상의 고통을 두루 겪는 벌을 받았지요. 이제는 옥황상제께서 죄를 용서하셔서 다시 삼청궁(三淸宮)에 올라 상제 곁에서 시중을 들고 있습니다. 그러다가 때때로 회오리바람 수레를 타고 내려와 속세에서 예전에 노닐던 곳을 찾아보곤 한답니다."

이윽고 눈물을 뿌리며 유영의 손을 잡고 말했다.

"바닷물이 마르고 바위가 문드러져도 이 사랑의 감정은 사라지지 않을 것이요, 천지가 다해도 이 한은 사그라지지 않을 것입니다. 오늘 밤 그대와 만나 이렇게 회포를 풀었으니 전생의 인연이 없었더라면 어찌 이런 일이 있겠습니까? 엎드려 바라건대 선생은 저희가 쓴 글을 수습하시어 영원히 전해 주시기 바랍니다. 그리하여 경망스러운 사람의 입에 헛되이 전해져 우스갯거리가 되지 않도록 해 주시면 참으로 고맙겠습니다."

김 진사가 취하여 운영에게 몸을 기대며 절구 한 편을 읊었다.

　궁중에 꽃 지고 제비 나는데
　봄빛은 예와 같되 주인은 간 데 없네.
　한밤의 달빛 이리도 서늘하여
　버드나무와 가벼운 안개는 푸른 우의[100] 같네.

운영이 이어서 읊조렸다.

　옛 궁궐의 버드나무와 꽃은 새봄을 띠었고

---

99 반도와 경실과 금련자 '반도(蟠桃)'는 3000년에 한 번 열매를 맺는다는 신선 세계의 복숭아이며, '경실(瓊實)'과 '금련자(金蓮子)' 역시 신선 세계에 나는 과일의 일종이다.
100 우의(羽衣) 신선의 옷.

천년의 호사 자주 꿈에 보이네.

오늘 밤 놀러 와 옛 자취 찾노니

눈물이 수건 적심 금치 못하네.

유영이 취하여 깜빡 잠이 들었다. 잠시 뒤 산새 울음소리에 깨어 보니, 안개가 땅에 가득하고 새벽빛이 어둑어둑하며 사방에는 아무도 보이지 않는데 다만 김 진사가 기록한 책 한 권이 남아 있을 뿐이었다. 유영은 서글프고 하릴없이 책을 소매에 넣고 집으로 돌아왔다. 상자 속에 간직해 두고 때때로 열어 보며 망연자실하더니 침식을 모두 폐하기에 이르렀다. 그 후 명산을 두루 유람하였는데, 그 뒤로 어찌 되었는지는 알 수 없다.

(연대 미상)

박희병·정길수 편역, 《千년의 우리소설 1: 사랑의 죽음》(돌베개, 2007)

최척전(崔陟傳)

조위한

조위한(1567~1649)

조선 중기의 문신으로 명종 22년(1567)에서 인조 27년(1649)
까지 살았다. 그는 1592년 임진왜란과 1597년 정유재란,
1627년 정묘호란과 1636년 병자호란 등의 전란을 직접 겪은
인물로, 〈최척전〉은 이러한 작가의 체험을 바탕으로 지은 작품
이다. 조위한은 자신의 체험을 토대로 역사적 상황에 놓인 개인
의 모습을 사실주의적으로 그리고자 하였다.

최척(崔陟)의 자는 백승(佰昇)이며, 남원(南原) 사람이다. 어려서 어머니를 여의고 아버지 숙(淑)과 함께 남원부 서문 밖에 있는 만복사[1]의 동쪽에서 외롭게 살고 있었다. 최척은 어려서부터 뜻이 크고 기개가 있었으며, 친구와 어울려 놀기를 좋아하고, 사소한 예절에는 구애를 받지 않았다. 이에 그의 아버지가 경계하여 말했다.

"네가 배우지 않으면 무뢰한(無賴漢)이 될 터인데, 너는 장차 어떤 사람이 되려 하느냐? 하물며 지금 나라에 전쟁이 일어나 바야흐로 고을마다 무사(武士)를 징집하고 있는데, 너는 쓸데없이 활을 쏘거나 말을 타고 놀며 늙은 아비에게 근심만 끼치고 있으니 효자라고 할 수 있겠느냐? 머리를 숙이고 선비를 좇아 과거 공부를 한다면, 비록 과거에 급제하여 벼슬길에는 오르지는 못할지라도 등에 화살을 지고 군대에 종사하는 일은 면할 수 있을 것이다. 성남(城南)에 사는 정 상사(鄭上舍)는 나의 죽마고우(竹馬故友)이다. 그는 힘써 배워서 학문이 두텁고도 뛰어나며 또 처음 배우는 사람을 잘 인도하여 가르치니, 너는 성남으로 가서 그를 스승으로 섬기도록 해라."

최척은 아버지의 명을 받들어 즉시 책을 옆구리에 끼고 문을 나서, 정 사도[2]에게 가르침을 받으며 부지런히 공부를 하고 책을 읽었다. 최척의 문장이 날로 발전하자, 마을 사람들은 모두 그의 총명하고 민첩함을 칭찬하였다.

---

1 만복사(萬福寺) 전라북도 남원시 왕정동 기린산에 있었던 사찰이다. 신라 말기에 도선(道詵)이 창건한 것으로 알려져 있으나, 임진왜란 때 소실되었다.
2 사도 스승과 제자를 아울러 이르는 말.

최척이 정 상사의 집에서 공부를 할 때마다 문득 어떤 계집아이가 창 밑에 숨어서 책 읽는 소리를 몰래 엿듣곤 하였다. 그녀의 나이는 겨우 열여섯 살 정도 되어 보였는데, 머릿결은 구름을 드리운 듯 아름다웠고 얼굴은 꽃처럼 어여뻤다. 하루는 상사가 식사를 하기 위해 내당(內堂)으로 들어가고 최척이 홀로 앉아서 시를 읊고 있는데, 갑자기 조그만 종이쪽지 하나가 창틈으로 들어왔다. 최척이 주워서 읽어 보니, 곧 〈표유매〉[3]의 마지막 장이 씌어 있었다. 최척은 이 글을 본 뒤부터 정신이 날아갈듯 황홀하고 마음을 가라앉힐 수가 없었다. 그래서 어두운 밤을 틈타 향기를 훔치리라고 거듭 마음을 먹었다가도 이내 김태현[4]의 고사를 생각하면서 애써 자신의 감정을 억누르고, 다시는 그런 생각을 하지 말자고 스스로 다짐하곤 했다. 그러나 곰곰이 생각하고 있노라면, 마음속에서 도의(道義)와 욕구(慾求)가 서로 치고받았다. 잠시 후에 상사가 나오는 것을 보고 즉시 그 종이쪽지를 소매 속에 감추었다. 공부를 마치고 집으로 돌아오는데, 푸른 옷을 입은 계집아이가 문밖에 서 있다가 최척의 뒤를 따라오며 말했다.

"저, 드릴 말씀이 있습니다."

최척은 쪽지에 적힌 시를 보고 마음이 흔들리고 있던 차에 이 말을 듣고는 기쁘면서도 이상하다는 생각이 들었다. 그래서 고개를 끄덕여 오라고 한 후 집으로 데리고 가 마음속에 품고 있던 것을 물으니, 그 아이가 대답했다.

"저는 이 낭자(李娘子)의 계집종인 춘생(春生)입니다. 낭자가 저에게 낭군의 화답시(和答詩)를 청해 오라고 하였습니다."

최척이 의아해서 말했다.

"너는 정 상사 집의 아이가 아니냐? 그런데 어째서 이 낭자라고 말하느냐?"

---

3 〈표유매(標有梅)〉 중국의 시집 《시경(詩經)》 〈소남(召南)〉에 수록된 시. 마지막 장의 내용은 "떨어지려는 매화를 광주리에 그냥 주워 담네. 제게 구혼할 낭군이여, 지금 말만 하세요."이다.
4 김태현(金台鉉) 고려 충렬왕 때의 학자. 어렸을 때 선배의 집에 다니며 글공부를 했는데, 그 집에 과부가 되어 외롭게 지내던 딸이 김태현에게 반하여, "말 타고 오는 서생은 뉘 댁 도령인지 / 석 달 동안이나 이름도 모르고 지냈도다. 이제야 비로소 김태현임을 알았네. / 가는 눈과 긴 눈썹 그립기만 하여라."라는 시가 적힌 쪽지를 전해 주었으나, 김태현이 그 시를 보고는 다시는 그 집에 가지 않았다는 일화가 있다.

춘생이 말했다.

"우리 주인댁은 본래 서울 숭례문 밖 청파리(靑坡里)에 있었으며, 주인어른인 경신(景新)께서는 일찍 돌아가시고 과부인 심 씨(沈氏)가 딸 하나와 그곳에서 외롭게 살고 있었습니다. 그 처녀의 이름은 옥영(玉英)인데, 시를 창틈으로 던지고 화답시를 요청했던 분이 바로 이분입니다. 우리는 지난해 배를 타고 강화도(江華島)로 피난을 갔다가 다시 나주(羅州) 땅 회진에 와서 머물러 있었는데, 가을에 다시 회진에서 이곳으로 굴러 들어오게 되었습니다. 이 집의 주인은 우리 마님과 친척이라서 우리에게 매우 잘해 주십니다. 또 장차 낭자를 위해 혼처(婚處)를 구하려고 하는데, 아직 마땅한 혼처를 구하지 못하고 있는 터입니다."

최척이 말했다.

"너의 낭자는 과부의 딸로서 어떻게 한문(漢文)을 알게 되었느냐?"

춘생이 대답했다.

"낭자에게 득영(得英)이라는 언니가 있었습니다. 그분은 문장에 능했으나, 19세라는 젊은 나이에 시집도 못 가고 일찍 죽었습니다. 우리 낭자는 항상 언니 곁에서 입과 귀로 글을 주워들어 거칠게나마 이름을 쓸 수 있게 된 것입니다."

최척은 춘생에게 술과 음식을 대접하고, 이어서 화려한 문체로 답서(答書)를 써 일렀다.

아침에 받은 훌륭한 글은 실로 저의 마음을 사로잡았습니다. 게다가 곧이어 청조(靑鳥)[5]를 만나게 되니 제 기쁨을 어떻게 다 헤아릴 수 있겠습니까? 매번 거울 속의 그림자에만 의지하고 그림 속의 참모습은 불러내기 어려웠습니다. 임을 사모하는 마음은 유혹할 수 있고 상자 속의 향기는 훔칠 수 있다는 것을 모르는 것은 아닙

---

5 청조 반가운 사자(使者)나 편지를 이르는 말. 푸른 새가 온 것을 보고 동방삭이 서왕모의 사자라고 한 고사에서 유래한다.

니다. 그러나 봉산[6]으로 가는 길은 멀고 약수[7]는 건너기 어려웠습니다. 어떻게 할까 이리저리 고민하고 궁리하는 사이에 이미 얼굴은 누렇게 뜨고 목덜미는 말라 비틀어졌습니다. 주저하며 잠을 이루지 못하니, 애가 끊는 듯하고 넋은 사라지는 듯했습니다. 그런데 뜻밖에도 오늘 빙간의 말[8]과 양대의 비[9]가 홀연히 꿈속에 들어오고 서왕모(西王母)의 편지가 문득 전해져, 갑자기 성기의 만남[10]을 이루고 월노의 끈[11]을 맺게 되었습니다. 이로써 제 삼생(三生)의 소원이 거의 다 이루어졌으니, 동혈지맹[12]을 번복하지 마십시오. 글로 말을 다 표현하지 못하는데, 말인들 어떻게 마음을 표현할 수 있겠습니까?

옥영은 편지를 받고 매우 기뻤다. 그래서 다음 날 또 답장을 써서 춘생에게 전달케 하였는데, 그 글에 일렀다.

저는 서울에서 생장하였으나 일찍 부친을 여의고, 지금껏 형제도 없이 홀로 편모(偏母)를 모셔 왔습니다. 몸은 비록 영락[13]였으나 마음은 빙호[14] 같으며, 거칠게나마 맑고 깨끗한 행실을 알아 대문 앞에 있는 길가마저도 나가 본 일이 없습니다. 그러나 좋은 때를 만나지 못하여 세상살이에 어려움이 많고, 전쟁이 어지럽게 일어나 온 가족이 흩어져 떠돌다가 이곳 남쪽 땅까지 이르러 친척에게 몸을 의탁하고 있습니다. 나이는 이미 시집갈 때가 되었으나 아직 받들어 공경할 사람을 만

---

6 봉산(蓬山) 동해(東海) 가운데에 있는, 신선이 산다고 하는 '봉래산'을 가리킨다.
7 약수(弱水) 신선이 살았다는 중국 서쪽의 전설적인 강. 길이가 3,000리나 되며, 부력(浮力)이 매우 약하여 기러기의 털도 가라앉는다고 한다.
8 빙간의 말 빙간지어(氷間之語). 중매(仲媒)하는 말로, 빙어(氷語)라고도 한다.
9 양대의 비 양대지우(陽臺之雨). 여기서는 아침이면 구름이 되고 저녁이면 비가 되어 양대에 내릴 것이라는 '무산신녀(巫山神女)'를 말한다.
10 성기의 만남 성기지회(星期之會). 견우와 직녀가 만난다는 7월 7일이나 혼인날을 일컫는다.
11 월노의 끈 월로지승(月老之繩). 월하노인(月下老人)이 가지고 다니면서 남녀의 인연을 맺어 준다는, 주머니의 붉은 끈을 의미한다.
12 동혈지맹(同穴之盟) '부부가 죽어서 같은 무덤에 묻히기를 맹세하다'로, 흔히 부부의 금슬이 좋음을 비유한다. 여기서는 '부부가 되자는 맹세'라는 뜻으로 쓰인다.
13 영락 초목의 잎이 시들어 떨어짐. 또는 세력이나 살림이 줄어들어 보잘것없이 됨.
14 빙호(氷壺) 얼음을 넣은 항아리라는 뜻으로, 맑고 깨끗한 마음을 비유하여 이르는 말이다.

나지 못하고, 항상 옥이 난리에 깨지거나 구슬이 강포한 무리에게 더럽혀질까 두려워하고 있습니다. 또 이 때문에 늙으신 어머님께는 근심을 끼치고, 제 스스로도 몸을 보전하기가 어려워 슬프기만 합니다. 그러나 사라(絲羅)가 반드시 교목(喬木)에 의탁하듯이[15] 여자의 백년고락(百年苦樂)은 실로 남자에게 달려 있으니, 진실로 교목처럼 훌륭한 남자가 아니라면 제가 어떻게 결혼할 마음을 둘 수 있겠습니까? 가까운 곳에서 낭군을 뵈오니, 말씀이 온화하고 행동거지(行動擧止)가 단정하며, 성실하고 진솔한 빛이 얼굴에 넘쳐흐르고, 우아한 기품이 보통 사람보다 한결 빼어났습니다. 만약 제가 어진 남편을 구하고자 한다면 낭군 외에 달리 누가 있겠습니까? 저는 용렬한 사람의 아내가 되기보다는 차라리 군자(君子)의 첩(妾)이 되는 것이 낫다고 생각합니다. 그러나 제 비천한 자질을 돌이켜 보면 군자의 짝이 되지 못할까 두렵기만 합니다. 어제 제가 시를 던진 것은 실로 저의 음란함을 깨우쳐 보이기 위함이 아니라, 단지 시험 삼아서 낭군의 의향을 탐지하려는 것이었습니다. 제가 비록 지식은 없으나 원래 사족(士族)으로서 애초에 저자에서 노니는 무리[16]가 아닌데, 어떻게 담벼락에 구멍을 뚫고 몰래 만날 마음을 가질 수 있겠습니까? 반드시 부모님께 아뢰어 마침내 예(禮)에 따라 혼례를 치른다면, 비록 먼저 사사로이 시를 던져 스스로 중매하는 추태를 범했으나 정절과 신의를 지키어 거안지경[17]을 다하고자 합니다. 이미 사사로이 편지를 주고받아 그윽하고 바른 덕을 크게 잃어버리긴 했으나 이제 간과 쓸개가 비추듯 서로의 마음을 잘 알게 되었으니, 다시는 함부로 편지를 보내지 않겠습니다. 이제부터는 반드시 중매를 두어 제가 행로[18]했다는 비난을 받지 않도록 해 주시길 간절히 바라오니, 잘 생각하시어 일을 꾀하십시오.

---

15 사라가 반드시 교목에 의탁하듯이 사라소탁필어교목(絲羅所托必於喬木). 토사(菟絲)와 여라(女羅)가 큰 나무에 의탁한다는 뜻으로, 여자가 훌륭한 남자에게 의탁하여 그 처첩(妻妾)이 됨을 이른다.
16 저자에서 노니는 무리 의시지도(倚市之徒). 길거리에서 몸을 파는 창녀(娼女)를 의미한다.
17 거안지경(擧案之敬) 거안제미(擧案齊眉)와 같은 의미로, 부부의 도리를 다해 남편을 지극히 공경한다는 뜻이다.
18 행로(行露) 여기서는 '남녀가 사사로이 밀회를 즐긴다'는 의미로 사용되었다.

최척은 편지를 다 읽은 후 마음이 더욱 기뻐서 자기 아버지에게 간절하게 아뢰어 말했다.

"들으니, 과부 심 씨가 서울에서 내려와 정 씨 집에 더부살이를 하고 있는데, 그 딸이 결혼할 나이인 데다가 용모가 매우 아름답고 성격이 온순하다고 합니다. 아버님께서 불초한 자식을 위해 시험 삼아 정 상사에게 구혼해 보십시오. 만약 이 일을 늦추시어 지위가 높은 사람이 우리보다 먼저 구혼하게 된다면 후회해도 소용이 없을 것이니, 우리가 먼저 구혼하는 것이 좋을 듯합니다."

아버지가 말했다.

"저들은 귀족으로 멀리 타향에 와서 잠시 더부살이를 하고 있기 때문에 반드시 부유한 집에 혼처를 구하려고 할 것이다. 그러나 우리 집은 본래부터 가난하니 저들이 우리의 구혼을 기꺼워할 리가 없다."

최척이 거듭 간청하여 말했다.

"먼저 물어보십시오. 이루어지고 이루어지지 않는 것은 하늘의 뜻입니다."

이에 최척의 아버지가 가서 물으니, 상사가 말했다.

"나의 표매[19]가 서울에서 피난을 와 궁박하게 내 집에 머물러 있는데, 그녀의 외동딸이 자색이 뛰어나고 재주와 행실이 보통이 아니라네. 그래서 내가 바야흐로 신랑감을 구해 가정을 이루게 하려고 하네. 진실로 자네의 아들이 훌륭한 사윗감이라는 것을 알고 있지만, 단지 자네가 가난한 것이 걱정일세. 그러나 내가 마땅히 누이와 상의를 해서 다시 알려 줌세."

최숙(崔淑)이 집으로 돌아와 이러한 말을 전하자, 최척은 초조한 모습으로 상사의 회답이 오기를 고대하였다. 상사가 심 씨에게 최숙이 구혼한 사실을 이야기하니, 심 씨가 거절하며 말했다.

"저는 온 집안이 유리(遊離)되어[20] 의탁할 곳 없이 외롭고도 어렵사리 지내고

---

19 표매(表妹) 부모의 자매 및 모친의 형제 등과 친척 관계인 종매(從妹).
20 유리되다 따로 떨어지게 되다.

있습니다. 그래서 이 딸을 반드시 부유한 사람에게 시집을 보내어 의탁할 계획을 갖고 있습니다. 최랑이 비록 어질다고는 하나 그 집안이 매우 가난하다고들 하니, 저는 원하지 않습니다."

이날 밤 옥영이 어머니 곁으로 가서 말을 하려다가 머뭇거리니, 어머니가 말했다.

"네가 무슨 생각을 하고 있는지 숨기지 말고 털어놓아라."

옥영이 얼굴을 붉히고 말을 못 하다가 억지로 입을 열어 말했다.

"어머님께서 저를 위해 사위를 고르시되 반드시 부유한 사람만을 구하려고 하시니, 그 마음이 안타깝습니다. 집안이 부유하고 사윗감마저 어질다면 얼마나 다행이겠습니까? 그러나 만약 집안은 비록 먹을 것이 풍족하더라도 사윗감이 어질지 못하다면, 그 집안을 보존하기 어려울 것입니다. 사람이 어질지 못한데 제가 그를 남편으로 섬긴다면, 비록 곡식이 있다고 한들 그가 능히 우리를 먹여 살릴 수 있겠습니까? 제가 최생을 몰래 살펴보니, 그는 하루도 빠지지 않고 매일 우리 아저씨께 와서 성의를 다하여 성실하게 배웠습니다. 이로 보건대, 그는 결코 경박하거나 방탕한 사람은 아닙니다. 이 사람을 배필로 삼을 수만 있다면 저는 죽어도 여한이 없습니다. 하물며 가난한 것은 선비의 본분이요, 떳떳하지 못한 재물은 뜬구름과 같은 것입니다. 청컨대, 최생으로 마음을 정하시어 저의 소원을 이루어 주십시오. 이것은 처녀가 제 입으로 할 말은 아니지만, 제 일생과 관련된 일입니다. 그런데 어떻게 부끄러움을 꺼려하여 침묵을 지킨 채 말을 하지 않고 있다가, 마침내 용렬한 사람에게 시집가서 일생을 그르쳐 버릴 수 있겠습니까? 이미 깨어진 시루는 다시 완전하게 하기 어려우며, 물을 들인 실은 다시 희게 할 수 없듯이 일이란 한 번 그르치면 서제막급[21]입니다. 하물며 지금 제 처지는 다른 사람들과 달라 집에는 엄한 아버지가 계시지 않고 왜적(倭賊)이

---

21 서제막급(噬臍莫及) 배꼽을 물어뜯으려 하여도 입이 닿지 않는다는 뜻으로, 후회하여도 이미 소용이 없음을 비유한 말.

가까운 곳에 있습니다. 진실로 참되고 믿음직스러운 사람이 아니라면 어떻게 우리 두 모녀로 하여금 우리 가문의 운명을 온전하게 보존할 수 있도록 하겠습니까? 지금은 차라리 안 씨(顔氏)가 결혼을 요청하고 서매(徐妹)가 스스로 낭군을 선택한 것을 본받아야 할 때입니다. 그런데 어떻게 여자의 속마음을 숨긴 채 단지 남의 입만 바라보면서[22] 가까운 곳에 있는 배필을 가만히 놓아두어야 하겠습니까?"

옥영의 모친은 어쩔 수 없이 다음 날 정 공(鄭公)에게 아뢰어 말했다.

"제가 밤에 다시 생각해 보니, 최 씨가 비록 가난하지만 그의 아들이 준수하며 빈부(貧富)는 하늘에 달려 있기 때문에 사람의 힘으로 이룰 수 있는 것이 아닙니다. 그래서 모르는 사람에게 구혼하기보다는 차라리 최랑을 사위로 삼는 것이 좋을 것 같습니다."

정 공이 말했다.

"누이가 그렇게 원한다면 내가 반드시 일이 성사되도록 권하리라. 최랑이 비록 한미한 선비이나 됨됨이가 옥처럼 훌륭하여 서울에서도 이 같은 사람은 거의 찾을 수 없을 게다. 저 사람이 만약 학업을 완수한다면 가난에서 벗어나 부자가 될 것이니, 어찌 숙맥(菽麥)과 같은 사람이겠는가?"

정 공은 바로 그날 중매쟁이를 최숙에게 보내어 혼인을 약속하고, 오는 9월 보름에 혼례를 치르기로 결정하였다. 최척은 너무 기뻐 손가락을 꼽아 가면서 그날이 오기를 기다렸다.

세월이 어느 정도 흐른 뒤였다. 남원부 사람으로 전에 참봉을 지냈던 변사정이 의병(義兵)을 모집하여 영남(嶺南)으로 가려고 하였는데, 최척은 활쏘기와 말타기를 잘했기 때문에 의병에 뽑혀서 동행하게 되었다. 최척은 진중(陣中)에 있으면서 옥영에 대한 근심과 걱정으로 몸이 아프게 되었다. 혼례를 치

---

22 남의 입만 바라보면서 도망인구(徒望人口). 여기서는 남이 중매하기를 가만히 앉아서 기다린다는 뜻이다.

르기로 약속한 날이 되어 소장(訴狀)을 올려 휴가를 청하자, 의병장이 화를 내며 말했다.

"지금이 어느 때인데 감히 혼사(婚事)에 대해서 말하느냐? 임금께서도 난리를 당하고 피난을 가서 풀숲을 방황하고 계시니, 이러한 때 신하 된 자는 마땅히 창을 베고 잘 겨를도 없어야 할 것이다. 하물며 너는 아직 결혼할 나이도 되지 않았으니, 도적을 모두 물리치고 난 뒤에 결혼식을 올리더라도 늦지 않을 것이다."

의병장은 이렇듯 꾸짖으며 끝내 최척의 귀가를 허락하지 않았다. 옥영도 최생이 종군(從軍)하여 돌아오지 않자 혼례를 치르지 못하고 그날을 헛되게 보낼 수밖에 없었다. 이후로 옥영은 밥을 먹거나 잠을 자지 못하였으며, 날이 갈수록 근심만 깊어 갔다.

이때 남원부중(南原府中)에 양생(梁生)이란 사람이 있었는데, 집안이 매우 부유하였다. 그는 옥영이 어질고 똑똑하며, 최척이 진중에서 돌아오지 않았다는 말을 들었다. 그래서 이 틈을 이용해 옥영에게 구혼하기 위해 몰래 뇌물을 주어 정 공의 아내와 결탁하였다. 이에 정 공의 아내는 심 씨에게 양생을 침이 마르도록 칭찬하고, 옥영을 양생과 혼인시키도록 권하며 말했다.

"최생은 매우 가난해 아침에는 저녁때 먹을 것이 없어 동쪽에서 빌리고 서쪽에서 구걸해야 하는데, 어느 겨를에 부모를 모실 수 있겠습니까? 하물며 지금은 최생이 종군해서 돌아오지도 못하고 있으니, 그의 생사를 기약하기도 어렵습니다. 그러나 양생의 집안은 매우 부유하여 본래부터 재물이 많기로 소문이 나 있으며, 그 아들도 최생 못지않게 현명합니다."

이렇듯이 정 공 부부가 번갈아 가며 권하자, 심 씨는 자못 유혹에 넘어가 즉시 양생과 옥영의 혼인을 허락하고, 10월로 날짜를 잡아 혼례를 치르기로 약속하였다. 마치 '많은 사람들이 한결같이 말하니 감옥인들 깨뜨리지 못하리오.' 하는 꼴이 된 것이다.

이 사실을 알게 된 옥영은 밤에 어머니를 찾아가 눈물로 호소하며 말했다.

"최생의 거취(去取)는 의병장의 손에 달려 있기 때문에 최생이 자기 마음대로 오지 않은 것은 아닙니다. 그런데 최생의 말을 기다리지도 않고 곧바로 언약을 저버리시니, 이보다 옳지 못한 사람이 또 어디 있겠습니까? 만약 제 의지를 꺾으려 하신다면 저는 죽어도 다른 곳으로는 시집가지 않겠습니다. 하늘 같은 어머니께서도 몰라주시는데 남들이 어떻게 제 마음을 헤아리겠습니까[23]?"

어머니가 말했다.

"너는 어찌 이렇듯 심하게 고집을 부리느냐? 아아, 어린 네가 무엇을 알겠느냐? 너는 마땅히 이 어미가 시키는 대로 따라야 할 것이다."

심 씨는 딸의 말을 용납하지 않고, 또 더 들을 생각도 없어 곧 잠자리에 들었다. 한밤에 심 씨가 깊이 잠들어 있었는데, 문득 숨이 차서 헐떡거리는 소리가 베갯머리까지 세차게 들려왔다. 잠에서 깨어나 딸이 자던 자리를 어루만져 보니, 딸이 그 자리에 없었다. 놀라 자리에서 일어나 다급히 찾아보니, 옥영이 비단 수건으로 목을 매고 창살 아래 엎드려 있었다. 손발이 모두 차고 숨소리가 점차 희미해졌으며, 호흡만 목구멍 속에서 오락가락하였다. 심 씨는 황망히 목에 매인 수건을 풀고 옥영을 끌어안아 일으켰다. 이때 춘생이 등불을 밝히고 와서 물을 몇 모금 입에 흘려 넣자, 옥영이 겨우 입으로 숨을 내쉬었다. 잠시 후 옥영이 깨어남에 온 집안이 발칵 뒤집혀 너나없이 달려와서 옥영을 구완하였으며[24], 이 이후로는 어느 누구도 양씨 집안과의 혼사 이야기를 꺼내지 않았다.

이에 최숙은 아들에게 편지를 보내어 양씨 집안과의 혼사 문제 등 그동안의 모든 사실을 다 알려 주었다. 최척은 바야흐로 옥영에 대한 그리움으로 오래도록 병이 낫지 않고 침상에 누워 있었는데, 이 소식을 듣고는 병과 그리움이

---

23 하늘 같은 어머니께서도 몰라주시는데 남들이 어떻게 제 마음을 헤아리겠습니까 **모야천지(母也天只) 불량인지(不諒人只).** 《시경(詩經)》〈용풍(鄘風)〉'백주(柏舟)' 편에서 따온 것으로, 본래 뜻은 "어머님은 제게 하늘이신데 절 못 믿으시나요?"이다.
24 구완하다 아픈 사람이나 해산한 사람을 간호하다.

두 배나 더 심해졌다. 의병장은 이 이야기를 듣고 즉시 최척을 진중에서 내어보내 집으로 돌아가게 하였다. 집으로 돌아온 최척은 며칠 동안 몸을 조리하고 난 뒤에 점차 병이 낫기 시작하였다. 그리하여 마침내 11월 초하룻날 정 진사(鄭進士) 집에서 혼례를 치렀다. 아름다운 두 남녀가 서로 합치게 되니, 그 기쁨이란 이루 말할 수 없었다.

혼례를 마친 후 최척이 아내와 장모를 모시고 집으로 돌아옴에 하인과 노비들이 모두 기뻐하였다. 대청(大廳)에 오르자 친척들이 축하하여 온 집안에 기쁨이 넘쳐흘렀으며, 이들을 기리는 소리가 사방의 이웃으로 퍼져 나갔다. 시집에 온 옥영은 소매를 걷어붙이고 머리를 빗어 올린 채 손수 물을 긷고 절구질을 하였으며, 시아버지를 봉양하고 남편을 섬길 때는 효도와 정성을 다하고, 윗사람을 받들고 아랫사람을 부릴 때는 성의와 예의를 두루 갖추었다. 이웃 사람들이 이 이야기를 듣고는 모두 양홍의 처나 포선의 아내도 이보다는 낫지 않을 것이라고 칭찬하였다.

최척은 아내를 얻은 이후 구하는 것이 뜻대로 되어 재산이 점차 넉넉하게 불어났으나, 다만 일찍이 자식이 없는 것이 걱정이었다. 최척 부부는 후사(後嗣)를 염려하며 매월 초하루가 되면 몸과 마음을 깨끗이 하고 함께 만복사(萬福寺)에 올라가 부처께 기도를 올렸다. 다음 해인 갑오년[25] 정월 초하루에도 만복사에 올라가 기도를 하였는데, 이날 밤 장육금불(丈六金佛)이 옥영의 꿈에 나타나 말했다.

"나는 만복사의 부처로다. 너희 정성이 가상하여 기이한 사내아이를 점지해 주니, 태어나면 반드시 특이한 일이 있을 것이다."

옥영은 그달에 바로 잉태하여 10개월 후에 과연 아들을 낳았는데, 등 위에 어린아이 손바닥만 한 붉은 점이 있었다. 그래서 마침내 최척은 아들 이름을 몽석

---

25 갑오년(甲午年) 임진왜란이 일어난 지 2년 뒤인 1594년.

(夢釋)이라고 지었다.

최척은 피리를 잘 불었으며, 매번 꽃 피는 아침과 달 뜨는 저녁이 되면 아내와 함께 피리를 불곤 하였다. 일찍이 날씨가 맑은 어느 봄날 밤이었는데, 어둠이 깊어 갈 무렵 미풍이 잠깐 일어나면서 밝은 달이 환하게 비추었으며, 바람에 날리던 꽃잎이 옷에 떨어져 그윽한 향기가 코끝에 스며들었다. 이에 최척과 옥영은 술병을 열고 술을 따라 마신 후, 침상에 기대어 피리를 세 곡조 부니 그 여음(餘音)이 하늘거리며 퍼져 나갔다. 옥영이 한동안 침묵에 잠겨 있다가 말했다.

"저는 본래부터 아녀자가 시 읊는 것을 싫어했습니다. 그런데 이처럼 맑은 정경을 대하니 도저히 참을 수가 없군요."

옥영은 마침내 절구(絶句) 한 수를 읊었다.

왕자진이 피리를 부니 달도 내려와 들으려 하는데,
바다처럼 푸른 하늘엔 이슬이 서늘하네.
때마침 날아가는 푸른 난새를 함께 타고서도,
안개와 놀이 가득하여 봉도[26] 가는 길 찾을 수 없네.
王子吹簫月欲底, 碧天如海露凄凄.
會須共馭靑鸞去, 蓬島烟霞路不迷.

최척은 애초에 자기 아내가 이렇듯 시를 잘 읊조리는 줄 모르고 있던 터라 놀라고 또 감탄을 한 후, 즉시 그 시에 화답하여 읊었다.

아득한 요대엔 새벽 구름이 떠다니고,
맑은 난소(鸞簫)의 곡조(曲調)는 끊이지 않네.

---

26 봉도(蓬島) 신선이 산다고 하는 섬으로 동해(東海)에 있다고 한다.

여향(餘響) 공중에 울려 퍼짐에 달은 떨어지려 하고,

뜰에 드리운 꽃 그림자는 향기로운 바람에 날리네.

瑤臺漂渺曉白雲, 吹澈鸞簫曲未終.

餘響滿空月欲落, 一庭花影動香風.

최척이 읊기를 마치자, 옥영은 더없이 기뻤다. 그러나 옥영은 즐거움이 다하면 슬픔이 온다는 것을 아는지라, 처연히 최척의 손을 잡고 눈물을 흘리면서 말했다.

"인간 세상에는 뜻하지 않는 변고(變故)가 있고, 좋은 일은 귀신이 시기하는 법입니다. 우리가 일생을 살아가는 동안에 몇 번이나 헤어지고 다시 만날지 기약하기 어렵습니다. 저는 항상 이것이 근심스러워 마음이 절로 슬퍼지곤 합니다."

최척이 눈물을 닦아 주며 위로하여 말했다.

"굽었다가 펴지고 가득 찼다가 텅 비게 되는 것이 천도(天道)의 항상 된 이치요, 길흉(吉凶)과 회한(悔恨)은 사람이 살아가는 동안 당연히 겪을 일일 것이오. 만약 불행히 하늘에서 부여한 운명을 맞이하게 되더라도 어떻게 슬픈 처지를 한탄하면서 몸과 마음을 게을리할 수가 있겠소? 부질없는 근심과 고민으로 즐거운 마음을 해칠 필요는 없소."

이 이후로 최척과 옥영의 애정은 더욱 돈독해졌으며, 서로들 지음[27]으로 자처하면서 하루도 떨어져 생활하는 일이 없었다.

---

27 지음(知音) 자기의 마음을 알아주는 친한 벗이란 뜻으로 백아(伯牙)는 거문고를 잘 탔는데, 그의 벗 종자기(鍾子期) 가 백아의 거문고 소리만 듣고도 백아의 마음을 알았다는 고사에서 유래했다.

정유년[28] 8월에 왜구(倭寇)가 남원을 함락하자 사람들이 모두 피난 가 숨었으며, 최척의 가족들도 지리산(智異山) 연곡사(鷰谷寺)로 피난을 갔다. 최척은 옥영에게 남장(男裝)을 하게 했는데, 뭇 사람에 뒤섞이어도 보는 사람들마다 옥영이 여자인 줄을 몰랐다. 지리산으로 들어온 지 며칠이 지나자 양식이 다 떨어져 거의 굶주리게 되었다. 최척은 장정(壯丁) 서너 사람과 함께 양식도 구하고 왜적의 형세도 살펴볼 겸 산에서 내려왔다. 최척 일행은 구례(求禮)에 이르러서 갑자기 적병을 만나게 되었는데, 모두 바위 골짜기에 몸을 숨겨 겨우 붙잡히는 것을 면했다.

이날 왜적들은 연곡사로 가득히 쳐들어가 아무것도 남기지 않고 다 약탈해 갔다. 최척 일행은 길이 막혀 3일 동안이나 오도 가도 못하고 숨어 있었다. 왜적들이 물러가기를 기다렸다가 간신히 연곡사로 들어가 보니, 시체가 절에 가득히 쌓여 있고 피가 흘러 내를 이루고 있었다. 그런데 이때 숲속에서 신음 소리가 은은히 들려왔다. 최척이 달려가 찾아보니, 노인 몇 사람이 온몸에 상처를 입고 신음하고 있었다. 노인들은 최척을 보자 통곡하며 말했다.

"적병이 산에 들어와서 3일 동안 재물을 약탈하고 인민들을 베어 죽였으며, 아이들과 여자들은 모두 끌고 어제 겨우 섬진강으로 물러갔네. 가족들을 찾고 싶으면 물가에 가서 물어보게나."

최척은 하늘을 부르짖으며 통곡하고 땅을 치며 피를 토한 뒤, 즉시 섬진강으로 달려갔다. 몇 리도 채 못 갔는데, 문득 어지럽게 널려진 시신들 속에서 신음 소리가 들렸다. 그 소리는 끊겼다 이어졌다 해서 소리가 나는 것인지 아닌지 분간하기도 어려웠다. 가서 보니 온몸이 칼로 베이고 흐르는 피가 얼굴에 낭자하여 어떤 사람인지 알아볼 수가 없었다. 그가 입고 있는 옷을 살펴보니 춘생이 입고 있던 것과 비슷했다. 그래서 최척은 큰 소리로 불러 말했다.

---

28 정유년(丁酉年) 정유재란이 일어났던 1597년.

"너는 춘생이 아니냐?"

춘생이 눈을 들어 보더니, 얼굴이 비참하게 일그러지며 기어드는 목소리로 희미하게 몇 마디를 중얼거렸다.

"낭군이시여, 낭군이시여! 아아, 애통합니다! 주인어른의 가족들은 모두 적병에게 끌려갔으며, 저는 어린 몽석을 등에 업고 달아났으나 빨리 달릴 수가 없어 적병의 칼에 맞게 되었습니다. 그 즉시 저는 땅에 넘어져 기절했다가 반나절만에 깨어났는데, 등에 업혔던 아이는 죽었는지 살았는지 알 수가 없습니다."

춘생은 말을 마치더니 이내 죽고 말았다. 최척은 주먹으로 가슴을 치고, 땅에 쓰러져 기절했다가 한참 후에야 깨어났다. 이윽고 정신을 가다듬어 섬진강으로 가서 보니, 강둑 위에 상처를 입고 쓰러진 수십 명의 노약자들이 서로 모여서 통곡을 하고 있었다. 최척이 다가가서 묻자, 노인들이 대답했다.

"산속에 숨어 있다가 왜적에게 여기까지 끌려왔네. 왜적들은 여기에서 장정들만 가려 배에 실어 가고, 이처럼 병이 들거나 칼에 찔린 노약자들은 버려 두었네."

최척은 이 이야기를 듣고 대성통곡(大聲痛哭)을 하였다. 혼자만 온전하게 살아남을 수 없다고 생각하여 자살을 하려고 했으나, 주위 사람들이 만류하여 죽을 수도 없었다. 그래서 강의 상류로 터덜터덜 걸어 올라갔는데, 막상 돌아갈 곳도 없었다. 샛길을 찾아 겨우 고향에 이르러서 보니, 담벼락은 무너지거나 깨어져 있었다. 그 밖의 다른 것들도 모두 불타 버려 쉴 곳은 물론, 곳곳에 시체가 언덕처럼 쌓여 발 디딜 틈도 없었다.

마침내 최척이 금교(金橋) 옆에 주저앉아 쉬고 있는데, 문득 어떤 당(唐)나라 장수가 10여 명의 말 탄 병사를 거느리고 성안에서 나와 금교 아래에서 말을 씻기었다. 최척은 의병(義兵)으로 출전했을 때 당나라 장수들을 대접하기 위해 그들과 함께 오래도록 술을 마신 터라, 중국 말을 조금은 알고 있었다. 그래서 최척은 그 장수에게 자기 집안이 전몰(全沒)하게 된 사실을 이야기하고, 또 자기

한 몸마저 의탁할 곳이 없어 함께 중국으로 들어가 목숨이나 부지했으면 좋겠다고 호소하였다. 당나라 장수는 최척의 말을 듣고 슬퍼하였으며, 또 최척의 뜻을 불쌍하게 여겨 말했다.

"나는 오총병[29]에 속해 있는 천총[30]인 여유문(余有文)이오. 집은 절강성(浙江省) 소흥부(紹興府)에 있으며, 재산은 비록 넉넉지 않으나 먹고살기에는 부족함이 없소. 인생이란 서로의 마음을 알아주는 것이 소중하니, 가고 아니 가고는 그대의 뜻대로 하시오. 게다가 나는 이미 집안일에 연연(戀戀)하지 않고 장차 멀리 유람할 계획을 갖고 있소. 그런데 어찌 반드시 홀로 한 가지 방책만 고수하여 소심하게 그대의 뜻을 받아들이지 못하겠소."

마침내 최척은 말 한 필을 얻어 타고 당나라 진중으로 들어갔다. 최척은 용모가 준수하고 지략이 심원하였으며, 활쏘기와 말타기를 잘하고 한문도 잘 알고 있었다. 그래서 여 공(余公)은 최척을 매우 아껴 같은 막사에서 식사를 하고 잠도 같이 잤다. 얼마 뒤 총병(摠兵)이 병사들을 철수하여 중국으로 돌아감에, 최척은 전투(戰鬪)와 삼군[31]의 장부(帳簿)를 담당하는 임무를 맡아 국경의 관문(關門)을 통과하여 소흥부에서 살았다.

한편, 최척의 가족들은 포로가 되어 강까지 끌려왔는데, 적병들은 최척의 부친과 장모가 늙고 병이 들어 달아나지 못하리라 생각하고 방비를 소홀히 하였다. 최척의 부친과 장모는 적들이 방심하는 순간을 틈타 몰래 갈대숲 속으로 달아나 숨었다. 이윽고 왜적들이 물러가자, 두 사람은 갈대숲에서 나와 이 고을 저 마을을 구걸하며 떠돌다가 마침내 연곡사로 굴러들게 되었다. 그런데 승방(僧房)에서 어린아이의 구슬픈 울음소리가 들려왔다. 이에 심 씨가 울면서 최숙에

---

29 오총병(吳摠兵) 오(吳)의 총병(摠兵). 총병은 관직 이름으로, 명(明) 때 조선에 군사를 파견하면서 두게 된 지휘관직(指揮官職)이다.
30 천총(千摠) 명(明) 때 하급 지휘관직.
31 삼군(三軍) 다수의 군대. 또는 전군(全軍)을 이르는 말로, 주대(周代)에 삼군은 대제후(大諸侯)가 소유한 상군·중군·하군을 일컬었으며, 각 군은 1만 2,500명으로 구성되었다.

게 말했다.

"이것이 어떤 아이의 소리입니까? 꼭 우리 아이의 울음소리 같습니다."

최숙이 문을 열어서 보니 바로 몽석이었다. 마침내 최숙은 기이한 인연에 놀라며, 아이를 품에 안고 울음을 달래었다. 그리고 몽석을 안고 나오면서 스님에게 물었다.

"이 아이가 어디에서 이곳으로 왔습니까?"

혜정(惠正)이라는 스님이 말했다.

"수북하게 쌓여 있는 시체 더미 속에서 이 아이가 응애응애 울면서 기어 나왔는데, 제가 그 모습이 하도 불쌍하여 이곳으로 데리고 와 아이의 부모를 기다리고 있었던 것입니다. 이 아이가 살아난 것은 곧 하늘이 내려 주신 복입니다. 어찌 사람의 힘으로 할 수 있는 일이겠습니까?"

최숙은 손자 아이를 심 씨와 번갈아 업어 가면서 집으로 돌아와 흩어졌던 노복들을 거둬들이고, 집안일을 돌보면서 함께 의지해 살았다.

이때 옥영은 왜병인 돈우(頓于)에게 붙들렸는데, 돈우는 인자한 사람으로 살생을 좋아하지 않았다. 그는 본래 부처님을 섬기면서 장사를 업으로 삼고 있었으나, 배를 잘 저었기 때문에 왜장(倭將)인 평행장(平行長)이 뱃사공의 우두머리로 삼아 데려왔던 것이다. 돈우는 옥영의 영특한 면모를 사랑하였다. 옥영이 붙들린 채 두려움에 떠는 것을 보고 좋은 옷을 입히고 맛있는 음식을 먹이면서 옥영의 마음을 달래었다. 그러나 옥영이 여자인 줄은 끝내 몰랐다. 옥영은 물에 빠져 죽으려고 두세 번 바다에 뛰어들었으나, 사람들이 번번이 구출해서 결국 죽지 못하고 말았다.

어느 날 저녁이었다. 옥영의 꿈에 장육금불이 나타나 분명하게 말했다.

"삼가 죽지 않도록 해라. 후에 반드시 기쁜 일이 있을 것이다."

옥영은 깨어나 그 꿈을 기억해 내고는 전혀 희망이 없는 것은 아니라고 생각했다. 그래서 마침내 억지로라도 밥을 먹으며 죽지 않고 살아남았다.

돈우의 집은 낭고사(浪沽射)에 있었는데, 집에는 늙은 아내와 어린 딸만 있고 다른 사내는 없었다. 돈우는 옥영을 집 안에서만 생활하고 다른 곳에는 일체 나가지 못하게 하였다. 이에 옥영은 돈우에게 거짓말로 일렀다.

"저는 단지 어린 사내로 약질에다가 병이 많습니다. 예전에 본국에 있을 때에도 남자들의 일을 감당할 수가 없어 오로지 바느질과 밥 짓는 일만을 했습니다."

돈우는 더욱 불쌍하게 생각하여 옥영에게 사우(沙于)라는 이름을 지어 주었다. 그는 배를 타고 장사를 다닐 때마다 옥영을 데리고 가서 부엌일을 맡겼다. 그래서 옥영은 배 안에 있으면서 민절의 사이[32]를 왕래하였다.

이때 최척은 소흥부에 살면서 여 공과 의형제를 맺었다. 여 공이 자신의 누이를 최척에게 시집보내려 하자, 최척이 완고하게 사양하며 말했다.

"저는 온 집안이 왜적에게 함몰되어[33] 늙으신 아버지와 허약한 아내가 살았는지 죽었는지 아직까지 모르고 있습니다. 그래서 죽을 때까지 상복(喪服)을 벗을 수 없을지도 모르는데, 어떻게 마음 놓고 아내를 얻어 편안한 생활을 꾀할 수 있겠습니까?"

이에 여 공은 더 이상 이 문제에 대해서 논의하지 않았다.

그해 겨울에 여 공은 병으로 인해 죽고 말았다. 최척은 또다시 갈 곳이 없어 강호를 떠돌며 두루 명승지(名勝地)를 유람하였다. 용문(龍門)과 우혈[34]을 살펴보고, 소상강(瀟湘江)과 동정호(洞庭湖)를 유람하였으며, 악양루(岳陽樓)와 고소대에도 올라갔다. 이렇듯 최척은 강산을 떠돌며 시를 읊조리고 구름과 물 사이를 배회하다가, 마침내 소심하게 사물에 얽매여 근심하지 않고 바람 따라 떠돌며 한 세상을 보내리라 마음먹게 되었다. 이러는 사이에 해상(海上)의 섬도사(蟾

---

32 민절의 사이 민절지간(閩浙之間). 중국의 푸젠성[福建省]과 저장성[浙江省] 사이. 민(閩)은 중국 동남 지방에 있는 지역으로, 현재의 푸젠성을 일컫는다.
33 함몰되다 결딴이 나서 없어지다.
34 우혈(禹穴) 동굴의 이름. 이곳에 우(禹)임금의 묘(廟)가 있음.

道士) 왕은(王隱)이라는 사람이 아미산 아래에 살고 있는데, 금련단[35]을 달여 먹고 대낮에 하늘을 날 수 있는 재주를 가졌다는 말을 들었다. 그래서 최척은 장차 촉[36] 땅으로 가 그에게 선술을 배우려고 하였다.

때마침 주우(朱佑)라는 사람이 있었는데 호(號)를 학천(鶴川)이라고 했으며, 집이 용금문(湧金門) 밖에 있었다. 그는 경전(經典)과 사서(史書)에 두루 통했으나 공명을 달갑게 여기지 아니하고 물건 매매를 생업으로 삼았으며, 남에게 베풀기를 좋아하고 의기(義氣)를 숭상하였다. 최척과는 예전부터 절친하게 지내는 사이였는데, 최척이 촉으로 간다는 소식을 듣고 술을 가지고 왔다. 주우는 술잔을 들고 최척의 자(字)를 부르며 말했다.

"백승아! 백승아! 사람이 이 세상을 살아가면서 누군들 오래 살고 싶지 않겠는가? 그러나 고금천하(古今天下)를 오래도록 보아 왔지만 죽지 않은 사람이 어디에 있었는가? 남은 인생이 얼마나 된다고 음식을 물리치고 배고픔을 참는 등 스스로를 괴롭히면서 산에 사는 귀신과 이웃이 되려고 하는가? 자네는 모름지기 나에게 와서 나와 함께 사는 것이 좋겠네. 일엽편주(一葉片舟)[37]에 몸을 싣고 오로지 마음이 내키는 대로 다니며, 아침저녁으로 오(吳) 땅과 초(楚) 땅을 오가며 비단과 차를 팔고 다니세. 이렇게 강호(江湖)를 유랑하며 남은 인생을 즐기는 것이 바로 달인(達人)의 경지요, 세상 사람들이 말하는 '지상(地上)의 신선이 하늘에서 노니는 것을 배웠다.'고 하는 것이 아니겠는가?"

최척은 주우의 말을 듣고 확연하게 깨달은 바가 있었다. 그래서 주우와 함께 가게 되었는데, 이때가 경자년[38] 늦봄이었다. 최척과 주우는 배를 타고 이곳저곳을 돌아다니며 차를 팔다가 마침내 안남[39]에 이르게 되었다. 이때 일본인 상선

---

35 금련단(金鍊丹) 도사(道士)가 정련(精練)한, 황금의 정(精)으로 만든 환약. 먹으면 장생불사한다고 한다.
36 촉(蜀) 쓰촨성 성도의 옛 명칭으로 삼국 시대 때 유비가 이곳에 도읍하였다.
37 일엽편주 한 척의 조그마한 배.
38 경자년(更子年) 1600년.
39 안남(安南) 인도차이나 동쪽의 한 지방으로 지금의 베트남 지역이다.

(商船) 10여 척도 강 어구에 정박하여 10여 일을 함께 머물게 되었다.

날짜는 어느덧 4월 보름이 되어 있었다. 하늘에는 구름 한 점 없고 물은 비단결처럼 빛났으며, 바람이 불지 않아 물결 또한 잔잔하였다. 이날 밤이 장차 깊어 가면서 밝은 달이 강에 비추고 옅은 안개가 물 위에 어리었으며, 뱃사람들은 모두 깊은 잠에 빠지고 물새만이 간간이 울고 있었다. 이때 문득 일본인 배 안에서 염불하는 소리가 은은히 들려왔는데, 그 소리가 매우 구슬펐다. 최척은 홀로 선창에 기대어 있다가 이 소리를 듣고 자신의 신세가 처량하게 느껴졌다. 그래서 즉시 행장(行裝)에서 피리를 꺼내 몇 곡을 불어서 가슴속에 맺힌 회한을 풀었다. 때마침 바다와 하늘은 고요하고 구름과 안개가 걷히니, 애절한 가락과 그윽한 흐느낌이 피리 소리에 뒤섞이어 맑게 퍼져 나갔다. 이에 수많은 뱃사람들이 놀라 잠에서 깨어났으며, 그들은 처연하게 앉아 피리 소리에 조용히 귀를 기울였다. 격분해서 머리가 곤추선 사람도 피리 소리에 분을 가라앉힐 정도였다.

잠시 후에 일본인 배 안에서 조선말로 칠언 절구(七言絶句)를 읊었다.

왕자진의 피리 소리에 달마저 떨어지려 하는데,
바다처럼 푸른 하늘엔 이슬만 서늘하네.
王子吹簫月欲底, 碧天如海露凄凄.

시를 읊는 소리는 처절하여 마치 원망하는 듯, 호소하는 듯하였다. 시를 다 읊더니, 그 사람은 길게 한숨을 내쉬었다. 최척은 그 시를 듣고 크게 놀라서 피리를 땅에 떨어뜨린 것도 깨닫지 못한 채, 마치 실성한 사람처럼 멍하니 서 있었다. 이를 보고 학천(鶴川)이 말했다.

"어디 안 좋은 곳이라도 있는가?"

최척은 대답을 하고 싶었으나 목이 메고 눈물이 떨어져 말을 할 수 없었다.

시간이 조금 흐른 뒤에 최척은 기운을 차려 말했다.

"조금 전에 저 배 안에서 들려왔던 시구(詩句)는 바로 내 아내가 손수 지은 것이라네. 다른 사람은 평생 저 시를 들어도 절대 알아내지 못할 것일세. 게다가 시를 읊는 소리마저 내 아내의 목소리와 너무 비슷해 절로 마음이 슬퍼진 것이라네. 어떻게 내 아내가 여기까지 와서 저 배 안에 있을 수 있겠는가?"

이어서 온 가족이 포로로 잡혀간 일을 말하자, 배 안에 있던 사람들 가운데 비탄에 젖지 않은 사람이 없었다. 그 가운데는 두홍(杜洪)이라는 사람이 있었는데, 젊고 용맹한 장정이었다. 그는 최척의 말을 듣더니, 얼굴에 의기(義氣)를 띠고 주먹으로 노를 치면서 분연히 일어나며 말했다.

"내가 가서 알아보고 오겠소."

학천이 저지하며 말했다.

"깊은 밤에 시끄럽게 굴면 많은 사람들이 동요할까 두렵네. 내일 아침에 조용히 물어보아도 늦지 않을 것일세."

주위 사람들이 모두 말했다.

"그럽시다."

최척은 앉은 채로 아침이 되기를 기다렸다. 동방이 밝아 오자, 즉시 강둑을 내려가 일본인 배에 이르러 조선말로 물었다.

"어젯밤에 시조를 읊었던 사람은 조선 사람 아닙니까? 나도 조선 사람이기 때문에 한 번 만나 보았으면 합니다. 멀리 다른 나라를 떠도는 사람이 비슷하게 생긴 고국 사람을 만나는 것이 어찌 기쁘기만 한 일이겠습니까?"

옥영도 어젯밤 들려왔던 피리 소리가 조선의 곡조(曲調)인 데다, 평소에 익히 들었던 것과 너무나 흡사하였다. 그래서 남편 생각에 감회가 일어 저절로 시를 읊게 되었던 것이다. 옥영은 자기를 찾는 사람의 목소리를 듣고는 황망하게 뛰어나와 최척을 보았다. 두 사람은 서로 마주 바라보고는 놀라서 소리를 지르며 끌어안고 백사장을 뒹굴었다. 목이 메고 기가 막혀 마음을 안정할 수가 없었으며, 말도 할 수 없었다. 눈에서는 눈물이 다하자 피가 흘러내려 서로를 볼 수도 없을 지경이었다. 두 나라의 뱃사람들이 저잣거리처럼 모여들어 구경하였는데, 처음에는 다만 친척이나 잘 아는 친구인 줄로만 알았다. 뒤에 그들이 부부 사이라는 것을 알고 사람마다 서로 돌아보며 소리쳐 말했다.

"이상하고 기이한 일이로다! 이것은 하늘의 뜻이요, 사람이 이룰 수 있는 일이 아니로다. 이런 일은 옛날에도 들어 보지 못하였다."

최척은 옥영에게 그간의 소식을 물으며 말했다.

"산속에서 붙들리어 강가로 끌려갔다는데, 그때 아버님과 장모님은 어떻게 되었소?"

옥영이 말했다.

"날이 어두워진 뒤에 배에 오른 데다 정신이 없어 서로 잃어버리게 되었으니, 제가 두 분의 안위를 어떻게 알겠습니까?"

두 사람이 손을 붙들고 통곡하자, 옆에서 지켜보던 사람들도 슬퍼하며 눈물을 닦지 않는 이가 없었다.

학천은 돈우를 만나 백금(白金) 세 덩이를 주고 옥영을 사서 데려오려고 하였다. 그러자 돈우가 얼굴을 붉히며 말했다.

"내가 이 사람을 얻은 지 이제 4년 되었는데, 그의 단정하고 고운 마음씨를 사랑하여 친자식처럼 생각해 왔습니다. 그래서 침식을 함께하는 등 잠시도 떨어진 적이 없었으나, 지금까지 그가 아낙네인 것을 몰랐습니다. 오늘 이런 일을 직접 겪고 보니, 이는 천지신명(天地神明)도 오히려 감동할 일입니다. 내가 비록 어리석고 무디기는 하지만 진실로 목석(木石)은 아닙니다. 그런데 차마 어떻게 그를 팔아서 먹고살 수 있겠습니까?"

돈우는 즉시 주머니 속에서 은자(銀子) 열 냥을 꺼내어 전별금(餞別金)[40]으로

---

40 전별금 작별할 때 떠나는 사람을 위로하는 뜻에서 주는 돈.

주면서 말했다.

"4년을 함께 살다가 하루아침에 이별하게 되니, 슬픈 마음에 가슴이 저리기만 하오. 온갖 고생 끝에 살아남아 다시 배우자를 만나게 된 것은 실로 기이한 일이며, 이 세상에는 없었던 일일 것이오. 내가 그대를 막는다면 하늘이 반드시 나를 미워할 것이오. 사우여! 사우여! 잘 가시게! 잘 가시게!"

옥영이 손을 들어 감사를 드리며 말했다.

"일찍이 주인 영감님께서 보호해 주신 덕분에 지금까지 죽지 않고 살아오다가 뜻밖에 낭군을 만나게 되었느니, 제가 받은 은혜가 이미 끝없이 많기만 합니다. 게다가 이렇듯이 기뻐하며 전별금까지 주시니 진실로 그 은혜를 잊지 않겠으며, 백번 절하여 감사드립니다."

최척이 옥영과 함께 본 배로 돌아오자 이웃 배에서 이들을 보러 오는 사람들이 연일 끊이지 않았으며, 어떤 사람들은 금은(金銀)과 비단을 주기까지 했다. 학천은 집으로 돌아와 별도로 방 하나를 깨끗이 청소하고 최척과 옥영을 그곳에 살게 하였다.

최척은 이미 아내를 만났기 때문에 더 이상 바랄 것이 없었다. 그러나 머나먼 이국땅에 의탁해 살고 있는 터라, 사방을 둘러보아도 친척 하나 없었다. 그래서 항상 늙은 아버지와 어린 아들 생각에 눈물이 마른 적이 없었으며, 밤낮을 가리지 않고 상심에 쌓여 있었다. 최척은 머나먼 이국땅에서 더 이상 살 마음이 없었기 때문에 살아서 고향에 돌아가게 해 달라고 묵묵히 기도하였다.

그러나 세월은 끊임없이 흘러서 최척은 또 아들 하나를 낳았다. 아이를 낳기 전에 장육금불이 또 꿈에 나타나서 말했다.

"이번에 낳는 아들도 등에 붉은 사마귀가 있을 것이로다."

최척 부부는 부처님께 감사드리고, 몽석이 다시 태어난 것으로 여겨 이름을 몽선(夢禪)이라고 지었다. 몽선이 이윽고 장성하여 어진 아내를 구하고자 하였다. 이웃에 진가(陳家)의 딸이 살고 있었는데, 이름은 홍도(紅桃)였다. 홍도가 젖을 떼기도 전에 아버지 위경(偉慶)은 유총병(劉摠兵)을 따라 조선에 출전했다가 돌아오지 않았으며, 다 자라기도 전에 어머니마저 돌아가시어 홍도는 이모의 집에서 길러졌다. 홍도는 늘 아버지가 타국에서 죽은 것을 슬퍼하고, 이 세상에 태어나서 아버지의 얼굴도 모르는 자신의 처지를 한탄하였다. 그래서 아버지가 죽은 나라에 한번 가서 넋을 불러 놓고 통곡한 뒤, 시신을 모시고 돌아와 장례를 지내는 것이 홍도의 소원이었다. 홍도는 이렇듯 원한을 뼈와 가슴에 새기고 있었으나, 여자의 몸이라 뜻을 품고도 조선에 갈 수가 없었다. 그래서 몽선이 혼처를 구한다는 소식을 듣기도 전에 이모에게 중매를 부탁하며 말했다.

"제 평생의 소원은 최 씨의 아내가 되어 한번 조선에 가서 마음속에 맺힌 원한을 푸는 것입니다."

홍도의 이모는 본래부터 홍도의 뜻을 알고 있었기 때문에 즉시 최척을 만나 홍도가 품은 생각을 대략 이야기하고, 이어서 혼인을 요청하였다. 이에 최척 부부는 매우 기뻐하며 말했다.

"어린 여자아이도 이러한 뜻을 두었는데, 우린들 어찌 이러한 마음이 없겠습니까?"

마침내 최척은 홍도를 며느리로 맞이하였다.

다음 해 무오년[41]에 오랑캐 추장[42]이 요양[43]으로 쳐들어와 연달아 몇 개의 진지를 함락하고, 수많은 장졸들을 죽였다. 천자는 크게 화가 나서 온 나라의 모든 병사를 동원하여 이를 토벌케 하였다. 소주[44] 사람인 오세영(吳世英)이 교유격(喬遊擊)의 부총(副摠)으로 출전하게 되었는데, 그는 예전에 여유문에게 들어서 최척이 재주가 있고 용맹하다는 것을 잘 알고 있었다. 그래서 최척을 서기(書記)

---

41 무오년(戊午年) 1618년. 이해 4월에 후금(後金)의 태조인 누르하치가 명(明)을 공격하고, 10월에 조선에서는 도원수 강홍립을 명의 원병(援兵)으로 보냈다.
42 오랑캐 추장 노추(虜酋). 후금의 태조인 누르하치를 이르는 말.
43 요양(遼陽) 중국의 지명(地名).
44 소주(蘇州) 장쑤성의 주도(主都) '쑤저우'를 우리 한자음으로 읽은 이름. 월 왕(越王)인 구천과 오 왕(吳王)인 부차가 이곳에서 싸웠다.

로 삼아 데려가려고 하였다. 최척이 거절을 할 수 없어 행장(行裝)을 꾸려 가려고 할 때, 옥영이 손을 잡고 눈물을 흘리며 작별하여 말했다.

"저는 타고난 운수가 좋지 않아 일찍이 난리를 만나 천신만고(千辛萬苦)[45] 끝에 간신히 목숨을 부지하였습니다. 하느님의 도움으로 다행히 낭군을 만나, 끊어진 거문고 줄을 다시 잇고 나뉜 거울을 다시 둥글게 하듯이, 이미 끊어진 인연을 다시 맺었습니다. 게다가 늙어서 의탁할 아들까지 얻어 함께 24년 동안을 즐겁게 살아왔습니다. 지난 일을 돌아보건대, 이제 죽어도 여한이 없습니다. 저는 항상 이 몸이 먼저 갑자기 죽어 낭군의 은혜에 보답하고 싶었기 때문에 늙어 가는 것을 걱정하지 않았습니다. 그런데 또 이렇듯 이별하게 되었으니, 이제 수만 리나 떨어진 요양(遼陽)으로 가시면 다시 살아서 돌아오기 어려울 것입니다. 원컨대, 불미스러운 제가 이별하는 자리에서 자결하여 한편으로는 낭군께서 아내를 그리워하는 마음을 끊고, 다른 한편으로는 밤낮으로 겪게 될 제 근심에서 벗어나고자 합니다. 아아! 이제 낭군을 영영 이별하게 되었으니, 낭군께서는 천금같이 귀중한 몸을 스스로 잘 보존하시기를 간절히 바라옵니다."

옥영은 말을 마치고 칼을 뽑아서 목을 찌르려고 하였다. 최척이 칼을 빼앗으며 달래어 말했다.

"하찮은 오랑캐 추장(酋長)이 감히 팔을 걷어붙이고 달려들기에 제왕(帝王)의 군대가 깨끗이 쓸어버리기 위해 가는 것이니, 형세는 계란을 깨는 것과 같소. 멀리 이역(異域)에 종군한다고 해서 어찌 반드시 다 죽겠소? 삼가 근심하거나 고민하지 마시오. 내가 공을 이루고 돌아오면 중당(中堂)에 술상을 차려 놓고 맞이하여 축하나 해 주시오. 하물며 몽선이 건장하여 의지하기에 부족함이 없으니 되도록 많이 먹고, 먼 길을 가는 사람에게 걱정을 끼치지 마시오."

마침내 최척을 포함한 명(明)나라 군사는 길을 떠나 요양에 이르렀으며, 여기

---

45 천신만고(千辛萬苦) 천 가지 매운 것과 만 가지 쓴 것이라는 뜻으로, 온갖 어려운 고비를 다 겪으며 심하게 고생함을 이르는 말.

에서 오랑캐 땅으로 수백 리 걸어 들어가 조선 군사와 나란히 우미새[46]에 진을 쳤다. 그러나 주장(主將)이 적을 가볍게 여기고 싸우다가 전군(全軍)이 크게 패하였다. 오랑캐들은 명나라 병사는 부류를 가지지 않고 남김없이 다 죽이되, 조선 병사는 유혹하거나 위협하기만 하고 하나도 죽이지 않았다. 이에 교유격이 패졸 10여 명을 거느리고 조선 진영으로 들어가 조선 옷을 구걸하자, 조선의 원수(元帥)인 강홍립(姜弘立)[47]은 남은 옷을 지급하여 죽음을 면하게 하였다. 그런데 종사관[48] 이민환[49]이 이러한 사실을 오랑캐에게 발각될까 두려워 다시 옷을 뺏고 중국 사람들을 붙잡아 적진(敵陣)에 보내 버렸다. 최척은 본래 조선 사람이었기 때문에 분주하고 어지러운 순간을 틈타 명나라 사람을 세워 놓은 줄에서 홀로 빠져나와 죽음을 면하였다. 강홍립이 투항하자 최척은 조선의 장졸(將卒)들과 함께 오랑캐 추장의 뜰에 감금되었다.

이때 몽석도 남원에서 무예를 익히다가 출전하여 원수의 진중에 있었다. 오랑캐가 항복한 군졸들을 나누어 놓을 때 최척은 몽석과 같은 곳에 갇히게 되었다. 그래서 부자(父子)가 서로 만나게 되었으나, 최척은 그가 어떤 사람인지를 몰랐다. 몽석은 최척이 말을 더듬거리는 것을 보고, 조선말을 할 줄 아는 명나라 병사가 죽임을 당할까 두려워서 조선 사람 행세를 한다고 의심했다. 그래서 최척에게 어디에서 왔느냐고 따져 물었다. 최척도 오랑캐가 실상을 조사하는 것으로 의심해 말을 이리저리 돌리며 전라도(全羅道)에 있었다고 하기도 하고, 충청도(忠淸道)에 산다고 말하기도 했다. 몽석은 마음속으로 더욱 이상하게 생각했으나 그 실상을 알 수가 없었다.

이윽고 몇 개월이 지난 후에 최척과 몽석은 정의(情誼)가 매우 두터워지고 서로 동병상련(同病相憐)하는 처지인지라, 조금도 시기하거나 의심하지 않게 되었

---

46 우미새(牛尾塞) 중국의 북쪽 변방으로, 허베이성[河北省]에 있음.
47 강홍립 조선 광해군 때의 무신(武臣).
48 종사관(從事官) 조선 시대 때 각 군영·포도청에 딸린 종6품 벼슬.
49 이민환(李民寰) 조선 인조 때의 문관(文官).

다. 최척은 마침내 자기가 평생 동안 겪어 왔던 내력(來歷)을 조금도 숨김없이 사실대로 털어놓게 되었다. 몽석은 최척의 말을 듣고 놀라서 낯빛이 변하더니, 슬픈 듯 기쁜 듯 어쩔 줄을 몰라 하다가 갑자기 물었다.

"잃어버린 아이는 나이가 몇 살이며, 신체의 모양은 어떻게 생겼습니까?"

최척이 말했다.

"갑오년 10월에 아이를 낳았으며, 정유년 8월에 잃어버렸다네. 그리고 등 위에 붉은 사마귀가 있는데, 마치 어린아이의 손바닥 같다네."

몽석이 말을 못 하고 놀라 쓰러졌다가 웃통을 벗어 등을 보이며 말했다.

"제가 바로 그 아이입니다."

최척은 비로소 몽석이 자기 아들임을 확인한 후 부친과 장모님의 생사 여부를 물었으며, 그들이 아직 살아 있다는 것을 알고는 희비(喜悲)가 교체하여 서로 붙들고 통곡하였다. 집주인인 늙은 오랑캐가 자주 와서 이 광경을 보더니, 그들의 말을 알아들은 듯이 가엾은 표정을 지었다. 하루는 다른 오랑캐들이 모두 밖으로 나간 사이에 늙은 오랑캐가 몰래 와서 함께 자리에 앉아 조선말로 물었다.

"당신들이 서로 붙들고 통곡을 했는데, 이는 반드시 가슴 아픈 사연이 있기 때문일 것이오. 대체 그것이 무슨 일이요?"

최척과 몽석은 그가 꾀어서 비밀을 알아내려는 것으로 생각하고, 두려워 곧바로 대답을 하지 않았다. 그러자 그 오랑캐가 말했다.

"당신들은 나를 두려워하지 마시오. 나는 본래 삭주[50]의 토병[51]이었는데, 목사[52]의 학정(虐政)을 견디지 못해 가족을 데리고 오랑캐 땅으로 들어왔소. 여기 온 지 이미 20년이나 되었지요. 오랑캐 사람들은 성격이 진솔하며 가혹하

---

50 삭주(朔州) 평안북도 삭주군의 군청(郡廳) 소재지.
51 토병(土兵) 일정한 땅에 붙박이로 사는 사람들로 구성된 군사.
52 목사(牧使) 고려와 조선 시대 때 관찰사 밑에서 크고 중요한 고을의 각 목(牧)을 맡아 다스리던 정3품의 벼슬.

문학을 열다: 한국 고전 소설 베스트

게 수탈하는 일도 없소. 인생은 아침 이슬과 같을 따름인데, 어찌 고초를 겪어야만 하는 고향에 얽매여 두려워 떨면서 살아야겠소? 그래서 나는 가족을 이끌고 이 나라로 왔던 것이오. 오랑캐 추장은 나에게 병사 8,000명을 거느리고 조선 병사들이 달아나지 못하도록 감독하게 하였소. 아까 당신들 말을 들어보니 대단히 기이한 일인 듯했소. 내가 비록 죄를 얻더라도 어떻게 차마 당신들을 보내지 아니하겠소?"

마침내 늙은 오랑캐는 식량을 마련하고 샛길을 가르쳐 주면서 최척과 몽석을 풀어 주었다. 이에 최척은 아들을 이끌고 살아서 고국으로 돌아오게 되니, 시급히 부친을 뵙고 싶은 마음에 서둘러 남쪽으로 내려왔다. 도중에 등창이 났으나 치료할 경황이 없었다. 은진[53]에 이르자 종기가 더욱 심해져 더 이상 걷지 못하고 여관으로 들어갔으나, 최척은 호흡이 실낱처럼 가늘어져 거의 죽을 듯이 헐떡거렸다. 몽석은 초조한 마음에 이리저리 분주하게 돌아다니며 침쟁이와 약을 찾아다녔는데, 때마침 신분을 숨기고 도망 다니던 중국 사람이 호남(湖南)에서 영남(嶺南)으로 가다가 최척의 증세를 보고 놀라서 말했다.

"위태롭구나! 위태롭구나! 만약 오늘을 넘긴다면 살릴 수 없을 것입니다."

중국 사람은 즉시 주머니에서 조그만 침을 꺼내어 등창의 입구를 터뜨렸다. 그리하여 최척은 다음 날 이내 낫게 되었다.

며칠 뒤에 최척이 지팡이를 짚고 고향 마을로 돌아오자, 온 집안사람이 재생(再生)한 사람을 보는 것처럼 놀라며 슬퍼하였다. 할아버지, 아들, 손자 3대가 서로 손을 잡고 목을 끌어안으며 목이 쉬도록 통곡하였으며, 모두들 취한 듯 꿈인 듯 사실이 아닌 것처럼 여겼다. 심 씨는 딸을 잃어버린 뒤부터 바보처럼 본심(本心)을 잃은 채 오로지 몽석이 살아서 돌아오기만을 기다렸는데, 근래 북쪽으로 원정(遠征)을 갔던 군사들이 모두 죽었다는 소문을 듣고는 병세가 더욱 심해졌

---

53 은진(恩津) 충청남도 논산에 있는 옛 읍.

다. 그래서 몇 개월 동안 앓아 누워 자리에서 일어나지도 못하던 심 씨는, 몽석이 자기 아버지와 함께 오는 것을 보고 미친 듯이 소리를 지르며 허둥대었다. 게다가 옥영이 아직 살아 있다는 말을 듣고 더욱 슬프고도 기쁜 마음을 억누르지 못하였다.

몽석은 아버지를 살려 준 중국 사람의 은혜에 감격하여 장차 후하게 보답하려고 그를 데리고 왔었다. 최척은 가족과의 감격스러운 해후를 마치고 나서 중국 사람에게 물었다.

"당신이 중국 사람이라면 집은 어디에 있으며, 성함은 무엇입니까?"

중국 사람이 대답했다.

"내 성은 진(陳)이오, 이름은 위경(偉慶)이며, 집은 항주(杭州) 용금문(湧金門) 밖에 있습니다. 만력(萬曆) 연간에 조선으로 원정을 온 뒤 유 제독(劉提督) 휘하에 있었습니다. 유 제독은 전라도 순천(順天)에 진을 쳤는데, 하루는 제가 적세를 염탐하다가 주장(主將)의 뜻을 어기게 되었습니다. 주장이 장차 군법으로 다스리려고 하기에 밤에 몰래 달아나서 여기에 머물게 된 것입니다."

최척이 이 말을 듣고 매우 기뻐하며 말했다.

"당신 집안에 부모와 처자가 있습니까?"

중국 사람이 말했다.

"집안에 아내와 딸이 하나만 있었는데, 딸아이는 내가 떠나올 때 낳은 지 채 몇 개월도 지나지 않았었습니다."

최척이 또 물었다.

"딸아이의 이름은 무엇입니까?"

중국 사람이 말했다.

"아이를 낳는 날, 마침 이웃 사람이 복숭아를 보내왔기에 이름을 홍도(紅桃)라고 지었습니다."

최척이 갑자기 그의 손을 잡고 말했다.

"괴이하도다! 괴이하도다! 내가 항주에서 당신의 집과 이웃해서 살았었습니다. 당신의 처는 신해년(辛亥年) 9월에 병으로 죽고 홍도만 혼자 남게 되었는데, 홍도는 이모부인 오봉림(吳鳳林)의 집에서 길러져 내가 둘째 며느리로 삼았습니다. 그런데 뜻밖에도 오늘 여기에서 당신을 만나게 되었으니, 참으로 기이한 일입니다."

위경이 이 말을 듣더니 그의 가족들을 본 것처럼 기뻐하였다. 그러면서도 한편으로는 슬픔에 젖어 한바탕 통곡을 하고 말했다.

"나는 영남 대구(大邱)에서 박씨(朴氏) 성을 가진 사람의 집에 의탁해 침술(鍼術)로 생계를 유지해 왔습니다. 이제 당신과 이미 사돈 간(査頓間)이 되었으니 내가 이곳으로 옮겨 와 서로 의지해 사는 것이 어떻겠습니까?"

몽석이 말했다.

"공(公)께서는 저의 아버지를 살려 주신 은혜가 있을 뿐만 아니라 또한 절친한 인척(姻戚)이기도 합니다. 게다가 제 어머님과 동생이 공의 따님께 의탁해 이미 한 가족을 이루었으니, 여기서 함께 사는 일을 다시 말해 무엇하겠습니까?"

그리고 즉시 위경으로 하여금 이사를 해서 바로 이웃에 살게 하였다.

몽석은 어머니가 살아 계시다는 말을 들은 뒤부터는 밤낮 중국으로 들어가서 어머니와 동생을 데려오려고 하였다. 그래서 아내와 함께 이리저리 고심을 했으나 뾰족한 방법이 없어 떠나지 못하고 있었다.

당시, 옥영은 항주에서 관군(官軍)이 함몰되었다는 소식을 들었다. 최척도 진중에서 반드시 죽었을 것이라고 생각하고 밤낮으로 통곡하다가, 마침내 자결하기로 결심을 하였다. 그런데 갑자기 꿈속에 장육금불이 나타나 말했다.

"삼가 죽지 않도록 해라. 뒤에 반드시 기쁜 일이 있을 것이다."

옥영이 잠에서 깨어나 아들에게 꿈 이야기를 하며 말했다.

"내가 일본에 끌려갔을 때 물에 빠져 죽으려고 했는데, 남원 만복사의 장육금불이 꿈에 나타나 '삼가 죽지 않도록 하거라. 반드시 기쁜 일이 있으리라.' 하였단다. 그러고서 10년 뒤에 안남 바닷가에서 네 아버지를 만났단다. 이제 내가 또 죽으려고 하는데 역시 이런 꿈을 꾸었구나. 너희 형제를 낳아 기른 것이 모두 이 부처님께서 암암리에 도우신 것이니, 네 아버지가 사지(死地)에서 벗어나신 것이 아니겠느냐? 만약 네 아버지가 살아 계신다면 나의 죽음이 얼마나 한스럽겠느냐?"

몽선이 말했다.

"얼마 전에 들으니, 오랑캐 추장이 중국 병사들은 다 죽였으나 조선 사람들은 모두 죽음을 면했다고 합니다. 아버님께서 본래 조선 사람이기 때문에 틀림없이 살아 계실 것입니다."

옥영이 갑자기 마음이 바뀌어 말했다.

"오랑캐 추장의 소굴이 조선의 국경에서 10일 정도 걸어갈 거리밖에 되지 않는다. 만약 네 아버지가 살아 계시다면 그 형세로 보아 아버님을 찾아 반드시 본국으로 돌아갔을 것이다. 내가 본국으로 찾아가야겠다. 만약 네 아버지가 전사(戰死)하셨으면, 내가 몸소 창주로 가서 시신(屍身)을 찾고 넋을 거두어, 고향으로 돌아가 선산(先山)⁵⁴에 장사를 지내고 외로운 혼백이나마 편케 해야겠다. 월⁵⁵나라 새는 남쪽을 생각하고 오랑캐 말은 북쪽에 기댄단다. 금수(禽獸)도 오히려 이러한데 하물며 사람의 마음이야 어떻겠느냐? 지금까지 나는 이역 땅을 떠돌아 다녔으며, 죽을 날도 얼마 남지 않았다. 그래서 더욱 고향에 대한 그리움을 견딜 수가 없구나. 늙으신 시아버님과 홀어머니를 순식간에 이별하고 품속의 어린 아들마저 갑자기 잃어버린 채, 아직까지 그들의 생사도 모르고 있다. 근래 일본 상인에게 들으니, 포로가 된 조선 사람들을 연이어 풀어 주고 있다는구나. 이 말이 사실이라면 어찌 한 사람이라도 살아서 돌아오지 않았겠느냐? 네 할아

---

54 선산 조상의 무덤이 있는 산.
55 월(越) 춘추 전국 시대의 나라 이름.

버지와 아버지가 혹 이역 땅에서 죽었다면 이제 누가 다시 선인(先人)들의 묘소를 돌보겠느냐? 내외(內外) 친척들이 난중에 다 죽었다면 필경 돌볼 사람이 없을 것이다. 또 만약 네 할아버지와 아버지를 만나게 된다면 그 얼마나 다행이겠느냐? 너는 모름지기 배를 한 척 사고 양식을 준비해라. 이곳에서 조선까지는 수로(水路)로 불과 이삼천 리밖에 되지 않는다. 하느님께서 돌보시어 혹 순풍을 만나게 된다면 채 열흘도 못 되어 우리나라에 당도할 수 있을 것이다. 나는 이미 마음을 정했느니라."

몽선이 울면서 말했다.

"어머님께서는 어찌 이런 말씀을 하십니까? 만약 순조롭게 건널 수만 있다면 이는 진실로 천행(天幸)일 것입니다. 그러나 드넓은 푸른 바다를 작은 배로 항해할 수는 없습니다. 바람과 파도, 상어와 악어가 어떠한 재앙을 일으킬지 예측할 수가 없으며, 해적선(海賊船)들이 도처에 사납게 굴고 있습니다. 어머니와 제가 물속에 빠져 죽는다고 해서 돌아가신 아버님께 어떠한 도움이 되겠습니까? 제가 비록 어리석으나 이처럼 큰일을 앞두고 감히 거절하는 말씀을 올리는 것은 형세가 용이치 않기 때문입니다."

홍도가 옆에 있다가 문득 남편에게 말했다.

"낭군이시여! 낭군이시여! 막지 마십시오! 막지 마십시오! 이치가 진실로 당연한 것이라면 외환(外患)을 따져서 무엇하겠습니까? 어머님께서 단단히 마음을 정하셨는데, 어찌 물과 불이 두렵겠습니까?"

옥영이 말했다.

"수로(水路)는 험난하긴 하지만 내가 이미 경험을 갖추고 있다. 옛날 일본에 있을 때 배를 집으로 삼아 봄에는 민광[56]에서 장사를 하고, 가을에는 유구[57]에서 물건을 팔았다. 그래서 수시로 출몰(出沒)하는 거대하고 무서운 파도에도 익숙

---

56 민광(閩廣) 지금의 푸젠성과 광둥 등을 총괄한 명칭.
57 유구(琉球) 일본의 남쪽, 대만의 동북쪽에 있었던 나라 이름으로, 1879년 일본에 의해 멸망했다.

해 있으며, 별이나 조수(潮水)의 흐름을 살펴서 점칠 수 있을 정도로 경험이 매우 풍부하다. 험난한 파도도 내가 맡을 것이요, 배의 안전도 내가 알아서 하겠다. 설사 불행한 일이 생기더라도 어찌 벗어날 방도가 없겠느냐?"

옥영은 즉시 조선과 일본 두 나라의 옷을 짓고, 매일 아들과 며느리에게 두 나라 말을 가르쳐 익히게 했다. 그리고 날마다 행사와 관련하여 몽선에게 주의를 주며 말했다.

"항해가 잘되고 잘못되고는 오로지 돛대와 노에 달려 있으니, 돛대는 촘촘히 기워야 하고 노는 견고해야 한다. 또 없어서는 안 될 것이 지남석[58]이다. 항해할 날짜는 내가 정할 것이니 나의 뜻을 어기지 않도록 해라."

몽선이 근심에 어린 채 물러나 사사로이 홍도를 꾸짖으며 말했다.

"어머님께서 목숨을 돌보지 않으시고 만 번 죽을 계획을 세우시어, 험난한 바다를 건너 조선으로 돌아가려고 하시네. 그런데 당신은 그 일을 찬성할 뿐 아니라 어머님과 번갈아 가며 나를 위협하기까지 하니, 어찌 차마 못 할 일을 이렇듯 심하게 하오? 우리 아버님께서는 이미 돌아가셨는데 어머니마저 어느 곳에다 묻으려 하는 거요?"

홍도가 말했다.

"어머님께서는 지성으로 이 큰 계획을 세우셨습니다. 진정코 말로써는 막을 수가 없습니다. 혹 돌이키기 어려운 후회를 할까 염려스럽기도 하지만, 지금은 어머님 계획을 순순히 따르는 것보다 좋은 것이 없을 듯합니다. 제 개인적인 마음이야 어찌 말로 다 할 수 있겠습니까? 태어난 지 겨우 몇 개월만에 아버지께서는 다른 나라에서 전사하시어, 이역 땅에 뼈를 드러내 놓은 채 잡초에 뒤엉켜 있습니다. 어머니께서도 제가 몇 살밖에 안 되었을 때 눈을 들어 웃으시더니 등을 보이시고 말았습니다. 그래서 저는 이 세상에 살 마음이 없었습니다.

---

58 지남석(指南石) 남쪽을 가리키는 자석이라는 뜻으로, 오늘날의 나침반에 해당함.

근래 길거리에서 들으니, 싸움에서 패배한 군졸들 가운데 조선으로 달아나서 떠도는 사람들이 많다고 합니다. 자식 된 마음으로 요행(僥倖)을 바라지 않을 수가 없습니다. 만약 낭군의 힘에 의지하여 조선에 당도해서 한 번이라도 전쟁터를 바라보고 아버님의 혼백을 모아 술잔을 올린다면, 외롭게 떠도는 넋이나마 위로할 수 있을 듯합니다. 그러면 저의 끝없는 원통함이 열어져 아침에 가서 저녁에 죽더라도 실로 달게 여기겠습니다."

홍도는 말을 마치자 흐느껴 울었다. 몽석은 이윽고 어머니와 아내가 똑같이 일을 결행(決行)하기로 확실하게 마음을 정해서 이를 꺾거나 바꿀 수 없다는 것을 알게 되었다. 그래서 떠날 준비를 단단히 하고, 경신년[59] 2월 초하루에 닻을 올려 출항키로 했다. 출발할 날짜가 결정되자, 옥영이 아들에게 말했다.

"조선은 동북쪽에 있기 때문에 반드시 남서풍을 기다려야만 한다. 너는 모름지기 앉아서 노를 단단히 잡고 오직 나의 지시만을 따르도록 해라."

드디어 깃대에 깃발을 달고 자석(磁石)을 뱃전에다 설치하였다. 배 안을 점검해 보니 모든 것이 다 잘 갖추어져 있었다. 돌고래가 물을 뿜고 바다 상어가 파도를 일으켰으며, 바람이 공중에서 일어나더니 깃발이 북쪽을 향해 펄럭였다. 세 사람이 힘을 다해 돛을 올리자, 배가 밤낮 없이 파도를 가로지르며 질주하였다. 벽력 같은 화살이 풍랑 속으로 들어가고 번개가 날 듯이 순식간에 내주에 올랐다. 얼마 뒤 푸른 망망대해(茫茫大海)에 떠 있는 섬들이 나타나더니 눈을 놀리는 순간 사라져 갔다.

하루는 중국인 배를 만나게 되었는데, 그들이 물었다.

"어느 지방의 배이며, 어디로 가느냐?"

옥영이 응답하여 말했다.

"나는 항주 사람인데 차를 사기 위해 산동[60]으로 가는 중입니다."

---

59 경신년(庚申年) 1620년.
60 산동(山東) 중국 동부 황해 연안의 성인 '산둥'을 우리 한자음으로 읽은 이름.

또 며칠 뒤에는 일본인 배를 만나게 되었다. 옥영은 즉시 아들, 며느리와 함께 일본인 옷으로 갈아입고 기다렸다. 일본인 배가 다가와서 물었다.

"너희는 어느 지방 사람이며, 어디에서 오는 중이냐?"

옥영이 일본어로 대답하였다.

"고기를 잡으러 바다로 들어왔다가 풍랑을 만나 표류하게 되었습니다. 배와 노가 깨지고 부러져 항주에서 배를 사서 돌아가는 중입니다."

일본 사람이 말했다.

"고생을 많이 했군요! 고생을 많이 했군요! 여기서 일본까지는 얼마 안 되니 남쪽으로 가십시오."

이날 남풍이 심하게 불었다. 이윽고 서쪽 바닷속으로 들어가자, 흰 이무기는 풍랑을 일으키고 푸른 파도는 하늘이 놀랄 정도로 치솟아 올랐다. 구름과 안개가 사방에 가득 끼어 지척도 분간하기 어려웠으며, 노는 부러지고 돛은 찢어져 어디로 가야 할지 알 수가 없었다. 몽선 부부는 깜짝 놀라서 배 바닥에 엎드리더니 이내 뱃멀미를 하였다. 옥영은 의연하게 홀로 앉아 하늘을 우러르며 말없이 기도하였다. 밤이 되면서 풍랑이 잦아들더니 배가 흘러서 조그만 섬에 이르렀다.

배를 수리하기 위해 며칠 머물러 있는데, 홀연히 바다 가운데서 배 한 척이 다가왔다. 옥영은 몽선에게 배 안에 있는 장비(裝備)를 주머니에 담아서 바위 동굴에 숨기게 하였다. 잠시 후에 뱃사람들이 시끄럽게 떠들면서 내려왔다. 말소리는 조선말이나 일본 말은 아니었으며, 대략 중국 말과 흡사했다. 그들은 창이나 칼 등 무기는 갖고 있지 않았으나, 흰 몽둥이로 때리고 위협하면서 화물(貨物)을 내놓으라고 요구하였다. 이에 옥영이 중국 말로 대답했다.

"나는 중국 사람으로 고기를 잡기 위해 바다에 나왔다가 표류하여 이곳에 정박하게 된 것입니다. 그래서 본래부터 화물은 있지도 않습니다."

옥영이 눈물을 흘리면서 살아서 돌아가게 해 달라고 애걸하였다. 그러자 그들이 죽이지는 않고 옥영이 타고 왔던 배를 빼앗아 자기들 배의 후미에 묶고 가

버렸다. 그들이 떠난 뒤 옥영이 몽선 부부에게 말했다.

"이들은 필시 해적들일 것이다. 내가 들으니 해적들의 섬이 조선과 중국 사이에 있는데, 수시로 출몰하여 재물을 약탈하되 사람은 죽이지 않는다고 하더구나. 이들이 그놈들임이 분명하다. 내가 아들의 말을 듣지 않고 억지로 떠났다가 하늘이 돕지 않아 이런 낭패를 당하게 되었구나. 이미 배와 노를 잃어버렸으니 다시 무엇을 할 수 있겠느냐? 어두운 하늘과 드넓은 바다를 날아서 건널 수도 없고 죽엽(竹葉)이나 마른 떼 등 몸을 실어 띄울 것도 없으니, 오로지 죽기만을 기다릴 수밖에 없구나. 나야 이미 죽은 목숨과 다름이 없기 때문에 상관이 없지만, 너희 부부가 어질지 못한 이 어미 때문에 죽게 된 것이 가련키만 하구나."

말을 마친 옥영이 아들 내외와 함께 슬프게 우니, 그 소리가 매우 처절하였다. 바닷가에 맺힌 한이 파도를 타고 겹겹이 밀려옴에 바다는 오므라들어 펴지지 않는 듯하였으며, 산귀신(山鬼神)은 얼굴을 찡그리고 신음하였다. 옥영이 해안으로 올라가 바다에 투신하려고 하자, 아들과 며느리가 함께 만류하여 물속에 빠질 수가 없었다. 옥영은 몽선을 돌아보며 말했다.

"너는 내가 죽는 것을 말리지 말아라. 더 이상 무엇을 기다릴 수 있겠느냐? 주머니에 남은 식량은 겨우 3일 먹을 것밖에 안 된다. 앉아서 주머니가 비기를 기다리며 살아남은들 무엇을 할 수 있겠느냐?"

몽선이 말했다.

"식량이 다 떨어진 뒤에 죽더라도 늦지 않습니다. 그사이에 만약 살길이 생긴다면 장차 얼마나 후회할 일이겠습니까?"

몽선은 마침내 어머니를 부축해 언덕에서 내려와 겨우 바위 동굴에 엎드려 쉬게 되었다. 한참 후 잠에서 깨어난 옥영이 아들과 며느리에게 말했다.

"기운이 빠지고 몸이 피곤하여 문득 정신 없이 잠이 들었는데, 꿈에 장육금불께서 또 좋은 징조를 아뢰니 참 이상하구나."

세 사람은 서로 마주 보고 기뻐하면서 말없이 기도를 올렸다. 며칠 후 멀리 바다 가운데서 돛단배가 둥둥 떠오는 것이 보였다. 이에 몽선이 놀라서 말했다.

"예전에 보지 못했던 배가 바다 가운데서 다가오고 있는데, 매우 걱정이 됩니다."

옥영이 머리를 들고 보더니 기뻐하며 말했다.

"너는 겁내지 말아라. 우리는 이제 살았다. 저것은 조선인의 배다. 기다려 보면 당연히 알게 될 것이다."

옥영 등은 버드나무를 불태워 연기를 내고 언덕으로 올라가 옷을 흔들었다. 그리고 모두 조선의 옷으로 갈아입은 후 바위 위에 늘어서 있었다. 조선 사람들이 배를 멈추고 물었다.

"당신들은 어떤 사람들인데 이런 외딴 섬에 와 있소?"

옥영이 대답했다.

"우리는 경성(京城)의 양반인데, 나주(羅州)로 내려가다가 갑자기 풍파를 만나 배는 뒤집히고, 사람들은 다 물에 빠져 죽었습니다. 오직 우리 세 사람만이 돛대 자리를 끌어안고 표류하다가 이곳에 이르렀습니다."

뱃사람들이 불쌍하게 여겨 세 사람을 태우고 귀항(歸航)하면서 말했다.

"이 배는 통영(統營)으로 음식물을 싣고 가는 배입니다. 관가(官家)의 일정이 정해져 있어 한양(漢陽)으로 돌아갈 수가 없습니다."

순천에 이르자 배를 다리에 정박시켜 놓고 세 사람을 내려 주었다. 이때가 경신년(庚申年) 4월이었다. 옥영 일행은 오륙일을 걸어서 남원에 도착하였다. 옥영은 마음속으로 집이 온통 난리 중에 함몰되었을 것이기에 단지 옛 집터만을 찾아가려고 생각하였다. 감회에 젖어 두루 돌아보며 먼저 만복사를 향해 갔다. 금교 옆에 이르러 앉아서 바라보니, 성곽(城郭)이 완연하였으며 시골의 집들도 예전과 다름이 없었다. 옥영은 몽선을 돌아보고 손가락으로 한 곳을 가리키며 말했다.

"저기가 너의 아버지 집이었는데, 지금은 누구의 집이 되었는지 모르겠구나.

모두 가서 하룻밤 머물러 자면서 옛날 일이나 돌이켜 보자꾸나."

옥영 일행이 곧 일어나 그 집 문 앞으로 나아가 보니, 최척과 그의 아버지가 수양버들 아래 앉아 있었다. 시아버지와 며느리, 남편과 아내, 아버지와 아들, 형제가 놀라서 서로 부둥켜안고 통곡을 하였다. 진위경도 와서 자기 딸과 상봉을 하였으며, 심 씨는 허둥지둥 달려 나와 딸 옥영을 끌어안고 통곡하다가 기절하고 말았다. 모두들 꿈이요, 세상에 진짜로 벌어진 일이 아닌 듯이 슬픔과 기쁨을 억누르지 못하였다. 이 광경을 보기 위해 사방의 이웃들이 구름처럼 몰려들었는데, 그들은 처음에는 기괴한 놀이를 한다고 생각했다. 그러다가 지금까지 겪었던 옥영과 홍도의 이야기를 자세히 듣고는 모두들 놀라며 축하하고, 서로들 말을 전해 이 소문이 사방으로 퍼졌다.

옥영이 최척에게 말했다.

"우리가 오늘 이처럼 만난 것은 실로 장육금불께서 은연중에 은혜를 베푸셨기 때문입니다. 우리가 어떻게 그 은혜에 보답하지 않을 수 있겠습니까?"

이에 최척과 옥영은 두 아들과 두 며느리를 이끌고 성대하게 제물을 갖추어 만복사로 가서 성의를 다해 재(齋)를 올렸다.

이후로 최척과 옥영은 위로는 아버님과 장모님을 잘 받들고, 아래로는 자식과 며느리들을 잘 보살피며 서문(西門) 밖 옛 집에서 살았다. 진위경도 홍도에게 의탁하여 최척의 집에 함께 살면서 동고동락(同苦同樂)하였다.

남원 부윤[61]이 이 이야기를 상소(上疏)로 올리자, 조정(朝廷)에서는 최척에게 특별히 정헌대부[62]를 가자(加資)[63]하고, 그의 아내 옥영을 정렬부인[64]에 봉하였다. 신유년(辛酉年)에 몽석과 몽선 두 형제가 모두 무과(武科)에 급제하였다. 후에 몽석은 관직(官職)이 호남 병마절도사에 이르렀으며, 몽선은 해남 현감이 되

---

61 부윤(府尹) 조선 시대 종2품의 외직문관(外職文官), 또는 그 직위에 있는 사람.
62 정헌대부(正憲大夫) 조선 시대 때 정2품에 해당하는 문무관(文武官)의 품계(品階).
63 가자 조선 시대에, 관원들의 임기가 찼거나 근무 성적이 좋은 경우 품계를 올려 주던 일. 또는 그 올린 품계.
64 정렬부인(貞烈夫人) 정렬(여자의 지조나 절개가 곧고 굳음)이 있는 부인에게 내렸던 가자.

었다. 이때까지 최척 부부는 모두 살아서 아들들의 영광스러운 봉양을 많이 받았으니, 참으로 희한한 일이로다!

(1621년)

이상구 역주, 《17세기 애정전기소설》(월인, 1999)

사씨남정기(謝氏南征記)

김만중

김만중(1637~1692)

조선 시대 인조 15년(1637)에 태어나서 숙종 18년(1692)까지 살았다. 그의 부친 김익겸이 병자호란 때 강화에서 순절하여 유복자로 태어났으며, 어머니의 지극한 사랑과 교육에 감사하며 평생 동안 어머니에 대한 효도를 잊지 않았다. 그는 고전 소설을 대표하는 〈구운몽〉과 〈사씨남정기〉를 지어 우리나라 소설 문학이 발전하는 데 큰 영향을 주었다. 특히 '우리말로 된 문학이라야 진정한 문학'이라는 인식을 바탕으로 송강 정철의 가사 작품이 가지고 있는 우수성을 말하기도 하였다.

중국 명나라 때 북경의 순천부에 유희(劉熙)라는 재상이 있었다. 그는 유기(劉基)의 후손으로, 사대조 할아버지가 북경에서 벼슬을 하여 순천부에 살게 되었다. 유희는 세종 황제를 모셨으며, 문장과 재주가 뛰어나 예부 상서에 올랐다. 그런데 태학사 엄숭(嚴嵩)과 뜻이 맞지 않아 늙고 병들었다는 핑계를 대고 벼슬에서 물러나기를 청했다. 천자[1]는 이를 허락하면서 특별히 태자소사[2]라는 벼슬을 주어 그를 총애했다.

유 소사는 비록 조정의 일에 관여하지 않았지만, 당시의 사대부들은 그의 높은 절의를 숭상했다. 집안 대대로 재상 벼슬을 했기 때문에 유 소사의 집은 왕과 제후의 저택처럼 크고 으리으리했으며, 집안이 화목하고 평온해 사람들이 모두 부러워했다. 그렇지만 유 소사는 예를 지켜 공손하고 검소했으며, 법도에 따라 집안을 엄격히 다스렸다.

유 소사에게는 두강(杜强)의 아내가 되었다가 일찍이 홀로된 누이가 있었는데, 유 소사와 누이의 우애는 매우 돈독했다. 또한 유 소사에게는 아들이 하나 있었는데, 애지중지하면서도 엄하게 가르쳤다. 아들의 이름은 연수(延壽)로, 유 소사 부부가 나이 마흔이 넘어서 낳은 자식이었다. 그런데 어머니 최 씨는 연수가 젖먹이였을 때 세상을 떠나고 말았다.

---

1 천자(天子) 천제(天帝)의 아들, 즉 하늘을 대신하여 천하를 다스리는 사람이라는 뜻으로, 군주 국가의 최고 통치자인 황제를 이르는 말.
2 태자소사(太子少師) 황제의 아들인 태자를 가르치던 스승.

연수는 매우 잘생겼으며 열다섯 살에 이미 글을 훌륭하게 지을 수 있어 붓을 들면 줄줄 써 내려갔다. 유 소사는 이를 기특하게 여기며 죽은 아내가 이를 보지 못하는 것을 한탄했다. 유연수는 열네 살에 지방의 과거 시험에서 일등을 했으며, 열다섯 살에는 서울의 과거 시험에 합격했다. 시험을 주관한 관리는 유연수를 장원으로 뽑으려 했지만 나이가 어린 것이 마음에 걸려 삼등으로 내렸다. 그렇지만 유연수는 한림 편수[3]가 되었는데, 명성이 자자해 같은 또래들은 감히 바라보지도 못했다. 하지만 유연수는 스스로 상소를 올려 천자에게 청했다.

"저는 아직 나이도 어리고 배움도 부족하옵니다. 청컨대 관직을 떠나 10년 동안 독서를 더 할까 하옵니다."

천자는 그 뜻을 가상히 여겨 조서[4]를 내려 칭찬했다.

"특별히 한림 편수의 직책을 유지한 채 5년 동안의 말미를 갖도록 해 주겠노라. 성현의 글을 더 많이 읽고 임금을 보필하는 방법을 익히다가 스무 살이 되면 다시 조정에 들어오도록 해라."

유연수의 집안사람들은 모두 천자의 은혜에 감격했으며, 유 소사는 유연수에게 충의를 힘써 닦아 이에 보답하라고 거듭 당부했다.

유연수는 애초에 급제한 뒤에 아내를 얻으려고 했다. 그래서 혼인을 하려는 사람들이 많았으나 허락하지 않았다. 연수가 급제하자 유 소사는 훌륭한 며느리를 맞고 싶었다. 그래서 두 부인과 함께 도성 안의 매파[5]들을 불러 모아 혼인할 만한 처자가 어디에 있는지 물었다. 매파들이 야단스럽게 허풍을 떨었으나 믿을 만하지 않았다. 그들 가운데 나이가 가장 많은 주씨 성을 가진 매파가 있었는데, 홀로 한마디도 하지 않고 있더니, 마침내 유 소사에게 고했다.

"사람들이 각자 자기가 본 바대로 말하나 이는 사실과 너무도 다르옵니다. 소

---

3 한림 편수(翰林編修) 나라의 문서를 담당하던 한림원(翰林院)의 벼슬아치.
4 조서(詔書) 임금의 명령을 일반에게 알릴 목적으로 적은 문서.
5 매파(媒婆) 결혼이 이루어지도록 중간에서 소개해 주는 할멈.

인이 바른대로 말씀드리겠습니다. 소사께서 부귀와 형세를 보고 혼인하고자 하신다면 엄 승상[6]의 손녀만 한 사람이 없을 것입니다. 그러나 어진 며느리를 고르려 하신다면 신성현[7]에 사는, 지금은 돌아가신 사 급사[8] 댁 처녀만 한 사람이 없을 것입니다. 이 두 처자 중에 고르시옵소서."

"본래 부귀를 원했던 것이 아니라 오직 어진 사람을 택하려는 것이라네. 자네가 말한 신성현의 사 급사는 임금에게 바른말을 하다 귀양 가 죽은 사담(謝潭)을 말하는 것일 테지. 사담은 청렴하고 정직한 선비였네. 그러니 그 댁과 혼인할 만하네만 그 처자가 어떤 사람인지 알 수 없으니……."

"소인의 사촌 여동생이 사 급사 댁 시비[9]가 되어 그 처자에게 젖을 먹여 길렀사옵니다. 또 몇 해 전에는 소인이 마침 일이 있어 그 댁에 갔다가 사 씨 처자를 본 적이 있습니다. 그때 열세 살이었는데, 성격이 어질고 너그러웠습니다. 미모를 말할 것 같으면 진실로 하늘에서 내려온 것과 같았으니, 이 세상에 그 처자만 한 사람은 없사옵니다. 부녀자가 해야 하는 일에도 능숙하지 않은 것이 없습니다. 경전과 역사를 두루 공부했으니 글 짓는 재주는 남자 못지않을 것입니다. 소인만 그렇게 본 것이 아니라 제게 들리는 말들이 모두 그러했사옵니다."

두 부인은 이 말을 듣고 한참을 생각하더거니 유 소사에게 말했다.

"우화암(雨花庵) 여승 묘희(妙喜)는 수행이 매우 높고 안목도 있사옵니다. 사오 년 전 제게 신성현 사 급사 댁 처자는 이 세상에서 보기 드문 사람이라고 말했습니다. 그때는 조카의 혼사를 위해 자못 귀를 기울여 들었으나 그 뒤에 잊어버려 오라버니에게 말씀드리지 못했습니다."

"누이가 들었던 말과 매파의 말로 미루어 보면 사 급사 댁 처자는 분명히 어진 사람일 것이네. 그러나 인륜대사인 혼인을 허술히 해서는 안 되겠지. 어떻게

---

6 승상(丞相) 옛 중국의 벼슬로, 우리나라의 정승에 해당한다.
7 신성현(新城縣) 중국 허베이성[河北省]에 있었던 고을로, 북경 남쪽에 있었다.
8 급사(給事) 천자를 보좌하던 벼슬.
9 시비 곁에서 시중을 드는 계집종.

자세히 알 수 없겠는가?"

"좋은 생각이 있습니다. 저희 집에 당나라 사람이 그린 남해관음[10]의 화상[11]이 있사온데, 제가 본래 우화암에 보내려고 했던 것이옵니다. 지금 이것을 묘희에게 주어서 사 급사 댁으로 가지고 가게 해 그 처자가 손수 쓴 글을 받아 오게 하면 재주가 어떤지 알 수 있을 것입니다. 묘희가 처자를 직접 본다면 저를 속이기야 하겠습니까?"

"좋은 생각이네만 시험할 그림이 너무 어려워 여자가 그 글을 쉽게 지을 수 있을지 걱정이네."

"어려워서 지을 수 없다면 어찌 재주가 있다고 하겠습니까?"

그 말을 들은 유 소사는 다른 매파들을 모두 돌려보냈다.

두 부인은 우화암으로 사람을 보내 묘희를 불러왔다. 그리고 사 씨 댁에 가서 해야 할 말을 일러 주며 관음 화상을 주어 신성현으로 보냈다. 묘희는 즉시 신성현으로 가서 사 급사 부인에게 뵙기를 청했다. 부인은 평소에 부처의 말씀을 공경했고 또 묘희가 전부터 그 댁을 출입했던 터라 바로 불러들였다. 인사를 나눈 뒤 부인이 묘희에게 물었다.

"여러 해 스님을 보지 못했는데, 오늘은 무슨 좋은 바람이 불어 이곳까지 오셨나요?"

"요 몇 해 동안 암자가 낡아 고치느라 틈을 낼 수 없어 문안을 드리지 못했사옵니다. 이제 그 일이 끝나서 부인에게 보시[12]를 청하고자 찾아왔습니다."

"부처님을 모시는 일에 쓴다는데 어찌 아끼겠소? 그러나 가난한 집이라 재물이 없어 내 마음처럼 하기는 어려울 것이오. 또한 스님께서 구하는 것이 무엇인지도 모르겠고……."

---

10 남해관음(南海觀音) 자비의 화신으로 일컬어지는 관세음보살을 이르는 말. 세상의 소식을 들어 알 수 있는 보살이므로 중생이 열심히 이 이름을 외면 도움을 받는다고 한다. '관음보살'이라고도 한다.
11 화상(畵像) 사람의 얼굴을 그림으로 그린 것.
12 보시(布施) 자비심으로 남에게 재물을 베풀어 주는 일.

"소승[13]이 구하는 것은 부인께서 힘들이지 않고 주실 수 있는 것이나, 소승에게는 금이나 옥보다 귀중한 것이옵니다."

"말씀해 보세요."

"소승이 암자를 다 고치고 난 뒤 어느 댁에서 당나라 때의 관음 화상을 보내 주셨습니다. 그런데 그 그림에는 이름을 알 만한 사람이 쓴 글이 없는 것이 흠이었습니다. 사 소저[14]가 친필로 시를 한 수 써 준다면 길이 산문[15]의 보배로 삼을 것이오니, 그 공덕은 수많은 보물을 보시하는 것보다 나을 것입니다."

"내 딸이 비록 옛글을 두루 읽었다고는 하나 과연 글을 지을 수 있을지 모르겠소. 물어는 보리다."

부인은 바로 곁에 있던 시비에게 명하여 소저를 불렀다. 소저가 나와 인사를 하자, 묘희는 깜짝 놀랐다.

'관음보살이 따로 없구나! 세상에 어찌 저와 같은 사람이 있단 말인가?'

"소승이 4년 전에 소저를 뵌 적이 있사온데 기억하시옵니까?"

묘희가 묻자 소저가 답했다.

"어찌 잊을 수 있겠습니까?"

부인이 소저를 돌아보며 말했다.

"스님이 멀리서 오셔서 네가 쓴 글을 얻고자 하시는구나. 쓸 수 있겠느냐?"

"스님께서 시문(詩文)을 구하고자 하시나, 구하는 사람에게나 응하는 사람에게나 다 무익하옵니다. 게다가 시문을 짓는 것은 여자가 경계해야 할 일이니 스님의 청을 따를 수가 없습니다."

"소승이 구하려는 것은 무익한 시문이 아닙니다. 관음 화상을 얻었기에 훌륭한 문장으로 관세음보살의 공덕을 칭송하려는 것입니다. 소승이 가만히 생각해

---

13 소승(少僧) 중이 자신을 낮추어 부르는 말.
14 소저(小姐) '아가씨'를 한문 투로 이르는 말.
15 산문(山門) 절 또는 절의 바깥문. 여기서는 묘희의 절을 가리킨다.

보니 관세음보살은 여자의 몸인지라 재주가 뛰어난 여자가 쓴 시문을 얻어야만 서로 맞는 것입니다. 지금 소저가 아니면 누가 이 시문을 지을 수 있겠습니까? 바라건대 소저는 물리치지 마옵소서."

부인도 묘희를 거들었다.

"네가 재주가 부족하다면 어쩔 수 없지만 지을 수 있다면 이는 무익한 시문을 짓는 것과는 다를 것이다."

"그러면 그림이나 한번 보도록 하지요."

묘희는 함께 온 사람에게 가지고 온 큰 족자[16]를 펼치도록 했다. 파도가 끝도 없이 치는 바다 한가운데에 외로운 섬이 있었다. 흰옷을 입은 관세음보살이 구슬을 꿴 목걸이도 두르지 않고 머리도 빗지 않은 채 선재동자[17]와 함께 대나무 숲을 헤치고 앉아 있었는데, 정밀하면서도 교묘하게 그려져 마치 살아 있는 사람 같았다.

소저가 말했다.

"제가 배운 것은 오직 공자(孔子)의 말씀을 전하는 책뿐이라 부처의 말씀은 잘 알지 못합니다. 억지로 짓는다 해도 스님의 눈에 차지 않을까 걱정되옵니다."

"소승은 푸른 연잎과 흰 연꽃의 뿌리가 같고 공자와 부처는 모두 성인이라고 들었습니다. 소저가 공자의 말씀으로 부처를 칭송하신다면 그 또한 기특한 일이 될 것이옵니다."

소저는 손을 씻고 향불을 피운 뒤 붓을 들어 관세음보살을 기리는 글 백스물여덟 자를 지어 작은 글씨로 족자 위에 써넣었다. 또 그 아래에 '사정옥(射貞玉)이 두 번 절하고 쓰다.'라고 적었다. 묘희도 글을 아는 사람이라 기쁜 마음을 이길 수 없어 부인과 소저에게 수없이 고마움을 표하고 돌아갔다.

---

16 족자(簇子) 그림이나 글씨 따위를 벽에 걸거나 말아 둘 수 있게 한 것.
17 선재동자(善才童子) 부처의 제자로 불경에 나오는 젊은 구도자의 이름. 흔히 '선재'로 쓴다.

그때 유 소사는 두 부인과 함께 앉아 묘희가 돌아오기만을 기다리고 있었다. 웃음을 머금은 묘희가 족자를 들고 인사를 올리자 유 소사와 두 부인이 일시에 물었다.

"소저를 만나 보셨는가?"

"어찌 볼 수 없었겠습니까?"

"모습은 어떠하던가?"

"마치 족자 안에 있는 관세음보살 같았습니다."

계속해서 묘희는 사 씨 댁에 가서 주고받은 말들을 빠짐없이 전했다. 유 소사는 크게 기뻐하며 말했다.

"이로 보건대 사 급사 댁 규수는 재주와 용모뿐만 아니라 덕성과 식견도 남들보다 뛰어나겠구나! 지은 글이 과연 어떤지 궁금하도다!"

유 소사가 족자를 받아 마루 가운데에 걸고 가까이 다가가 살펴보니 조금도 흠잡을 곳이 없었다. 감탄하고 또 감탄하며 그 글을 다 읽은 유 소사는 깜짝 놀란 얼굴로 말했다.

"기묘하고도 기묘하도다! 예로부터 관세음보살을 기리는 글을 지은 사람은 많았으나 이처럼 제대로 쓴 것은 없었도다! 나이 어린 여자의 식견이 이처럼 뛰어날 줄 어찌 알았겠느냐!"

유 소사가 두 부인에게 말했다.

"내 아이의 배필로 정했네."

그러고는 유연수를 불러 그 글을 보여 주며 말했다.

"너도 이렇게 쓸 수 있겠느냐?"

유연수도 마음속으로 탄복해 마지않았다.

묘희가 두 부인에게 하직 인사를 드리며 말했다.

"사 소저와 혼례를 치를 때까지 기다렸다가 경사를 축하해야 마땅하겠으나,

남악[18]에 계신 스승께서 편지를 보내시어 어지러운 속세에 오래 머물지 말고 빨리 돌아와 경전을 닦으라고 하시니, 날이 밝으면 떠나고자 합니다. 관세음보살의 그림을 가져다가 절에 두고자 감히 청하옵니다."

두 부인이 말했다.

"스님은 불도를 닦으셔야 하니 서운하다 해서 가지 못하게 붙들 수야 있겠소? 또한 이 그림은 원래 스님에게 보시하려던 것이니 어찌 아까워하겠소?"

유 소사도 금은을 주어 노자에 보태게 했다. 묘희는 고마움에 인사를 올리고 길을 떠났다.

유 소사는 사 급사 댁에 남자가 없으니 매파를 통해 혼사를 의논하리라 생각하고 매파를 보내 혼인할 뜻을 전했다. 사 급사 부인이 매파를 불러들여 만나 보니, 매파는 먼저 유 소사 가문이 대대로 부귀하며 유 한림의 문장과 풍류가 뛰어남을 칭송했다.

매파는 이어서 말했다.

"어느 재상인들 유 소사에게 혼인을 청하지 않았겠습니까? 그러나 유 소사께서는 사 소저의 용모가 매우 아름다우며 재주와 덕성이 출중하다는 말을 듣고 소인에게 중매하도록 한 것입니다. 소저께서 유 소사 댁과 혼인하면 지체 높은 가문의 며느리가 되시는 것입니다. 부인의 생각은 어떠신지요?"

부인은 매우 기뻤지만 사 소저와 의논하기 위해 매파를 기다리게 한 뒤 몸소 소저가 있는 방으로 갔다.

부인은 매파가 했던 말을 사 소저에게 알려 주었다.

"네 생각은 어떤지 숨기지 말고 말해 보거라."

"유 소사는 어진 재상이라 하니 혼인을 해도 마땅할 것입니다. 그런데 매파의

---

18 남악(南嶽) 중국의 이름난 다섯 산 가운데 하나인 '헝산산[衡山山]'의 다른 이름.

말에 의심스러운 것이 있습니다. 소녀는 '군자는 덕(德)을 귀하게 여기지만 미색(美色)은 천하게 여기고, 숙녀는 덕으로 시집을 가며 미색으로 남편을 섬기지는 않는다.'라고 들었습니다. 매파가 소녀의 미색을 먼저 칭찬했으나 그것은 저를 부끄럽게 하는 말입니다. 게다가 유 소사 댁의 부귀는 크게 자랑하면서 우리 집안의 훌륭한 덕에 대해서는 전혀 말하지 않았습니다. 매파가 미천한 사람이라 유 소사의 뜻을 제대로 전하지 못한 것이 아니라면 유 소사가 어진 사람이란 말은 크게 잘못된 것이겠지요. 그렇다면 소녀는 그 댁에 시집가지 않겠습니다."

평소에 딸을 몹시 사랑하는 부인이 어찌 그 뜻을 어기겠는가? 매파에게 나아가 말했다.

"유 소사께서는 우리 딸의 재주와 미색에 대해 잘못 들으셨소. 우리 딸은 가난한 집에서 나고 자라, 손수 옷감을 짜고 바느질을 하면서 여자들이 해야 할 일만 조금 익혔을 뿐이니, 어찌 용모가 화려하고 잘 꾸몄겠소. 혼인한 뒤에 듣던 것과 다르다고 하여 죄를 얻을까 두려우니, 돌아가 이 말을 전해 주기 바라오."

매파는 그 말을 듣고 매우 이상하게 여겼다. 그래서 흔쾌히 승낙해 주십사 두세 차례 청했으나 부인의 대답은 한결같았다. 매파는 돌아가 유 소사에게 그대로 아뢰었다. 유 소사는 자못 불쾌해 한참 동안 골똘히 생각하다 매파에게 물었다.

"처음에 자네가 무엇이라 말했는가?"

매파가 자신이 한 말을 그대로 옮기자 유 소사는 알겠다는 듯 웃으며 말했다.

"내가 자네에게 미처 일러 주지 못한 게 있네. 자네는 물러가 있게."

유 소사는 다음 날 친히 신성현으로 가서 현령[19]을 만나 사 급사 댁에 청혼하는 일을 의논했다.

"매파를 보내 혼인할 뜻을 알렸는데, 그 댁에서 대답하기를 이러저러했습니

---

19 현령(縣令) 고을을 맡아 다스리던 관리.

다. 매파가 실언을 한 것이 분명하오니, 수고스럽겠지만 현령께서 사 급사 댁에 가 주셔야겠습니다."

"유 소사께서 시키시는데 감히 따르지 않겠습니까? 다만 어떻게 말씀드려야 할지 모르겠습니다."

"다른 말씀은 하실 것이 없습니다. 오직 '돌아가신 사 급사의 높은 명망을 흠모하며 또한 소저가 부녀자의 덕행을 갖추었다고 들었다.'라는 말씀만 하십시오. 그러면 틀림없이 허락할 것입니다."

"말씀하신 대로 하겠습니다."

현령은 아전[20]을 사 급사 댁으로 보내, 현령께서 찾아올 것이라고 알렸다. 사 급사 부인은 혼사 때문이라는 것을 알고 사랑채[21]를 청소하고 현령을 기다렸다.

다음 날 아침에 현령이 오자, 사 소저의 유모가 사 소저의 남동생 희랑(喜郞)을 안고 나와 현령을 맞이했다. 현령이 사랑채 마루에 앉자 유모가 말했다.

"주인께서는 세상을 떠나셨고 어린 주인께서는 나이가 어려 아직 손님을 접대할 줄 모르십니다. 현령께서는 무슨 일로 오셨습니까?"

"다른 일이 아니라 어제 유 소사께서 관아[22]에 오셔서 내게 말씀하시기를, '아들의 혼사로 처자가 있는 집을 방문한 것이 적지 않았으나 하나도 마음에 들지 않았습니다. 사 급사 댁 처자는 차분하고 정숙하며 학덕이 높고 어진 풍모를 지녔다고 들었는데, 진정 내가 찾는 사람입니다. 게다가 돌아가신 사 급사의 높은 명망과 곧은 절개를 평소에 우러러 흠모하던 바였습니다. 그래서 매파를 보냈으나 좋은 대답을 들을 수 없었습니다. 매파가 실언을 해 그렇게 되었을 것입니다.'라고 하셨네. 이제 나를 중매 삼아 두 집안의 혼인을 맺으려 하시니, 참으로 좋은 일이네. 부인께 아뢰어 허락하는 말을 듣기 바란다네."

---

20 아전(衙前) 벼슬아치 밑에서 일을 보던 사람.
21 사랑채 바깥주인이 거처하며 손님을 접대하는 사랑으로 쓰는 집채.
22 관아(官衙) 예전에 벼슬아치들이 나랏일을 처리하던 곳.

유모는 안채[23]로 들어갔다가 곧 나와 부인의 말을 전했다.

"현령께서 어린 딸의 혼사를 위해 누추한 집까지 오셨으니 참으로 황공하옵니다. 말씀하신 유 소사 댁과의 혼사는 감당하지 못할까 두려울 뿐이나 어찌 명을 어기겠습니까?"

현령은 유 소사에게 편지를 보내 그 사실을 알렸다. 유 소사는 크게 기뻐하며 혼인할 날을 정했으며, 유 한림은 예를 갖추어 신부를 맞이했다. 사 소저 같은 훌륭한 신부를 맞이하는 것을 부러워하지 않는 이가 없었다.

*

유 한림은 사 소저와 혼인했으니, 이는 참으로 덕과 학식이 높은 군자와 품위 있고 정숙한 여자가 짝이 된 격이었다. 부부로서의 마음과 의리는 매우 깊었다. 혼인한 다음 날 대추와 밤을 받들고 유 소사에게 예를 갖추어 인사를 올렸으며, 사흘째 되는 날에는 집안의 사당[24]에 올라가 조상님께 부부가 되었음을 아뢰었다.

그때 친척과 손님들은 모두들 사 소저를 줄곧 지켜보았다. 그들은 향기로운 난초가 봄바람에 흔들거리고 하얀 연꽃이 고요하고 맑은 가을 물에 비치는 광경만을 볼 수 있을 뿐이었다. 사 소저의 행동 하나하나가 예법에 조금도 어긋나지 않아 모두들 큰 소리로 칭찬했으며 유 소사도 치하했다. 예를 마치고 나서 유 소사는 신부를 불러 물었다.

"내가 일찍이 네가 지은 글을 보고 재주와 뜻이 높음을 알 수 있었도다. 생각해 보니 그런 글들이 더 많이 있을 듯하구나."

사 소저는 부끄러워 뒤로 물러나며 대답했다.

"글을 짓는 일은 여자가 해야 할 바가 아니옵니다. 아울러 재주와 기질이 재

---

23 안채 한 집 안에 두 채 이상의 집이 있을 때, 안에 있는 집채. 주로 안주인이 거처하는 곳.
24 사당(祠堂) 조상의 신주(神主)를 모셔 놓은 집.

빠르지 못해 일찍이 지은 적이 없사옵니다. 관세음
보살을 기린 글은 어머니의 명을 받아 마지못해
지은 것이옵니다. 형편없는 글을 보시리라고
는 생각하지 못했습니다."

"글을 짓는 것이 여자가 해야 할 일이 아니라
면 예로부터 현숙한 부인들 가운데 글을 읽지 않은
사람이 없었던 것은 무슨 까닭이냐?"

"착한 일을 본받고 악한 일을 경계하기 위한 것일 뿐이옵니다."

"이제 우리 집안에 시집왔으니 어떻게 남편을 받들려고 하느냐?"

"일찍이 아버지를 여의고 홀어머니의 지나친 사랑을 받아 배운 것이 전혀 없
사옵니다. 그러나 어머니께서 저를 떠나보내면서 '반드시 공경하고 반드시 경계
하여 남편의 뜻을 어기지 말라.' 하고 말씀하셨습니다. 그 말씀을 따른다면 아마
도 큰 잘못을 저지르지는 않을 듯하옵니다."

"남편의 뜻을 어기지 않는 것이 아내의 도리라면, 남편에게 잘못이 있는 경우
에도 따라야 한다는 말이냐?"

"그런 말이 아니옵니다. 옛말에 이르기를 부부의 도는 오륜[25]을 고루 겸한다
고 했습니다. 아들은 아비에게 바른말을 하고, 신하는 임금에게 바른말을 하며,
형제는 서로 옳은 것을 권면하고, 친구는 서로 착한 것을 권유해야 한다고 하옵
니다. 부부의 경우라 해서 어찌 유독 그렇지 않겠습니까? 그러나 예로부터 장부
가 부인의 말을 들으면 이로움은 적고 해로움이 많습니다. 암탉이 새벽에 울고
세상일에 밝은 여자가 나라를 기울게 하는 것을 경계해야 하옵니다."

유 소사가 손님들을 돌아보며 말했다.

---

25 오륜(五倫) 유학(儒學)에서 사람이 지켜야 할 다섯 가지 도리. 부자유친, 군신유의, 부부유별, 장유유서, 붕우유신을
이른다.

"우리 며느리는 예전에 박학했던 반소[26] 같은 사람입니다."

이어서 한림에게 말했다.

"어진 아내를 얻는 것은 중요한 일이다. 너를 내조할 아내를 얻었으니 내 다시 무엇을 걱정하겠느냐?"

유 소사는 시비에게 명하여 상자 속에서 거울 하나와 옥반지를 가져오게 하더니, 그것을 사 소저에게 주며 말했다.

"이것은 우리 집안에 대대로 내려오는 오래된 물건이니라. 네 명석함은 족히 거울과 같고 덕성은 가히 옥에 견줄 만하여 이것으로 내 마음을 표하고자 하노라."

사 소저는 일어나 절하고 그것을 받았다. 그날 유 소사와 손님들은 모두 크게 기뻐하여 취하도록 술을 마시다가 자리를 파했다.

유씨 가문에 들어간 사 소저는 시아버지를 효성을 다해 섬겼으며 종들은 은혜로운 마음으로 대했다. 제사를 정성으로 받들고 집안일을 법도에 맞게 다스려, 집안은 물처럼 맑았으며 화창한 기운이 봄날처럼 가득했다.

그런데 삼사 년 뒤 즐거움이 떠나고 슬픈 일이 찾아왔다. 유 소사가 병을 얻어 점차 위중해졌다. 유 한림 부부는 밤낮으로 곁에서 시중을 들었다. 옷도 갈아입지 않고 온 힘을 다해 약 수발을 들고 정성을 다해 기도도 해 보았으나 아무런 효험을 볼 수 없었다. 유 소사는 두 사람에게 다시 일어나지 못할 것이라 말한 뒤 두 부인을 불러 말했다.

"이제 누이와 영영 헤어지려고 하네. 누이도 조심할 나이니 지나치게 슬퍼하지 말고 몸을 잘 돌보도록 하게. 연수가 아직 어리니 잘못이 있으면 반드시 가르치고 꾸짖어 주게."

---

26 **반소(班昭)** 중국 후한(後漢) 때의 시인으로, 배운 것이 많고 학식이 깊은 여인이었다고 한다.

다음에는 한림에게 말했다.

"길이 조상의 제사를 받들고 가문의 명예를 떨어뜨리지 마라. 충성과 효도를 다하고 학문에 힘써 부모의 이름을 드높이도록 해라. 고모의 말을 내 말처럼 따르고 모든 일을 네 처와 의논해라. 네 처는 덕행과 식견이 보통 사람과 다르니 너를 옳지 않은 길로 가게 하지는 않을 것이다."

또 사 씨에게 말했다.

"네 어진 품성에 경탄하며 감복하는 바이니 특별히 힘써 달라고 말할 것이 없구나. 오직 잘 지내기를 바라노라."

유 소사가 말을 마치자 세 사람은 눈물을 흘렸다.

그날 유 소사는 세상을 떠났다. 한림 부부는 몹시 슬퍼하며 좋은 날을 택해 도성 동쪽 선산에 장사를 지냈다. 친척과 조문객들은 한림 부부가 슬퍼하는 모습과 지극한 정성을 보며 감동했다.

세월은 물과 같이 흘러 3년이 지났다. 한림이 비로소 관직에 나아가자 천자는 그를 크게 쓰려 했다. 한림은 자주 상소를 올려 조정의 득실을 논했다. 그런데 엄 승상이 이를 달가워하지 않아 여러 해가 지나도 관직은 올라가지 않았다.

한림 부부는 둘 다 스물세 살이었다. 혼인한 지 10년 가까이 지났는데도 자식이 없었다. 사 씨는 자신이 너무 허약하여 아이를 낳아 기를 수 없을 것이라 생각하고 조용히 한림에게 소실[27]을 둘 것을 권했다. 한림은 그 말이 진심이 아니라고 생각하고 웃으며 대답하지 않았다. 사 씨는 한림 몰래 매파를 시켜 좋은 집안에서 쓸 만한 사람을 고르게 했다.

두 부인은 그 말을 듣고 몹시 놀라 사 씨를 찾아가 말했다.

"들자 하니 자네가 첩을 구한다고 하던데 그러하오?"

사 씨가 말했다.

---

27 소실(小室) 첩. 정식 아내 외에 데리고 사는 여자.

"그러하옵니다."

"집안에 첩을 두는 것은 근심과 재앙의 근본이네. 한 필 말에는 안장이 두 개 있을 수 없고 한 그릇 밥에는 수저가 두 개 있을 수 없는 법이지. 비록 한림이 첩을 원한다 하더라도 오히려 만류해야 하거늘 어찌 스스로 구한단 말인가?"

"제가 이 집안에 들어온 지 9년이 되었으나 아직 자식이 없사옵니다. 옛 법도에 따르면 응당 내쫓겨야 할 터인데, 어찌 소실 두는 것을 꺼려 하오리까?"

"자식은 빨리 낳을 수도 있고 늦게 낳을 수도 있네. 다 하늘에 달린 일이지. 간혹 서른이나 마흔 살 이후에 자식을 낳는 사람도 있네. 자네는 이제 겨우 스물을 넘겼는데 어찌 그처럼 지나치게 걱정하는가?"

"저는 타고난 체질이 허약하옵니다. 아직 나이가 많은 것은 아니오나 혈기가 스무 살 이전만 못하옵니다. 달거리[28] 또한 주기가 고르지 않으니, 이는 저만이 아는 일이옵니다. 게다가 처를 두고 또 첩을 두는 것은 흔한 일이기도 합니다. 비록 제게 《시경》[29]에서 칭송하는 태사[30]와 같은 덕은 없사오나 절대 질투를 일삼는 세속의 부녀자를 본받지는 않을 것입니다."

"자네는 지금 내 말을 가볍게 여기고 있네. 내가 이 일의 이치를 태사의 일로써 깨우쳐 주겠네. 《시경》에서 질투하지 않는 태사의 덕을 칭송했지. 그러나 그것은 문왕이 여색(女色)을 좋아하지 않아 첩들이 원망하지 않았기 때문이네. 만약 문왕이 여색에 빠져 사랑을 고루 나눠 주지 않았다면, 태사가 비록 질투하지 않았더라도 궁중에 어찌 원망하는 말이 없었겠으며, 처첩 간에 어찌 분란이 없었겠는가? 옛날과 지금은 엄연히 다르네. 성인과 범인도 차이가 있는 것이고, 자네가 질투하지 않는 것만으로 《시경》에서 칭송하는 태사의 덕을 이루려 한다면 이는 헛된 명분만 추구하다가 실제로는 화를 당하는 격이 될 걸세."

---

28 달거리 성숙한 여성의 생리 현상인 월경(月經)을 이르는 말.
29 《시경(詩經)》 유학의 다섯 가지 주요 경서(經書) 가운데 하나. 중국에서 가장 오래한 시집으로 공자가 편찬했다고 전해지나 확실하지 않다.
30 태사(太姒) 중국 주의 건국 시조인 문왕(文王)의 아내. 어질고 현숙한 부인으로 유명하다.

"제가 어찌 감히 옛사람을 따라가겠습니까? 그러나 가만히 근래의 부녀자들을 살펴보니, 인륜을 멸시하고 성인을 모욕하며, 시부모에게 순종하지도 않고, 남편을 공경하지도 않습니다. 오직 질투만을 일삼아 가문을 어지럽히고 대를 끊어 조상의 제사를 받들지 못하게 하니, 저는 진실로 이를 분하고 부끄럽게 여기고 있었사옵니다. 비록 사람이 미약하여 그와 같은 속세의 일을 바로잡을 수는 없다 해도 어찌 그러한 잘못을 본받을 수야 있겠사옵니까? 저는 비록 어리석은 사람이지만 장부가 몸을 돌보지 않고 그릇되게 여색에 빠진다면 장부가 싫어하는 것을 무릅쓰고 힘써 간할 것입니다. 이는 또한 아녀자의 도리이옵니다."

두 부인은 더 이상 말릴 수 없음을 알고 탄식하여 말했다.

"새로 들어오는 사람이 착하다면 그나마 다행일 것이네. 착하지 않아 장부의 마음을 뺏기라도 한다면 어떤 일이 벌어지겠는가? 자네는 뒷날 반드시 내 말을 생각하게 될 것이네."

두 부인은 탄식을 하고 돌아갔다.

다음 날 매파가 사 씨를 찾아왔다.

"마침 적당한 여자가 있긴 하나 부인께서 구하려는 사람보다 용모와 재주가 뛰어나 걱정이옵니다."

"무슨 말인가?"

"이 댁에서 첩을 구하려는 것은 상공이 여색을 좋아해서가 아니라 대를 잇기 위해서이옵니다. 그러니 아들을 낳을 수만 있다면 충분하옵니다. 그런데 그 여자는 용모와 재주가 모두 남들보다 훨씬 뛰어나 부인의 뜻에 맞지 않을까 걱정되옵니다."

사 씨가 웃으며 말했다.

"매파가 나를 떠보려고 하는군요. 어떤 사람이기에 그러시오?"

"하간부[31] 사람으로 성은 교(喬)이고, 이름은 채란(彩鸞)이라 하옵니다. 본시 벼슬하던 집안의 자식인데, 부모가 일찍 죽어 언니와 서로 의지하며 살고 있사옵니다. 나이는 열여섯인데, 그녀 스스로 가문이 쇠퇴했으니 가난한 선비의 처가 되기보다는 차라리 재상의 첩이 되는 것이 낫겠다고 말하니, 첩으로서는 얻기 어려운 조건의 사람이옵니다. 그 여자는 하간 지방에서 유명한 미인이며 길쌈에 능할 뿐만 아니라 책을 읽어 옛사람의 행실을 본받았사옵니다. 이 댁에서 반드시 좋은 사람을 구하려 한다면 그보다 더 나은 사람은 없을 것이옵니다."

사 씨는 몹시 기뻐하며 말했다.

"벼슬한 집안의 여자는 미천한 집안의 여자와는 다르지. 참으로 내 마음에 꼭 드는 사람이네."

사 씨가 매파의 말을 한림에게 고하자 한림이 말했다.

"내가 첩을 두는 것은 그렇게 급한 일이 아니오. 그러나 부인의 호의를 어길 수 없으니, 교 씨 여자가 참으로 그와 같다면 그렇게 하지요."

사 씨는 즉시 매파를 보내 그 뜻을 전하고 날을 잡아 친척을 불러 모은 뒤 교 씨를 맞이했다.

교 씨는 한림 부부와 친척들에게 예를 갖춰 인사를 올린 뒤 자리에 앉았다. 교 씨의 자태가 화려하고 행동이 민첩하여 마치 해당화 가지가 이슬을 머금은 채 바람에 흔들리는 것 같았으므로 모두들 칭찬을 아끼지 않았다. 한림과 사 씨 또한 흡족해했으나 오직 두 부인만이 기뻐하지 않았다.

그날 저녁에 손님들이 모두 돌아가자, 시비가 교 씨를 화원 가운데 있는 별당으로 인도해, 한림과 교 씨는 잠자리를 함께했다.

두 부인은 집으로 돌아가지 않고 사 씨에게 조용히 말했다.

---

31 하간부(河間府) 중국 허베이성[河北省]에 있던 고을.

"소실을 구하더라도 품성이 좋은 여자를 구해야 마땅했거늘, 저렇게 미모가 뛰어난 여자를 구했으니 자네에게 이롭지 못할 것이네. 성품이나 행실이 반드시 좋지 않을 것이야!"

"여자를 고를 때 용모를 우선해서는 안 되지요. 그렇지만 지나치게 못생겨 장부와 친근하게 지낼 수 없다면 자식이 어떻게 생기겠습니까? 위나라의 장강[32]은 용모가 뛰어났음에도 그 덕 또한 고금에 드문 것이었습니다. 용모가 뛰어나게 아름답다 해서 어찌 모두 성품이나 행실이 나쁘겠습니까?"

"장강은 어진 사람이었으나 자식이 없었지."

두 사람은 마주 보며 웃었다.

한림은 교 씨가 거처하는 집을 백자당(白子堂)이라 이름 짓고 납매(臘梅) 등 시비 네 명에게 시중을 들게 했다. 집안사람들은 교 씨를 '교 낭자'라 불렀다. 교 씨는 총명하고 영리해 유 한림의 뜻을 잘 받들었고 사 씨를 잘 섬겼다. 집안사람들 모두 그녀를 칭찬했다.

반년도 채 지나지 않아 교 씨는 아이를 가졌으며, 한림과 사 씨는 매우 기뻐했다. 교 씨는 아들을 낳지 못할까 두려워 여러 점쟁이들에게 물어보았다. 아들이라고 하는 사람도 있었고, 딸이라고 하는 사람도 있었으며, 아들이면 좋지 않은 일이 생기고 딸이면 좋은 일이 생긴다는 사람도 있었다. 교 씨가 걱정을 하고 있는데 납매가 말했다.

"저의 이웃에 이십랑(李十娘)이라는 사람이 있사옵니다. 남쪽 지방에서 왔는데 기이한 재주가 많아 알아맞히지 못하는 것이 없으니 한번 불러서 물어보시지요."

교 씨는 기뻐하며 즉시 이십랑을 불러 물었다.

"배 속의 아이가 남자인지 여자인지 알 수 있겠느냐?"

---

32 장강(莊姜) 중국 위 때 장공(莊公)의 아내로, 매우 아름다웠다고 한다.

"알 수 있사옵니다."

이십랑은 손목의 맥을 짚어 보고 말했다.

"딸이옵니다."

교 씨는 깜짝 놀랐다.

"한림이 나를 곁에 둔 것은 대를 잇기 위해서인데 딸을 낳는다면 차라리 낳지 않는 것만도 못해."

이십랑이 말했다.

"소인이 일찍이 범상치 않은 사람을 만나 딸을 아들로 바꾸는 법을 배웠사옵니다. 여러 번 해 보았는데 효험이 없었던 적이 없사옵니다. 낭자께서 아들을 얻고자 하신다면 그 방법을 써 보시는 것이 어떻겠사옵니까?"

교 씨는 크게 기뻐하며 말했다.

"정말 효험이 있다면 마땅히 천금을 주어 사례할 것이네."

이십랑은 부적과 기괴한 물건을 많이 만들어 교 씨의 방 이부자리 속에 숨겨 놓으며 말했다.

"아들 낳으시기를 기다렸다가 찾아뵙고 축하드리겠사옵니다."

열 달 뒤 교 씨는 과연 아들을 낳았다. 아이는 얼굴이 깨끗하고 빼어났으며 피부가 마치 옥과 같았다. 한림과 사 씨는 무척 기뻐했으며 주위 사람들 또한 축하해 주었다.

교 씨가 아들을 낳은 뒤로 한림은 더욱 후하게 그녀를 대했다. 그리고 아이를 몹시 사랑해 아이의 이름을 '손 안의 보배로운 구슬'이라는 뜻의 장주(掌珠)라 불렀다.

늦은 봄 어느 날이었다. 화원에는 온갖 꽃들이 활짝 피어 풍경이 볼만했다. 한림은 마침 천자를 모시고 연회에 참석해 돌아오지 않았다. 사 씨가 홀로 책상에 기대어 앉아 옛글을 읽고 있었는데, 시비 춘방(春芳)이 아뢰었다.

"화원의 작은 정자에 지금 모란꽃이 활짝 피었사오니 한번 구경해 보시지요."

사 씨는 즉시 책을 놓고 시비 대여섯 명을 거느리고 정자로 나갔다. 버드나무 그늘이 난간을 덮고 꽃향기가 옷에 배어드는 것이 화려하면서도 그윽하여 참으로 아름다운 풍경이었다. 사 씨는 시비에게 차를 끓여 오라 하고 교 씨를 불러 함께 봄빛을 즐기려 했다.

그때 바람결에 거문고 타는 소리가 들렸다. 느릿한 곡조에 소리가 처량해, 마치 구슬이 옥쟁반에서 구르고 물이 깊은 골짜기로 떨어지는 듯하여 듣는 사람의 마음을 움직였다. 사 씨가 시비에게 물었다.

"거문고 소리가 특이하구나. 누가 연주하는 것이냐?"

"교 낭자의 연주이옵니다."

"교 씨가 음악을 안다는 말을 듣지 못했도다. 오늘 우연히 연주한 것이냐 아니면 본래 연주하던 것이냐?"

"백자당은 안채에서 멀리 떨어져 있으니 부인께서 모르시는 것이 당연하옵니다. 낭자가 평소에 거문고 연주를 즐겨 하여 저희들은 여러 번 들었사옵니다."

사 씨는 그 말을 듣고 나서 다시 귀를 기울였다. 잠시 뒤 거문고 소리가 그치고 다시 느린 노랫소리가 흘러나왔는데, 모두 당나라 때 사람이 지은 유명한 노래들이었다. 교 씨는 연이어 두 곡을 노래했는데, 흙먼지를 일으키고 구름을 멈추게 하는 기막힌 솜씨였다. 사 씨는 다 듣고 난 뒤 머리를 숙이고 한동안 깊이 생각하더니 시비 추향(秋香)을 보내 교 씨에게 말을 전했다.

"마침 한가하여 화원에 나왔소. 낭자도 이곳에 한번 나와 보시오."

교 씨가 즉시 추향과 함께 나오자 사 씨는 자리를 내주고 함께 꽃을 감상하며 차를 마시다가 이렇게 말했다.

"낭자가 재주가 많다는 것은 알고 있었지만 그처럼 음악에 정통하리라고는 미처 생각하지 못했소. 거문고 연주로 명성이 자자한 채문희[33]만 못하지 않구려."

교 씨가 감사하며 말했다.

"천한 기예라 잘한다 할 수는 없지만 스스로 즐기는 정도는 되옵니다. 부인께서 들으시리라고는 생각하지 못했사옵니다."

"낭자의 거문고 소리는 정말 아름다웠소. 그러나 나와 낭자는 정으로는 형제 같고 의리로는 친구 같으니, 내 한 말씀 드리고자 하오."

"부인께서 가르침을 주시면 제게는 다행한 일이옵니다."

"낭자가 연주한 〈예상우의곡〉[34]은 세상에서는 높이 평가되고 있지요. 그러나 그 곡이 지어진 것은 호화로움과 부귀가 극에 달했던 당나라 현종이 안녹산의 난을 만나 만 리 밖으로 쫓겨 갔던 때였어요. 양귀비는 세상 사람에게 조롱을 당했으며 마침내 마외(馬嵬)라는 곳에서 죽임을 당해 후대 사람들의 비웃음을 샀지요. 이러한 망국의 노래는 연주할 만한 것이 아닙니다. 또한 낭자는 손놀림이 가벼워 소리가 지나치게 슬프고 원망하는 듯하니, 사람의 마음을 움직일 수는 있어도 사람의 기운을 온화하게 하기에는 부족함이 있지요. 이는 옛날 곡조이기 때문에 그런 것은 아니에요. 또한 낭자가 부른 노래는 앵앵과 설도[35]가 지은 시인데, 앵앵은 절개를 잃은 여자이고 설도는 창녀였소. 그 시가 비록 잘 지어진 것이라고는 하나 그 시를 지은 그들의 행실은 매우 비천한 것이었지요. 옛날이나 지금의 음악 가운데 우아한 곡조가 많고 당나라 때의 시 가운데 노래 부를 만한 것이 많은데, 낭자는 어찌 그런 곡조를 택하셨소?"

교 씨는 크게 부끄러워 머뭇거리며 사죄했다.

---

33 채문희(蔡文嬉) 중국 후한 때 사람으로 음악에 정통했다고 한다.
34 〈예상우의곡(霓裳羽衣曲)〉 중국 당 때 악곡(樂曲)의 명칭. 당 현종(玄宗)이 꿈에 천상(天上)에 가서 그곳의 노래와 춤을 보고 난 뒤 지은 것이라고 한다.
35 앵앵(鶯鶯)과 설도(薛濤) 앵앵은 당 때의 내외 전기(傳記) 작품 《앵앵전(鶯鶯傳)》의 여주인공이고, 설도는 당 때의 시인이다.

"시골 여자라 남들이 하는 것을 보고 배웠을 뿐 저는 좋은지 나쁜지도 몰랐습니다. 부인께서 바른 도리를 가르쳐 주셨으니 그 말씀을 뼈에 새겨 잊지 않겠사옵니다."

사 씨가 다시 교 씨를 위로하며 말했다.

"내가 낭자를 사랑해서 말한 것이니 내게도 잘못이 있으면 낭자도 숨기지 말고 반드시 바로 말해 주세요."

사 씨와 교 씨는 봄빛을 즐기다 날이 저물자 자리를 피했다.

*

그날 저녁 한림은 집으로 돌아와 백자당으로 갔는데, 술에 취해 잠을 이룰 수 없어 난간에 기대앉아 있었다. 달빛이 대낮처럼 밝아 꽃 그림자가 창문에 가득했다. 한림은 교 씨에게 노래를 부르도록 했으나 교 씨는 감기에 걸려 목이 아프다며 사양했다. 한림이 다시 말했다.

"그렇다면 대신 거문고를 타게."

교 씨가 또 따르지 않자 한림이 두세 차례 더 재촉했다. 그러자 교 씨는 갑자기 앉은 자리가 젖을 정도로 펑펑 울었다. 한림은 이상하게 생각해 물었다.

"자네가 내 집에 들어온 뒤로 불평하는 기색을 본 적이 없었는데 오늘은 무슨 일로 이처럼 힘들어하는가?"

교 씨는 대답하지 않고 더욱 슬피 울었다. 한림이 까닭을 캐묻자 교 씨가 말했다.

"물으시는데 대답하지 않으면 상공께 죄가 되고 대답을 하면 부인께 죄가 되니 대답하기도 어렵고 또한 대답하지 않기도 어렵사옵니다."

한림이 말했다.

"하기 어려운 말을 한다 해도 자네를 나무라지 않겠네. 숨기지 말고 말하게."

교 씨는 눈물을 거두고 대답했다.

"저의 촌스러운 노래와 상스러운 곡조는 본래 군자께서 들을 만한 것이 아니나 명을 받들고자 서툰 재주를 보여 드렸던 것이옵니다. 또한 조그마한 정성이나마 다하여 상공께서 보고 웃으시도록 하려는 것일 뿐이었사옵니다. 무슨 다른 뜻이 있었겠사옵니까? 그런데 오늘 아침 부인께서 저를 부르시더니, '상공께서 너를 얻은 것은 단지 후사를 잇기 위함이지 집안에 어여쁜 여자가 없어서가 아니다. 그런데도 너는 밤낮으로 얼굴만 꾸미고 있을 뿐 아니라 음란한 음악으로 장부의 마음을 홀려 돌아가신 시아버님께서 세우신 가풍을 무너뜨리고 있다고 하더구나. 이는 죽어 마땅한 죄로다. 경고하건대 행실을 고치지 않는다면 내 비록 힘은 없지만 아직까지는 여태후가 척 부인의 손발을 자르던 칼과 벙어리로 만들던 약[36]을 가지고 있으니, 너는 행동을 각별히 조심하라.' 하고 꾸짖었사옵니다. 저는 본래 한미한 집안의 계집으로 상공의 은혜를 입어 부귀와 영화가 이에 이르게 되었사옵니다. 지금 죽는다 해도 무슨 여한이 있겠사옵니까? 다만 저 때문에 상공의 청렴하고 고결하신 덕행을 사람들이 흠잡지나 않을까 두려워 감히 명을 따르지 않았던 것이옵니다."

이 말을 들은 한림은 의아해했다.

'사 씨는 항상 투기하지 않는다고 스스로 자부했지. 교 씨를 너그럽게 대했으며 일찍이 교 씨의 단점을 말하는 것을 들은 적이 없었어. 교 씨가 거짓말을 한 것은 아닐까?'

한림은 한동안 말없이 생각하다가 교 씨를 위로하며 말했다.

"내가 자네를 얻은 것은 부인이 권해 따른 것이었네. 또 부인이 일찍이 자네에 대해 좋지 않은 말을 한 적이 없었네. 아마 하인들 가운데 누군가 헐뜯는 말을 해 잠시 화가 나서 한 말일 게야. 그러나 본래 성품이 유순해 자네를 해치지는 않을 테니 걱정하지 말게. 내가 있는데, 어떻게 자네를 해칠 수 있겠

---

36 여태후(呂太后)가 척 부인(戚夫人)의 손발을 자르던 칼과 벙어리로 만들던 약 **여태후는 중국 한고조(漢高祖)의 황후(皇后)로, 고조가 총애한 척 부인에게 가혹한 형벌을 가했다.**

는가?"

교 씨는 끝내 마음을 놓지 않고 오직 한림에게 감사할 뿐이었다.

아아! 옛말에 이르기를 호랑이를 그릴 때는 뼈를 그리기 어렵고 사람을 사귈 때는 마음을 알기 어렵다고 했다. 교 씨는 태도와 언행이 겸손하고 예의가 발라 사 부인은 교 씨를 좋은 사람이라고만 여겼다. 경계하는 말을 한 것은 음란한 노래로 미혹하여 장부를 잘못되게 하지나 않을까 염려한 것이었으며 또한 교 씨를 바른길로 이끌려고 했던 것이었다. 본디 사랑하는 마음에서 한 말이었지 조금이라도 시기하려는 마음은 없었던 것이다. 그런데 교 씨는 분하고 억울한 마음을 품고 교묘한 말로 헐뜯어 마침내 큰 재앙의 바탕을 만들었으니, 부부와 처첩 사이라는 것이 어찌 어렵지 않겠는가? 비록 한림이 교 씨의 간사한 계교를 깨닫지는 못했지만 사 씨의 마음도 의심하지 않았기에 교 씨는 다시 비방할 수 없었다.

어느 날 납매가 교 씨에게 고했다.

"방금 추향에게 들으니 사 부인께서 임신을 하셨다고 하옵니다."

교 씨는 깜짝 놀라 말했다.

"결혼한 지 10년이나 지난 뒤에 아이를 가졌다니 참으로 드문 일이로다. 달거리가 고르지 못한 것은 아니냐?"

교 씨는 속으로 '사 씨가 아들을 낳으면 나는 자연 보잘것없게 될 것이야.'라는 생각을 했지만 어떻게 할 도리가 없었다.

한두 달 지나 사 씨가 아이를 가진 것이 분명해지자 온 집안사람들이 모두 기뻐했다. 그러나 교 씨만은 불만스럽게 여겨 납매와 함께 은밀히 음모를 꾸몄다. 낙태하는 약을 사서 사 씨가 먹는 약 속에 몰래 섞어 놓았으나, 그 약을 마시자마자 갑자기 구역질을 하며 그대로 토해 버려 성공할 수 없었다.

사 씨는 달이 차자 아들을 낳았다. 아이는 골격이 남달랐으며 풍채 또한 비범했다. 한림은 크게 기뻐하며 아이의 이름을 인아(麟兒)라 했다. 교 씨는 인아를 해치고자 하는 마음을 가지고 있었으나 그렇게 할 수 없자 마지못해 사 씨에게 나아가 축하 인사를 올리며 겉으로는 기뻐하는 표정을 지었다. 한림과 사 씨는 그것을 진심이라 생각했다.

인아가 점점 자라 장주와 한곳에서 놀고 있었다. 인아는 비록 어리기는 했으나 활달한 기개나 풍모가 남달라 장주가 잘생기기만 한 것과는 달랐다.

하루는 한림이 밖에서 돌아와 옷도 벗기 전에 인아를 안고는 말했다.

"이 아이는 이마 모양이 할아버지와 꼭 닮았어. 앞으로 우리 가문을 크게 할 거야."

그러더니 유모에게 말했다.

"잘 돌봐 주도록 해라."

그러자 장주의 유모는 장주를 안고 교 씨에게 달려가 억울해하며 말했다.

"상공이 유독 인아만을 사랑스럽게 어루만지며 앞으로 훌륭하게 될 거라 하셨으나 장주는 보고도 못 본 체하였사옵니다."

유모가 슬퍼하며 눈물까지 흘리자 교 씨는 더욱 고민하면서 생각했다.

'내가 사 씨보다 외모가 더 아름답지도 않을 뿐만 아니라 처와 첩의 차이도 크다. 나는 아들을 낳았고 사 씨는 아이가 없었기에 좋은 대접을 받은 것이었지, 이제 사 씨가 낳은 아이가 앞으로 이 집안의 주인이 되면 내 아이는 아무 쓸모가 없게 될 것이야. 사 씨가 겉으로는 어진 척하지만 화원에서 나를 꾸짖었던 말은 분명히 시기하는 것이었어. 사 씨가 나를 헐뜯는다면 한림이 사 씨를 믿고 있으니 어찌 내 신세를 염려하지 않겠는가?'

교 씨는 다시 이십랑을 불러 의논했다. 이십랑은 전에 이미 교 씨에게 금은을 많이 받았으므로 서로 한마음이 되어 간악한 음모와 계교를 꾸몄다. 워낙 은밀하게 일을 꾸며 눈치챈 사람이 아무도 없었다.

어느 날 한림이 조정에서 집으로 돌아오니 마침 이부[37]의 석 낭중[38]에게서 한 사람을 천거하는 편지가 와 있었다.

소주 지방의 수재인 동청(董靑)은 품행이 단정한 남쪽 지방의 선비입니다. 인생이 기구하여 한 번도 과거에 급제하지 못했고 집안도 본래 가난하여 남에게 의지하여 살아왔습니다. 근래에는 제 집에 의탁하고 있었는데, 제가 지금 산서(山西) 지방 학관[39]이 되어 한동안 멀리 떠나 의탁할 곳이 없게 되었습니다. 그리하여 선생 문하에 문서를 수발하는 사람이 없는 것이 생각났습니다. 그 사람은 글을 잘 쓸 뿐만 아니라 사람을 대하는 일도 재빠르게 잘 처리합니다. 실제로 일을 시켜 보시면 재주를 알게 될 것입니다. 이에 몸소 찾아가 뵙게 했으니 즉시 부르시기 바랍니다.

동청은 본래 벼슬하던 집안의 자제였다. 부모가 일찍 죽자, 못된 짓을 일삼던 친구들을 따라다니며 장기를 두고 술을 마시며 가산을 탕진해 돌아갈 곳도 없었다. 이리저리 떠돌다 서울로 가 벼슬아치들에게 의탁하여 입에 풀칠을 했다. 그러나 잘생긴 용모에 말재주가 뛰어났고 글을 잘 써 사대부들이 처음에는 아끼지 않는 사람이 없었다. 그러나 조금 있다 보면 자식을 꾀어 옳지 않은 일을 하게 만들기도 하고 때로는 불미스러운 말을 집안에 퍼뜨려, 가는 곳마다 오래 있지 못했다. 석 낭중도 그를 싫어하게 되었지만 죄를 드러내고 싶지도 않았다. 그래서 마침 지방으로 벼슬살이하러 가게 되자 한림에게 천거했던 것이다.

한림은 나랏일을 오랫동안 해 온 터라 응답해야 할 글들이 많이 쌓여 있었으

---

37 이부(吏部) 육부(六部) 가운데 관원의 인사를 담당하던 관아.
38 낭중(郎中) 육부의 상서(尙書)를 보좌하던 벼슬아치.
39 학관(學官) 교육을 맡아 하던 벼슬아치.

나 집안에 실제로 글을 잘 쓰는 사람이 없었다. 그래서 석 낭중의 편지를 보고는 동청을 만나 보았다. 동청은 물이 흘러가듯 말을 잘했다. 한림은 크게 기뻐하며 그를 집 안에 두고 문서 작성을 돕는 일을 맡겼다. 동청은 본성이 영리해 한림의 뜻에 맞게 일을 잘 처리했다. 한림은 동청을 신임해 그의 말이라면 그대로 들어 주었다.

사 씨는 동청에 대한 소문을 듣고 이를 한림에게 아뢰었다.

"동청은 단정한 사람이 아닙니다. 여러 차례 다른 집에서 쫓겨나 궁한 나머지 이곳으로 온 것입니다. 상공께서는 잘 살펴보옵소서."

"나 역시 그 소문을 들었소. 그러나 글을 잘 쓰기 때문에 내 수고를 대신하게 하려는 것일 뿐이오. 동청이 내 친구가 아닌데 단정한지 그렇지 않은지를 따져서 무엇하겠소?"

"상공께서 동청과 친구는 아니나 바르지 못한 사람과 함께 지내면 자연히 사람의 마음을 잘못되게 할 것입니다. 또한 집 안에 두는 것은 집안의 법도를 엄히 따르는 것이 아닙니다. 시아버님께서 살아 계셨다면 어찌 이와 같은 일이 있었겠습니까?"

"부인의 말이 옳소. 하지만 세간에는 남을 헐뜯는 나쁜 습속이 있어요. 동청이 비방을 당하는 것도 어쩌면 억울한 일일 수 있지요. 함께 더 지내보면 자연히 됨됨이를 알게 되겠지요."

교 씨는 사 씨가 동청을 좋게 보지 않지만 한림이 그를 신임하고 있다는 것을 알고 있었다. 그래서 동청을 한패로 만들어 도움을 받으려고 납매를 시켜 은밀히 동청과 정을 통하게 하고는 그와 자주 일을 꾸몄다.

예로부터 부녀자가 거처하는 곳에서 한번 도리에 맞지 않는 일이 생기면 끝이 없게 된다. 이십랑은 교 씨를 도와 남자를 유혹하는 방술을 알려 주었고 그때부터 한림은 교 씨에게 빠져들었다. 사 씨는 이를 걱정했으나 어찌할 도리가 없었다. 오직 혼자서 깊이 걱정할 뿐 감히 표정이나 말로 드러내지 못했다.

교 씨가 또 이십랑에게 말했다.

"여자의 몸으로 일단 남의 아랫사람이 되면 하루도 마음 편할 날이 없네. 앞으로 복을 받을지 화를 당할지도 전혀 알 수 없지. 자네가 내게 기이한 방술을 알려 주어 효험을 많이 봤네. 요즈음 생각해 보니 사대부 집안에서 자주 남을 저주하는 일이 일어나더군. 자네는 당연히 그 방술을 알고 있을 테니, 두 사람을 없앨 방법을 알려 주면 죽기 전에 은혜를 갚을 것이네."

이십랑은 한동안 생각하더니 말했다.

"그 일은 참으로 어려운 일입니다. 원하시는 대로 저주를 하면 병이 들거나 죽게 될 것이옵니다. 이 댁에는 사람이 많이 드나드니 병의 원인을 밝히기 어렵겠지만 만일 밝혀지게 되면 저는 죽게 되옵니다. 이 집안에 사 씨 모자(母子)와 원수질 사람이 낭자가 아니면 또 누가 있겠습니까? 은밀히 남을 해치려 하다가 도리어 자신이 화를 당할 수 있으니 쉽게 할 수 있는 일이 아니옵니다. 그러나 계책이 하나 있사옵니다. 훗날 아드님이 가벼운 병에 걸리면 낭자께서도 병에 걸렸다고 한참 동안 누워 계시다가 사 부인이 낭자와 아드님을 해치려고 하는 글을 거짓으로 만들어 우연히 그것을 발견한 척하십시오. 한림은 반드시 사 부인을 의심할 것이옵니다. 계속해서 여러 경로로 한림에게 사 부인을 모함하는 말을 한다면 어찌 낭자의 뜻을 이루지 못하겠사옵니까?"

교 씨는 크게 기뻐하며 이십랑에게 후하게 사례하고는 때를 기다렸다.

몇 달 뒤 마침 장주가 감기에 걸려 젖을 토하고 깜짝깜짝 놀라자 한림은 의원을 불러 병을 고치려 했다. 그러나 교 씨는 이십랑이 말한 계교를 실행하고자 납매에게 말했다.

"사 씨가 우리 모자를 저주하는 글을 위조하려면 반드시 똑같은 필체로 써야 한다. 이 일은 동청이 아니면 할 수 없으니, 동청에게 가서 그 일을 의논해라. 만일 동청이 하지 않겠다고 하면 헤아릴 수 없이 큰 재앙이 될 것이로다."

"동청은 사 씨를 원망하고 있고 낭자에게는 은혜에 감사하는 마음을 가지고 있습니다. 누설할 리 없고 오히려 즐겨 따를 것입니다."

"옛날에 진나라 황후는 사마상여의 글을 얻고는 황금으로 보답했어. 이 일이 성사되면 동청의 공은 사마상여보다 배가 될 거야. 내가 가난하다 해도 어찌 재물을 아끼겠느냐? 너는 내 뜻을 틀림없이 전하여라."

이어 교 씨는 사 씨의 필적을 가져다 납매에게 주었다.

그날 밤 동청을 만난 납매는 다음 날 아침 일찍 웃음을 띠며 교 씨의 침실로 갔다. 교 씨는 납매가 오기를 고대하고 있다가 다급히 물었다.

"일이 잘되었느냐?"

"다행히 승낙을 얻어 내긴 했으나 대가를 지나치게 요구하옵니다."

"이미 말하지 않았느냐. 정말 내게 이로움이 있다면 어찌 보화를 아까워하겠느냐?"

"그런 것을 말씀드린 것이 아닙니다."

이어 납매는 교 씨의 귀에 대고 은밀히 동청의 요구를 말했다. 교 씨는 미소만 지을 뿐 대답은 하지 않았다.

아! 예전에 성인이 예법을 정해 부녀자가 지켜야 할 법도를 엄하게 하여, 집 안의 말은 바깥으로 나가지도 못하고 바깥의 말은 집 안으로 들어오지도 못하게 했으며, 몸을 닦고 집안을 다스려 음란한 소리를 물리치고 아첨하는 사람을 멀리하게 했다. 이는 모두 근본을 바르게 하여 잘못을 미리 막으려는 것이었다. 그런데 한림은 안으로는 간악한 첩의 유혹에 빠졌으며 밖으로는 품행이 바르지 못한 사람을 곁에 두었다. 마침내 흉악한 종이 그 둘 사이를 오가며 추하고 더러운 일을 만들어 가문을 욕되게 했으니, 어찌 원통하고 분하지 않겠는가?

교 씨가 거처하는 백자당은 집 바깥과 단지 담장 하나를 사이에 두고 있었으며, 백자당으로 들어가는 화원 문의 자물쇠도 교 씨가 가지고 있었다. 한림이 안채에서 자는 날이면 교 씨는 공공연히 동청과 정을 통했다. 그러나 세 사람이 모두 교활하여 그 일은 전혀 드러나지 않았다. 집안사람들 모두 어리석게도 이를 알지 못했다.

(뒷부분 줄거리)

교 씨는 유 씨 집안에 들어올 때부터 겉으로는 사 씨를 존경하는 척하나 속으로는 증오하였다. 그러다가 사 씨가 아들 인아를 낳아 자신과 아들인 장주의 처지가 위협을 받자, 자신이 정실이 되려고 마음먹고 문객 동청과 모의하여 유 한림에게 사 씨를 끊임없이 참소한다. 유 한림은 처음에는 믿지 않았으나 끝없는 모략에 미혹되어, 사 씨를 내쫓고 교 씨를 정실로 맞이한다. 남편 유 한림에게 축출을 당한 사 씨는 남쪽으로 정처 없는 방랑을 계속하면서 온갖 시련을 겪는 가운데 몇 번이나 스스로 목숨을 끊으려고 하지만, 그때마다 신명의 계시로 뜻을 이루지 못하고 있다가 순제(舜帝)의 두 비(妃)인 아황, 여영의 혼령이 주는 교시를 받고 어느 산사에 들어가서 의탁하게 된다.

정실인 사 씨를 쫓아내는 데 성공한 교 씨는 자기가 정실이 된 것에 그치지 않고, 다시 문객 동청과 간통하면서 유 한림을 귀양 보내고 유 한림의 전 재산을 빼앗아 도망가서 살기로 약속하고는, 유 한림을 천자께 참소하여 귀양을 보내는 데 성공한다. 동청은 유 한림이 천자에 대해 불평한 것을 고발한 공으로 지방관이 되어 부임하게 된다. 그러나 그는 유 한림의 전 재산을 가지고 교 씨와 같이 부임하러 가다가, 도중에 강도를 만나 모두 빼앗기고 곤경에 빠진다. 이때 조정에서는 유 한림에 대한 혐의가 풀려 유 한림을 불러들이기로 하고, 충신을 참소한 동청은 처형하기로 한다.

정배(定配)를 당한 유 한림은 비로소 교 씨와 동청의 간계에 속은 줄 알고 지난 일을 크게 뉘우치는데, 마침 조정에서 귀양을 푸는 통지가 도착하여 고향으로 돌아와 사 씨의 행방을 찾는다. 한편, 남편 유 한림이 귀양살이에서 돌아왔다는 소문을 들은 사 씨도 산사에서 나와 남편을 찾으러 나선다. 사 씨와 유 한림은 도중에 해후하고, 유 한림이 사 씨에게 자신의 잘못을 사과한 후 고향으로 돌아와 간악한 교 씨와 동청을 잡아 처벌하고 나서 사 씨를 다시 정실로 맞이한다.

(1689년)

김현양 편역, 《사씨남정기》(휴머니스트, 2009)

옹고집전(雍固執傳)

작자 미상

"소승이 둔갑하여 해묵은 여우 되어 앞발로 머리 얹고 뒷발로 절
여 밟고 절대가인 미색 되어 옹고집 찾아가서 기미를 보고는 태
도가 변하면 앞서거니 뒤서거니 천봉만학(千峯萬壑) 깊은 밤에 이
산 저 산 노닐다가 높은 강에 급상하여 죽게 하리라." 하니, 왈
"그리도 못 하리라. 그놈 집에 들어가니 상오리와 사냥개가 여
기 저기 노닐며 황구적구(黃狗赤狗) 내어 놓이며 청삽사리 백삽
사리 납닥바리가 너를 보게 되면 일시에 내달아 네 손목을 물
것이니 죽게 되면 가죽 벗겨 자랑하고 수없이 옹고집이 깔고 앉
아 호강만 할 것이니 그 짓도 못 하리라."

_본문 중에서

옛날 경상좌도 안동 땅 옹남면 옹달촌에 옹진년 옹진월 옹진시에 태어난 옹 생원 옹고집이라 하는 양반이 있어 문필이 대대로 청족[1]이라. 이 양반이 풍채 비범하고 용기와 담력이 보통 사람을 능가한 중에, 아들 3형제를 두었으니 맏아들은 한림 학사 둘째 아들은 진사 셋째 아들은 선전관(宣箋官)[2]에 이르렀다.

옹고집이 온갖 호강하며 집 치레[3] 하였으니 백옥 난간에 산호박 주련[4], 유리 기둥, 산호 주련 야광주로 담을 싸고 산호로 들보 받쳐 정하게 지은 집이라. 좋은 기운 층층하여 온갖 화초 많기도 하며, 그 속에 상등 명경초[5]는 산중 억새처럼 잘 키워져 있고 3월이라 이른 두견화 불여귀(不如歸)[6]는 노래하고 9월 9일 당국화는 오류추풍(五柳秋風)[7] 기뻐하고 네 계절 봄바람 같은 시절 꽃들은 때를 정정히 갖추었네. 반가울사 매화는 맹호연[8]을 비웃는 듯, 임자 없는 철쭉화는 소리 없이 피어 있고 이화(梨花) 도화(桃花) 봉선화는 고운 중에 더 아름답고 오색 가지 당국화는 색색이 향기롭고 명사십리 해당화는 〈어부사〉[9]를 화답하고 백화(百花) 중 작약은 광천명월(廣天明月)[10] 희롱하고 계단에 층층이 버들개비는 위

---

1 청족(淸族) 대대로 절의를 숭상해 온 집안.
2 선전관 참상 선전관. 임금에게 하장(賀狀)을 올리거나 임금이 궤장(几杖)을 하사할 때 전문(箋文)을 읽는 간원.
3 치레 잘 손질하여 모양을 냄.
4 주련(柱聯) 기둥이나 벽 따위에 장식으로 써서 붙이는 글귀.
5 명경초 갈대의 일종. '두영'이라고도 한다.
6 불여귀 두견과의 새.
7 오류추풍 오류(五柳)는 버드나무로 봄에 성하며, 추풍(秋風)은 가을바람으로, 봄같이 따스하고 가을바람처럼 시원한 풍광을 말한다.
8 맹호연 중국 당대의 시인. 꽃을 좋아한 맹호연이 이 매화를 보면 탄복할 정도로 더욱 아름답게 피어 있다는 것을 의미한다.
9 〈어부사(漁父辭)〉 초 때의 시인 굴원 작품. 굴원과 어부의 문답을 통해 굴원 자신의 처세관을 드러냄.
10 광천명월 넓은 하늘에 뜬 밝은 달.

성조우(渭城朝雨)[11]같이 떨어지고 무릉도원 복숭같이 줄줄이 떨어진다. 집 안의 연못 폭포 못 안의 금붕어는 굽이굽이 헤엄쳐 놀고 그 위에 상오리는 덤벙 출렁 목욕하니 구경도 좋고 보기도 좋다. 멀리 건너 아래인가, 방 안 치레 볼라치면 입춘이라 사방 벽엔 온갖 그림 다 붙여 놓았는데 촉한의 웅장(雄壯) 관운장이 적토마를 타고 긴 창에 천 리행을 떠나는 듯한 그림이 동녘에 역력히 걸려 있고 시중(詩中) 천재(天才) 이태백은 일일 수경 300배(一日須傾三百盃)[12] 홀홀히 잔을 잡아 하늘 위 달을 보는 기상이 역력히 걸려 있고 악양루 고소대와 황학루[13] 봉황되어 소자첨[14]이 적벽강에 몸을 맡겨 노는 양을 역력히 붙여 놓았다. 옹장풍장 가께수[15]며 자개 함롱 반닫이[16]며 오죽자죽 고비[17]와 쌍룡 그려진 비첨[18] 처마 용두머리[19] 장목비[20]가 제자리에 놓여 있고 비단옷에 옥 자리로, 포식하며 주야로 호강하되 심술이 불량하여 무죄한 동네 백성 마루에 높이 달고 몰매 치기 좋아하고 남의 계집 욕심내기 평생에 즐기더라. 일등 미색 첩을 얻어 호강하며 놀 적에 삼강오륜은 내 몰라라 하며 불효가 심한지라. 이때 옹 좌수의 팔순 노모 우연히 병을 얻은 지 3년이 넘었으되 닭 한 마리 한약 한 재, 병을 구환(救患)치 아니하고 엄동설한 냉돌방에 고독히 눕혀 두고 근기[21] 없는 미음으로 하루 한 끼 공양하니 하릴없는 저 늙은이 소슬 한풍 추운 방에 온기 없는 이불 깔고 누워 자기 신세를 생각하니

---

11 위성조우 당 때의 시인 왕유가 지은 시구절의 일부. "위성조우읍경진(渭城朝雨浥輕塵)하니 객가청청유색신(客舍青青柳色新)이라.' '위성의 아침 이슬비는 가벼이 티끌 적시는데, 객사에 청청한 버들은 오늘따라 더욱 푸르구나.' 라는 뜻.
12 일일 수경 300배 하루 300잔의 술잔을 기울일 정도인 이태백(李太白)의 주량을 비유한 것.
13 황학루(黃鶴樓) 삼국 시대에 오의 왕 손권(孫權)이 촉의 유비와의 전쟁을 대비해서 세운 망루였다. 중국 후베이성에 있는 옛 누각으로 지금의 '황허루'를 뜻한다.
14 소자첨(蘇子瞻) 송 때를 대표하는 시인으로, 시문서화(詩文書畵)에 능했으며 당송 팔대가 중 한 사람이다. 본명은 식(軾), 호는 동파(東坡)로 흔히 소동파(蘇東坡)라고도 불린다.
15 가께수 가께수리경대. 조그만 왜궤 모양으로 만든 경대. 위 뚜껑 안쪽에 거울이 달려 있어 뚜껑을 세워서 사용한다.
16 함롱 반닫이 설합이나 미닫이문이 달린 농. 함롱은 옷을 넣는 큰 함처럼 생긴 농을, 반닫이는 앞의 위쪽 절반이 문짝으로 되어 아래로 젖혀 여닫게 된 궤 모양의 가구를 가리킨다.
17 고비 편지 따위를 꽂아 두는 주머니나 상자.
18 비첨(飛檐) 처마 서까래 끝에 부연을 달아 기와집의 네 귀가 높이 들린 처마.
19 용두머리 건축물·승교·상여 따위에 다는 용의 머리 모양을 새긴 장식.
20 장목비 꿩의 꽁지깃을 묶어 만든 비.
21 근기 음식이 차지거나 영양이 풍부하여 먹은 뒤 오랫동안 든든한 기운.

'어떤 사람 복을 쫓아 아들 낳아 길러 내어 벌교 타고 상교 타고[22] 사시 연일 생일잔치할 제 다른 사람 부럽게 하고 고량진미[23] 사철 의복 때를 찾아, 먹고 입고 호화로이 지내는도다. 이내 복도 무상하다 무슨 죄 중하관대 이토록 망측한가. 가솔을 생각하면 호의호식하련마는 어이 그리 박복한가. 전생의 죄로 이러한가 이생의 인연 끝이 없다. 이 몸이 어찌 그리 못 죽는가. 비나이다 비나이다 하느님께 비나이다. 명천(明天)이 내려 보사 이렇듯 구박하와 부모 모르는 놈 개과천선하게 하소서. 애고애고 서럽도다 애고애고 서럽도다.'

이때 옹 좌수 장모가 가난을 면치 못해 누추한 명을 근심타가 백번을 생각해도 방법이 없어 사위 집에 찾아가서 사위보고 하는 말이

"무남독녀 길러 내어 자네에게 출가한 후 근근이 명을 이었더니 이제는 하는 수 없어 살아날 길 만무하여 사위 집 찾아왔네. 전곡 간[24] 사급하여 제발 살려 주소. 자네 빙부(聘父) 어른 제삿날이 내일모레 있지마는 제사 지낼 길이 전혀 없어 염치 불고 내 왔으니 전곡 간이나마 처하게 하오."

하니, 옹 좌수 이 말 듣고 닫은 문을 박차 열고 안으로 들어가서 아내에게 당부하기를

"조금의 양식이나 금전을 내 말 없이 자네 모친 주다가는 조강지처에 자식 낳은 어미라도 나는 아주 모르겠으니 자네 알아서 행하오."

하며, 백 번 천 번 당부하고 초당으로 바삐 나와 장모보고 하는 말이

"약간 양식 있다 하나 장모 주고 내 굶으랴 보기 싫소, 듣기 싫소, 어서 가오, 바삐 가오."

하며, 구박이 심하니 가련한 저 늙은이 다시 붙여 말 못 하고 돌아서 우는 말이

---

22 벌교 타고 상교 타고 '가마에 타다.'라는 의미이다. 벌교와 상교는 가마의 일종이다.
23 고량진미(膏粱珍味) 기름진 고기와 좋은 곡식으로 만든 맛있는 음식.
24 전곡 간(錢穀間) 여기서는 '돈이든 곡식이든'을 의미한다.

"저 극악무도한 도척이[25]도 예서[26] 나왔고 무지 불측 목공이도 예서 나왔도다."

하며, 돌아서서 우니 옹 좌수의 처 양 씨 부인 그 모친의 거동 보고 가만히 탄식하며 가는 모친 불러들여 쌀 말미를 둘러 내어 남모르게 주었더니 옹 좌수 어찌 알고 사랑문을 박차 열고 나와 뜬 고함 큰 소리로 뛰어들어 아내에게 하는 말이

"요망하고 간사한 년 여필종부[27] 내 말 훈계 정녕 아니 듣고 약간 양식 푼전[28]으로 네 어미를 준단 말가? 너 같은 년은 세간살이 폐망 신세 되리로다."

하며, 두 주먹을 불끈 쥐고 뒤 꼭지를 퍽퍽 잡고 대문 밖에 쫓아내니 양 씨 부인 어찌할 길 없어 지성으로 하는 말이

"서방님 들어 보소. 우리 둘이 천정(天定)[29]으로 인연 깊어 열일곱에 서로 만나 시집이라 오니 한 칸 초막 의지할 곳 제대로 없었으며 내가 와서 장만하고 자식 3자 내리 낳아 남부럽지 않게 길러 내어 성인(聖人) 공부 다 시키고 남노여비(男奴女婢) 수십 명을 내가 와서 다 부리고 노비와 전답에 살림이 불어나는 기쁨을 내 복으로 지었더니 조석 굶은 내 어미에게 쌀 한 말이 뭐 대단하오. 세상에 제 부모께 불효하고 장가들어 불량하면 다른 일, 백 번 천 번 잘 한들, 지은 죄를 뉘에게 원망하리오. 못난 내 몸이 비록 여자나 칠거지악[30] 삼가 행실 인간에 충실하고 행동거지 갖추어 효도 봉양하니 이는 아내로써 무죄하오."

하니, 옹 좌수 이 말 듣고 하는 말이

"사생고락(死生苦樂)이 다 타고난 것이라 네 말을 쫓을쏘냐."

하며, 대문 밖에 쫓아내니 그 부인 다시 붙어 말 못 하고 친정으로 돌아오니 백발 늙은 노모 출가 여식 거동 보고 놀라는 듯 반기는 듯 바삐바삐 묻는 말이

---

25 도척이 몹시 악한 사람을 비유적으로 이르는 말.
26 예서 '여기에서'의 준말. 여기서는 '나의 배에서', 즉 어머니를 뜻한다.
27 여필종부(女必從夫) 아내는 반드시 남편을 따라야 한다는 말.
28 푼전 '푼돈(많지 아니한 몇 푼의 돈)'의 잘못.
29 천정 하늘이 정해 줌.
30 칠거지악 부인을 쫓아낼 수 있는 이유가 되었던 일곱 가지 허물.

"네 걸음이 여기 어쩐 일고?"

불식간에 하는 말이

"게다가 성치도 않은 몸으로 네 왔느냐? 부모 얼굴 보고자 원근 천 리 길 네 왔느냐?"

양 씨 부인 대답하기를

"무죄한 이내 몸이 하는 수 없어 왔나이다."

그 어미 통곡하며

"너는 다시 가지 마라 그놈 집에 가지 마라 그놈 오래 살면 복중절사(腹中節死)[31] 할 것이다. 죽어서도 너는 다시 가지 마라 그러다 보면 근근이 지내게 되느니라."

이때 옹 좌수 본처를 소박하고 일등 미색 첩을 얻어 좋은 음식 장만하고 양지머리 가리찜과 생기다리 영계찜을 둘이 서로 포식하고 죽어 가는 70 노모 조금도 생각 없이 엄동설한 냉동 방에 누운 대로 버려두어 하는 수 없는 저 늙은이 여윈 몸에 겨우 일어나 아들 불러 이르는 말이

"여자 객귀(客鬼) 되게 되었으니 내 몸 죽기 전에 참말하자."

하니, 옹 좌수 혀를 내어 하는 말이

"무슨 말씀 하려 하오."

늙은이 가는 목 겨우 들어 눈물 가리며 하는 말이

"천지간 몹쓸 놈아 너는 뉘며 나는 뉘고. 내 자식이 네 아니며 네 어미가 내 아니냐. 3,000가지 죄목 중에 막중한 죄로다. 사람은 고사하고 금수도 제 부모는 서로 알고 보기를 즐기는데 이안락이란 자는 부모께 효도 지극하여 그 부모 죽은 후에 명산대천[32] 얻어 지성으로 친히 하니 푸른 하늘이 감동하사 자는 땅

---

31 복중절사 창자 마디가 끊어져 죽음.
32 명산대천(名山大川) 이름난 산과 큰 내.

에 금 나며 하늘이 낸 효자 되었으며 맹종의 설상죽순[33] 왕상의 얼음 구멍에 잉어 나니[34] 자고로 드문 효행 생전에 나왔나니 너는 어떤 사람으로 삼강오륜 착한 행실 부모유체[35] 모르는고. 천지간에 몹쓸 놈아 너를 배고 일찍이 살찐 몸이 여위어지고 맛난 음식 사계절이 없었고 앉으면 서 있을까 누우면 일어날까 자식 낳고 살 동 말 동 100가지로 생각하며 아들인가 딸인가 주야로 바라다가 낳고 보니 아들이라 찬 데는 내가 눕고 더운 데는 너를 눕혀 이렇듯이 키울 적에 금옥이 이보다 보배일까. 어찌 비할쏘냐. 병이 들까 배탈 날까 자나 깨나 염려였더니 5세에 너의 부친 상사(喪事)[36] 만나 의지할 데 없는 이 일신이 너만 믿고 살아나서 10세가 넘은 후에 문장재사 뛰어나 문철(文哲)[37]로 훈계하여 네 몸이 장성한 후, 17세에 정혼하여 어진 아내 정해 주니 무죄한 조강지처 주제넘게 박대하고 몹쓸 잡년에게 호탕하여 음탕하니 천지간 불효로다. 이런 은혜를 못 갚는다 치더라도 어이 하늘 무서운 줄 모르는고."

하며, 샘같이 솟는 눈물 겨우 정신 차려 자중하니 이 인사 성정 오죽하랴 사람이면 의식이 있으련만 불측한[38] 놈 옹고집이 이 말 듣고 화를 내며 하는 말이

"왕상 같은 이, 하늘이 낸 효자라도 부모 함께 못 죽었고 순임금 같은 대성인도 부모상을 못 면하고 만고 영웅 진시황도 불사약을 못 얻어서 가련하니 그 말 저 말 다 버리고 인간 70 고래희(古來稀)[39]라 그만 죽어도 무난하오."

하고는, 닫은 문 박차 열고 첩의 방 들어가서 첩과 둘이 희롱하며 좋다 사랑 놀고 있을 때에,

---

33 맹종(孟宗)의 설상죽순(雪上竹筍) 중국 오 때의 사람 맹종은 효자로서 이름이 높았으며, 겨울에 그의 어머니가 즐기는 죽순이 없음을 슬퍼하며 울고 있으니 홀연히 눈 속에서 죽순이 나왔다고 한다.
34 왕상(王祥)의 얼음 구멍에 잉어(鯉魚) 나니 옛날 중국에 왕상이란 자가 효성이 지극하였는데, 그 어머니가 앓으면서 겨울에 잉어가 먹고 싶다고 하였다. 그래서 왕상이 옷을 벗고 강의 얼음을 깨고 들어가려 하였더니 두 마리의 잉어가 뛰어 나왔다고 한다.
35 부모유체(父母遺體) 부모가 남긴 몸이라는 뜻으로, 자식이 된 몸을 이르는 말.
36 상사(喪事) 초상을 만나 상을 치름.
37 문철(文哲) 학식이 높고 문장에 능한 자.
38 불측하다 생각이나 행동 따위가 괘씸하고 엉큼하다.
39 인간 70 고래희(人間七十古來稀) 사람이 일흔 살까지 살기란 예로부터 드문 일이라는 말.

옹고집 불효한 줄 부처님이 감응하사 이때에 강원도 금강산 유점사 남악에 있는 철관도사라는 중이 있으되 불법에 능통하여 위로 하늘을 통하여 보고 하는 말이

"얼마나 고집불통한 자인고."

하였다. 옹고집이 불효한 줄 부처님 전에 온 사람들의 이야기를 전해 듣고 진위를 알고자 하여 행장을 차려 부처님 앞에 인사드리고 바쁜 걸음 급히 내려 안동 땅 옹달촌 옹 좌수 집에 찾아가서 대문 밖에 붙어 서서 동냥을 청하되

"소신, 부처님 공덕 알리러 왔나이다."

하니, 한 할미 이르기를

"우리 옹 좌수님 알면 동냥도 못 얻고 긴 장죽으로 등살 맞고 탱자밭 한길까지 너른 길에 비좁을 정도로 쫓겨 갈 것이니 부디 바삐 물러서소."

철관도사 이 말 듣고 된 목청 큰 소리로 짐짓 들으라며

"소승은 금강산 유점사에 있는 중이오. 게다가 3년 전 대웅전이 풍우에 퇴락하여 중창하려 하되 재물이 없사와 먼 길을 마다 않고 왔사오니 시주 적선하옵소서."

하며, 발원하되[40]

"해동(海東) 조선 구경생도(究竟生徒)[41] 안동 땅 옹남면 옹달촌 옹 생원님 양주부처(兩主夫妻)[42] 백자천손(百子千孫)[43] 만대유전[44] 부귀영화 무량대복[45] 불전에 명감(明鑑)[46]하옵시면 극락세계로 가시리다. 부디 시주하옵소서. 나무아미타불."

이때 옹 좌수 목탁 소리 얼른 듣고 풀쩍 뛰어나와 추상같이 호령하되

"어인 중이 그다지 요란한고. 바삐바삐 잡아 오라."

---

40 발원하다 신이나 부처에게 소원을 빌다.
41 구경생도 법과 도리를 탐구하는 무리.
42 양주부처(兩主夫妻) '부부'를 이르는 말.
43 백자천손 헤아릴 수 없이 많은 자손.
44 만대유전(萬代遺傳) 길이길이 전하여 내려옴.
45 무량대복(無量大福) 헤아릴 수 없을 만큼 큰 복.
46 명감 두루 밝혀 살펴봄.

철관도사 들어가 두 손으로 합장 배례하며

"소승은 화주승(化主僧)[47]으로 이 집 주인의 시주를 원하옵나이다."

하니, 옹 좌수 중을 보고 이르되

"중이라 하는 것이 산중에 깊이 들어 염불 공부 지극히 하는 것이 중의 근본이라. 어찌하여 속세 마을에 나와 자루를 메고 길가 중으로 다니면서 남의 집에 개기며 장에 가면 고기 먹고 주막에 가면 술 먹고 동네 여자 강간하고 재물 훔치는 도적질에 몹쓸 짓만 찾아 하니 아주 벌건 도적이라. 네 무슨 짓 할 양으로 두루 다니며 보채는가?"

하니, 철관도사 여쭈기를

"소승은 남악산 중이온데 약간 관상을 아는 고로 두루 다니나이다."

옹고집이 이 말 듣고 반기며

"자네 일점 관상을 본다 하니 내 상을 자세히 보아 길흉을 판단하여 맞추면 천금을 시주하리라."

철관도사 상을 보고 무수히 희롱하길

"광대뼈가 내려 붙었으니 걸객(乞客)[48]이 분명하고 세끼를 먹고 비단옷에 옥방석의 인물이라 좋다마는 코 주위가 피폐하니 간사하기를 주장하며 윗입술이 얄팍하니 말씀도 가리지 않겠고 이마 천정[49]이 광활하고 수염이 잘 늘어져 있으나 양미간에 살기 등천하니 초년은 평온하나 중·후년에 들어가면 복중절사할 것이요. 용모가 괴팍하니 고집도 대단하고 눈 밑이 분명하니 부리는 자 함께할 것이요, 삼강을 이를진대 윤리심이 없으니 부모께 불효하고 조강지처 소박하고 새 처로 호색하고 상인해물(傷人害物)[50]하니 심술은 대적할 자 없고 수명은 70이로되 필경 죽을

---

47 화주승 인가에 다니면서 사람들로 하여금 법연(法緣)을 맺게 하고, 시주를 받아 절의 양식을 대는 승려.
48 걸객 몰락한 양반으로 의관을 갖추고 다니며 얻어먹는 사람.
49 천정(天庭) 관상에서, 두 눈썹의 사이 또는 이마의 복판을 이르는 말.
50 상인해물 사람을 해치고 물건에 손해를 끼침.

때는 염질[51]병에 급살탕(急煞湯)[52]으로 앉도 눕도 못하고 서서 죽으리라."

옹 좌수 이 말 듣고 분함이 탱천하여 추상같이 호령한데

"이놈이 관상 보는 놈이 아니라 양반 욕하는 놈이로다. 이놈!"

하며, 힘센 종놈 다 불러들이는데 늙은 종놈 고들쇠며 젊은 종놈 날바람, 욕 잘하는 강동쇠며 쌈 잘하는 몇 호걸들 일시에 다 불러서

"저 중놈을 결박하라."

벌 떼같이 달려들어 아주 질끈 묶은 후에 소상반죽[53] 열두 마디 수양산 주리로 두 눈이 쑥 빠지게 두드리고 두 궁둥이에 약쑥 아홉 박을 꽂아 뜸을 뜨고 싸잡아 길가로 쫓아내니 철관도사 하는 수 없어 본사(本寺)로 돌아올 때 절치부심(切齒腐心)하는[54] 말이

"만일 그놈의 양반을 그저 두었다가 불도(佛道)가 헛된 도가 될 것이고 또 승(僧)들이 저승길이 될 것이고 산의 중이 씨가 없어질 것이라."

하며, 술법으로 재빨리 돌아오니 열두 상좌[55] 내려와서 합장 배례 왈

"스승님 평안히 다녀오셨습니까?"

하니, 철관도사 대답하기를

"평안치 못하였노라. 간신히 돌아왔으니 이놈 양반을 어찌하여야 설치(雪恥)[56]하리요? 그놈은 그냥 둘 놈이 못 된다."

하니, 맏상좌 나앉으며 이르는 말이

"염라국에다 한 번 시양천(施陽天)[57]의 사자(使者) 부처에게 옹고집을 잡아다가 철산 지옥 독사 지옥서 칼 씌워 가두옵고 천만년이 되어도 이승에 환생 못 하게 하소서."

---

51 염질 때에 따라 유행하는 전염성 질환.
52 급살탕 갑자기 닥치는 불행이나 질병.
53 소상반죽(瀟湘班竹) 샤오샹강 주변에 생산되는 대나무.
54 절치부심하다 몹시 분하여 이를 갈며 속을 썩이다.
55 상좌 스님의 수하 제자들 또는 불도를 닦는 사람.
56 설치 부끄러움을 씻음.
57 시양천 저승의 한 곳.

하니, 철관도사 왈

"네 말이 부질없다. 그놈의 집에 들어가니 재물이 유여하여[58] 부처님께 불공 제사하고 산신당[59]과 조왕전[60]을 천금으로 축원하여 지장보살 감동하겠더라. 생 전에 그리하여야지 죽고 난 뒤면 소용이 없느니라."

하니, 둘째 상좌 나앉으며 이르는 말이

"소승은 둔갑하여 산의 맹호 되어 옹고집이 자는 방 안 잽싸게 치고 달려들어 산 목을 덥석 물고 순식간에 스승님 앞에 드리리다."

하니,

"네 말도 부질없다. 그놈의 집에 들어가니 사냥개 포수꾼 모두 일동이 전방 수시 비호하고 개잘량[61] 비껴 깔고 매일마다 기도하고 산신에게 축원하니 만 일 네 갔다 벌 떼같이 쏘아 대며 설송나무에 긴 창을 박아 벼락같은 화약재에 방아쇠 조준해서 비빌박박 문득 치면 네 목숨이 편각(片刻)[62] 간에 죽을 것이 야. 죽게 되면 가죽 벗겨 관가에 바치고 옹고집만 공을 바치리니 그리도 못 하 리다."

하니, 또 한 상좌 나앉으며

"소승이 둔갑하여 해묵은 여우 되어 앞발로 머리 얹고 뒷발로 절여 밟고 절대 가인 미색 되어 옹고집 찾아가서 기미를 보고는 태도가 변하면 앞서거니 뒤서 거니 천봉만학(千峯萬壑)[63] 깊은 밤에 이 산 저 산 노닐다가 높은 강에 급상하여 죽게 하리라."

하니, 왈

"그리도 못 하리라. 그놈 집에 들어가니 상오리와 사냥개가 여기저기 노닐며

---

58 유여하다 모자라지 않고 넉넉하다.
59 산신당 산신을 모시는 사당.
60 조왕전 부엌 신을 모신 집.
61 개잘량 개가죽. 개의 가죽으로 만든 자리나 갖옷.
62 편각 매우 짧은 시간. 삽시간.
63 천봉만학 많은 골짜기와 봉우리.

황구적구(黃狗赤狗)[64] 내어 놓으며 청삽사리 백삽사리[65] 납닥바리[66]가 너를 보게 되면 일시에 내달아 네 손목을 물 것이니 죽게 되면 가죽 벗겨 자랑하고 수없이 옹고집이 깔고 앉아 호강만 할 것이니 그 짓도 못 하리라."

하니, 또 한 상좌 나앉았으며

"소승은 모기 되어 일모[67] 황혼 저물거든 옹고집 자는 방에 들어가서 첫잠에 스며들어 가 손목을 질끈 물어 독이 되어 죽게 하리로다."

하니, 철관도사 왈

"그리도 못 하리다. 그놈의 집에 들어가 방 안을 둘러보니 만고 비상을 방마다 붙였더라. 모기 되어 갔다가는 소리도 없이 죽으리라. 이 말 저 말 다 버리고 요술로 욕을 보이리라."

하고, 철관도사 목욕재계하고 용모산에 높이 올라

"옹고집의 몹쓸 행실 축원하고 불전에 불응하오면 그리 무심치 아니할 것이라."

하며, 또한 그리 나아가 새끼를 서른두 발 꼬아 허수아비 만들어 칠성을 모아 놓고 하느님께 고사(告祀)하고 황천력사나한(皇天力士羅漢)[68]들을 차례로 불러 이리저리 분부하되

"짚 옹 생원 데려다가 참 옹 생원을 가르치려 하니 오읍사자 율령사자 분부 시행 쫓아 하라."

하고, 짚으로 만드시니 참 옹 생원 분명하다. 부처님 도술 보소. 이목구비 용모 처연 행동거지 목소리조차 흡사하다. 철관도사 칼을 들어 떼며 왈

"네 즉시 이 길로 내려가서 옹 생원 집으로 가거라."

---

64 황구적구 털이 누런 개와 붉은 개.
65 청삽사리 백삽사리 삽사리(삽살개)로서 털이 푸른 것과 흰 것.
66 납닥바리 범의 새끼.
67 일모 하루의 해 질 무렵.
68 황천력사나한 하늘 혹은 땅에 있는 힘센 장정, 혹은 그 영귀(靈鬼)들. 부처의 제자들을 의미한다.

도사 지시하니 옹 좌수 집으로 갔다.

이때는 화창한 봄이라. 이화 도화 만발하여 백설 같은 범나비와 산꽃을 보고 춤을 추니 그도 또한 경계로다. 옹 생원집 찾아가니 고대광실[69] 높은 집에 구름 속을 보는 듯하더라. 이리저리 배회할 때 참 옹 생원 오늘 마침 이웃집에 잔치 가고 없는 사이 이때에 옹 생원 안사랑에 들어앉아 참 옹 생원인 척하고 집 안의 이런저런 백사(百事)를 지시할 때

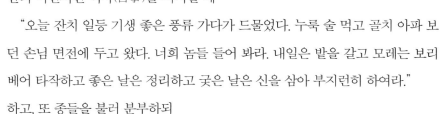

"오늘 잔치 일등 기생 좋은 풍류 가다가 드물었다. 누룩 술 먹고 골치 아파 보던 손님 면전에 두고 왔다. 너희 놈들 들어 봐라. 내일은 밭을 갈고 모레는 보리 베어 타작하고 좋은 날은 정리하고 궂은 날은 신을 삼아 부지런히 하여라."

하고, 또 종들을 불러 분부하되

"아이년은 실을 잇고 어린년은 무명밭 가꾸고 며느리는 길쌈하고 딸아기는 명주 짜고 손자 놈은 공부하라."

할 때, 손자 놈을 구별하고 종들에게 각자 할 소임을 모두 주고 처연히 앉았으니 남녀종들이 어찌 알리요.

이때, 참 옹 생원 해가 서산에 지고 달이 떠오르니 죽장을 훌쳐 잡고 이리 비틀 저리 비틀 서벅서벅 들어오니 이때, 짚 옹 생원이 참 옹 생원을 보고 벽력같이 호령하되

"이런 미친놈이 내 집 내당에 염치없이 들어오는가?"

하니, 참 옹 생원 이 말 듣고 목청을 가다듬어

"어인 놈이 남의 집을 제 집같이 쥐고 앉아 주인 양반 욕하는가? 그 기이한 변이요. 큰아이 영돌손아 둘째 아이 반경손아 이런 기이한 변 보았느냐. 동네 출

---

69 고대광실(高臺廣室) 매우 크고 좋은 집.

입할 새, 이렇듯 잡놈을 내 방에 앉혀 두고 네 아비를 몰라보니 취중 친구 동네 백성 시명(示明)⁷⁰ 사촌 이런 소문 알게 되면 내 낯을 들고 어딜 가리."

하며, 열손 종놈 급히 불러

"저 미친놈 잡아 내라."

하니, 짚 옹 생원 이 말 듣고 불꽃같이 급한 성정 남녀 노비 급히 불러

"저 미친놈 결박하라."

하며, 추상같이 호령하니 참 옹 생원 기가 막혀 뛰어 달려들어 짚 옹 생원 덥석 안고 바깥으로 붙들어 치며

"어인 놈이 내 앉은 방에 드나더냐?"

짚 옹 생원 대답하되

"나는 이 집 주인 옹고집 옹 생원이라 하는 양반이로다."

참 옹 생원 이 말 듣고 흘끗 보며 하는 말이

"내가 이 집 주인 옹 생원이지 네가 어찌 주인이라 하느냐? 너 생일시를 말해 보라."

하니, 짚 옹 생원 대답하기를

"나는 옹진년 옹진일 옹진시라."

참 옹 생원 이 말 듣고 어이없어 다시 말 못 하고

"옳다 옳다, 그러면 우리 자당의 생일은 아는가? 어머니는 어디 가 계시나요?"

짚 옹 생원 쓴웃음 웃으며

"이놈이 조상님을 욕하다니 난장목⁷¹을 맞을 짓이니 바삐바삐 물러가라."

참 옹 생원 이 말 듣고 통곡하며

"처자 권식 몹쓸 것들 아침에 나간 가장 저녁에 몰라보고 맞아서 영 죽게 되었으되 이렇다 말 아니하니 삼강오륜 허사로다 애고 답답한 내 심사야 이것이

---

70 시명 누가 봐도 다 아는 사람.
71 난장목 긴 작대기로 사정없이 맞음.

어인일고. 자다가 꿈이런가."

하며,

"이리 될 줄 어찌 알았을꼬?"

다시 서러워할 때 아들이 연신 하는 말이

"알 듯 하면서 분별할 길 전혀 없어 이목구비와 물러나고 나아가 서 있는 모습 역력히 아주 같고 상하 의복 행전[72] 버선, 허리끈 도리 줌치단[73]에 날개 단장 치레, 확실 안정 장도칼[74]과 화죽선[75] 펼 때 얼굴 모습 역력히 아주 같고 불꽃같은 살얼음판 풍기는 성품이 똑같고 백산 천지 두루 봐도 판단할 길 전혀 없네. 가운인가 재변인가 이런 변 있을쏜가?"

둘째 아들 나앉으며,

"하늘이 주는 악인가 죄악으로 이러한가. 시주를 하지 않아 이러한가. 어디 이런 일이 있으리오."

하였다. 금옥 같은 고운 첩은 섬섬옥수 턱을 괴고 울면서 하는 말이

"100년 맹세 깊은 가장 두 사람 중에 있지마는 판단할 수 없네."

가슴 치고 발 굴리며 애고 데고 지성으로 통곡하니 참 옹 생원 양 귀에 듣다가 새로 화를 내며 뛰어서 짚 옹 생원 허벅지를 불끈 안고

"이놈아 날 죽여라."

짚 옹 생원 일어나며 벌떡 걸어 족치며 팔을 잡고 뺨을 치며 목을 잡고 두드리며 위로 업고 후리쳐 잡고 달려들어 손목을 불끈 쥐고 이리 치고 저리 치며 돌아서며 떠 내치니 참 옹 생원 무수히 맞은 후에 대성통곡하는 말이

"좋은 심성 가져야 어진 사람이라, 이런 사람 우리 동네 백성 중 누구 없소 이

---

72 행전(行纏) 바지나 고의를 입을 때 정강이에 감아 무릎 아래 매는 물건. 반듯한 헝겊으로 소맷부리처럼 만들고 위쪽에 끈을 두 개 달아서 돌려 매게 되어 있다.
73 도리 줌치단 허리 언저리에 호주머니가 있는 부분.
74 장도칼 주머니 속에 넣거나 옷고름에 늘 차고 다니는 칼집이 있는 작은 칼.
75 화죽선 그림이 그려진 대나무 부채로 접어 다닐 수 있음.

런 일 판단하오."

하자, 동네 사람 다 모여서 허실을 알고자 한들, 두 사람의 행동거지 뉘라서 분별하리. 그중에 우악한 놈 펄쩍 뛰어 나앉으며

"두 옹 생원 줄 매어 높이 달고 참나무 몽치[76]로 내리 빗어 볼지니 혹 알 수 있으리까?"

참 옹 생원 하는 말이

"동네 백성 내 말 들어 보소. 내 몸에 표적 있으니 집안사람이 다 아나니 왼편에는 검은 점이오. 오른편에는 붉은 점이요. 다리 사이 잔 사마귀를 보고 분간하여 주오."

하니, 짚 옹 생원 이 말 듣고 상하 내복 후딱 벗고 좌중에 나앉으며

"내 몸에 표적 있으니 동네 백 사람 똑똑히 보소. 좌편에는 검은 점이요 우편에는 붉은 점이요 다리 사이 잔 사마귀 정말 있나 자세히 보고 옥석을 구별하소."

좌중이 하는 수 없어 이 말 듣고 하늘을 우러러보며 서로 하는 말이

"소인들은 들여다볼 수가 전혀 없소."

하니, 참 옹 생원 이르는 말이

"내 도림 사업할 때 본관 사또 서울 가 혼자 일을 맡아 이리저리 일할 적에 한 번도 만나 본 일 없어, 저놈을 끌어내지 않고 너희들은 뭘 하는고, 저놈을 바삐 바삐 잡아 내라."

호령한들 기운은 이미 쇠잔한지라.

짚 옹 생원 이르는 말이

"얌전한 하인 감동아, 일벌 키우는 장초란아, 내 좌수 도림차에 본관 사또 서울 가고 임업 공사 내 나무로 절단할 때 너 어찌 모르느냐 저놈 잡아 결박하라."

---

76 몽치 뭉툭하고 단단한 몽둥이.

하며, 추상같이 호령하니 분부 듣고 일시에 달려들어 참 옹 생원 뜰로 끌고 나올 때 상투 돌돌 휘휘 감아쥐고 발로 이리 차고 저리 차니 참 옹 생원 기가 막혀 하늘을 우러러 땅을 치며

"이 몹쓸 놈들, 흉한 잡놈 말을 듣고 이렇게 사람을 결박하느냐?"

하며,

"애고 답답 내 심사야, 세상천지 이런 변이 어디 또 있으랴?"

하더라.

이때 짚 옹 생원이 먼저 일어서며 웃네.

행차 거동 보소. 천금준마 대기하여 수놓은 안장에 뚜렷이 높이 앉아 호기 있게 성내로 들어가네. 확실 안장에 앉아 처연할새, 정리하고 들어가 손들 불러 통지하고 관가에 들어가서 문안 후에 배례하고 내려가서 말 다 하길

"백성의 집에 과연 이런 변이 난 고로 아뢰나이다. 일명 무지한 어떤 미친놈이 자칭 주인이라 하고 도로 내정하여 장난이 무수하옵기로 결박하여 대령하였사오니 각별히 엄히 처리하옵소서."

하니, 사또 다만 크게 웃으며 두 사람을 불러 구경거리인 양 이리저리 비교하여 보다가

"이 사건 코 아픈 공사로다."

하고,

"수형을 부르라."

하자, 형이 들어가 엎드리니 분부하기를

"금일 옹 좌수 집에 괴변이 난 고로 들라 하였으되 그에 대한 진위를 내 모르니 그에 대한 일을 소상히 아뢰라."

하니, 이때 참 옹 생원이 나서며 아뢰기를

"이 백성은 밖에 나가 진정서 소장을 올리겠나이다."

하고, 밖에 나와 소장을 만들었다.

올리며 목소리를 높여 분을 삭이며 하는 말이

"본데 소인 옹가 홀로 가산이 부하여 그릴 게 없이 지냈더니 무작위(無作爲)로 명부지(名不知)[77]한 어떤 놈이 자칭 주인이라 하고 내 집에 들어가 누웠으니 진위에 대해 송사를 드림은 동시에 이 인사를 잡아 내어 멀리 내쳐야 장안이 편할 것이요 강유(綱維)[78] 질서가 설 것입니다. 이 모든 것이 참말이며 부디 원하오니 강상(綱常)[79]을 주도면밀히 하여 옥석을 구별해 주옵소서."

하였더라. 원이 받아 보니 모두 합당하지만은 않은 듯하여

"네가 한 말이 차례는 있으나 너의 각각 살림살이 두루 낱낱이 아뢰어라."

참 옹 좌수 먼저 아뢰기를

"저의 집은 와가로 몸체는 마흔두 칸이옵고 남자 종은 20명이며 여종은 50명이옵고 그 나머지 허다 사정 어찌 다 아뢰오리까?"

짚 옹 좌수 아뢰되

"저의 집은 기와집으로 몸체와 사랑이 일흔두 칸이요 측면으로 이를진대 갱미(粳米)[80] 두주 안에 사백마흔닷 섬씩이오 쌀은 사백여든네 말이오 집 앞에 넉 섬지기는 집안사람들이 부치옵고 기세들 일흔두 마지기는 대풍 김 진사의 논으로서 작년 이전에 김 생원이 저에게 팔았고 증인은 백대천이오 이를 확인한 시자는 고들쇠요 영동손아 내 말이 헛말이냐."

하니,

"모두 그렇사옵니다."

또 말하기를

"성 밖 고문 자투리 닷 못 밑에 한 섬지기는 금년 4월에 박 어사 내려온 동지

---

77 명부지 이름을 모름.
78 강유 사물의 기본.
79 강상 사람이 지켜야 할 도리.
80 갱미 메벼에서 나온 차지지 않은 쌀.

말 월 달에 도문잔치[81]를 열 수 없다고 하여 논문서 반값에 사라 하거늘 200냥에 문서하고 군실이는 팔짱 끼고 있었고 이문이도 증인이니 만정손아 내 말이 헛말이냐?"

하니,

"그 말도 다 옳습니다."

하였다. 또 이르기를

"밭으로 이를진대 목화전 닷 섬지기요 두태전 20섬씩이요 채전이 두 섬지기요 두루 합하여 1천 400여 두락으로 낱낱이 아뢰옵니다."

하니, 두 아들이

"과연 옳습니다."

하였다. 또 아뢰기를

"찐 명주실이 닷 섬이요 좁쌀 열 섬은 서편 행랑에 두었고 목화 100종 중 껍질 벗긴 싹은 큰 곳간에 채워져 있고 참깨 닷 섬, 들깨 열 섬은 손고방[82]에 얹어져 있고 어장(魚醬)[83]으로 이를진데 간장 열 독이요 된장 초장이 세 독이오 문어 도미 환육 명태 대구는 편을 만들고 젓갈은 삼동 칸에 얹어져 있고 젓국적 어리미는 참생강 갈아 덮어 씌운 것 석동과 명태는 젓 두 동이라. 맛 좋은 전복젓은 지난달에 관청에 팔았으니 내 말이 헛말이냐?"

하니, 하인들 모두

"과연 옳습니다."

하였다.

"맏아들은 무술생 둘째 아들은 축생 셋째 아들은 사생, 맏손자는 기축생, 둘째 손자 정사생, 영동손아 내 말이 거짓말이냐?"

---

81 도문(到門)잔치 과거에 급제한 사람을 위해 여는 잔치.
82 손고방 자물쇠를 채운 곳간.
83 어장 생선을 넣고 담근 장.

하니,

"어르신 말씀이 옳습니다."

하였다. 또 아뢰기를

"기물을 이를진대 용장 봉장 가께수며 새작농장[84] 펼쳐진 자리에다 함농 반닫이며 외문 경대[85], 오색 자색 고미[86] 와전(瓦甎)[87]은 순 금테요 포백(布帛)[88]을 이를진대 명주 닷 필, 비단 닷 필, 모시 닷 필, 황포 열 필 한 채 있고 의복을 이를진대 하복 도포 두 벌이요 모시로 깨끗이 장만한 게 세 벌이요. 안동포 마고자에 만선두리[89] 양피 가죽 안을 덧댄 게 세 벌이요. 생사(生絲) 접겹 바지는 거연들에 사는 민 유생 벗어 달라고 할 적, 입고 가더니 이즉까지 소식이 없네. 내 말이 헛말이냐?"

하니,

"그도 또한 옳습니다."

하였다. 이어 이르기를

"번거로이 이를진대 대두미는 20축이요 통영미는 석 죽이요 지정미 닷 죽인데 그중에서 정하미가 일급입지요. 농기로 이를진대 쟁기 두 채 작두 한 채 쇠고[90] 한 죽이요. 그 위에 다번한 걸 어찌 다 아뢰리오. 영동손아 내 말이 헛말이냐?"

하니,

"주인어른 말씀이 옳습니다."

하였다.

"우에 것을 아뢴다면 소가 100필이요 말이 쉰 필이요. 종으로 아뢸진대 놈종 100명, 년종 100명, 아이종 열 명이요. 소소한 것 어찌 다 아뢰리까? 대강 이러

---

84 새작농장 날아가는 새 등이 그려진 장롱.
85 외문 경대 거울이 양쪽이 아닌 한쪽만 붙여 만든 거울.
86 고미 굵은 나무를 가로지르고, 그 위에 산자를 엮어 진흙을 두껍게 바른 반자.
87 와전 기와와 벽돌.
88 포백 베와 비단.
89 만선두리 벼슬아치가 겨울에 예복을 입을 때 머리에 쓰던 방한구(防寒具).
90 쇠고 수레를 끄는 줄.

하여이다. 성주는 통촉하옵소서. 노복으로 이를진데 수수할사 수남이요 쌈 잘하는 고들쇠요 저랑 있어 저랑쇠요 말 잘하는 백의전이요 수수히 잘난 김처쇠요. 년종을 아뢸진데 저 복이 있어 속저리요 이 잘 잡는 쇠저리요 밥 잘하는 풍영이욕 잘하는 봉선이 돈 잘 세는 푼남이 그중에 예쁜 복난이는 김 진사가 첩을 삼아 금년에 백방 처리하고, 짐승으로 이를진대 청둥오리 스무 마리 장닭이 네 마리 암컷 수컷 100마리 얻으니 지진 달포에 새로 얻은 사위 와서 잡아 주고 한 마리는 없으니 어느 것이 거짓말입니까?"

하며, 심정이 울화가 치미는 듯하였다.

성주 낱낱이 들은 후에 참 옹 좌수 잡아들이니 불쌍타 참 옹 좌수 돈수(頓首)하고[91] 염사 나졸[92] 대면하야 저 성 밖에 쫓겨나니 원통하고 분기탱천하여 호천통곡[93] 울며 하는 말이

"우리 성주 야속하다. 저 잡놈 편을 들어 무죄한 나를 내치니 애고 답답 야속하다. 전생 죄로 이러한가. 축생 죄로 이러한가. 부모께 효하고 동네 백성 인사하고 고을에 출입하되 무슨 죄로 이러한가. 내 살아 쓸데없다 구경이나 하여 보자."

하며, 정처 없는 걸음을 옮겼다.

한편, 짚 옹 생원 돌아가서 책을 읽으며 종과 노복들을 다 불러 하는 말이

"내 너희들이 아니면 꼼짝없이 변을 당하였을 것이다."

하고, 노복과 일가친척 동네 백성 다 모아 하는 말이

"이 어떤 잡놈을 만나 잔고생하였도다."

하니, 한 사람이 말하기를

---

91 돈수하다 머리가 땅에 닿도록 절하다.
92 염사 나졸 관청에서 업무를 살피고 돌보는 관리.
93 호천통곡(呼天痛哭) 하늘을 우러러 부르짖으며 목 놓아 욺.

"그러나 두 사람 모두 외모가 너무나 분간하기 어렵습다."

하더라. 짚 옹 좌수 하는 말이

"내 집에 이런 일이 일어났으니 남에게 부끄러운 일이오."

하였다. 그다음부터 한 돈 줄 데 한 냥도 속이지 않고 두 냥을 줄 데 100냥 1,000냥을 주고 1,000냥 줄 데 만 냥을 주어 세간살이 풀어 인심을 얻더라.

한편, 이때 참 옹 생원 유리걸식하면서[94] 다닐 적에 철관도사 선몽(先夢)하니

"이제는 개과천선하여 나아갈 걸 생각하라."

하니, 참 옹 생원 이제야 깨달으며

"개과천선하겠나이다. 도사님 덕택으로 이런 죄, 백 천 번 용서하옵소서."

하자,

"이제는 부모를 봉양하고 본처를 돌아보아라."

옹 생원 하는 말이

"도사님 지시대로 하오리다."

철관도사 이 말을 듣고 편지 한 장 주며 왈

"이것을 가지고 주인을 주어라."

하거늘, 참 옹 생원 반겨 듣고 급히 돌아와 담 넘어서 엿보니 영동손이 하는 말이

"마님 저 미친놈이 또 왔나이다."

하니, 짚 옹 생원 왈

"그때 그놈을 찾아내라."

하거늘, 참 옹 생원 급히 들어가 편지를 올리니 짚 옹 생원 오래도록 보다가 한 편 하늘을 향해 크게 웃는데 참 옹 생원 잠시 눈을 들어 보니 짚 한 단뿐이라. 집 안 가솔들이 당황하였다. 참 옹 생원 그날부터 부모께 봉양하고 본처를 데려오

---

94 유리걸식하다 정처 없이 떠돌아다니며 빌어먹다.

니 지난날과 여전히 이어지는지라. 부처님을 섬기며 옹 좌수 개과천선하여 살아 돌아온 듯이 하더라.

(연대 미상)

강영숙 역주, 《최호양문록·옹고집전》(박이정, 2018)

※ 김광순 소장 필사본 〈옹고집전〉의 작품 말미에는 필사자가 필사 시 처한 상황과 이에 따른 자신의 생각을 길게 부연하고 있어 생략하였다.

이춘풍전(李春風傳)

작자 미상

여보시오. 내 말씀 들어 보소. 남자가 세상에 나매 문무(文武) 간
에 힘을 써서 춘당대 임금 앞에서, 과거 보아 입신양명한 연후
에 이름을 후세에 두는 것이 떳떳한 일이거늘, 그리도 못 할진
대 치산을 놓지 말고 부모 조업을 지키어서 자손에게 물려주고
부부 둘이 종신토록 지내면 평생이 좋을시고.

_본문 중에서

숙종 대왕 즉위 초에 성덕으로 백성들을 다스리니 나라가 태평하고 사람들이 풍족하더라. 거리에는 노랫소리가 있고 노인들은 격양가[1]를 부르니 요순시절[2]이 돌아온 듯하였다.

이때 서울 다락골에 한 사람이 살았는데 성은 이가(李哥)요, 이름은 춘풍이라. 집안 형세가 부유하고 장안의 거부로되, 소년 시절부터 방탕하여 하는 일이 모두 바람과 같더라. 춘풍이 본래 친척이 없으니 누가 이를 경계하리오.

돈 쓰기를 물처럼 하여 부모의 남긴 재산 수만금을 마음대로 남용할 제, 장안 춘풍 화류 시와 9월 단풍 황국[3] 시, 꽃 피는 아침이며 달 뜨는 저녁에 날마다 기생을 옆에 끼고 미인들을 불러다가 춤과 노래로 노닐 적에, 남북촌 왈짜[4] 친구들과 한가지로 휩쓸려서 다니며 매일 장취[5]로 세월을 보내것다.

청루 미색[6] 작첩하여[7] 좋은 노래 맑은 술을 권해 가며 너비아니, 갈비찜으로 안주를 삼고, 원앙금침에 놀고 나니 일이백 냥 돈이 푼돈같이 사라진다. 잡기방에 다다르면 삼사백을 잃고 나니 집안에 그 무엇이 남을쏜가?

티끌처럼 없어지고 건초같이 말라 가니 전에 놀던 벗님네도 춘풍을 보면 멀리 가고 청루방 찾아가도 괄시가 자심하다[8]. 춘풍이 집이라고 돌아오니, 집안 형

---

1 격양가(擊壤歌) 늙은 농부가 태평성대를 즐거워하며 불렀다는 노래.
2 요순시절 요임금과 순임금이 덕으로 다스리던 태평한 시대. 태평성대를 의미한다.
3 황국 누런색의 국화.
4 왈짜 말이나 행동이 단정하지 못하고 수선스럽고 거친 사람.
5 장취 늘 술에 취함.
6 청루 미색 '기생집의 아름다운 여인'을 의미하는 말.
7 작첩하다 첩을 얻다.
8 자심하다 더욱 심하다.

문학을 열다: 한국 고전 소설 베스트

용이 가련하다. 춘풍 아내 곁에 앉아 하는 말이

"여보시오. 내 말씀 들어 보소. 남자가 세상에 나매 문무(文武) 간에 힘을 써서 춘당대 임금 앞에서, 과거 보아 입신양명한 연후에 이름을 후세에 두는 것이 떳 떳한 일이거늘, 그리도 못 할진대 치산[9]을 놓지 말고 부모 조업을 지키어서 자손 에게 물려주고 부부 둘이 종신토록 지내면 평생이 좋을시고. 부귀도 공명이니 그것을 마다하고 당신은 어찌하여 부모의 유산을 일조에 다 없애고 그 많던 노 비, 전답 뉘게 다 주어 버리고, 처자를 돌보지 않고 자기만 위하며, 술과 미색을 탐하고 투전을 주야로 하며 방탕하게 보냄을 이같이 즐겨 하니 어찌 살잔 말이 오? 부모 형제 없으니 뉘라서 경계하며, 일가친척 없으니 뉘라서 살려 주리? 마 오, 마오, 그리 마오. 청루 미색 좋아 마오. 자고로 이런 사람이 어찌 망하지 않을 까? 내 말을 자세히 들어 보소. 미나리골 박화진이라는 이는 청루 미색 즐기다가 나중에는 굶어 죽고, 남산 밑에 이 패두[10]는 소년 시절 부자였으나 주색에 빠져 다니다가 늙어서는 상거지 되고, 모시전골 김 부장[11]은 술 잘 먹기 유명하여 누룩 장수[12]가 도망을 다니기로 장안에 유명터니 수만금을 다 없애고 끝내 똥 장수가 되었다니, 이것으로 두고 볼지라도 청루 잡기 잡된 마음 부디부디 좋아 마소."

춘풍이 대답하되,

"자네 내 말 들어보게. 그 말이 다 옳다 하되, 이 앞집 매갈쇠는 한잔 술도 못 먹어도 돈 한 푼 못 모으고, 비우고개 이도명은 50이 다 되도록 주색을 몰랐으 되 남의 집만 평생 살고, 탁골 사는 먹돌이는 투전 잡기 몰랐으되 수천 금 다 없 애고 나중에는 굶어 죽었으니, 이런 일을 두고 볼지라도 주색잡기 안 한다고 잘 사는 바 없느니라. 내 말 자네 들어 보게. 술 잘 먹던 이태백은 호사스러운 술잔 으로 매일 장취 놀았으되 한림 학사 다 지내고, 투전에 으뜸인 원두표는 잡기를

---

9 치산 재산 관리.
10 패두 패의 우두머리.
11 부장 조선 시대에 있던 무관 벼슬 이름.
12 누룩 장수 술 파는 사람.

방탕히 하여 소년부터 유명했으나 나중에 잘되어서 정승 벼슬 하였으니, 이로 두고 볼진대 잡기 주색 좋아하기는 장부의 할 바라. 나도 이리 노닐다가 나중에 일품 정승 되어 후세에 전하리라."

아내의 말을 아니 듣고 수틀리면 때리기와 전곡 남용 일삼으니 이런 변이 또 있을까? 이리저리 놀고 나니 집안 형용 볼 것 없다.

"다 내 몸에 정해진 일이요, 내 이제야 허물을 뉘우치고 책망하는 마음이 절로 난다."

아내에게 반성하며 지성으로 비는 말이

"노여워 말고 슬퍼 마소. 내 마음에 자책하여 가끔 말하기를, '오늘의 옳음과 어제의 잘못을 깨달았노라.'고 한다오. 지난 일은 고사하고 가난하여 못 살겠네. 어이 하여 살잔 말인고? 오늘부터 집안의 모든 일을 자네에게 맡기나니 마음대로 치산하여 의식이 염려 없게 하여 주오."

춘풍 아내 이른 말이,

"부모 유산 수만금을 청루 중에 다 들이밀고 이 지경이 되었는데 이후에는 더욱 근심이 많을 것이니, 약간 돈냥이나 있다 한들 그 무엇이 남겠소?"

춘풍이 대답하되,

"자네 하는 말이 나를 별로 못 믿겠거든 이후로는 주색잡기 아니하기로 결단 하는 각서를 써서 줌세."

종이와 붓을 내어놓고 각서를 쓰되,

임자 4월 17일에 김 씨 앞 수기라. 오른쪽 수기의 일들은 김 씨의 말을 듣지 않고 조업 수만금을 청루 중에 다 써 버린 일로, 오늘의 옳은 바와 지난 잘못을 깨닫고 후회가 막급하여, 지금 이후로 집안의 모든 일을 전부 김 씨에게 맡기는 바이니, 김 씨가 치산한 이후로는 비록 천금의 재물이 있을지라도 이는 다 김 씨의 재물 이라. 가장 이춘풍은 한 푼의 돈, 한 홉의 곡식도 마음대로 처리하지 않을 것을 다짐하나니, 이후에 술을 좋아하거나 방탕한 병폐가 있거든 이 수기를 가지고 관가에 가서 소송할 것이라. 이 수기를 쓰는 사람은 가장 이춘풍이라.

하고 이름을 쓰되, 춘풍 아내 이른 말이,

"수기로 다 말할 수 있소? '이 수기로 관가에 소송하라.' 하였은들 가장을 걸어 어찌 관가에 고소할 수 있을까?"

춘풍이 이 말 듣고 후기로 다시 쓰되,

이와 같은 일에 김 씨가 믿지 않기로, 이후로 만약 방탕한 일이 있거든 내가 비루한 놈의 자식이로소이다.

후기를 다시 써서 주니 춘풍 아내 거동 보소. 웃으면서 각서를 받아 함롱 속에 넌짓 넣고 그날부터 치산할 제, 바느질 길쌈을 하것다. 닷 푼 받고 새 버선 짓기, 한 돈 받고 뜨개 버선, 두 돈 받고 한삼 짓기, 세 돈 받고 헌 옷 깁기, 네 돈 받고 창옷[13] 짓고, 닷 돈 받고 도포 짓기, 여섯 돈 받고 철릭[14] 짓기, 일곱 돈 받고 이불 하기, 한 냥 받고 볼기 누비기, 한 냥 반 받고 철릭 하기, 두 냥 받고 겹옷 누비기, 석 냥 받고 관대[15] 하기, 봄이면 삼베 놓고 여름이면 모시 누비, 가을이면 염색하기, 겨울이면 무명 놓고 이렁저렁 사시절 밤낮없이 힘써 하니, 사오 년 내에 의식이 풍족하고 가세가 풍족하여, 춘풍이 아내 덕으로 의복을 잘 차려입고, 맛난 음식으로 배부르고, 집안 술로 매일 장취하여, 가래침도 일수 뱉고 배 속이 기름지니 마음이 교만하여 이전 행실 절로 난다.

의관을 둘러 입고 내달아서 호조 돈 2,000냥을 이자 돈으로 얻어 방물장사를

---

13 창옷 벼슬아치가 보통 입는 웃옷으로, 소매가 넓고 뒷부분의 두 폭을 맞대고 꿰맨 부분이 갈라졌음.
14 철릭 조선 시대에 무관이 입던 공복(公服)의 한 가지.
15 관대(冠帶) 벼슬아치들이 입던 공복(公服). '관디'의 옛말.

하겠다고 평양으로 가려고 하니, 춘풍 아내 거동 보소. 이 말 듣고 크게 놀라 춘풍 앞에 꿇어앉아 이른 말이,

"여보시오, 이내 말씀 들어 보오. 20 전에 부모 조업 수만금을 청루 중에 다 없애고, 그사이 오류 년을 결단하고 앉아 있어 물정도 잘 모르잖소. 평양 물정 내 들으니, 번화하고 사치하여 분벽사창[16] 좋은 집에 청루의 미색들이 단순호치[17] 예쁜 얼굴로 노래하고, 좋은 술로 교태를 부리며 맞아들여 돈 많고 허랑한 자는 세워 두고 벗긴다네. 평양 물정 이러하니 부디 장사 가지 마오."

지성으로 말리며 비니, 춘풍이 이른 말이,

"나도 또한 사람이네. 20 전에 재물을 날린 일이 원통하여 애달프거든 이토록 슬퍼할까? 많은 돈을 쓰면 재물이 다시 돌아온다고 옛날 책에도 일렀으니, 낸들 항상 망하기만 할쏜가? 빨리 다녀옴세. 다른 염려는 부디부디 하지 마소."

춘풍 아내 이른 말이,

"여보시오, 들으시오. 이전에 망할 적에 한 푼 돈, 한 냥의 곡식을 다시는 손대지 않을 뜻으로 '비루한 놈의 자식'이라 수기를 써서 이내 함롱 속에 두었는데 그사이 잊었는가? 의식을 내게 맡기고 부디부디 가지 마오."

춘풍이 '비루한 놈의 자식'이라 하는 말에 무안하여 착한 아내 머리채를 이리저리 갈라 잡고 때리며 하는 말이,

"1,000리 먼 길 큰 장사를 할 요량으로 가는 길을 요망한 년이 잔말을 이리할까?"

이리 치고 저리 치니 이런 잡놈이 또 있는가. 아내를 억박지르고 집안 재물 500냥을 가지고 길을 바삐 떠나려고 하니, 불쌍하다 춘풍 아내. 누군들 말릴 수가 있으리오.

이때 춘풍이 돈 2,000냥을 호조에서 빌려, 그날 즉시 길을 떠나는데, 좋은 말

---

16 분벽사창(粉壁紗窓) 하얗게 꾸민 벽과 비단으로 바른 창이라는 뜻. 여자가 거처하며 아름답게 꾸민 방을 의미한다.
17 단순호치(丹脣皓齒) 붉은 입술과 흰 이. 어여쁜 여자의 얼굴을 비유한 말이다.

에 짐을 싣고 호피로 만든 방석 위에 높이 앉아 말을 바삐 몰아 의기양양 내려간 다. 연주문 내달아서 무악재를 잠깐 넘어 평양을 내려갈 제, 청석골 지나가며 좌 우 산천 돌아보니, 이때는 어느 때인고? 마침 한창 봄이더라. 골골마다 폭포 소 리는 좌우에 떨어지고 버들가지가 청산에 둘러 있는데, 황조, 백조 날아든다. 온 갖 초목 무성한데 천황씨[18] 목덕[19]을 베푸신 처음에 일월 동방 부상[20] 나무, 만사 를 제치고 장사를 가는 길에 기묘한 가지를 지닌 양목이며, '허물어진 성에 벽 산의 달이 헛되이 비치고 고목은 창오산의 구름에 가려졌다[21].'는 시 속의 고목 나무, 느릿느릿 떨어지는 해, 달빛으로 이루어진 주렴 사이에 임 그리는 상사 나 무, 초당에 봄잠을 자고 나서 창밖의 해를 바라보던[22] 회양나무, 달 가운데 있다 는 계수나무, 자단나무, 백단나무, 감자, 유자, 펑퍼진 소나무며, 층층이 얽혀 있는 머루, 다래 넝쿨이며, 휘어진 장송, 늘어진 버드나무는 광풍에 흥이 나서 우줄우 줄 춤을 추고, 봄을 희롱하는 비둘기는 펄펄 날아 울음 울고 온갖 춘흥을 내는데, 버드나무, 앵무새는 가지가지 봄 소리요, 나는 나비, 우는 새는 봄빛을 자랑한다.

이런 경치를 다 본 후에 주마가편[23] 달려가서 동설령 고개 바삐 넘어 황주 병 영 구경하고, 평양을 바라보며 영계골 얼른 지나 긴 숲을 달려 대동강 변 다다르 니, 모란봉 떨어져서 부벽루가 되어 있고, 대동문 연광정은 제일강산이 여기로 다. 기자 단군 2000년 보통문의 유적이 있다. 성안도 좋거니와 영명사도 기막히 다. 시구 문밖 돛단배는 하사월 초파일의 햇빛이 황홀하다. 대동강 얼른 건너 대 동문 들어가니 번화한 인물이며 물정이 화려하니 소강남이 여기로다.

춘풍의 거동 보소. 포정루 내달아서 좌우 산천 구경하고 큰길 앞 썩 나서서

---

18 천황씨(天皇氏) 중국 고대 전설상의 제왕. 삼황(三皇)의 한 사람.
19 목덕(木德) 우주 만물에 그 힘이 미친다는 임금의 덕.
20 부상(扶桑) 중국 전설에서 해가 돋는 동쪽 바닷속에 있다고 하는 상상의 나무.
21 허물어진 성에 벽산의 달이 헛되이 비치고 고목은 창오산의 구름에 가려졌다[虛照壁山月 過蒼梧雲中] 이백의 시 〈양원음 (梁園吟)〉의 한 구절을 변형한 것이다.
22 초당에 봄잠을 자고 나서 창밖의 해를 바라보던 제갈량이 읊은 〈대몽시(大夢詩)〉 중 "큰 꿈을 누가 먼저 깰까. 평생 을 내 스스로 아네. 초당에 봄잠을 충분히 자고 나니, 창밖의 해가 점차 길어진다."라는 구절에서 따온 말이다.
23 주마가편(走馬加鞭) 달리는 말에 채찍질한다.

객사 동편에 거처를 정하고, 열두 바리에 실은 돈을 차례로 내려놓고 삼사일 유숙하며 물정을 구경 터라.

일일은 창 난간에 비스듬히 서서 그 앞집을 얼른 보니, 집치레도 좋거니와 집주인은 누군고? 평양 일색 추월이라. 얼굴도 절묘하고 나이는 이팔청춘이라. 성중의 호걸들과 팔도의 노는 한량 한 번 보면 1,000냥 돈을 담배 주듯이 하는구나.

이때 서울 사는 큰 부자 춘풍이 수천 냥을 싣고 뒷집에 왔단 말을 추월이 먼저 듣고, 춘풍을 호리려고 창문을 반쯤 열고 표연한[24] 태도로 녹의홍상을 입고 새치름하게 앉은 거동, 춘풍이 얼른 보니 그 얼굴 태도는 맑은 하늘에 뜬 흰 달이요, 아침 이슬을 머금은 모란이었다. 절묘한 저 맵시는 물 찬 제비 모양이요, 녹의홍상 입은 거동은 병풍 속의 그림이요, 아리따운 저 얼굴은 월궁의 계화[25] 같고, 복숭아꽃과 오얏꽃의 맑은 빛과 밝은 달이 한강수에 떠오는 듯하였다.

청루에 홀로 앉아 칠현금 줄을 골라잡고 탁문군 호려 내던 사마상여의 〈봉황곡〉을 '둥지덩 둥지덩' 맵시 있게 노는 거동, 춘풍이 잠깐 보고 심신이 황홀하여 미친 마음 좌불안석하는구나. 마음이 간절하여 헛된 마음 절로 난다. 춘풍의 근본이 청루라 하면 화약고의 불씨 같고 고양이 발에 덕석[26]처럼 주제를 모르니 아무리 참자 한들 잠시를 참을쏘냐? 잡마음이 솟아난다. 자석에 바늘이 당기듯 정신이 산란하다.

춘풍의 거동 보소. 의복을 고쳐 입고 추월의 집 찾아갈 제, 비단옷을 입고 혼인할 짝을 찾듯, 춘당대 과거 시험에 글제를 찾듯, 꾀꼬리 앵무새가 쌍쌍이 나뭇가지 찾아가듯, 나비들이 어지러이 꽃잎을 찾듯, 기러기가 동정호를 찾아가듯,

---

24 표연(飄然)하다 홀쩍 나타나거나 떠나는 모양이 거침없다.
25 계화 계수나무의 꽃.
26 고양이 발에 덕석 두 사람이 아주 친한 모양을 비유적으로 표현한 속담.

이리저리 찾아간다.

중문 안에 들어가니, 이때 추월의 거동 보소. 춘풍의 오는 양을 문틈으로 얼른 보고, 옥안을 번듯 들어 뜰아래 내려서서 섬섬옥수 얼른 들어 소매를 부여잡고 난간에 올라갈 제, 좌우를 살펴보니 집치레가 휘황하다. 삼간 대청 툇마루며 2층 난간이 제법이구나.

방 안에 들어가서 좌우를 돌아보니, 산수 병풍, 운무 병풍에 묵화로 포도, 죽엽 등을 그려 사창 위에 붙여 두고, 부벽서[27]를 돌아보니, 동중서의 〈책문〉이며, 제갈량의 〈출사표〉며 도연명의 〈귀거래사〉와 〈적벽부〉, 〈양양가〉를 구구마다 붙여 놓고, 놋 촛대, 청동 거울이며, 요강, 타구, 재떨이며, 각개, 술대, 들미장[28]에 왜경, 대경, 폐백경[29]과 혈침, 안침, 비취 금침[30]은 좌우로 걸어 두고, 자개 함롱 반닫이를 여기저기 맵시 있게 놓았구나.

추월의 거동 보소. 추파[31]를 반만 들어 영접하여 앉은 모양 옥태화용(玉態花容)[32] 고운 얼굴 태도가 은은하다. 고운 눈썹에 감탕 같은 고운 머리 봉비녀로 낭자하고, 양객단 겹저고리, 오동 철병 대모 장도[33] 수실로 매어 고름에 매어 달고, 보석 귀고리에 금반지, 옥 반지 그 맵시가 절묘하고, 비단 고쟁이 바지, 잔살 치마 잔줄 잡아 지어 입고, 수화주[34] 겹버선에 도리불수[35], 꽃당혜를 날 출(出) 자로 새겼으며, 붉은 입술 흰 잇속 웃는 모양 봄바람에 꽃이 피어 나비 보고 반기는 듯. 섬섬옥수 얼른 들어 수(壽) 자 복(福) 자 새긴 담뱃대에 향 좋은 담배 얼른 담아 청동화로 불을 댕겨서 꿇어앉아 올릴 제, 향취가 진동한다. 춘풍이

---

27 부벽서(付壁書) 벽에 붙어 있는 글.
28 각개, 술대, 들미장 장롱의 종류.
29 왜경, 대경, 폐백경 거울의 종류.
30 비취 금침 비취색의 이불과 베개.
31 추파 이성의 관심을 끌기 위하여 은근히 보내는 눈길.
32 옥태화용 옥 같은 태도와 꽃처럼 아름다운 얼굴.
33 대모 장도(玳瑁粧刀) 대모로 손잡이와 칼집을 만든 장도. '장도'는 칼집이 있는 작은 칼로, 주머니 속에 넣거나 옷고름 따위에 차고 다니면서 주머니칼처럼 썼다.
34 수화주(水禾紬) '수아주(품질이 좋은 비단의 하나)'의 원말.
35 도리불수(桃李佛手) 복숭아나 자두처럼 생긴 노리개.

받아 물고 추월더러 이른 말이,

"나도 경성에서 성장하여 어찌 청루에 벗이 없다고 할까? 평양에 내려와서 고향 생각에 적막하기로 기생집에 와서 오늘 밤을 보내려고 하니 그대는 부끄러워하지 마소. 동원에 복사꽃 피었으니 그대가 또한 애타게 기다리지 않았소?"

하니 추월이 고쳐 앉아 반만 웃고 여쭈되,

"멀고 먼 경성 길에 평안히 오셨습니까? 길 가다가 사오일 묵어가는 것을 어이 그리 더디 오시니까?"

이런 말씀 저런 말씀 다 후려쳐 버리고 추월이 일어서서 술과 안주를 올릴 적에, 국화 새긴 도리반[36]에 대나무를 새긴 큰 접시, 문어 전복으로 봉황을 그리고, 숭어찜, 갈비찜, 너비아니, 겹산적에 채소를 곁들이고, 초간장, 김칫국을 따로 곁에 놓고, 은행, 대추, 좋은 배며 갖은 떡, 평양 소주, 감홍로, 화초주를 아름다운 새들이 새겨진 술잔에 가득 부어 주니, 춘풍이 이른 말이,

"평양이 작은 강남이라고 들었으니 권주가나 들어 보세."

추월이 반만 웃고 맑은 노래 한 곡으로 옥 같은 소리 높이 내어,

"잡으시오, 잡으시오. 이 술 한잔 잡으시오. 100년이 사람 평생이라도 근심과 즐거움이 반반이니 100년이 못 되는지라. 1000년 못 살 인생 아니 놀고 무엇하랴? 이 술이 술이 아니라 한 무제가 승로반[37]에 이슬 받은 것이오니 이 세상 뜬 구름같이 죽어지면 일장춘몽 그 아닌가? 잡으시오, 잡으시오. 술 권할 제 잡으시오. 불로초로 빚은 술이오니 쓰나 다나 잡으시오."

하되, 춘풍이 받아먹고 흥을 내어 노는구나. 장안 춘풍이 평양 대동강상 놀고 나서 쌍쌍이 내려온다. 추월이 반기면서,

"춘풍 추월 연분 맺어 놀아 볼까."

춘풍이,

---

36 도리반 둥그렇게 생긴 밥상.
37 승로반(承露盤) 한 무제가 건장궁에 세운 청동으로 만든 소반. 감로주를 받기 위해 만든 것.

"추월 두고 월(月) 자 운을 달아 볼까. 아미산 반륜월(蛾眉山半輪月)과 장안 일 편월(長安一片月), 계명산 추야월(鷄鳴山秋夜月), 병호심사 수류월, 도기영문 양 추월(到記迎門良秋月), 북당야야 인여월(北堂夜夜人與月), 황산 능명월(黃山陵明 月), 2월, 3월에 온 산은 첩첩한데 바람은 다정하다. 화롯가에 둘러앉아 정담을 하니 초경[38], 이경, 삼경[39]의 달 아래 나는 춘풍이요, 너는 추월이니, 일월같이 배 필 되어 장춘풍(長春風) 장추월(長秋月)에 천지가 다하도록 풍월이야 변할쏘냐. 좋을시고, 좋을시고."

추월이 화답하되,

"서방님은 월 자 운을 달았으니, 소첩은 풍(風) 자 운을 달리로다. 수수산(灘水 山) 서북풍, 적벽의 동남풍, 낙양성(洛陽城)에 견추풍(見秋風), 만국 병사 앞에 초 목풍(草木風), 백학제층 일랴풍, 양류수사(楊柳垂絲) 만강풍(滿江風), 취적강산 (吹笛江山) 낙원풍(樂園風), 이삼월 좋은 순풍, 동지섣달 설한풍, 제풍, 화풍 다 버리고 분벽사창 좋은 발에 금생일건풍하되, 나는 춘풍, 너는 추월 되었으니 춘 추가 배필 되어 대동강이 마르도록 사시풍(四時風)이야 변할쏜가. 좋을시고, 좋 을시고. 청풍명월(淸風明月) 야삼경(夜三更) 두 사람이 마주 누워 원앙금침의 사 랑으로 어찌 이제 만났는고?"

춘풍이 크게 혹하여서 추월을 첩으로 삼고 날마다 술잔치를 열어 서로 마주 하더라. 허랑한 춘풍이 장사에는 마음이 전혀 없고 이날부터 가져간 돈 2,500냥 을 마음대로 쓰는구나. 맑은 술로 매일 장취, 즐거운 노래로 일삼으며 주야로 노 닐 적에, 이때 추월이 수천 냥 돈 호리려고 교태 지어 이른 말이,

"돈사단, 가계주, 장문주[40], 좋은 비단 날 사 주게. 남봉황라, 팔양주, 단문주[41] 도 날 사 주게. 은죽절, 금봉채 머리 꽂게 날 사 주게. 갖은 반상기 날 사 주게. 문

---

38 초경 하룻밤을 오경으로 나눈 첫째 부분. 저녁 7시에서 9시 사이이다.
39 삼경 하룻밤을 오경으로 나눈 셋째 부분. 밤 11시에서 새벽 1시 사이이다.
40 돈사단, 가계주, 장문주 중국에서 수입한 질 좋은 비단의 종류.
41 남봉황라, 팔양주, 단문주 질 좋은 명주의 종류.

어, 포숙[42], 해삼, 안주 하게 날 사 주게. 밥할 쌀 부족하니 연안 백천 상상미[43]로 20석만 날 사 주게. 동래 울산 대장각[44]을 열 단만 날 사 주게."

갖가지로 호려 낼 제, 허랑한 춘풍이는 조금도 사양치 않고 50냥 돈, 100냥 돈을 비일비재하게 내어 주니, 유한한 것이 재물이라, 얼마나 남을쏜가. 1년이 못 되어서 2,500냥을 한 푼 없이 다 썼구나. 어이없는 춘풍이는 의식을 염려 없이 추월이한테 미친 듯이 배부르게 자빠져서 추월의 간사한 수를 추호도 몰랐구나. 괘씸한 추월이로구나. 춘풍의 재물 다 호려 내고 괄시하여 내치려고 할 제, 서방님이라 말도 아니하고,

"여보시오, 이 양반아. 성중 한량들 성외 한량들 다들 돌아가니 어디로 가시려오? 가는 노자가 부족하면 돈이나 한 돈 보태 주리다."

하며 돈 한 돈 내어 주고 가기를 재촉하니, 춘풍의 거동 보소. 분하고 분한 마음 측량이 없어 추월더러 이른 말이,

"당초에 너와 나랑 원앙금침에 둘이 누워, 살았을 때 이별 없이 살자 하고 태산같이 맺을 적에 대동강 깊은 물이 마르도록 떠나지 말잤더니 사랑에 흥이 겨워 그러하냐? 참말이냐? 가란 말이 어인 말이냐?"

추월이 이 말 듣고 질색하여 성을 내며 구박하되,

"여보소, 이 사람아. 자네 그 말 다시 마소. 생긴 것이 멍청이라, 내 생각을 정말 모르는가?"

하고 등을 밀쳐 마루 아래 내치니, 춘풍이 분한 중에 탄식하여 한숨짓고 기둥에 기대어 이리저리 생각하니 한심하고 절통하다.

'경성으로 가자 하니 면목이 없어 못 가겠고, 처자도 못 보겠고, 친구들에게도 부끄럽다. 또한 호조 돈을 내어다가 한 푼 없이 돌아가면 의금부에 가둔 후에 중

---

42 포숙 전복을 익힌 음식.
43 상상미(上上米) 쌀 가운데 품질이 가장 좋은 쌀.
44 대장각 넓고 긴 미역.

죄로 다스리면 죽기가 분명하니 이를 어찌한단 말인가? 서울도 못 가겠다. 애고 애고, 설운지고. 이런 변이 또 있는가? 대동강 깊은 물에 아주 풍덩 빠져 죽자 하니 차마 어찌 빠질쏜가? 은장도 드는 칼로 목을 찔러 죽자 하니 차마 그리도 못 하겠다. 애고, 답답 설운지고. 어이하여 살잔 말인고? 평양 성중 걸인 되어 이 집 저 집 빌어먹자 하니 남녀노소 아이들이 서로 보고 꾸짖으며, 이놈 저놈 웃으며 보니 걸식도 못 하리라. 어디로 가잔 말인고? 갈 곳이 전혀 없다.'

생각이 아득하여 도로 애걸하되, 추월더러 이른 말이,

"추월이, 내 말 듣소. 어이 그리 박절한가? 자네 집 도로 있으면서 사환 노릇 할 터이니 다른 사람 하는 것처럼 나도 함께하게 해 주소. 자네 집에 도로 있으면 그 무엇이 관계할까? 깊이깊이 생각해 주소."

가련히 애걸하니 추월의 거동 보소. 눈을 흘겨보며 하는 말이,

"여보소, 이 사람아. 자네 언행 못 고칠까? '추월아, 추월아.' 하고 '합소, 맙소.' 하며 내 이름을 또 부를까? 내 집에 다시 있어 사환을 하자 하면 내가 체면이 없어 못 하리라."

하고 짜증 내니 춘풍이 하릴없어 절통한들 어이할꼬? '아기씨' 말이 절로 나고 '하시오' 말이 절로 난다. 춘풍이 이날부터 추월의 집에 다시 있으면서 온갖 사환 노릇 다할 적에 죽지 못해 살아가니 가련하다.

이렁저렁 지나자니 더럽고 더러운 옷에 다 찢어진 옷차림이 상걸인 모양이요, 먹는 것은 깨진 헌 사발에 눌은밥에 국을 부어 숟가락도 없이 뜯아래서 되는 대로 먹자 하니 목이 메어 못 먹겠다. 눈물이 때때로 솟아나니 천지가 아득하다. 주야로 성중 한량들이 작당하여 추월의 집 찾아와서 추월과 몸을 휩쓸려서 온갖 희롱 다할 적에 좋은 술 맑은 노래 술잔 가득 낭자하다.

이때 춘풍 거동 보소. 뜰아래 우뚝 서서 방 안을 들여다보니, 눈은 대풍년을 당하였고 입은 극흉년을 당하였는지라. 제 신세를 생각하고 서러운 말로 소리하되,

"애고애고, 설운지고. 이를 장차 어이할까? 세상사가 가소롭다. 나도 경성에서 성장하여 20 전 오입쟁이로 왈짜 벗님네와 청루 미색 가득하더니, 호조 돈 2,000냥과 집안 돈 500냥을 가첩으로 내어 쓰고 평양에 내려와서 추월이와 작첩하여 살아 이별 마쟀더니, 이 지경이 되었으니 세상사가 가소롭다."

이때가 어느 때냐 초겨울 10월 보름이라.

"백설은 흩날리고 해 다 지고 저문 날에 찬바람 밝은 달에 청천에 떠오는 저 기러기야, 이내 진정 가져다가 하늘에 전하여라."

하고, 부엌에 홀로 누워 목소리를 길게 빼어 애달프게 탄식하되,

"녹양이 천만 산인들 가는 봄을 어이하며, 탐화봉접[45]인들 지는 꽃을 어이할꼬? 아무리 근원 중타 하고 여필종부라 하였은들 가는 사람을 어이할꼬? 고향 일을 생각하니 어여쁜 아내 자식들은 날 그리워하며 죽었는가, 기다리고 살았는가? 이리저리 생각하니 가슴이 무너지는 듯하고, 일촌간장[46]이 속절없이 다 썩는다. 아서라, 다 떨치고 전에 하던 가사나 하여 보자. 〈매화타령〉 불러 보자."

이때 추월의 방에서 놀던 한량들이 노랫소리를 듣고 서로 보며 의심하니 추월이 무색하여 하는 말이,

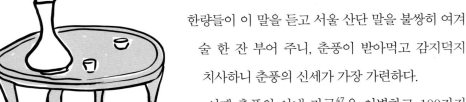

"내 집 사환 하는 서울 놈 이춘풍이오니 듣는 체도 마옵소서."

한량들이 이 말을 듣고 서울 산단 말을 불쌍히 여겨 술 한 잔 부어 주니, 춘풍이 받아먹고 감지덕지 치사하니 춘풍의 신세가 가장 가련하다.

이때 춘풍의 아내 가군[47]을 이별하고 100가지로 생각하며 밤낮으로 하는 말이,

"장삿길에 운수 좋아 평안히 돌아오시도록 천

---

45 탐화봉접(探花蜂蝶) 꽃을 찾아다니는 벌과 나비라는 뜻으로, 사랑하는 이를 그리워하여 찾아가는 사람을 비유적으로 이르는 말.
46 일촌간장(一寸肝腸) 한 토막의 간과 창자라는 뜻으로, 애달프거나 애가 타는 마음을 이르는 말.
47 가군 남에게 자기 남편을 이르거나, 남의 남편을 이르는 말.

만 축수하옵니다."

바라면서 주야로 기다리되, 춘풍이는 아니 오고 소문에 들리는 말이 서울 사람 이춘풍이는 평양 장사 가서 추월이가 구박하여 가도 오도 못하고 상걸인이 되어 추월의 집 다시 있으면서 사환 노릇 한단 말을 전해 들었는지라. 가슴을 두드리며 대성통곡하는 말이,

"애고, 이것이 웬 말인고? 슬프다. 이내 가장. 남과 같이 났건마는 어이 그리 허랑한고? 청루 화방[48] 잡년에게 한 번 패가도 어렵거든 타도타관[49] 먼먼 길에 막중한 공전을 내어 쓰고 외로이 내려가서 허랑히 망했단 말인가? 애고애고, 설운지고. 뉘를 믿고 살잔 말인고? 전생에 무슨 죄로 인생이 이같이 되어 가장 하나 잘못 만나서 평생을 이 고생하니 이내 팔자는 왜 이러한가? 애고애고, 설운지고. 어이 살잔 말인고? 각기 천명이 있으니 매인 팔자는 도망하기 어려워라. 내 몸 하나 세상에 살아 무엇할꼬? 종남산에 나아가서 물명주 긴 수건을 한끝은 나무에 매고 또 한끝은 목에 매고 대롱대롱 죽고지고. 남산의 호랑이야 내려와서 요 내 일신 물어 가게. 남산 밑에 귀신들아, 요 내 일신 잡아가게. 애고, 답답 설운지고."

이러더니 이를 갈고 하는 말이,

"평양을 내려가면 추월의 집 찾아가서 내 솜씨로 달려들어 추월의 머리채를 두 손에 갈라 잡고 가락가락 뜯으리라. 세간들도 다 부수리라. 그리고 나서 달려들어 춘풍의 허리 끝에 목을 매고 죽으리라."

악독한 마음으로 이리 한참 울다가 도로 풀고 생각하되,

'우리 가장 경성으로 데려다가 호조 돈 2,000냥을 한 푼 없이 다 갚은 후에 의식 염려 아니하고 부부 둘이 화락하여 백년동락[50]하여 보자. 평생의

---

48 화방 기생이 거처하며 술과 유흥을 제공하는 집.
49 타도타관(他道他官) 자신이 속한 곳이 아닌 다른 도와 다른 고을.
50 백년동락(百年同樂) 부부가 되어 한평생을 같이 살며 함께 즐거워함.

한이로다.'

마침 그때 김 승지 댁이 있으되 승지는 이미 죽고, 맏자제가 문장을 잘해 소년 급제하여 한림 옥당[51] 다 지내고 도승지를 지낸 고로, 작년에 평양 감사 두 번째 물망에 있다가 올해 평양 감사 하려고 도모한다는 말을 사환 편에 들었것다. 승지 댁이 가난하여 아침저녁으로 국록[52]을 타서 많은 식구들이 사는 중에 그 댁에 노부인 있다는 말을 듣고, 바느질품을 얻으려고 그 댁에 들어가니, 후원 별당 깊은 곳에 도승지의 모부인[53]이 누웠는데 형편이 가난키로 식사도 부족하고 의복도 초췌하다. 춘풍 아내 생각하되,

'이 댁에 붙어서 우리 가장 살려 내고 추월에게 복수도 할까.'

하고 바느질, 길쌈으로 힘써 일해 얻은 돈냥 다 들여서 승지 댁 노부인에게 아침저녁으로 진지를 올리고, 노부인께 맛난 차담상[54]을 특별히 간간이 차려 드리거늘, 부인이 감지덕지 치사하며 하는 말이,

"이 은혜를 어찌할꼬?"

주야로 유념하니, 하루는 춘풍의 처더러 이른 말이,

"내 들으니 네가 집안이 기울어서 바느질품으로 산다 하던데, 날마다 차담상을 차려 때때로 들여오니 먹기는 좋으나 불안하도다."

춘풍 아내 여쭈되,

"소녀가 혼자 먹기 어렵기로 마누라님 전에 드렸는데 칭찬을 받사오니 오히려 감사하여이다."

대부인이 이 말을 듣고 춘풍의 처를 못내 기특히 생각하더라.

하루는 도승지가 대부인 전에 문안하고 여쭈되,

"요사이는 어머님 기후가 좋으신지 화기가 얼굴에 가득하옵니다."

---

51 옥당(玉堂) 홍문관 부제학 이하 관원의 총칭.
52 국록 나라에서 주는 녹봉.
53 모부인 남의 어머니를 높여 이르는 말.
54 차담상 손님을 대접하기 위하여 내놓은 다과 따위를 차린 상.

대부인 하는 말씀이,

"기특한 일 보았도다. 앞집 춘풍의 지어미가 좋은 차담상을 매일 차려 오니 내 기운이 절로 나고 정성에 감격하는구나."

승지가 이 말을 듣고 춘풍의 처를 귀하게 보아 매일 사랑하시더니, 천만의외[55]로 김 승지가 평양 감사가 되었구나. 춘풍 아내, 부인 전에 문안하고 여쭈되,

"승지 대감, 평양 감사 하였사오니 이런 경사 어디 있사오리까?"

부인이 이른 말이,

"나도 평양으로 내려갈 제, 너도 함께 따라가서 춘풍이나 찾아보아라."

하니 춘풍 아내 여쭈되,

"소녀는 고사하옵고 오라비가 있사오니 비장[56]으로 데려가 주시길 바라나이다."

대부인이 이른 말이,

"네 청이야 아니 듣겠느냐? 그리하라."

허락하고 감사에게 그 말을 하니 감사도 허락하고,

"회계 비장 하라."

하니 좋을시고, 좋을시고.

춘풍의 아내 없던 오라비를 보낼쏜가? 제가 손수 가려 여자의 의복을 벗어 놓고 남복으로 치레하되, 외올망건[57] 관자[58] 달아 맵시 있게 질끈 쓰고, 천은 같은 정주 탕건[59], 300대 진사립[60]에 만호 같은 산호격자 두 귀 밑에 겹쳐 달

---

55 천만의외 전혀 생각하지 아니한 상태.
56 비장(裨將) 조선 시대의 관직으로 지방 장관이나 해외 사신을 따라다니며 일을 돕던 무관.
57 외올망건 외올로 뜬 망건. 외올은 여러 겹이 아닌 '단 하나만의 올'을 의미한다.
58 관자(貫子) 망건에 달아 당줄을 꿰어 거는 작은 단추 모양의 고리. 관품이나 계급에 따라 금, 은, 옥, 대모, 호박 따위의 재료를 썼다.
59 탕건 갓 아래 받쳐 쓰는 관의 하나. 말총을 잘게 세워서 뜨는데, 앞쪽은 낮고 뒤쪽은 높아 턱이 졌음. 집 안에서는 이것만 쓰기도 했다.
60 진사립(眞絲笠) 명주실로 만든 갓.

고, 방짜 바지[61] 통행전[62]에 삼승 버선[63] 만석 당혜[64]를 맵시 있게 신고, 진주 항라[65] 생명주[66] 창의[67] 예당 세포[68]를 몸에 맞게 지어 입고, 애양피[69]로 만든 갓두루마기, 보라색 거북이 등껍질로 만든 장패[70], 좋은 띠로 가슴을 눌러 매고, 만선두리 서피 휘양[71] 두 귀를 눌러 쓰고, 오동 절병[72] 대모 장도를 옷고름 위에 눌러 차고, 소상반죽 쇄금선[73]에 이궁전 선초[74] 달아 한삼 속에 넌짓 쥐고 흐늘거리며 냅다서니 홀연히 나타난 기남자[75]라.

승지 댁에 들어가서 사환에게 약속하고 황혼을 기다려서 차담상을 특별히 차려 부인 전에 드린 후에 계단 아래에서 여쭈되,

"춘풍 처 문안하오."

부인이 의심하고 이른 말이,

"춘풍의 지어미면 남복은 어인 일인고?"

비장이 여쭈되,

"소녀의 지아비가 마음이 허랑하여 청루 미색 오입으로 한두 번 망한 게 아니옵고, 호조 돈 2,000냥을 시변으로 얻어 내어 평양에 내려가서 평양 기생 추월이에게 다 없애고 올라오지 아니하여, 소녀의 마음이 절통하여 소녀가 남복하고 내려가서 추월이도 다스리고, 호조 돈도 갚고, 지아비도 데려다가 백년동락 할

---

61 방짜 바지 아주 좋은 맵시가 나는 바지.
62 통행전(筒行纏) 행전의 한 가지로 아래에 귀가 없고 통이 넓다.
63 삼승 버선 올이 굵은 베로 만든 버선. 삼승(三升)은 240올의 날실로 짠 베라는 뜻이다.
64 만석 당혜(萬舃唐鞋) 젖은 땅에 오랫동안 서 있어도 물기가 스며들지 않도록, 얇은 나무판자 등을 바닥에 여러 겹으로 대서 만든 가죽신이다.
65 진주 항라(亢羅) 진주에서 나는 옷감. 명주, 모시, 무명실 따위로 짠 피륙의 하나로, 씨를 세 올이나 다섯 올씩 걸러서 구멍이 송송 뚫어지게 짠 것으로 여름 옷감으로 적당하다.
66 생명주(生明紬) 생사로 짠 명주.
67 창의(氅衣) 벼슬아치가 평상시에 입던 웃옷. 소매가 넓고 뒤 솔기가 갈라졌다.
68 예당 세포 예당 지역에서 나는 세마포(細麻布). '세마포'는 삼 껍질에서 뽑아낸 가는 실로 곱게 짠 베를 뜻한다.
69 애양피 질 좋은 양가죽.
70 장패(將牌) 군관이나 비장들이 허리에 차던 나무패.
71 휘양 추울 때 머리에 쓰는 모자로, 남바위같이 생겼으나 뒤가 훨씬 길고, 목덜미와 뺨까지 싸게 되었다. '휘항(揮項)'이라고도 한다.
72 오동 절병 오동나무로 만든 병.
73 쇄금선 아름다운 시나 글귀를 써 넣은 부채.
74 선초(扇貂) 부채 고리에 매어 다는 장식품.
75 기남자(奇男子) 재주와 슬기가 뛰어난 남자.

뜻이오니 마누라님 덕택으로 의심 없게 하옵소서."

대부인이 들으시고 박장대소하는구나.

"네 말이 그러하니 소원대로 하라."

할 제, 새 사또님이 대부인 전에 문안차로 내당 안에 들어가니 어떠한 한 남자가 방 안에서 문밖으로 얼른 나와 문안을 여쭈오니, 사또 크게 노하여 호령하고 이른 말이,

"네놈이 웬 놈으로 대부인 내당 안에 체면 없이 출입할까? 저놈 바삐 결박하여라."

대부인 웃으면서 사또더러 하는 말이, 춘풍 처의 전후사를 낱낱이 얘기하니, 사또도 또한 대소하고, 대청 위로 불러 가까이 앉히고 기특타 칭찬하며 좌우를 돌아보고 하인 불러 단속하되,

"이런 말을 입 밖에 내지 마라."

남녀 하인들에게 당부하고,

"3일 잔치를 한 연후에 현신[76]하라."

분부하고, 성명을 김양부라 부르시니, 춘풍 아내 엎드려 백배사례하온 후에 회계 비장 현신하라 하시니, 다른 비장들은 손으로 가리키며 수군수군하는구나.

"잘났다, 회계 비장. 어디 사람인지 알지 못하나, 수염이 아니 났으니 그것이 흠이로되, 사람은 기남자라. 뉘가 아니 칭찬하리?"

이날 청명 삼토[77] 끝에 발행하여 경성을 떠날 적에 기구도 찬란하고 위엄도 엄숙하다. 얼른 걷는 백마 등에 쌍교 독교 별련[78]이며 좌우 청총마[79] 썩 떠들며 호기 있게 내려갈 제, 전배[80], 수배[81], 책방, 비장 맵시 있게 치장하고 차례로 늘

---

76 현신(現身) 아랫사람이 윗사람에게 예를 갖추어 자신을 보임.
77 삼토(三吐) 신분이 높은 사람이 방문객을 친절히 맞이하는 일.
78 별련(別輦) 일반적인 가마와 달리 특별히 아름답게 꾸며서 가마처럼 만든 수레.
79 청총마(靑驄馬) 총이말. 푸른빛을 띤 말. 갈기와 꼬리가 파르스름하다.
80 전배(前陪) 벼슬아치의 행차 때나 상관을 뵈러 갈 때 앞을 인도하던, 관청에 딸린 하인.
81 수배(隨陪) 수령이 행차할 때 따라다니며 시중을 들던 구실아치.

어서서 장식한 백마 등에 호피 돋움[82] 높이 타고 소상반죽 쇄금선으로 햇빛을 가리고 평양으로 내려갈 제, 어찌 아니 좋을런고?

이방, 호방, 형방, 수배, 통인[83], 관노, 사령, 군뢰[84], 나장[85]이 깃발 속에 늘어서서 물렀거라 하는 소리, 권마성[86]에 호사 있게 내려간다. 남대문 내달아서 연주문 얼른 지나 무악재를 넘어가서 홍주원 바라보고 작은 봉우리, 큰 봉우리 지나가며 살펴보니, 보는 바가 다 제일이라.

임술 7월 열엿새 날 밤에 소자첨이 적벽강에서 배를 타고 놀던 곳인가? 경치 좋은 곳이 여기로다. 물결은 잠잠하고 달빛은 아름답도다. 중화 읍내 숙소를 정하고 영계골 다다르니, 관청의 관속들과 육방 관속들이 오래전부터 기다려 신관, 구관 교대 후에 도임[87]차로 들어간다.

각기 대오를 만들어 초관들이 먼저 나오고, 전배 비장, 후배 비장, 초관, 집사, 여러 장관들이 행렬을 지어 가지런히 서고, 천파총이 군문[88]에 늘어서서 옹위하고 들어갈 제, 대장 청도기 각 한 쌍, 피리 한 쌍, 길나장이 늘어서서 동서남북으로 황백청홍기를 찬란하게 벌여 세우고, 금산 형방 알현할 제, 삼현 육각 악기 소리는 산천이 뒤눕는 듯 권마성 벽제[89] 소리 육각성이 자욱하고 취타성[90]이 진동한다. 어여쁜 미색들은 단장하고 전후좌우 갈라서서 '지화자, 지화자' 좋은 소리 반공에 높이 떴다.

전배 비장 거동 보소. 훨훨 걷는 백마 등에 등을 기울여 타고 앉아 홍주, 영주, 사마치[91]를 휘휘 칭칭 감고, 발길사, 홍당의를 집어 매고 맵시 있게 들어간다. 숲

---

82 호피(虎皮) 돋움 호랑이 가죽으로 만든 돋움 방석.
83 통인(通引) 지방 관아의 관장(官長)의 잔심부름을 하던 구실아치.
84 군뢰(軍牢) 죄인을 다루던 병졸.
85 나장(羅將) 죄인을 문초할 때 매질하는 일과 귀양 가는 죄인을 압송하는 일을 맡아보던 하급 관리.
86 권마성(勸馬聲) 벼슬아치가 말이나 가마를 타고 행차할 때, 위세를 더하기 위해 그 앞에서 병졸들이 목청을 길게 빼어 부르던 소리.
87 도임 지방의 관리가 근무지에 도착함.
88 군문 군영의 입구.
89 벽제(辟除) 존귀한 사람의 행차 때 하인들이 여러 사람의 통행을 금하고 "물렀거라." 하고 소리치던 일.
90 취타성(吹打聲) 옛 군대에서 나발, 소라, 대각, 호적 등을 불고 징, 북, 바라를 치던 군악 소리.
91 사마치 융복을 입고 말을 탈 때에 두 다리를 가리던 아랫도리옷.

속을 들이달아 대동강 변 다다르니, 녹수청강 죽려수는 적벽강 큰 싸움에 방통의 연환계, 육지같이 모여든다. 나는 듯이 건너서서 대동문 들어갈 제, 전후좌우 구경꾼이 구름같이 모였구나. 포정루 앞 얼른 지나 종로 거리 썩 나서서 객사에 알현하고 대동문 들어갈 제, 탔던 말을 재촉하여 선화당에 좌정하고 대포수 불러들여 방포[92] 3성 놓은 후에 각방 관속, 대솔 군관 차례로 현신할 제 차담상 먹은 후에 100여 명 기생들을 각기 모두 점고 끝에, 사또 분부하되 책방 비장, 각방 비장 처소대로 나눠 놓고 회계 비장 불러 농담으로 조롱하되,

"회계 비장은 평양같이 물색 좋은 곳에서 홀로 독수공방한다 하니 그 말이 정말인가?"

회계 비장 여쭈되,

"소인이 약속한 바 있어, 사오 년을 홀로 지냈더니 여색에는 뜻이 없나이다."

회계 비장 그 말이야 사또밖에 뉘가 알리? 사또 분부하되,

"너무 홀로 있으면 심신이 상하나니 부디부디 조심하라."

회계 비장의 온갖 범절 차리는 법이 모든 사람들이 본받을 만한 것이었다. 사또 더욱 사랑하여 일마다 믿으시니라. 그런 고로 서너 달에 수만 냥을 벌어 바치니 뉘 아니 부러워하리오.

이때 회계 비장이 춘풍의 하는 일을 다른 사람에게 탐문했구나. 하루는 비장이 추월의 집을 찾아갈 제, 사또께 아뢰고 천천히 찾아가니, 춘풍의 거동이 기구하고 볼만하다. 봉두난발 덥수룩한데 얼굴조차 안 씻어 더러운 때가 덕지덕지. 10년이나 안 빤 옷을 도롱도롱 누비어서 그렁저렁 얽어 입었으니, 그 추한 형상에 뉘가 아니 침을 뱉으리오. 춘풍이 제 아내인 줄을 꿈에나 알랴마는 비장이야 모를쏜가.

분한 마음 감추고 추월의 방에 들어가니, 간사한 추월이는 회계 비장 호리려고 마음먹어 회계 비장 엿보면서 교태하여 수작타가 각별히 차담상을 차려 만반

---

92 방포(放砲) 포를 쏨.

진수[93] 들이거늘, 비장이 약간 먹고 사환하는 걸인 놈을 상째로 내어 주며 하는 말이,

"불쌍하다, 저 걸인 놈아. 네가 본디 걸인이냐? 어이 그리 추물이냐?"

춘풍이 엎드려 여쭈되,

"소인도 경성 사람으로서 그리되었으니 사정이야 어찌 다 말씀드리리까마는 나리님 잡수시던 차담상을 소인 같은 천한 놈에게 상째 물려 주시니 태산 같은 높은 은덕 감사무지하여이다."

비장이 미소하고 처소로 돌아와서 수일 후에 분부하여, 춘풍이를 잡아들여 형틀 위에 올려 매고,

"이놈, 너 들어라. 네가 춘풍이냐? 너는 웬 놈으로 막중한 나랏돈 호조 돈을 빌려 쓰고 평양 장사 내려와서 사오 년이 지나가되 1푼 상납 아니하기로 호조에서 공문을 내려 '너를 잡아 죽이라.' 하였으니 너는 죽기를 사양치 말라."

하고 사령에게 호령하여,

"각별히 매우 쳐라."

하니, 사령이 매를 들고 10여 대를 중장(重杖)하니, 춘풍의 약한 다리에서 유혈이 낭자한지라. 비장이 내려다보고 또 치려 하다가 혼잣말로 "차마 못 치겠다." 하고 사령을 불러,

"너 매 잡아라. 춘풍아 너 들어라. 그 돈을 다 어찌하였느냐? 투전을 하였느냐? 주색에 썼느냐? 돈 쓴 곳을 아뢰어라."

춘풍이 형틀 위에서 울면서 여쭈되,

"소인이 호조 돈을 내어 쓰고 평양에 내려와서 내 집주인 추월이와 1년을 함께 놀고 나니 한 푼도 없어지고 이 지경이 되었으니, 나리님 분부대로 죽이거나 살리거나 하옵소서."

---

93 만반진수(滿盤珍羞) 상 위에 가득히 차린 귀하고 맛있는 음식.

비장이 본래 추월이라 하면 원수같이 아는 중에, 이 말 듣고 이를 갈고 호령하여 사령에게 분부하되,

"네가 가서 그년 잡아 오라. 바삐바삐 잡아 오되, 만일 지체하였다가는 네가 중죄를 당하리라."

하니 사령이 덜미 집어 잡아 왔거늘,

"형틀 위에 올려 매고 별태장 골라잡고 각별히 매우 쳐라. 사령, 너는 사정을 두었다가는 네 목숨이 죽으리라."

하나 치고 고찰하고, 둘을 치고 고찰한다. 매마다 표를 하며 10여 대를 중장하며,

"이년, 바삐 다짐[94]하여라."

호령을 서리같이 하는 말이,

"네 죄를 네가 아느냐?"

추월이 여쭈되,

"춘풍이 가져온 돈 소녀가 어찌 아오리까?"

비장이 이 말 듣고 성을 내어 분부하되,

"여담절각[95]이라 하는 말을 네 아느냐? 불같은 호조 돈을 영문[96]이 물어 주랴, 본관에서 물어 주랴? 백성에게 수렴하랴? 네 이 지경에 무슨 잔말을 하랴?"

군뢰 등이 두 눈을 부릅뜨고 형장을 높이 들어, 백일청천[97]에 벼락 치듯, 만첩청산[98] 울리듯 금장 소리 호통치며 하는 말이,

"네가 일정[99] 발명치[100] 못할까? 너를 우선 죽이리라."

하고 주장대로 찌르면서 50대 중장하고,

---

94 다짐 지은 죄를 진술하거나 죄목을 인정하는 글.
95 여담절각 '네 집 담이 아니면 내 소의 뿔이 부러졌겠느냐.'라는 뜻으로 남에게 책임을 지우기 위해 억지를 쓰는 말.
96 영문(營門) 감영(監營). 감찰사가 직무를 보던 관아.
97 백일청천(白日靑天) 해가 비치고 맑게 갠 푸른 하늘.
98 만첩청산(萬疊靑山) 겹겹이 둘러싸인 푸른 산.
99 일정(一定) 틀림없이.
100 발명(發明)하다 죄나 잘못이 없음을 말해 밝히다.

"바삐 다짐 못할쏘냐?"

서리같이 호령하니, 추월이 기가 막혀 혼백이 달아난 듯 혼미한 중에 겁내어 죽기를 면하려고 애걸하여 여쭈되,

"국법도 엄숙하고 관령도 지엄하고 나리님 분부도 엄하오니, 춘풍이 가져온 돈을 영문 분부대로 소녀가 바치리다."

비장이 하는 말이,

"호조에서 공문을 보내 '너를 바삐 죽이라.' 하였으되, 네 죄를 네가 알고 '돈을 모두 바치마.' 하니 너를 살려 주거니와, 호조 돈 이자를 2할로 하여 5,000냥을 모두 보내 바치라."

추월이 여쭈되,

"10일 말미를 주옵시면 5,000냥을 바치리다."

하고 다짐을 써서 올리거늘, 그제야 비장이 춘풍이와 추월이를 형틀에서 내려놓고, 춘풍을 다시 불러 가만히 약속하되,

"열흘 안으로 모두 받아 가지고 서울로 올라오라. 내가 또한 특별한 일이 있어서 먼저 떠나 올라가니, 네가 서울에 올라오거든 문안하여라."

춘풍이 감사하여 내려서서 여쭈되,

"나리님 덕택으로 호조 돈을 갚았습니다."

비장이 사또 전에 춘풍과 추월을 처치한 사연을 낱낱이 다 고하고 조용히 여쭈되,

"내일 하직하고 경성으로 가려 하오니 사또님께서는 추월에게 분부하여 5,000냥을 모두 받으셔서 춘풍에게 보내 주시길 천만 바라나이다."

사또 허락하여 이튿날 하직하고 상급으로 받은 돈 수만 냥을 환표로 부쳐 놓고 이어서 발행할 제, 평양을 하직하고 경성으로 올라와서 환전한 돈을 즉시 찾고 춘풍이 오기를 기다리더라.

평양에서는 사또 본관이 분부하되, 추월을 잡아들여 돈 바치라 성화하니,

10일이 다 못 되어 5,000냥을 바쳤겄다.

춘풍이가 돈을 싣고 경성으로 올라갈 제, 이때 춘풍의 아내 문밖에 썩 나서서 춘풍의 손을 부여잡고,

"어이 그리 더디 오는가? 장사에 이익은 많았으며 평안히 오시니까?"

춘풍이 반기면서,

"그사이 잘 있었는가?"

하고 열두 바리 실은 돈을 장사에서 남긴 듯이 여기저기 들여놓고 의기양양하는구나. 춘풍 아내가 차담상을 차려 들이거늘, 춘풍이 온갖 교태 다할 적에 기구하고 볼만하다. 콧살도 찡그리며 입맛도 다셔 보고 젓가락도 이리저리 박으며 하는 말이,

"생치 다리[101]도 덜 구워졌고, 자반 생선에도 기름이 적고, 쇠고기도 맛이 없네. 평양으로 갈까 보다. 호조 돈 아니면 올라오지 않았을 것을. 내일 호조 돈을 다 바치고 다시 평양으로 내려갈 제, 너도 함께 따라가서 평양 감영 내 작은집에 가서 음식 좀 먹어 보소."

온갖 교만 다할 적에 춘풍 아내 춘풍을 속이려고 황혼을 기다려서 여자 의복 벗어 놓고 비장 의복 다시 입고 흐늘거리며 들어오니, 춘풍이 의아하여 방 안에서 주저주저하는지라. 비장이 호령하되,

"평양에 왔던 일을 생각하라. 네 집에 왔다 한들 그다지 거만하냐?"

춘풍이 그제야 자세히 본즉, 과연 평양에서 돈 받아 주던 회계 비장이라. 깜짝 놀라면서 문밖에 뛰어내려 문안 여쭈되, 회계 비장 하는 말이,

"평양에서 맞던 매가 얼마나 아프더냐?"

춘풍이 여쭈되,

"어찌 감히 아프다 하오리까? 소인에게는 상이로소이다."

---

101 생치(生雉) 다리 익히지 않은 꿩의 다리.

회계 비장 하는 말이,

"평양에서 떠날 적에 너더러 이르기를, 돈을 싣고 서울로 올라오거든 댁에 문안하라 하였더니, 소식이 없기로 매일 기다리다가 아까 마침 남산 밑 박 승지 댁에 가 술을 먹고 대취하여 종일 놀다가 홀연히 네가 왔단 말을 듣고 네 집에 왔으니, 흰죽이나 쑤어 오너라."

하니 춘풍이 제 지어미를 아무리 찾은들 있을쏜가. 제가 손수 죽을 쑤려고 죽 쌀을 내어 들고 부엌으로 나아가거늘, 비장이 호령하되,

"네 지어미는 어디 가고, 내게 와서 인사도 하지 않는가?"

춘풍이 묵묵부답하고 혼잣말로 심중에 생각하되, '그리던 차에 가솔을 만났으니 우리 둘이 잠이나 잘 자 볼까 하였더니, 아내는 간데없고, 비장은 이처럼 호령하니 진실로 민망하나 어찌할 수가 없도다.'

회계 비장 내다보니 춘풍의 죽 쑤는 모양이 우습고도 볼만하다. 그제야 죽 상을 들이거늘, 비장이 먹기 싫은 죽을 조금 먹는 체하다가 춘풍에게 상째로 주면서 하는 말이,

"네가 평양 감영 추월의 집에 사환으로 있을 때에 다 깨어진 헌 사발에, 누룽지에 국을 부어서 숟가락 없이 뜰아래 서서 되는대로 먹던 일을 생각하여 다 먹으라."

하니 그제야 춘풍이 아내가 어디서 죽 먹는 모양을 볼까 하여 여기저기 살펴보며 얼른얼른 먹는지라. 그제야 춘풍 아내 혼잣말로,

'이런 거동 볼작시면 뉘가 아니 웃을까? 하는 행실이 저러하니 어디 가서 사람으로 보이겠는가? 어찌 됐든 속이기를 더 하자니 차마 우스워 못하겠다. 이런 꼴을 볼작시면 나 혼자 보기 아깝도다.'

이런 거동 저런 거동 다 본 연후에 회계 비장 의복 벗어 놓고 여자 의복 다시 입고 웃으면서,

"이 멍청아!"

하며 춘풍의 등을 밀치면서 하는 말이,

"안목이 그다지 없느냐?"

하니, 춘풍이 어이없어 하는 말이,

"이왕에 자네인 줄은 알았으나 의사를 보려고 그리했지."

하고, 그날 밤에 부부 둘이 원앙금침 펼쳐 덮고 누웠으니, 아주 그만 제법이로구나.

그렁저렁 자고 나서 그 이튿날 호조 돈을 다 바치고, 상 덕으로 번 수만 냥 재산으로 노비 전답 다시 장만하여 의식이 풍족하게 하고, 아들딸을 낳아 평생 화락이 좋을시고. 아쉬운 바가 없이 지냈구나.

대저 일개 여자로서 손수 남복하고 회계 비장으로 내려가서, 추월도 다스리고 춘풍 같은 낭군도 데려오고 호조 돈도 다 갚고, 부부 둘이 종신토록 살며 만고에 해로한 일인 고로 대강 기록하여 후세 사람에게 전하나니, 여자들에게 이런 일을 본받게 하옵소서.

(연대 미상)

최혜진 역, 《계우사/이춘풍전》(지식을만드는지식, 2009)

제(齊)나라 사람의 말에, "열녀는 지아비를 둘로 바꾸지 않는다." 하였으니, 이를테면 《시경》 용풍(鄘風) 백주(柏舟)의 시가 바로 이것이다. 그러나 《경국대전(經國大典)》에 "개가(改嫁)한 여자의 자손은 정직(正職)[1]에는 서용(敍用)[2]하지 말라."고 하였으니, 이것이 어찌 일반 백성과 무지한 평민들을 위하여 만들어 놓은 것이랴.

마침내 우리 왕조 400년 동안 백성들이 오랫동안 앞장서 이끄신 임금님들의 교화에 이미 젖어, 여자는 귀하든 천하든 간에, 또 그 일족이 미천하거나 현달했거나 간에 과부로 수절하지 않음이 없어 드디어 이로써 풍속을 이루었으니, 옛날에 칭송했던 열녀는 오늘날 도처에 있는 과부들인 것이다.

심지어 촌구석의 어린 아낙이나 여염의 젊은 과부와 같은 경우는 친정 부모가 과부의 속을 헤아리지 못하고 개가하라며 핍박하는 일도 있지 않고 자손이 정직에 서용되지 못하는 수치를 당하는 것도 아니건만, 한갓 과부로 지내는 것만으로는 절개가 되기에 부족하다 생각하여, 왕왕 낮 촛불을 스스로 꺼 버리고[3] 남편을 따라 죽기를 빌며 물에 빠져 죽거나 불에 뛰어들어 죽거나 독약을 먹고 죽거나 목매달아 죽기를 마치 낙토를 밟듯이 하니, 열녀는 열녀지만 어찌 지나치지 않은가!

---

1 정직 문무 양반만이 하는 벼슬.
2 서용 죄를 지어 면관(免官)되었던 사람을 다시 벼슬자리에 등용함.
3 낮 촛불을 스스로 꺼 버리다 당시 풍속에 과부는 외간 남자와 접촉한다는 의심을 받지 않기 위해 거처하는 방에 대낮에도 촛불을 켜 두었다. 여기서는 죽기로 결심했으므로 더 이상 그러한 구차한 조치를 할 필요가 없어졌다는 의미이다.

예전에 이름난 벼슬아치 형제가 있었다. 장차 남의 청환(淸宦)[4]의 길을 막으려 하면서 어머니 앞에서 이를 의논하자, 어머니는,

"그 사람에게 무슨 허물이 있기에 이를 막으려 하느냐?"

하고 물었다. 아들들이 대답하기를,

"그 윗대에 과부 된 이가 있었는데 그에 대한 바깥의 논의가 자못 시끄럽기 때문입니다."

하였다. 어머니가 깜짝 놀라며,

"그 일은 규방의 일인데 어떻게 알았단 말이냐?"

하자, 아들들이 대답하기를,

"풍문(風聞)이 그렇습니다."

하였다. 어머니는 말하였다.

"바람이란 소리는 있으되 형체가 없다. 눈으로 보자 해도 보이는 것이 없고, 손으로 잡아 봐도 잡히는 것이 없으며, 허공에서 일어나서 능히 만물을 들뜨게 하는 것이다. 어찌하여 무형(無形)의 일을 가지고 들뜬 가운데서 사람을 논하려 하느냐? 더구나 너희는 과부의 자식이다. 과부의 자식이 오히려 과부를 논할 수 있단 말이냐? 앉거라. 내가 너희에게 보여 줄 게 있다."

하고는 품고 있던 엽전 한 닢을 꺼내며 말하였다.

"이것에 테두리가 있느냐?"

"없습니다."

"이것에 글자가 있느냐?"

"없습니다."

어머니는 눈물을 드리우며 말하였다.

---

4 청환 홍문관, 예문관, 규장각 등의 하위 관직을 가리킨다. 지위와 봉록은 낮지만 뒷날에 높이 될 자리로, 학식과 문벌을 갖춘 인물에 한하여 허용되었다.

"이것은 너희 어미가 죽음을 참아 낸 부적이다. 10년을 손으로 만졌더니 다 닳아 없어진 것이다. 무릇 사람의 혈기는 음양에 뿌리를 두고, 정욕은 혈기에 모이며, 그리운 생각은 고독한 데서 생겨나고, 슬픔은 그리운 생각에 기인하는 것이다. 과부란 고독한 처지에 놓여 슬픔이 지극한 사람이다. 혈기가 때로 왕성해지면 어찌 혹 과부라고 해서 감정이 없을 수 있겠느냐?

가물거리는 등잔불에 제 그림자 위로하며[5] 홀로 지내는 밤은 지새기도 어렵더라. 만약에 또 처마 끝에서 빗물이 똑똑 떨어지거나 창에 비친 달빛이 하얗게 흘러들며, 낙엽 하나가 뜰에 지고 외기러기 하늘을 울고 가며, 멀리서 닭 울음도 들리지 않고 어린 종년은 세상모르고 코를 골면 이런저런 근심으로 잠 못 이루니 이 고충을 누구에게 호소하랴.

그럴 때면 나는 이 엽전을 꺼내 굴려서 온 방을 더듬고 다니는데 둥근 것이라 잘 달아나다가도 턱진 데를 만나면 주저앉는다. 그러면 내가 찾아서 또 굴리곤 한다. 밤마다 늘상 대여섯 번을 굴리면 먼동이 트더구나. 10년 사이에 해마다 그 횟수가 점차 줄어서 10년이 지난 이후에는 때로는 닷새 밤에 한 번 굴리고, 때로는 열흘 밤에 한 번 굴렸는데, 혈기가 쇠해진 뒤로는 더 이상 이 엽전을 굴리지 않게 되었다. 그런데도 내가 이것을 열 겹이나 싸서 20여 년 동안이나 간직해 온 것은 엽전의 공로를 잊지 않으며 때로는 스스로를 경계하기 위해서였다."

말을 마치고서 모자는 서로 붙들고 울었다. 당시의 식자(識者)[6]들은 이 이야기를 듣고서,

"이야말로 열녀라고 이를 만하다."

고 했다.

아! 그 모진 절개와 맑은 행실이 이와 같은데도 당시 세상에 알려지지 않고

---

5 제 그림자 위로하다 형영상조(形影相弔). 아무도 없고 자신의 몸과 그림자만이 서로를 위로한다는 뜻으로, 의지할 데 없는 외톨이 신세를 표현한 말이다.
6 식자 학식, 견식, 상식이 있는 사람.

이름이 묻혀 후세에도 전해지지 않은 것은 무엇 때문인가? 과부가 의를 지켜 개가하지 않는 것이 마침내 온 나라의 상법(常法)이 되었으므로, 한 번 죽지 않으면 과부의 집안에서 남다른 절개를 보일 길이 없기 때문이다.

내가 안의 현감(安義縣監)으로 정사를 보던 이듬해 계축년(1793, 정조 17)의 어느 달 어느 날이다. 밤이 새려 할 무렵 내가 잠이 살짝 깼을 때, 마루 앞에서 몇 사람이 낮은 목소리로 소곤거리다가 또 탄식하고 슬퍼하는 소리를 들었다. 무슨 급히 알릴 일이 있는 모양인데, 내 잠을 깨울까 두려워하는 듯하였다. 그래서 내가 목소리를 높여,

"닭이 울었느냐?"

하고 묻자 좌우에서,

"이미 서너 머리 울었습니다."

라고 대답했다.

"밖에 무슨 일이 있느냐?"

"통인(通引) 박상효(朴相孝)의 조카딸로서 함양(咸陽)으로 출가하여 일찍 홀로된 이가 그 남편의 삼년상을 마치고 약을 먹어 숨이 끊어지려 하니, 와서 구환해 달라고 급히 연락이 왔사옵니다. 그런데 상효가 마침 숙직 당번이라 황공하여 감히 사사로이 가지 못하고 있습니다."

나는 빨리 가 보라고 명하고, 늦을 녘에 미쳐서

"함양의 과부가 소생했느냐?"

고 물었더니, 좌우에서

"이미 죽었다고 들었습니다."

하는 것이었다. 나는 길게 탄식하며

"열녀로다, 그 사람이여!"

라고 하고 나서 뭇 아전들을 불러 놓고 물었다.

"함양에 열녀가 났는데, 본시 안의(安義) 출신이라니 그 여자의 나이가 방금 몇 살이나 되고, 함양의 뉘 집에 시집갔으며, 어려서부터 심지와 행실은 어떠했는지 너희들 중에 아는 자가 있느냐?"

그러자 뭇 아전들이 한숨지으며 아뢰었다.

"박녀(朴女)의 집안은 대대로 이 고을 아전입니다. 그 아비 이름은 상일(相一)이온대, 일찍 죽었고 이 외동딸만을 두었습니다. 어미 역시 일찍 죽어서 어려서부터 그 조부모에게서 자랐사온대 자식 된 도리를 다하였습니다.

열아홉 살이 되자 출가하여 함양 임술증(林述曾)의 처가 되었는데, 그 시댁 역시 대대로 고을 아전입니다. 술증이 본디 약하여 한 번 초례(醮禮)[7]를 치르고 돌아간 지 반년이 채 못 되어 죽었습니다. 박녀는 지아비 상을 치르면서 예(禮)를 극진히 하였고, 시부모를 섬기는 데도 며느리 된 도리를 다해 두 고을의 친척과 이웃들이 그 어짊을 칭찬하지 않는 이가 없었는데, 오늘 이러한 일이 있고 보니 과연 그 말이 맞습니다."

어느 늙은 아전이 감개하여 말하였다.

"박녀가 아직 시집가기 몇 달 전에 '술증의 병이 이미 골수에 들어 부부 관계를 맺을 가망이 만무하다 하니 어찌 혼인 약속을 물리지 않느냐.'라는 말이 있었습니다. 그 조부모가 넌지시 박녀에게 일러 주었으나 박녀는 잠자코 대답하지 않았습니다.

혼인 날짜가 박두하여 여자의 집에서 사람을 시켜 술증의 상태를 엿보게 하였더니, 술증이 비록 용모는 아름다우나 노점(勞漸, 폐결핵)에 걸려 콜록콜록거리며 버섯이 서 있는 듯하고 그림자가 걸어 다니는 것 같았으므로, 집안에서는

---

7 초례 전통적으로 치르는 혼례식.

"앉아라. 내가 너에게 벗을 사귀는 것에 대해 말해 주마. 속담에 '의원이 제 병 못 고치고 무당이 제 굿 못한다.' 했다. 사람마다 자기가 스스로 잘한다고 여기는 것이 있는데 남들이 몰라주면, 답답해하면서 자신의 허물에 대해 듣고 싶은 체한다. 그럴 때 예찬만 늘어놓는다면 아첨에 가까워 무미건조하게 되고, 단점만 늘어놓는다면 잘못을 파헤치는 것 같아 무정하게 보인다. 따라서 잘하지 못하는 일에 대해서는 얼렁뚱땅 변죽만 울리고 제대로 지적하지 않는다면 제아무리 크게 책망하더라도 화를 내지는 않을 것이니, 상대방의 꺼림칙한 곳을 건드리지 않았기 때문이다. 그러다가 비슷한 물건을 늘어놓고 숨긴 것을 알아맞히듯이 자신이 잘한다고 여기는 것을 은근슬쩍 언급한다면, 마치 가려운 데를 긁어 준 것처럼 진심으로 감동할 것이다. 가려운 데를 긁어 주는 것에도 방법이 있다. 등을 토닥일 때는 겨드랑이에 가까이 가지 말고 가슴을 어루만질 때는 목을 건드리지 말아야 한다. 뜬구름 같은 말을 하는 것 같으면서도 그 속에 결국 자신에 대한 칭찬이 들어 있다면, 뛸 듯이 기뻐하며 자신을 알아준다고 말할 것이다. 이렇게 벗을 사귄다면 되겠느냐?"

하였다. 자목은 귀를 막고 뒷걸음질 치며 말하기를,

"지금 선생님께서는 시정잡배[5]나 하인 놈들이 하는 짓거리를 가지고 저를 가르치려 하시는군요."

하니, 선귤자가 말하기를,

"그렇게 말하는 것을 보니 네가 부끄럽게 여기는 것은 과연 전자가 아니라 후자로구나. 무릇 시장에서는 이해관계로 사람을 사귀고 면전에서는 아첨으로 사람을 사귀지. 따라서 아무리 친한 사이라도 세 번 손을 내밀면 누구나 멀어지게 되고, 아무리 묵은 원한이 있다 하더라도 세 번 도와주면 누구나 친하게 되기 마련이지. 그러므로 이해관계로 사귀게 되면 지속되기 어렵고, 아첨으로 사귀어도

---

5 시정잡배 펀둥펀둥 놀면서 방탕한 생활을 하며 시중에 돌아다니는 점잖지 못한 무리.

오래갈 수 없다네. 훌륭한 사귐은 꼭 얼굴을 마주해야 할 필요가 없으며, 훌륭한 벗은 꼭 가까이 두고 지낼 필요가 없지. 다만 마음으로 사귀고 덕으로 벗하면 되는 것이니, 이것이 바로 도의(道義)로 사귀는 것일세. 위로 천고(千古)의 옛사람과 벗해도 먼 것이 아니요, 만 리(萬里)나 떨어져 있는 사람과 사귀어도 먼 것이 아니라네.

저 엄 행수란 사람은 일찍이 나에게 알아달라고 요구하지 않았는데도 나는 항상 그를 예찬하고 싶어 못 견뎌했지. 그는 밥을 먹을 때는 끼니마다 착실히 먹고, 길을 걸을 때는 조심스레 걷고, 졸음이 오면 쿨쿨 자고, 웃을 때는 껄껄 웃고, 그냥 가만히 있을 때는 마치 바보처럼 보인다네. 흙벽을 쌓아 풀로 덮은 움막에 조그마한 구멍을 내고, 들어갈 때는 새우등을 하고 들어가고 잘 때는 개처럼 몸을 웅크리고 잠을 자지만, 아침이면 개운하게 일어나 삼태기를 지고 마을로 들어와 뒷간을 청소하지. 9월에 서리가 내리고 10월에 엷은 얼음이 얼 때쯤이면 뒷간에 말라붙은 사람 똥, 마구간의 말똥, 외양간의 소똥, 홰 아래에 떨어진 닭똥이며 개똥과 거위똥, 그리고 돼지똥, 비둘기똥, 토끼똥, 참새똥 따위를 주옥인 양 긁어 가도 염치에 손상이 가지 않고, 그 이익을 독차지하여도 의로움에는 해가 되지 않으며, 욕심을 부려 많은 것을 차지하려고 해도 남들이 양보심 없다고 비난하지 않는다네. 그는 손바닥에 침을 발라 삽을 잡고는 새가 모이를 쪼아 먹듯 꾸부정히 허리를 구부려 일에만 열중할 뿐, 아무리 화려한 미관이라도 마음에 끌리는 법이 없고 아무리 좋은 풍악이라도 관심을 두는 법이 없지. 부귀란 사람이라면 누구나 원하는 것이지만 바란다고 해서 얻을 수 있는 것이 아니기에 부러워하지 않는 것이지. 따라서 그에 대해 예찬을 한다고 해서 더 영예로울 것도 없으며, 헐뜯는다 해서 욕될 것도 없다네.

왕십리(往十里)의 무와 살곶이[箭串]⁶의 순무, 석교(石郊)⁷의 가지·오이·수

---

6 살곶이 현재 서울시 성동구에 있는 뚝섬의 옛 이름 중 하나이다.
7 석교 현재 서울시 성북구 석관동 일대이다.

박·호박이며 연희궁(延禧宮)[8]의 고추·마늘·부추·파·염교며 청파(靑坡)[9]의 미나리와 이태인(利泰仁)[10]의 토란들은 상상전(上上田)[11]에 심는데, 모두 엄 씨의 똥을 가져다 써야 땅이 비옥해지고 많은 수확을 올릴 수 있으며, 그 수입이 1년에 6,000푼(60냥)이나 된다네. 하지만 그는 아침에 밥 한 사발이면 의기가 흡족해지고 저녁이 되어서야 다시 한 사발 먹을 뿐이지. 남들이 고기를 먹으라고 권하였더니, 목구멍에 넘어가면 푸성귀나 고기나 배를 채우기는 마찬가지인데 맛을 따져 무엇 하겠느냐고 대꾸하고, 반반한 옷이나 좀 입으라고 권하였더니, 넓은 소매를 입으면 몸에 익숙하지 않고 새 옷을 입으면 더러운 흙을 짊어질 수 없다고 하더군. 해마다 정월 초하루 아침이나 되어야 비로소 의관을 갖추어 입고 이웃들을 두루 찾아다니며 세배를 하는데, 세배를 마치고 돌아오면 곧바로 헌 옷으로 갈아입고 다시 삼태기를 메고 마을 안으로 들어간다네. 엄 행수와 같은 이는 아마도 '자신의 덕을 더러움으로 감추고 세속에 숨어 사는 대은(大隱)[12]'이라 할 수 있겠지.

《중용(中庸)》에 이르기를, '부귀를 타고나면 부귀하게 지내고 빈천을 타고나면 빈천한 대로 지낸다.' 하였으니, 타고난다는 것은 이미 정해져 있음을 말한다네. 《시경》에, '이른 새벽부터 밤까지 공소(公所)에 있으니, 진실로 명이 똑같지 않기 때문이라[夙夜在公 寔命不同].' 하였으니, 명이란 그 사람의 분수를 말하는 것이네. 하늘이 만백성을 낼 때 정해진 분수가 있으니 명을 타고난 이상 무슨 원망할 까닭이 있으랴. 그런데 새우젓을 먹게 되면 달걀이 먹고 싶고 갈포[13] 옷을 입게 되면 모시옷이 입고 싶어지게 마련이니, 천하가 이로부터 크게 어지러

---

8 연희궁 현재 서울시 서대문구 연희동 연세대학교 부근에 있던 별궁이다.
9 청파 현재 서울시 용산구 청파동 일대이다.
10 이태인 현재 서울시 용산구 이태원동 일대이다.
11 상상전 토지의 질에 따라 차등적으로 세금을 부과하기 위해 토지를 상·중·하로 나누고, 각각을 다시 상·중·하로 나누어 모두 9등급을 두었다. 상상전은 최상급의 토지를 말한다.
12 대은 크게 깨달아 번뇌와 의혹이 다 없어진 은자 또는 속세를 초월하여 속세적인 일에 조금도 마음이 흔들리지 않는 은자를 이른다.
13 갈포(葛布) 칡 섬유로 짠 베.

워져 백성들이 들고일어나고 농토가 황폐하게 되는 것이지. 진승(陳勝)·오광(吳廣)·항적(項籍)[14]의 무리들은 그 뜻이 어찌 농사일에 안주할 인물들이었겠는가. 《주역》에 이르기를, '짐을 짊어져야 할 사람이 수레를 탔으니 도적을 불러들일 것이다.' 한 것도 이를 두고 말한 것이네. 그러므로 의리에 맞지 않으면 만종(萬鍾)의 녹[15]을 준다 하여도 불결한 것이요, 아무런 노력 없이 재물을 모으면 막대한 부를 축적하더라도 그 이름에 썩는 냄새가 나게 될 걸세. 그런 까닭에 사람이 죽었을 때 입속에다 구슬을 넣어 주어[16] 그 사람이 깨끗하게 살았음을 나타내 주는 걸세.

엄 행수는 지저분한 똥을 날라다 주고 먹고살고 있으니 지극히 불결하다 할 수 있겠지만 그가 먹고사는 방법은 지극히 향기로우며, 그가 처한 곳은 지극히 지저분하지만 의리를 지키는 점에 있어서는 지극히 높다 할 것이니, 그 뜻을 미루어 보면 비록 만종의 녹을 준다 해도 그가 어떻게 처신할는지는 알 만하다네.

이상을 통해 나는 깨끗한 가운데서도 깨끗하지 않은 것이 있고, 더러운 가운데서도 더럽지 않은 것이 있음을 알게 되었네. 나는 먹고사는 일에 아주 견디기 힘든 경우를 당하면 언제나 나보다 못한 사람을 떠올리게 되는데, 엄 행수를 생각하면 견디지 못할 일이 없었지. 진실로 마음속에 좀도둑질할 뜻이 없는 사람이라면 언제나 엄 행수를 생각하지 않을 수 없겠지. 이를 더 확대시켜 나간다면 성인(聖人)의 경지에도 이를 것일세.

선비로서 곤궁하게 산다고 하여 얼굴에까지 그 티를 나타내는 것도 부끄러운 일이요, 출세했다 하여 몸짓에까지 나타내는 것도 부끄러운 일이니, 엄 행수와 비교하여 부끄러워하지 않을 자는 거의 드물 걸세. 그래서 나는 엄 행수에 대하

---

14 진승·오광·항적 진승과 오광은 중국의 진(秦) 때 함께 농민 반란을 일으켰다. 항적은 곧 항우(項羽)이니, 그의 자(字)가 우(羽)이다.
15 만종의 녹 만종록(萬鍾祿). 아주 많은 녹봉(祿俸).
16 사람이 죽었을 때 입속에다 구슬을 넣어 주다 염습할 때에 죽은 사람의 입에 구슬이나 쌀을 물리는 '반함(飯含)'을 의미한다.

선왕조 을묘 6월 18일 오시(午時)[14]에 선비께서 나를 반송방[15] 거평동[16] 외가에서 낳사 오시니, 전일 일야(一夜)에 선인께서 흑룡이 선비 계신 방 반자[17]에 서림을 꿈에 보아 계시더니 내 나니 여자라. 몽조(夢兆)[18]에 합(合)지 않음을 의심하시더라 하며, 조고[19]

정헌공[20]께서 친히 임하여 보시고 "비록 여자나 범아(凡兒)와 다르다." 기애(奇愛)[21]하시더라. 삼칠일 후 집으로 들어오니 증조모 이 씨께서 보시고 기대하오셔, "이 아이 다른 아이와 다르니 잘 기르라." 하오셔 유모를 친히 가리어 보내오시니 곧 내 아지[22]러라. 내 점점 자라며 조부께서 이상히 사랑하오셔 무릎 아래 떠나 본 때가 드물고 매양 희롱같이 말씀하시오되, "이 아이가 작은 어른이니 성인(成人)을 일찍 하리라." 하오시니, 내 어려서 듣자왔던 일이 궁금(宮禁)[23]에 들어온 후 생각하니 내 평생에 당할 줄 즐겨 아니한 일이로되 양대(兩代)의 귀중하오시던 말씀이 무슨 알음이 계신가 매양 생각이 있더라.

(중략 줄거리)

혜경궁은 9세 때 세자빈으로 간택된 후 이듬해 가례를 치르고, 궁중에 입궐한다. 아들 정조를 낳고, 회갑연을 열기까지 자신의 삶을 회고하면서 남편 사도 세자의

---

14 오시 낮 12시경.
15 반송방(盤松坊) 조선 시대에 행정 구역 중 하나로, 조선 시대 초기부터 성 밖에 있던 한성부 서부 9방 중의 하나.
16 거평동 지금의 서울시 종로구 교남동·평동·충정로1가에 걸쳐 있던 마을 이름.
17 반자 한옥에서 지붕 밑을 평평하게 하여 치장한 각 방의 천장.
18 몽조 꿈에 나타나는 길흉의 징조.
19 조고(祖考) 돌아가신 할아버지를 이르는 말.
20 정헌공 '홍현보'를 가리킴.
21 기애 매우 사랑함.
22 아지(阿之) 궁중에서 '유모'를 이르던 말.
23 궁금 임금이 거처하는 집. 궁궐.

비극을 겪으며 자신이 느낀 외로움과 장례 후 영조와 처음 만나는 상황을 자세히 그린다. 그리고 정적(政敵)들의 모함으로 아버지, 삼촌, 동생들이 화를 입게 된 사건의 전말을 기록한다.

제2편에서 혜경궁 홍씨는 시누이 화완 옹주의 이야기를 시작으로 정조가 초년에 어머니와 외가를 미워한 까닭은 이 옹주의 이간책 때문이라고 말한다. 숙부인 홍인한의 사건(정조 시해 미수 사건)을 기술하며 이 사건의 배후에는 홍국영이 있다고 하면서 그의 전횡과 세도를 폭로한다. 끝으로 동생의 억울한 죽음을 슬퍼하면서 그가 억울한 누명에서 벗어나기를 축원한다.

제3편은 생전에 정조와 주고받은 대화를 기록하며 손자 순조에게 자신의 소원을 풀어 달라고 애원한다. 그리고 정조의 효성이 지극했다는 점과 즉위 초에 외가에 행한 자신의 잘못을 뉘우치면서 효도하던 일을 기록하며 친정 집안이 무고하게 화를 입는 것은 천리에 어긋난 일이므로 이것이 한(恨)이라고 말한다.

제4편의 앞부분에서는 사도 세자의 탄생 과정과 비범한 자질을 기록하고 그의 발병 원인과 증상을 자세히 밝히며 임오화변이 일어난 날, 아침의 일을 회상한다.

그날 아침에 대조[24]께서 무슨 전좌[25] 나오려 하시고, 경현당(景賢堂) 관광청(觀光廳)에 계시니 선희궁이 가오셔 우시며 고하시되 "병이 점점 깊어서 바라는 것이 없아오니 소인이 차마 이 말씀을 정리에 못 하올 일이오되, 성궁을 보호하옵고 세손[26]을 건지와 종사를 평안히 하옵는 일이 옳사오니 대처분을 하오소서." 하시고, 또 하시되 "부자지정(父子之情)으로 차마 이리하시나 병이니, 병을 어찌 책망하오리까. 처분은 하오시나 은혜는 끼치오셔 세손 모자를 평안케 하오소서." 하시니, 내 차마 그 아내로 처하여 이를 옳이 하시다 못 하나 일인즉

---

24 대조(大朝) 왕세자가 섭정하고 있을 때의 임금을 이르던 말. 여기서는 영조를 가리킴.
25 전좌(殿座) 임금 등이 정사를 보거나 조하를 받으려고 정전(正殿)이나 편전(便殿)에 나와 앉던 일. 또는 그 자리.
26 세손(世孫) 왕세자의 맏아들로, 여기서는 정조를 말함.

하릴없는 지경이니 내 따라 죽어 모르는 것이 옳되 차마 세손으로 결치 못하였으나 만난 바의 기궁흉독[27]함을 서러워할 뿐이로다.

대조께서 듣자오시고, 조금도 지체하오시며 자처하시지 아니하오시고 창덕궁 거동령[28]을 급히 내오신지라. 선희궁께오서 할자인정[29]하여 대의로 말씀을 아뢰시고 인하여 퇴흉운절[30]하오셔, 당신 계시던 양덕당(養德堂)에 오셔 폐식잠와[31]하시니 만고에 이런 정리 어디 있으리오. 전부터 선원전 거동하오시는 길이 두 길이니, 만안문(萬安門)으로 드오시는 거동은 탈이 없고 경화문(景華門) 거동이신즉 탈이 나는지라. 거동령이 경화문으로 나오시니, 그날 소조[32]께서 11일 야(夜)는 수구(水口)로 다녀오셔 몸을 빠치오시고[33] 12일은 통명전 계신데 그날 들보에서 부러지는 듯이 장히 소리가 나니, 들으시고 탄식하시되 "내 죽으려나 보다. 그 어인 일인고." 하시고, 그때 선친이 재상으로서 첫 5월에 엄지(嚴旨)[34]를 만나셔 파직하시고 동교(東郊)에 달작시나[35] 나가 계시니 소조께서 당신이 스스로 위태하셨는지, 조재호[36]가 원임대신(原任大臣)으로 춘천 있으니, 계방 조유진[37]으로 하여금 말을 통하여 올라오라 하신다 하니, 이런 일을 보면 병환 계신 이 같지 아니하니 이상한 하늘이로다.

거동령을 들으시고 공구하여[38] 아무 소리 없이 "기계(器械)와 말을 다 감추어 경영한 대로 하라." 하시고, 교자 타시고 경춘전 뒤로 가시며 나를 오라 하시니, 근래 눈에 사람 곧 뵈이면 일이 나니 교자에 가마두에[39] 하고 사면장을 치고 다

---

27 기궁흉독(奇窮凶毒) 살기가 몹시 어렵고 흉악하고 독함.
28 거동령 거동(擧動)한다는 명령.
29 할자인정(割慈忍情) 인정과 자비 등을 끊어 냄.
30 퇴흉운절(搥胸殞絶) 가슴을 치고 기절함.
31 폐식잠와(廢食涔臥) 음식을 먹지 않고 누워 있음.
32 소조(小朝) 왕세자로, 여기서는 사도 세자를 이름.
33 몸을 빠치오시고 '몸에 상처가 많이 나시고'란 의미이다.
34 엄지 임금의 엄중한 명령.
35 달작시나 달포 가까이.
36 조재호(趙載浩) 조선 영조 때의 문신. 효순 왕후의 오빠. 1762년 임오화변 당시 세자를 구하려다 실패하고 사사당함.
37 조유진(趙維進) 조재호의 종질. 임오화변 당시 조재호에게 갔다 온 죄로 혹심한 형벌을 받아 죽음.
38 공구하다 몹시 두렵다.
39 가마두에 가마뚜껑.

니시고, 춘방관과 밖엔 또 학질이 있다 하여 계시더니 그날 나를 덕성합[40]으로 오라 하오시니, 그때가 오정[41]쯤이나 되는데 홀연 까치가 수를 모르게 경춘전[42]을 에워싸고 우니 그는 어인 징조런고. 괴이하여 세손이 환경전(歡慶殿) 계신지라, 내 마음이 황황한[43] 중 세손 몸이 어찌 될 줄 몰라, 그리 내려가 세손더러 "아무 일이 있어도 놀라지 말고 마음 단단히 먹으라." 천만당부하고 어찌할 줄 모르더니, 거동이 어찌 지체하여 미시[44] 후나 휘령전(徽寧殿)으로 오신다는 말이 있더니, 그리할 제 소조께서 나를 덕성합으로 오라 재촉하시기, 가 뵈오니 그 장하신 기운과 불호(不好)하신 언사도 아니 계오시고 고개를 숙여 침사상량[45]하여 벽에 의지하여 앉아 계오신데, 안색이 놀라오셔 혈기 감하오시고 나를 보오시니 응당 화중을 내오셔 오죽하지 아니하실 듯, 내 명이 그날 마칠 줄 스스로 염려하여 세손을 경계 부탁하고 왔더니 사기 생각과 다르오셔, 나더러 하시되 "아마도 괴이하니 자네는 좋이 살게 하였네. 그 뜻들이 무서워." 하시기, 내 눈물을 드리워 말없이 허황하여 손을 비비고 앉았더니, 휘령전으로 오시고 소조를 부르신다 하니 이상할 손, 어이 "피차." 말도, "달아나자." 말도 아니하시고, 좌우를 치도 아니하시고, 조금도 화중 내신 기색 없이 썩 용포(龍袍)를 달라 하여 입으시며 하시되, "내가 학질을 앓는다 하려 하니, 세손의 휘항을 가져오라." 하시거늘, 내가 그 휘항은 작으니 당신 휘항을 쓰시고자 하여 내인더러 당신 휘항을 가져오라 하니, 몽매 밖에 썩 하시기를 "자네가 아무커나 무섭고 흉한 사람이로세. 자네는 세손 데리고 오래 살려 하기, 내가 오늘 나가 죽겠기 사외로와 세손의 휘항을 아니 쓰이랴 하는 심술을 알겠네." 하시니, 내 마음은 당신이 그날 그 지경에 이르실 줄은 모르고, "이 끝이 어찌 될꼬 사람이 다 죽을 일이오, 우리 모자의 목숨이

---

40 덕성합(德成閣) 창경궁 안에 있던 전각 이름.
41 오정(午正) 낮 12시.
42 경춘전(景春殿) 창경궁 안의 수령전 북쪽에 있는 내전.
43 황황하다 갈팡질팡 어쩔 줄 모르게 급하다.
44 미시(未時) 오후 2시경.
45 침사상량(沈思商量) 깊이 생각하여 헤아림.

어떠할런고." 아무렇다 없었기 천만 의외의 말씀을 하시니, 내 더욱 서러워 다시 세손 휘항을 갖다드리며 "그 말씀이 하 마음에 없는 말이시니 이를 쓰소서." 하니, "싫어! 사외하는[46] 것을 써 무엇할꼬." 하시니, 이런 말씀이 어이 병환 드신 이 같으시며, 어이 공순히 나가려 하시던고. 다 하늘이니 원통 원통하오다.

그러할 제 날이 늦고 재촉하여 나가시니 대조께서 휘령전에 좌하시고 칼을 안으시고 두드리오시며 그 처분을 하시게 되니, 차마 차마 망극하니 이 경상을 내 차마 기록하리오. 섧고 섧도다. 나가시며 대조께서 엄노(嚴怒)하오신 성음이 들리오니, 휘령전이 덕성합과 멀지 아니하니 담 밑에 사람을 보내어 보니, "벌써 용포를 벗고 엎디어 계시더라." 하니, 대처분이오신 줄 알고 천지 망극하야 흉장이 붕렬[47]하는지라. 게 있어 부질없어, 세손 계신 델 와 서로 붙들고 어찌 할 줄 몰랐더니, 신시(申時)[48] 전후 즈음에 내관이 들어와 "밧소주방[49] 쌀 담는 궤를 내라 한다." 하니, 어쩐 말인고 황황하여 내지 못하고, 세손궁이 망극한 거조 있는 줄 알고 문정(門庭) 전에 들어가, "아비를 살려 주옵소서." 하니, 대조께서 "나가라." 엄히 하시니 나와, 왕자 재실[50]에 앉아 계시더니, 내 그때 정경이야 고금천지 간에 없으니, 세손을 내어 보내고 천지합벽[51]하고 일월이 회색하니 내 어찌 일시나 세상에 머물 마음이 있으리오. 칼을 들어 명을 그치려 하니 방인(傍人)의 앗음을 인하여 뜻 같지 못하고, 다시 죽고자 하되 촌철(寸鐵)이 없으니 못 하고, 숭문당(崇文堂)으로 말미암아 휘령전 나가는 건복문(建福門)이라 하는 문 밑으로 가니, 아무것도 뵈지 아니하고, 다만 대조께서 칼 두드리시는 소리와, 소조께서 "아바님, 아바님, 잘못하였으니 이제는 하라 하옵시는 대로 하고 글도 읽고 말씀도 다 들을 것이니 이리 마소서." 하시는 소리가 들리니, 간장이 촌촌이 끊어지고 앞이

---

46 사외하다 사위스러워하다. 미신적으로 마음에 꺼림칙하여 하다.
47 붕렬(崩裂) 무너지고 터져 갈라짐.
48 신시 오후 4시경.
49 밧소주방 조선 시대에, 대전(大殿) 밖에 있던 소주방.
50 재실(齋室) 몸과 마음을 깨끗이 하고 근신하는 방.
51 천지합벽(天地闔闢) 하늘과 땅이 닫히고 열림.

막히니 가슴을 두드려 아무리 한들 어찌하리오.

　당신 용력과 장기(壯氣)로 "궤에 들라." 하신들 아무쪼록 아니 드오시지 어이 필경에 들어가시던고. 처음엔 뛰어나오려 하시옵다가 이기지 못하여 그 지경에 미치오시니 하늘이 어찌 이대도록 하신고. 만고에 없는 설움뿐이며, 내 문 밑에서 호곡하되 응하심이 아니 계신지라. 소조가 벌써 폐위하여 계시니, 그 처자가 안연(晏然)히 대궐 있지 못할 것이오, 세손을 그저 밖에 두어서는 어떠할꼬, 차마 두렵고 소마소마[52]하여 그 문에 앉아 대조에 상서하여 "처분이 이러하오시니 죄인의 처자가 안연히 대궐 있기 황송하옵고, 세손을 오래 밖에 두옵기 가중(加重)한 몸이 두렵사오니, 이제 본집으로 나가와지라[53]." 하고, "천은으로 세손을 보전하여지라." 써 가까스로 내관을 찾아 들이라 하였더니, 오래지 않아 선형[54]이 들어오셔 "폐위서인[55]하여 계시니 '대궐 있지 못할 것이니 본집으로 나가라.' 하오시니 가마를 들여오니 나가시고, 세손은 남여[56]를 들여오라 하였으니 나가시오리이다." 하시니 서로 붙들어 망극 통곡하고 업히어 청휘문(淸輝門)으로서 저승전(儲承殿) 차비에 가마를 놓고, 윤 상궁(尹尙宮)이란 내인이 안 타고[57], 별감이 가마를 메고 허다 상하 내인이 다 뒤를 따라 좇으며 통곡하니, 만고 천지간에 이런 경상이 어디 있으리오. 나는 가마에 들 제 막혀[58] 인사를 모르니, 윤 상궁이 주물러 겨우 명이 붙었으나 오죽하리오. 집으로 나와 나는 건넌방에 누이고 세손은 내 중부와 선형이 모셔 나오고, 세손 빈궁(嬪宮)은 그 집에서 가마를 가져와 청연(淸衍)과 한데 들려 나오니, 그 경색의 망극함이 차마 어찌 살리오. 자처하려다가[59] 못 하고 일이 하릴없으니, 돌아 생각하니 11세 세손에게 첩첩한 지통

52　소마소마　무섭거나 두려워서 마음이 초조한 모양.
53　나가와지라　'나가겠나이다.'라는 의미이다.
54　선형(先兄)　죽은 형. 여기서는 혜경궁 홍씨의 오빠 '홍낙인'을 일컬음.
55　폐위서인　빈위를 폐하여 서인(庶人)으로 함.
56　남여(藍輿)　뚜껑이 없고 의자 같이 된 가마.
57　안 타다　여기서는 '함께 타다.'라는 의미이다.
58　막히다　기절하다.
59　자처하다　스스로 목숨을 끊다.

을 끼치지 못하고, 내 없으면 세손 성취함을 어찌하리오. 참고 참아 완명(頑命)[60]을 보전하고 하늘만 부르짖으니 만고에 나 같은 완명이 어디 있으리오.

세손을 집에 와 서로 만나니 충년[61]에 놀라고 망극한 경상을 보시고 그 서러운 마음이 어떠하리오. 놀라 병날까 내 망극함을 서리 담아, "망극 망극하나 다 하늘이시니 네가 몸을 평안히 하고 착하여야 나라가 태평하고 성은을 갚사올 것이니, 설움 중이나 네 마음을 상해 오지 마라." 하고, 선친께서는 궐내 떠나지 못하시고 선형도 벼슬에 매이어 왕래하시니, 세손 모시옵고 있을 이가 중숙 두 외삼촌이니 주야로 모셔 보호하고, 내 계제[62]는 아시(兒時)로부터 들어와 세손을 모시옵고 노던지라. 그 아이가 작은 사랑에 모시고 자고 있어 팔구일을 지내니, 김 판서 시묵과 그 자제 김기대도 와서 뵈옵는다 하며, 내 집이 좁고 세손궁 상하 내인이 전수히[63] 나왔는지라. 남장(南墙) 밖 교리 이경옥(李敬玉)의 집을 빌려 김 판서댁이 그 며느리를 데리고 와 빈궁을 모시고 있게 하니 담을 트고 왕래하니라.

그때 선친이 파직하여 동교(東郊)에 오래 계시다가 대조께서 대처분하오셔 아주 하릴없으신 후, 선친을 서용(敍用)하시고 다시 배상하여[64] 부르시니, 선친이 무망[65]에 그 처분 소식을 들으시고 망극 경통(驚痛) 중 질치하여[66] 들어오셔 궐하에 이르러 혼절하시니, 그때 왕자 재실(齋室)에 계시다가 들으시고 당신 자시던 청심원을 내어 보내어 겨우 깨시니, 당신이 또한 어찌 생세의 뜻이 계오시리오마는, 내 뜻 같으셔 망극 중 고작이[67] 세손을 보호하려 하시는 정성만 계시니 따르지 못하시니, 세손을 옹호하여 종사를 보전하실 혈심단충(血心丹忠)

---

60 완명 죽지 않고 모질게 살아 있는 목숨.
61 충년(沖年) 열 살 안팎의 어린 나이.
62 계제 막내아우.
63 전수히 전부.
64 배상(拜相)하다 예전에, 정승으로 임명을 받다.
65 무망(無妄) 별 생각이 없이 있는 상태.
66 질치하다 급히 달리다.
67 고작이 지극히. 극진히.

은 천지신명에 가히 질정(質正)하실지라. 모질고 흉독하여 목숨이 붙었으나 당하신 일을 생각하니 어찌 견디오시는고 타는 듯하니 차마 어찌 견딜 정경이리오. 오유선·박성원(朴性源)이가 집 대문 밖에 와서 "세손이 석고 하시게 하라." 하니 석고가 당연하건마는 차마 어린아이를 어찌하리오. 낮은 집에 계셔 지내시니라.

나온 후 선친께도 못 뵈옵고 망극 망극하더니 그 이튿날 선친이 상교를 받자와 나오시니, 모자 선친을 붙들어 일장 통곡(慟哭)하고, 성교를 전하오시기를, "네가 보전하여 세손을 구호하라." 하시니, 이때 성교 망극 중이나 세손을 위하여 감읍하옴이 측량없는지라. 세손을 어루만져 성은을 축수하고 "나는 네 아버님 아내로 이 지경이 되고 너는 아들로 이 지경을 만났으니, 다만 스스로 명(命)을 서러워할 뿐이지 누를 원(怨)하며 탓하리오. 우리 모자 이때에 보전함도 성은이요, 우러러 의지하여 명을 삼음도 또한 성상이시니, 너를 바라는 바 성의를 받자와 힘쓰고 가다듬어 착한 사람이 된즉, 성은을 갚삽고 네 아버님께 효자가 되리니 이밖에 더한 일이 없도다." 하고 선친께 감축천은(感祝天恩)하와 "남은 날은 주오시는 날이니 하교를 받자오려 하는 사연을 위에 아뢰소서." 하고 통읍하니, 내 이 말이 일호도 지어 함이 아니라. 처음부터 그리 되신 것이 섧지 점점 그 지경에 이르신 바를 어찌하리오. 내 조금도 마음에 머금사온 배 없어 감히 이렇다 원하옵지 못하노라.

선친이 나와 세손을 붙잡고 통곡하고 위로하시되 "이 뜻이 옳으시니 세손이 현(賢)이 되시고 성(聖)이 되시면 성은을 갚사오시고 낳으신 아버님께 효자 되시리이다." 하고 들어가시니 날이 갈수록 차마 망극지경(罔極之境)을 생각치 못하여 아무리 할 줄 몰라 혼혼[68] 망극히 누웠더니, 15일은 굳게 굳게 하고 깊이 깊이 하여 놓사오시고, 상궐(上闕) 오르신다 하니 하릴없는지라. 대궐 필단[69] 붙

---

68 혼혼 정신이 가물가물하고 희미한 모양. 또는 마음이 흐리고 어쩔 줄을 모름.
69 필단(疋緞) 필로 된 비단.

이도 내어 올 길 없으니 습렴[70] 제구(諸具)를 다 선친이 차비하셔 여감(餘憾)이 없게 하시니, 이전 여러 해 동안 대병환에 무수히 이어 주시고 이 수의(壽衣)를 다 조비(造備)하셔 당신 위하신 마지막 정성으로 갈진(竭盡)히 하시니라.

20일 신시(申時)쯤 폭우가 내리고 뇌성도 하니 뇌성 두려워하시던 일이나 어찌 되신고 차마 차마 그 형용을 헤아리지 못하니, 내 마음이 절곡아사[71]도 하고자 하고 깊은 물에라도 들고 싶고, 수건을 어루만지며 칼도 들기를 자주 하되 약하여 강한 결단을 못하나 먹을 길이 없어 냉수나 미음이나 먹은 일이 없되 능히 지탱하여, 염일(念日)[72] 밤에 "하릴없어 계시다[73]." 하니 비 오던 때가 수진[74]하시던 때런가 싶으니 차마 차마 어찌 견디어 그 지경이 되오신고. 그저 혼신(渾身)이 비원(悲寃)하니 살아난 것이 흉완(凶頑)[75]하다.

선희궁이 마지못하여 그리 아뢰어 계시나 종사를 위하여 대처분은 하오시려니와, 병환이오시니 애통하오셔 은혜를 더하오시고, 복제(服制)[76]나 행하실까 바라왔더니 성심이 그 처분이오시되 성노(聖怒)는 내리지 아니하시고, 인하여 가까이 하시던 기녀와 내관 박필수(朴必壽) 등과 별감이며 장색[77]이며 무녀들까지 모두 정법(正法)하오시니, 이는 당연지사오시니 감히 말하리오. 다만 지원지원[78] 한 바는 의대병환[79]으로 무수히 여러 가지를 갈아입사오시다가 어찌하여 생무명 한 벌이나 입사오니 그날도 생무명 의대를 입어 계오신지라, 대조께서 상(常)에 뵈아도 도포·용포를 입사오시고 뵈와 계시더니 무명 의대는 처음 보오시니, 병환은 모르오시고 "네 나를 차마 없이 하고자 한들 생무명 거상[80]을 어

---

70 습렴(襲殮) 죽은 이의 몸을 씻긴 후에 옷을 입히는 일.
71 절곡아사(絕穀餓死) 곡식을 끊고 굶어 죽음.
72 염일 스무날. 초하룻날부터 스무 번째 되는 날.
73 하릴없어 계시다 '혼절 상태로 있다.'라는 의미이다.
74 수진(壽盡) 사람의 목숨이 거의 끊어질 시기에 이름.
75 흉완 흉악하고 모짊.
76 복제 상례(喪禮)에서 정한 오복(五服)의 제도. 혹은 상복을 입는 일. 또는 상을 당한 일.
77 장색(匠色) 손으로 물건을 만드는 일을 직업으로 하는 사람.
78 지원지원(至寃至寃) 지극히 원통하고 원통함.
79 의대병환(衣襨病患) 왕가에서 입는 옷 '의대'와 병을 높이는 말인 '병환'의 합성어로, 이른바 '옷병'이다.
80 거상(居喪) 생무명으로 지은 상복.

이 입었느니." 하오셔 더욱 남은 것 없이 아시고, "상에 쓰오시던 세간을 다 얻어 내라." 하시니 그중에 군기(軍旗)인들 없으며 무엇이 없으리오. 아무리 국휼(國恤)인들 상장[81]이 하나 밖에 어이 있으리오마는 이상하신 병환으로 상장을 여러 번 만드시되 일생 사랑하여 좌우에 떠나지 아니하는 것이 환도(環刀) 보검(寶劍) 들이니, 생각 밖 상장 모양같이 만들고 그 속에 칼을 넣어 두에를 맞추어 상장 모양같이 하여 가지고 다니시며 나에게도 뵈시기 끔찍하고 놀라이 보았더니, 그것을 없이 하지 아니하였다가, 얻어 낸 중에 그것이 있으니 더욱 놀라와 분하여 하오시니, 복제를 어이 거론하시리오. 병환은 모르시고 다 불효한 데만 돌아가시니 지원지원할 뿐이로다.

처음에는 조신의 복제는 여례(如例)히[82] 할 양으로 하더니 다 못하니, 이 지경을 당하여 세손이나 건지는 것이 천은이려니와, 병환으로 처분하오신 밖은 14년 대리 저군(代理儲君)[83]이오시니 복제나 상하(上下)에서 행하더면 상덕(上德)이오신데, 그것을 못 하였으니 그저 설우며, 염일은 하릴없은 지경이니, 복위(復位)를 하셔야 초종 제구[84]를 조비하리로되, 성의가 아니하려 하신 것이 아니로되 복위를 아끼오시고, 범절을 예대로 하오시기를 유예하시다가 부득이 염일일야[85]에 복위하오시고 대신들이 입시[86]하여 초종 절차를 정하시고, 처음은 빈소를 용동궁(龍洞宮)에 하자 하시니, 선친이 이 지경을 당하셔 조금 잘못하여 일호라도 성심에 어기오면 그때 성노가 불같으시니 내 집 침멸하기는 둘째요, 세손이 보전하시지 못할 것이니 아무쪼록 성심을 잃지 아니하오시는 중, 돌아가오신 이를 저버리지 아니하오시고 세손 유한(遺恨)[87]을 깨치지 말으시려 갈충진성[88]

---

81 상장(喪杖) 상제가 짚는 지팡이. 부친상에는 대나무, 모친상에는 오동나무를 씀.
82 여례히 법식을 따라, 규칙대로.
83 대리 저군 섭정의 왕세자.
84 초종 제구(初終諸具) 초상을 치르는 데 필요한 여러 가지 도구.
85 염일일야 '21일 밤'이라는 의미이다.
86 입시 대궐에 들어가 임금을 뵘.
87 유한 살아서 뜻을 이루지 못하고 남긴 한.
88 갈충진성(竭忠盡誠) 충성과 정성을 다하는 것.

곳에 모여 있었다.

선사는 매우 이상하게 여겨져 가까이 가서 엿보았더니, 열(列)과 행(行)을 이루었으며, 모두가 여자였다. 어떤 이는 홍안이 이미 시들어 흰 살쩍[4]이 드리웠고, 어떤 이는 청운(靑雲)[5]이 아직 늙지 않았으며 녹운(綠雲)[6]을 쪽을 틀었다. 젊은 사람과 늙은 사람은 겉을 보아 알 수 있었으며, 선후를 생각하지 않고 뒤섞여 앉은 격조 높은 모임이었으나, 황급한 태도와 슬픈 기색이 없지 않았다.

이에 걸어 나아가 살펴보니, 장(丈)[7] 남짓한 줄과 한 자쯤 되는 칼이 가느다란 목에 매어 있기도 하고, 경골(硬骨)에서 피가 나기도 하며, 머리가 모두 부수어지기도 하였으며, 입과 배에 물을 머금기도 하여, 그 참혹한 모습은 차마 볼 수가 없었고, 또 이루 다 기록할 수도 없었다.

한 여자가 눈물을 머금고 말하였다.

"종사(宗社)[8]가 먼지를 뒤집어썼으니, 참혹하여 말할 수가 없습니다. 슬프게도 이 목숨을 잃은 것이 하늘의 뜻인가요, 귀신의 짓인가요! 진실로 그 까닭을 찾으니 나를 죽게 한 사람은 바로 낭군[9]입니다. 왜냐하면 정승의 자리에 있으면 그 소임에 부응해야 하는데도, 공론을 살피지 않고, 사정(私情)에 치우친 마음으로, 강도의 중임(重任)을 교만한 아이[10]에게 맡겼습니다. 부귀를 누려 화조월석(花朝月夕)을 취하여 즐기며 원려(遠慮)[11]를 모두 잊었으니, 군무를 어이 알겠습니까! 강이 깊지 않음이 아니요, 성이 높지 않음이 아니로되, 대사를 그르쳤으니[12], 죽음이 또한 마땅합니다. 그러나 오직 사람의 허물이거니 어찌 그만 나무

---

4 살쩍 관자놀이와 귀 사이에 난 머리털.
5 청운 여기서는 '여자의 윤기 있는 머리털'을 의미한다.
6 녹운 여자의 숱이 많고 검푸른 머리를 비유적으로 이르는 말.
7 장 길이의 단위. 한 장은 한 자(尺)의 열 배로 약 3미터에 해당한다.
8 종사 종묘(宗廟)와 사직(社稷)이라는 뜻으로, '나라'를 이르는 말.
9 낭군 여기서는 병자호란 당시 영의정이었던 김유(金瑬)를 가리킴.
10 교만한 아이 김유의 아들 김경징(金慶徵)을 일컬음. 김경징은 병자호란 때 강화도 검찰사였으나 강화도가 함락되자 수비에 실패한 죄로 탄핵을 받아 사사(賜死)되었다.
11 원려 먼 앞일까지 미리 잘 헤아려 생각함.
12 대사를 그르치다 김경징의 태만으로 강화도가 함락된 것을 말한다.

라겠습니까! 아! 내가 죽은 것이 기꺼이 자결한 것이니, 진실로 마땅한 것이며 한이 될 것은 없습니다. 너 독자(獨子)[13]는 살아서 나라를 돕지 못하였고, 죽어서도 죄가 있으니, 천년의 악명(惡名)은 큰 바닷물로도 씻기 어렵고, 쌓인 한이 옷깃에 가득하여 잊을 날이 없습니다."

말을 마치기 전에 한 부인이 무리에서 나와 바로 앉아서 말했다.

"낭군이 재능을 스스로 헤아리지 않고 큰일을 오로지 맡아서, 천험(天險)[14]을 너무 믿고 군무를 태만히 다스리다가 적이 이르자 막기 어려웠으니, 이치에 마땅한 것입니다. 강에 가득한 비바람에 나라의 운명이 부침(浮沈)하였으니, 한 모퉁이의 보잘것없는 성[15]의 삼군이 흩어지고, 용가(龍駕)[16]가 성에서 내려오니, 아! 강도를 지키지 못한 데서 모든 일이 비롯된 것이니, 목숨이 도끼에 죽음이 군법에 마땅합니다. 그러나 이민구(李敏求)[17]는 같은 때 같은 임무를 맡았는데, 무슨 충의가 있었다고 목숨을 보전하여 명대로 살 수 있었습니까?

도원수 김자점(金自點)[18]은 나라의 큰 위엄을 부리는 벼슬에 있었고, 나라의

---

13 독자 여기서는 '김경징'을 지칭함.
14 천험 천연적으로 험한 지형.
15 보잘것없는 성 인조 이하 대신들이 농성하였던 남한산성을 의미한다.
16 용가 임금이 탄 가마.
17 이민구 병자호란 때 강도 검찰부사가 되어 왕을 강화에 모시기 위해 배를 준비했으나, 적군이 어가(御駕)의 길을 막았으므로 책임을 완수하지 못했다. 난이 끝난 뒤 관무(官務)를 다하지 못했다는 죄로 아산에 유배되었다가, 영변으로 이배(移配)되었으며, 1649년에 풀려 나왔다.
18 김자점 인조반정에 가담하여 영의정까지 올랐으나 임경업을 몰아서 죽였고, 효종 즉위 후 일시 소외되자 효종이 청을 치려 한다는 사실을 청에 밀고하여, 청군이 국경까지 왔다. 이에 역모로 몰려 처형되었다.

군사를 지휘하고 있었으면서, 한 합(合)[19]의 싸움도 없었고, 한 방울의 피도 흘리지 않고서 바위 구멍에 몸을 숨겨 도망하여 목숨을 보전하였습니다. 치열한 전투 중에 우리 임금 보기를 길에서 만난 사람 보듯 하였건만, 국법을 시행하지 않았고 은총이 도리어 더하여졌습니다.

가소로운 심기원(沈器遠)[20]은 그 그릇은 그릇이 못 되고, 그 생각은 원대하지 못한데도[21] 중임을 맡겨 도성을 지키게 하였건만, 군신분의(君臣分義)를 모두 잊고 몸을 빼어 도망하였으며, 스스로 지혜가 뛰어나다고 생각하여 나라의 은혜를 배반했는데도 군법으로 다스리지 않았고, 은총과 녹(祿)이 도로 두터워졌으니, 낭군께서 홀로 죽음을 당한 것이 어찌 원통하지 않겠습니까?

슬프다! 내가 한 번 죽음은 진실로 아깝지 않음을 알지만, 아! 늙은 시아버지[22]는 백발의 인간으로 영원히 아들을 잃었으니, 원통한 마음은 살아 있으나 죽으나 무슨 차이가 있겠습니까?"

이 말이 겨우 끝나자 이어서 또 다른 부인이 나섰는데, 나이는 청춘이었고 태도가 아름다웠다. 붉은 입술은 살짝 열렸고, 옥 같은 눈물이 뺨에 가득하여, 서왕모(西王母)의 못[23]가에 있는 꽃이 봄바람과 말을 하고, 항아(姮娥)의 전각(殿閣)[24] 위에 있는 계수나무가 향기로운 이슬을 띠고 있는 것이 분명하였다. 근심스럽게 옥 같은 얼굴을 숙이고, 슬픈 회포를 울며 하소연한다.

"나는 바로 왕후의 질녀랍니다. 비단으로 거듭 싸여 약질로 성장하였더니, 김씨의 아들이 내 남편이 되었습니다. 원앙 이불 속에서 즐거움을 누린 것이 얼마였으며, 청춘의 염막(簾幕)과 백일(白日)의 누대(樓垈)에서 부귀영화를 길이 누릴 것이라고 스스로 기약하였더니, 뜻밖에 전쟁으로 집안의 화가 참혹하였습

---

19 한 합 옛날 전투 시에 적과 한 번 무기를 맞댄 것을 '한 합'이라고 함.
20 심기원 인조반정에 가담하여 좌의정까지 올랐다. 1644년에 회은군을 추대하여 반정을 꾀하였으나, 사전에 밀고되어 주살(誅殺)당하였다.
21 그릇은 그릇이 못 되고, 그 생각은 원대하지 못하다 심기원의 이름자인 '기(器)'와 '원(遠)' 자를 비꼰 말.
22 시아버지 여기서는 '김유'를 지칭함.
23 못 여기서는 서왕모가 살았다는 요지(瑤池)를 의미함.
24 전각 달에 있다는 광한전(廣寒殿)을 의미함.

니다. 나 같은 박명(薄命)한 사람이 다시 그 누구이겠습니까? 한번 넋이 흩어지고 나자 인간 세상과는 영원히 떨어지니, 하늘이여! 어찌하리오. 다만 낭군은 비바람 같은 사람이라 홀로 살아남았지만, 눈이 또한 어두워지고 부모를 영원히 잃었으니, 그 망극한 마음과 어렵고 괴로운 모습은 넋일망정 잊기 어렵습니다."

말이 미처 끝나기도 전에 또 한 부인이 그 마음을 토로(吐露)하려고 그 앉았던 자리에서 빠져나왔는데, 꽃이 떨어져 쇠잔한 모습이었다. 마침내 탄식하고 말하였다.

"나는 본디 왕비의 언니요, 중신(重臣)의 아내였습니다. 평생 부귀 속에 가무(歌舞)로 긴 봄을 보내다가, 어찌 사람의 일이 오늘 이와 같이 될 줄을 알았겠습니까? 아! 한 번 죽음이 과연 다른 사람과 같을진대, 정렬(貞烈)이 저절로 표창되고 넋이 또한 빛이 있으련만. 내 자식이 불량(不良)하여 처사(處事)가 잘못되매 도적의 칼날이 닥치기 전에 먼저 칼을 던졌으니, 내가 자결하지 않았던들 어찌 남들의 꾸짖는 말이 없었겠습니까? 정절(貞節)을 이루었다고 누가 권장하였더라면 세상 사람들이 다 웃고 꾸짖었을 터인데, 하물며 오늘에 정문(旌門)[25]이 무엇이 겠습니까?"

말을 다 하기도 전에 또 한 사람이 푸른 눈썹에 여윈 뺨으로, 홍안(紅顔)은 좀 수그러졌는데 슬피 탄식하며 말하였다.

"하늘의 운명이 이미 정해졌거늘 박명(薄命)을 도망하기 어렵습니다. 남의 후처가 되어 청춘이 헛되이 늙었으니, 살아 인간 세상에 있은들 무슨 즐거운 일이 있었겠습니까? 성이 무너져 실함(失陷)되니[26], 비바람이 잇달아 쳐서 꽃은 날고 옥은 부수어졌으나, 조금도 스스로 딱하지 않았습니다. 그러나 낭군은 승정원(承政院)의 가까운 신하로, 임금님의 큰 은총을 무겁게 입고 있었으니, 금대(今

---

25 정문 충신, 효자, 열녀 들을 표창하기 위하여 그 집 앞에 세우던 붉은 문.
26 실함되다 방어하던 진지나 도시가 잘못하여 함락되다.

代)의 총신(寵臣)은 이 사람을 두고 그 누구이겠습니까? 하늘에 믿는 바가 있고, 원손(元孫)[27]과 비빈(妃嬪)[28]에 붙어, 한번 충렬(忠烈)을 떨치면 큰일을 다스릴 수 있는데, 이것은 이분의 재능이 아니니 나무랄 일이 아닙니다. 다만 한스러운 것은 저 성문[29]이 활짝 열리자, 갈노(羯奴)[30]를 맞아들여, 손수 꿇어앉아 무릎으로 죽음을 구하는 것도 넉넉히 하지 못했는데, 성을 등진 일전(一戰)을 어느 겨를에 생각했으리오. 아! 명부(冥府)[31]의 염라왕(閻羅王)은 사람의 선악을 통촉(洞燭)하지 않음이 없습니다. 지하로 처음 들어갔을 때 중사(中使)[32]가 명(命)을 전하며 말했습니다.

'큰 화가 장차 닥친다. 손을 끌어 자결하라. 옛 사람에서 찾아봐도 이런 무리[33]는 거의 없었다. 너의 남편은 임금을 잊고 성을 배반하여 구차하게 삶을 훔쳤으니, 죄가 진실로 무거워 그 목숨을 부지하기 어렵다.'

이런 까닭에 지옥에 던져져서 영원히 환생하지 못한다고 합니다. 나에게 있어서는 슬픈 일이지만 어찌하겠습니까?"

한 부인이, 가슴은 붉은 피로 얼룩지고, 얼굴은 온통 붉은 눈물인데, 머리를 숙이고 작은 목소리로 말하였다.

"시아버지의 허물을 의리상 말할 수는 없으나, 슬픈 마음은 물이 저절로 용솟음치듯 하는데 어쩌면 억제할 수 있을까요? 특별히 임금님의 은총을 입어 강도의 유수(留守)가 되었으면 강도는 중요한 곳이니, 굳게 지킴이 바르고 마땅하지요. 그러나 평탄한 물과 끊어진 성을 자기 멋대로 믿고서, 큰 칼과 긴 창을 쓸모없는 늙은이로 보아, 대낮에 잠을 탐내고 강가의 누각에서 취해 누웠으니, 나라의 존망을 꿈속에서 어이 생각하리오. 금수(禽獸)의 심성으로 본래 물을 제압하

---

27 원손 아직 왕세손으로 책봉되지 아니한 왕세자의 맏아들. 또는 상왕의 맏손자.
28 비빈 비(妃)와 빈(嬪)을 아울러 이르는 말.
29 성문 '강화성문'을 의미한다.
30 갈노 만주족을 낮추는 뜻으로 이르던 말.
31 명부 사람이 죽으면 간다는 영혼 세계의 법정.
32 중사 내밀(內密)하게 보내는 사신.
33 이런 무리 '청나라 군사'를 의미한다.

지 못하여, 등에 나무판자를 대고 바람 부는 파도와 험한 물결에 태연할 수 없었지요.

적막한 강도성(江都城)에는 단 한 사람도 없고, 그 많던 수군은 모두 어디에 있습니까? 팔옥(八屋)으로 꾸민 배[34]는 헛되이 연파(烟波)[35]를 띠었고, 병란은 이롭지 못했습니다. 지세가 험하지 않은 것이 아닌데, 사람의 일이 이와 같으니, 장차 어이하리오? 강개(慷慨)[36]한 남아는 오직 강후(姜侯)[37]가 있었으나, 그 하나에 그쳤습니다. 사람이 한 번 싸운 것이 어찌 슬플 수가 있겠습니까? 시아버지시여! 시아버지시여! 나서 이런 때를 만나, 훈업(勳業)을 이루지 못하고 도리어 나라를 저버렸으니 누구를 원망하고 누구를 허물하겠습니까? 나는 여자로되 오히려 부끄럽기만 합니다."

말참견이 끝나지 않았는데, 옷매무시가 흐트러지고, 머리와 살쩍에 서리가 침노하여 홍안(紅顔)이 사라진 또 한 사람이 눈물을 흘리며 말했다.

"낭군께서는 세상에 나서 빨리 죽지 않고 살아 이때[38]를 만났으니, 우리 아들의 처사가 크게 잘못되었습니다. 그래서 늙어 보잘것없는 목숨이 경각(頃刻)에 끊어지고, 채색 옷 입고 춤추던 여러 아이들도 칼날에 죽었으니, 사람이 그리한 것이지 감히 운명이라고 하겠습니까? 대부도(大阜道)[39]에 피란한 것도 좋은 방법이었는데, 뒤에 강화도로 들어간 것은 잘 모르지만 수군을 연습시키려고 그런 것인지요? 군무(軍務)를 검찰하려 한 것인가요? 수군을 연습시키는 것이라면 장신(張紳)[40]이 있었지요. 군무를 검찰하는 것은 경징(慶徵)이 있었고요. 그렇다면 당신은 종사(宗社)를 호위(扈衛)하는 데는 충성심이 적었고, 번화(繁華)를 좇아

---

34 팔옥으로 꾸민 배 팔옥선(八屋船). 선실이 여럿인 화려하고 큰 배.
35 연파 연기 물결.
36 강개 의롭지 못한 것을 보고 의기가 북받쳐 원통하고 슬픔.
37 강후 1636년 병자호란 때 강화도에 들어가 봉림 대군(鳳林大君) 밑에서 군사를 모아 수성(守成)했으나 이듬해 성이 함락당하자 순절한 문신 강위빙을 이름.
38 이때 '병자호란'을 가리킴.
39 대부도 경기도 안산시 대부동에 속한 섬.
40 장신 병자호란 당시 강도 유수로 있던 문관으로, 호란 때 강도를 지키지 못한 죄로 1636년 김경징 등과 함께 사형을 당하였음.

따랐으니 하늘이 크게 망하도록 한 것입니다.

무슨 관여할 일이 있어 강화도로 들어가 이 늙은 몸이 천수를 누리지 못하게 하였으며, 자기 아내는 구하지 못하면서 자신은 죽지 않았는가요? 아! 낭군이여! 다행이 오사(誤死)[41]를 하지 않았으니 나는 환생할 것이 틀림없습니다."

슬픈 회포가 끝나기 전에 외모가 뛰어나게 생긴 또 한 사람 있어, 의기가 북받치어 원통하고 슬프게 말했다.

"사람의 수명을 헤아려 보면 세상에 사는 것이 얼마입니까? 이르나 늦으나 한 번 죽는 것은 모두가 면하지 못하는 것인데, 조용하게 죽음에 임하는 사람이 세상에 몇 사람이 있습니까? 슬프다! 자결한 부인의 정절은 청사(靑史)에 명류(名流)[42]가 되고, 넋이 천당에 들어가면, 지하의 인간으로 다만 광채가 있으니, 죽었어도 죽은 것이 아니어서 상쾌하기는 상쾌합니다.

한 가지 가슴에 한으로 남아 영원히 잊기 어려운 것은 낭군 때문입니다. 왜냐하면 임금님의 옷을 입고 임금님의 밥을 먹고 자기가 세상에 살아갈 수 있었으니, 나라의 은혜가 무겁다고 할 수 있습니다. 그러나 자신이 위급한 때를 만나자 사람의 도리를 생각하지 않고, 살기를 좋아하고 죽음을 싫어하여, 도적의 노예가 되는 것을 달갑게 여겨 체신이 꼴불견이 되었습니다. 키는 작은데 등에 무거운 짐을 지고 머리털을 깎았으니[43], 그 형상이 어떠했겠습니까?

어거지로 살려고 하다 보니 여러 가지를 만들어 하게 되었으니, 정묘년(丁卯年)[44]에 화친을 주장한 것은 이를 위해 꾀한 것이고, 고국으로 살아 돌아온 것도 진실로 까닭이 있었습니다. 선친[45]의 썩은 뼈로 속죄하여, 다시 양가(良家)로 되기는 했지만[46], 한 시대에 웃음거리가 되었으니, 살아도 빛이 없습니다.

---

41 오사 형벌이나 재난을 당하여 죽음.
42 명류 명사(名士)의 무리.
43 머리털을 깎다 청군(淸軍)에 항복하여 변발했음을 말함.
44 정묘년 1627년. 이해에 정묘호란이 있었으며, 김유는 부체찰사(副體察使)로 인조를 따라 강화도로 피란하였다.
45 선친 김유의 아버지인 임진왜란 때의 사절신(死節臣) '김여물'을 가리킴.
46 선친의 썩은 뼈로 속죄하여, 다시 양가(良家)로 되기는 했지만 임진왜란 때 순절한 김여물의 자식이라 하여 죄를 용서받았다는 뜻.

아! 낭자(娘子)가 구차하게 어거지로 산 것이 어찌 나처럼 비명에 죽은 것과 같으리오!"

꽃 같은 얼굴과 구름 같은 살쩍에, 푸른 원망 붉은 수심을 띠고, 타는 듯한 붉은 입술을 가진 한 사람이 이어서 나와, 또렷한 작은 목소리로 말하였다.

"천부(天府)[47]인 우리나라는 산천이 매우 험합니다. 잠시 침략을 받은 곳이 어딘들 없겠습니까만, 제 집은 나라의 중요한 곳[48]이라 바로 올 수가 없는 곳입니다. 낭군은 멀리 있고 서울에는 대란(大亂)이라, 주인 없는 아녀자가 어떻게 할 수가 있겠습니까? 갈 곳을 알지 못하여 여러 사람을 따라 성을 나섰는데, 약질(弱質)에 걷자니 엎어지고 자빠진 것을 어이 말로 하리요? 울며 배에 올라 겨우 강도에 들어가니 푸른 바다에 높은 산봉우리가 있고, 하얀 성가퀴[49]가 구름처럼 이어졌으니 새도 지나가기 어려운데 오랑캐의 기병이 어찌 지나갈 수 있겠습니까? 뜻밖에 흉악한 적의 무리가 갑자기 이 도성에 들어오자, 대낮의 강화도성이 비바람에 갑자기 놀랐으니, 위(魏)나라 산하가 견고하지 않음이 아니었으나, 진대(晋代)[50] 군신(君臣)의 지혜가 부족했던 것이었습니다. 어찌 시운에 달려 있었으리요, 사람이 한 일이 나무랄 만합니다. 승냥이와 범이 서로 삼킴에 옥과 돌이 함께 탔으며, 정절을 지키려는 마음이 드러난 뒤에 흉한 칼날이 몸에 닿았으니, 바다 밖의 외로운 넋이 어디에 의지하리요. 바다의 바람과 연기가 새와 함께 빙빙 돌며 날았으니, 망극한 슬픈 회포가 바다처럼 깊습니다."

나삼(羅衫)의 푸른 띠와 흰머리에 서리 내린 살쩍으로 좌우를 돌아보고 두 여자를 가리켰다.

"저기 있는 사람은 며느리요, 여기 있는 사람은 딸입니다. 한집에서 함께 살다가 죽어서 또 한 구덩이에 있으니, 저승의 긴 세월에 혼백이 외롭지 않아 비록

---

47 천부 자연의 요새.
48 나라의 중요한 곳 '서울'을 의미한다.
49 성가퀴 성 위에 낮게 쌓은 담. 여기에 몸을 숨기고 적을 감시하거나 공격하거나 한다.
50 진대 춘추 시대의 강대국이었던 진은 기원전 453년 삼진[韓·魏·趙]에 멸망당하였다.

다행이긴 하나 어찌 원한이 없겠습니까? 며느리와 딸은 모두 젊은 나이고, 내 비록 늙었지만 나이 50이라, 전쟁이 없었더라면 영원히 인간 세상을 이별하여 어찌 이런 날이 있었으리오.

아! 낭군이여! 내 한 몸을 가리켜 강도(江都)에 들어가게 하더니, 강도 땅에서 적을 막을 수 있었나요? 일가가 죽은 재난은 곧 낭군의 처사가 잘못되었기 때문입니다. 피는 거친 풀을 물들이고 넋은 구천 깊은 곳에 들어갔으니, 인간 세상 어느 곳에 비단 장막이 길이 적막하여, 1000년 화표(華表)[51]에 외로운 학이 돌아오기 어려우니, 한이 동해보다 깊어 없어질 날이 없습니다. 그러나 우리 세 사람은 한 절개에 함께 죽었으니, 쳐다보나 내려다보나 부끄러울 것이 없습니다. 인간 세상에 나서 살다가 영원히 빛은 잃은 사람은 아! 내 동생입니다. 이름 있는 벼슬아치로 처자식이 절사(節死)한 것도 모르니 한스럽군요. 늙은 몸에 추한 말이 무엇 때문입니까? 아름답게 화장하고 비단옷을 입고 청노새 등 위에서 채찍을 들고 휘두르며, 떨어지는 해와 봄바람이 모래재[沙峴]를 지난 뒤에 남들의 말이 자자하여 한 시대에 전파되니, 사는 것이 죽느니만 못하고 나도 부끄럽습니다."

좌중의 한 부녀자는 몸에 상처를 입고 뼈가 바스라졌으며, 온몸이 붉은 피로 물들어 그 참혹한 모습은 다른 사람과 달랐다. 눈물을 흘리며 말했다.

"마니산(摩尼山)[52]에 숨었더니 바위 굴이 깊지 않아서 적의 칼끝이 눈앞에 있었지요. 의(義)를 버리고 삶을 구하느니 차라리 한 번 죽는 것만 못하기에 절벽에 몸을 던져 백골이 티끌이 되었으니, 이는 기꺼이 한 것이어서 한스러울 것이 없습니다. 그러나 안타까울손 낭군은 세상에 나서 난세를 만나 시세를 살피지

---

51 1000년 화표 여기서의 화표는 망주석(望柱石)을 의미한다. 옛날 정령위(丁令威)란 사람이 선술(仙術)을 배워 학이 되어 1000년 만에 고향에 돌아와 성문 화표주(華表柱) 위에 앉았더니, 동네 아이가 활로 쏘려고 하자 공중을 빙빙 돌며, "새는 새는 정령위, 집 떠난 지 1000년 만에 지금 비로소 돌아왔네. 성곽은 예와 같은데, 사람은 옛사람이 아닐세……"라는 노래를 불렀다고 한다.
52 마니산 인천시 강화군 강화도에 있는 산.

못하고 헛되이 서울에 있다가, 전쟁이 나자 놀라 강도(江都)로 들어가 마침내 태좌(台座)[53]에 있었던 사람과 함께 등불에 모이는 나방[54]이 되었습니다. 아! 일찍 벼슬을 하여 길이 부귀를 누리는 사람이 나라가 망하려 한들 절사(節死)를 할 수 있겠습니까? 슬프다! 우리 낭군은 무슨 관직과 소임으로, 바다 밖[55]의 위태로운 곳에 들어갔는지요? 무슨 나라의 은혜가 있었기에 그 부모의 유체(遺體)[56]도 잊었는지요?"

슬픔과 원망을 이기지 못하여 긴 한숨을 쉬었다.

한숨이 오래지 않아, 난자혜질(蘭姿蕙質)[57]이 천하 제일인 사람이 있었다. 적삼이 다 젖었으니 어찌 남교(藍橋)에서 비를 띤 사람이라고 하겠는가. 옥지(玉池)[58]에 물을 머금었으니 바다에 빠져 죽은 사람임이 분명했다. 아름다운 눈물을 다 흘리고 나서, 잠깐 붉은 입술을 여니 향기로운 이슬로 촉촉히 젖었으며, 맑은 목소리가 끊어졌다 이어지며 말하였다.

"낭군은 양반이었습니다. 월승(月繩)[59]으로 서로 만나 겨우 몇 달이 지나서 큰 화가 닥쳤으며, 의리에 살 수가 없어서, 푸른 바다에 몸을 던져 넋과 뼈가 부침(浮沈)합니다. 아! 나의 절사(節死)여! 이미 증거가 없으니 아는 것은 하늘이며 비추는 것은 해라. 그러나 한 조각 정절의 마음을 낭군은 홀로 모르고, 혹은 살아서 오랑캐 땅으로 들어갔는지 의심하며, 혹은 길가에서 죽었는지 의심하니, 차라리 나의 외로운 넋이 임의 꿈에 날아들어 원통한 마음을 말하고자 하나, 구원(九原)[60]이 아득하고 인간 세상은 천 리라, 여기와 저기[61]에서 넋의 꿈을 어찌 기약하리! 말과 생각이 여기에 미치니 더욱 망극합니다."

---

53 태좌 삼공(三公)의 자리라는 뜻으로, '재상'을 달리 이르는 말이다.
54 등불에 모이는 나방 위험을 모르고 어리석게 좋은 곳을 골라 다니는 무리를 빗댄 말이다.
55 바다 밖 여기서는 '강화도'를 지칭함.
56 유체 부모가 남긴 몸, 곧 자식 된 사람의 몸을 의미한다.
57 난자혜질 난초의 자태에 혜초의 성품. 여자의 아름다운 자태와 뛰어난 자질을 향기로운 꽃에 비유하여 이르는 말이다.
58 옥지 두루마리의 맨 끝에 붙인 천.
59 월승 월하노인(月下老人)이 맺어 준 연분. 여기서는 곧 '천생연분으로 만나다.'라는 의미이다.
60 구원 원래 춘추 시대 진(晉)의 경대부(卿大夫)의 묘지를 뜻하는 말이나, 뒤에 묘지나 황천이란 의미로 쓰였다.
61 여기와 저기 '저승과 이승'을 가리킨다.

좌중에 또 한 부인이 있는데 그 용모가 아름답고 그 지조는 송백(松柏) 같으며, 가슴속에는 의리요, 혀끝에는 서리와 눈이라, 여러 여자 가운데서 과연 일인자였다. 그 부인은 말했다.

"나라에 좋은 장수가 없고 또 인심을 잃었으니 패망함을 어이 피하겠습니까? 산과 물이 험하고 막혀 파촉(巴蜀)[62]을 지날 수가 없는데, 장수가 장수답지 못하고 군사가 군사답지 못하여 등애(鄧艾)[63]가 한 번 거사하자 유선(劉禪)[64]이 눈물을 가렸습니다. 성이 높고 강물이 넓었던 백제의 큰 도성도 가무를 일삼고 군무(軍務)를 살피지 않았기 때문에 용이 백마를 삼켜[65] 화가 이르러 위태롭게 되어서 망하였습니다. 그렇다면 그것을 망하게 한 것은 하늘이지만, 그것을 훤히 안 사람은 당신이니 패망하게 한 것은 사람입니다.

사람이 좋지 않으면 쇠로 된 성도 굳은 것이 못 되고, 끓는 못도 험한 것이 못 되는데, 하물며 저 강화도는 바다 밖의 작은 땅이요, 서촉(西蜀)에 비교하면 산도 산이 아니고, 백제에 비교하면 강도 강이 아닙니다. 그런데도 이런 산 이런 강을 가리켜 천험(天險)이라 하며 그들[66]의 무기와 갑옷을 쓸모 없는 물건으로 보았으니, 해(害)가 이르매 누가 대비를 했으며 환란(患亂)이 생기자 누가 막았습니까? 하루아침 비바람에 여러 꽃이 비오듯 떨어지는데 하물며 이 연약한 몸이 성명을 어이 보전하겠습니까? 달게 자결하여 넋이 저승에 가니 이름이 이미 향기로우니 어찌 광영(光榮)이 없겠습니까? 염라왕(閻羅王)이 나에게 말했습니다.

'아름답도다! 사람이여! 맑은 바람처럼 쇄락(灑落)하고[67], 가을 서리같이

---

62 파촉 여기서는 중국 삼국 시대의 촉한(蜀漢)을 의미한다.
63 등애 진(晋)의 장군으로 잔도(棧道) 등 험준한 곳을 지나 촉한의 수도 성도(成都)를 점령하고 촉한을 멸망시켰다.
64 유선 삼국 시대 촉한의 창업자 유비의 아들로, 진(晋)의 사마염[武帝]에게 나라를 빼앗겼다. 나라가 망했을 때 적장 앞에서 손으로 얼굴을 가리고 울었다고 한다.
65 용이 백마를 삼키다 백제의 수호신인 백마강의 용이 있었는데, 당의 장수 소정방이 백마를 미끼로 하여 용을 낚았으며, 그래서 백제가 멸망하게 되었다는 전설이 있다.
66 그들 여기서는 '청의 군사들'을 의미한다.
67 쇄락하다 상쾌하고 깨끗하다.

늠렬(凜烈)하며[68], 우레와 번개를 피하지 않고, 도끼를 초개(草芥)같이 알았으니, 갑자년(甲子年)의 변란[69] 때는 원훈(元勳)을 죽이라고 청하였으며, 정묘년(丁卯年) 난 때에는 척화론(斥和論)의 우두머리였다. 강도(江都)를 불태우자고 청하고, 나라가 떨쳐 일어날 대책을 바쳤으며, 청론(淸論)[70]을 세운 뒤에 형제지국의 맹약[71]이 깨졌으니, 충성심이 지극했고, 선견지명이 있었다. 주운(朱雲)[72]의 곧은 지절(志節)과 급암(汲黯)[73]의 충간(忠諫)을 이 사람이 없었더라면 이을 자가 그 누구이겠는가? 이 사람이 바로 너의 부친이다. 너도 그 뜻을 본받고, 그 절개를 이루었으며, 절의에 죽었으니, 그 절과 그 의를 상 주어 장려하지 않을 수 없다. 그래서 극락세계에서 소요(逍遙)하게 하노라.'

라고 했습니다. 조금 있다가 선동(仙童)이 갑자기 명부(冥府)로 들어와 염라왕을 돌아보며 말했습니다.

'세상에 전쟁이 일어나 사람들이 많이 절사(節死)했습니다. 상제(上帝)[74]께서 측은하게 여기시어 전교하시기를 절부(節婦)를 장부에 기록하라. 짐이 그것을 보고자 하노라. 선동은 짐의 명을 어기지 말라고 하셨습니다. 그래서 제가 지금 왔습니다.'

왕이 곧

'좋습니다.'

하고는 몸소 편지를 봉하여 공손하게 천부(天府)[75]에 보내었더니 천제가 다 보시고는 명부에 조서(詔書)를 내려 말씀하셨습니다.

'짐이 중요하게 여기는 것은 의(義)이니 사람이 그것을 실천해야 하고, 짐이

---

68 늠렬하다 추위가 살을 엘 듯이 심하다.
69 갑자년의 변란 1624년에 일어난 '이괄의 난'을 의미함.
70 청론 인조 때 서인에서 갈라져 나온 당파인 청서파의 주장으로 김상헌이 중심이었다.
71 형제지국(兄弟之國)의 맹약 정묘호란 때 청과 맺은 맹약을 의미한다.
72 주운 중국 한 때 사람으로 임금께 상소하여 상방검을 빌려주시면 아첨하는 신하 장우(張禹)의 목을 베고 싶다고 하였다. 임금이 노하여 죽이고자 어사를 보내자 그는 전각의 난간을 부수고 올라가서 은 때 유명한 충신인 "용봉과 비간을 지하에서 만나고 싶습니다."라고 하였다. 임금은 그를 용서하고 그 난간을 바꾸지 말게 하였다.
73 급암 중국 하 때의 직간신(直諫臣).
74 상제 옥황상제(玉皇上帝).
75 천부 옥황상제가 있는 하늘나라.

귀하게 여기는 것은 절(節)이니 사람이 그것을 지켜야 한다. 그것을 지키는 자와 그것을 실천하는 사람은 천당에 들어가게 하여 그 몸을 안락하게 하는데, 아무 개에게 이르러서는 시아버지와 며느리의 덕이 또한 그 절(節)을 더럽혀서 짐이 이를 매우 안타깝게 여긴다. 짐은 장차 그를 포상하여 명부에 두지 않고 옥허(玉虛)[76]의 청소계전(清宵桂殿)[77]으로 보내어 월아(月娥)[78]와 함께 노닐며 대낮에 은하에서 직녀(織女)와 함께 빙빙 날아다니게 함이, 왕[79]이 정절을 표창하여 밝히고 짐이 의열(義烈)을 존숭(尊崇)하게 하는 뜻에 어떻겠는가?'

왕은 두 번 절하고 그 명에 사례하였으며, 내 넋을 학의 등에 태우게 하니, 구만리 멀고 먼 하늘이 지척이었습니다. 아! 아버님의 덕이 아니었더라면 하늘나라에서 선유(仙遊)하는 것을 어찌할 수 있겠습니까?"

또 한 부인이 있어 그윽한 난초의 기상과 곧고 조용한 태도로, 서리 내린 뒤의 푸른 대처럼 눈 속의 푸른 솔처럼 푸른 눈썹을 찡그리고 붉은 입술을 달싹이며 말하였다.

"나는 본래 양반의 아내였습니다. 공경하여 받들어 몸을 던져 낭군을 섬겼으나 겨우 반년 만에 강도(江都)로 피난해 들어왔지만 바람이 되놈[80]에게 불어 성문으로 난입(亂入)하였으나, 낭군은 돌림병에 걸려 병상을 떠날 수 없었기에 유체(遺體)를 생각하지 않고 낭군 옆에 모시고 앉았더니, 인생의 절의(節義)를 금수(禽獸)가 어찌 알겠습니까? 뼈는 인간 세상에서 썩고 넋은 저승으로 가니, 염라왕이

'광해(光海)의 말년에 조정이 혼탁하여 임금은 임금답지 않았고 신하는 신하답지 않았으나 오직 너의 조부는 취한 사람 가운데서 혼자 깨어 있었고, 뜻이 고

---

76 옥허 신선이 사는 곳. 선경(仙境).
77 청소계전 선계(仙界)의 전각(殿閣) 이름.
78 월아 달에 산다는 선녀 항아(姮娥)를 의미함.
79 왕 '염라왕'을 가리킴.
80 되놈 병자호란을 일으킨 청의 여진족을 낮잡아 속되게 이르던 말.

결했다. 강도의 난리가 너무나 커서 절의를 저버리고 삶을 도모하는 사람이 많았으되 유독 너희 여자들이 그 치욕을 받음에 즐거이 죽음에 나갔으니, 전후의 같은 절의가 남녀에 무슨 차이가 있는가? 먼저 그 조부가 있고 이어서 이 손녀가 있으니 어찌 아름답지 아니한가?'라고 하였습니다.

이렇게 하여 천당에 들어가도록 명하였기에 만세(萬歲)까지 영원히 즐기니 젊어서 넋이 되었으나 무엇이 한이 되겠습니까? 다만 백발 양친과 젊은 낭군은 겨우 죽음을 면하였으나 풍진 세상에 살아남아 금슬(琴瑟)의 소리가 처량하고[81], 아침저녁 기다리는 희망이 없어졌으니, 오동에 가는 비 내리고 봄바람에 꽃잎이 떨어질 때, 이별의 눈물이 마를 새가 없고, 한이 배나 더한 것이 한입니다.

그러나 부모님을 잊고 자결함은 불효라고 할 수 있고, 낭군을 속인 것도 잘한 것이 아니니 아! 나의 죄와 한이여! 어찌 다 말할 수 있겠습니까?"

아! 자리에 가득한 부녀들이 모두 각각 자신의 소회(所懷)를 말하는데 어떤 사람은 탄식하고 어떤 사람은 눈물을 흘리고 어떤 사람은 통곡했다. 그 탄식하는 사람과 눈물을 흘리는 사람 통곡하는 사람을 이루 다 적을 수가 없었다.

조금 있다가 보니, 한 여자가 그 가운데를 배회하는데 달 같은 눈썹과 별 같은 눈동자에 옥 같은 쪽진 머리와 구름 같은 살쩍이 신선이라고 할 수 있었다. 선사는 크게 놀라 마음속으로 말하였다.

'직녀가 은하지(銀河池)에서 내려오고 항아가 월궁(月宮)을 떠났는가? 직녀로 말하면 한 번 낭군과 이별한 뒤, 만날 날을 기약할 수가 없어 아름다운 눈물이 옷깃에 가득하고 푸른 눈썹을 찡그리며, 항아로 말하면 긴 밤을 혼자 자게 되니, 약을 훔친 것을 뒤늦게 후회하여 홍안이 이미 늙어 백발이 어지러운데, 이 사람은 벽도화(碧桃花)처럼 아름다운 용모에 전혀 근심하는 빛이 없으니 직녀도 아니요 항아도 아니다. 저 사람은 누군데 저러한가?'

---

81 금슬의 소리가 처량하다 거문고와 비파는 부부로 비유되는데, 자신이 죽고 남편 홀로 살아남았으니, 금슬의 하나가 없어 슬픈 소리가 나듯이 남편이 외롭다는 뜻이다.

알려고 해도 알 수가 없어 스스로 이상하다고 생각하는데, 그 사람이 빙그레 웃으며 말했다.

"저는 기생이랍니다. 노래하고 춤추어 아름다운 이름이 멀리 퍼졌지요. 파랑새가 말을 전하고, 방자한 나비가 향을 훔치니, 곳곳이 양대요 밤마다 운우(雲雨)[82]니, 즐김이 지극합니다. 즐겁기는 즐거우나 사람의 일을 돌이켜 생각하면 귀한 것이 절의입니다. 원래 하루아침 깊은 규방(閨房)에서 비단 장막을 앉아서 지키고, 길이 한 지아비만 받들어 두 마음이 없다가, 뜻밖의 풍진(風塵)으로 청춘에 꽃이 졌습니다. 이 밤의 격조 높은 모임은 실로 분외(分外)에 나온 것이며 외람되이 높은 열녀들 곁에서 다행히도 훌륭한 말씀을 들었습니다. 그 높은 절의와 아름다운 정렬(貞烈)에 하늘이 반드시 감동하고, 사람이 따르기 어려운 바니, 죽었으되 죽은 것이 아니어서 무슨 한이 있겠습니까?

강도(江都)가 함락되고 남한산성이 위급하여 임금이 욕을 당했을 때 어떠했습니까? 나라의 수치가 바야흐로 깊은데 충신의 절의는 만에 하나도 없었으며 정조(貞操)가 늠름했던 것은 부녀자뿐이었으니, 이런 죽음은 영광이라, 어찌 슬퍼하겠습니까!"

이 말을 막 마치자 좌중의 여자들이 일시에 통곡했는데, 그 소리가 너무나 슬퍼서 차마 들을 수가 없었다. 선사는 혹시 알려질까 두려워 수풀 아래에 숨어 있다가, 날이 밝기를 기다려 물러 나왔는데 갑자기 놀라 일어나 깨어 보니 한바탕 꿈이었다.

(연대 미상)

한석수 편역, 《몽유소설》(개신, 2003)

---

82 운우 운우지락(雲雨之樂). 구름과 비를 만나는 즐거움이라는 뜻으로, 남녀의 정교(情交)를 이르는 말. 중국 초의 회왕과 무산신녀의 고사에서 유래한다.

숙향전(淑香傳)

작자 미상

숙향이 전생(前生)의 죄 중하여, 이 세상에 나와, 5세에 부모를 여의고 동서 개걸하여 정처 없이 다니며, 초행노숙(草行露宿)하여 기한을 못 이긴들 뉘라서 구휼(救恤)하리요? 덤불 밑에 혼자 앉아 한숨짓고 눈물로 지내 옵더니 하늘이 구제하사 난데없는 큰 사랑 입었다가, 여기 두고 가오니, 승상과 부인이 숙향의 자닝한 신세를 보시고 극히 사랑하사 귀한 의복과 좋은 음식으로 기르시고 친자식같이 어엿비 여기시니 아무리 아이라도 하해 같은 은혜를 생각하니, 호천(昊天)이 망극한지라. 하물며 승상댁에 있은 지 해포 되오되, 일편지심(一片之心)이 금석같이 굳었으니, 어찌 부인을 속여 일신을 함지(陷地)에 바쳐 천고의 누명을 끼치리이까?

_본문 중에서

상

옛 송(宋) 시절 진종조(眞宗朝)에 남양(南陽) 땅 김전이란 사람이 있으되, 10세 전에 문장(文章)이 대발(大發)하여 한퇴지(韓退之)와 소동파(蘇東坡)의 기백(氣魄)이 천하 명사들이 다투어 존경하더라.

그 부친은 운수 선생(雲水先生)이라. 도덕과 재주가 천하의 으뜸인 고로, 황제 예우하시어 조서(詔書)를 내려 간의대부(諫議大夫)와 이부 상서(吏部尙書)로 부르시되, 종시(終是) 사양하고 산중에 은거하여 세월을 보내니, 집이 자연 청한(淸閑)[1]하더라.

이때에 김전의 친한 벗이 수령을 하여 가거늘, 김전이 장차 전송할새, 주효(酒肴)[2]를 나귀에 싣고 반하(盤河) 물가로 갈새, 어부들이 모여 거북을 잡아먹으려 하거늘, 김전이 왈,

"그 짐승을 보니 이마에 하늘 천(千) 자 있고, 배에는 임금 왕(王) 자 있으니 비상한 짐승이라. 빨리 놓아주라."

한데, 어부 말하기를,

"비록 비상(非常)하나 우리 등이 고기를 잡지 못하고 다만 거북 하나를 잡았으니, 요기(療飢)하려 하니, 말리지 마소서."

하였다.

김전이 거북을 보니 눈물을 흘리며 죽기를 서러워하는 형상을 보이거늘, 김

---

1 청한 맑고 깨끗하며 한가함.
2 주효 술과 안주를 아울러 이르는 말.

문학을 열다: 한국 고전 소설 베스트

전이 가져갔던 주과(酒果)를 주고 바꾸어 물에 놓으니, 그 거북이 천천히 들어가며 김전을 자주 돌아보고 가더라.

이때 김전이 양양 땅의 벗을 찾아보고 돌아오더니, 백운물을 건너매 중류에 미쳐 큰 물결이 일어나니 전후(前後) 다리 무너지고 물결이 흉흉한지라. 김전이 망극하여 다리 기둥을 붙들고 울더니, 기둥이 마저 떨어지자 하릴없이 죽게 되었더니, 물속에서 한 검은 것이 급히 오거늘 그 기둥을 놓고 그 위에 올라가니, 그것이 물에 떠 허위며³ 빠르기가 화살 같았다. 무사히 건너서 바위 위에 놓거늘 정신을 차려 자세히 보니, 반하수에서 구해 주었던 거북이었다. 크게 사례하니 거북이 입으로 안개 같은 기운을 토하여 김전에게 쏘더니, 이윽고 그 기운이 걷히고 큰 구슬이 앞에 놓였거늘, 자세히 보니 오색 정기 있고 은은히 글자가 있는데, 목숨 수(壽) 자와 복 복(福) 자였다. 김전이 '전일 구해 준 은혜를 갚는가?' 하고, 집에 돌아와 부친께 드리니 보시고 기뻐하여,

"일후 보면 되리라."

하였다. 김전이 나이 20이로되 빈곤한 고로 입신하지 못하매 날로 한하였다.

이때 영천 땅 장회란 사람이 공명(功名)에 뜻이 없어 벼슬을 구하지 아니하나 본디 공명의 자손인 고로 집안이 가장 호부(豪富)⁴하였다. 일찍 아들이 없고 한 딸을 두었으니, 용모와 재행(才行)⁵이 출중한지라. 사위를 구하더니, 김전이 문장과 풍모 준수(俊秀)함을 듣고 구혼하거늘, 김전이 허혼하고 구슬 둘을 보내니, 장회의 아내가 장회를 원망하여,

"무슨 생각으로 가난한 사위를 취하여 집을 전하리요?"

하니, 장회가,

"제 비록 가난하나 재물을 어찌 탐하리요? 천만금을 얻기는 쉽거니와 이 진주

---

3 허위다 팔다리를 크게 내두르다.
4 호부 세력 있는 큰 부자.
5 재행 재능과 행실.

는 천하의 지극한 보배라."

하고, 즉시 옥공(玉工)을 불러 옥지환(玉指環)[6] 한 쌍을 만들어 딸을 주고 택일(擇日)하여 김전을 맞아 사위를 삼으니, 원앙이 녹수에 놀고 비취가 연리지(連理枝)에 깃들임 같았다.

김전이 장회 집에 있은 지 10년이 되매 장회 부처(夫妻) 연심하여 죽음을 당할새, 김전 부처를 불러 가사를 전하시고 별세하니, 슬프다, 3년을 예로써 받들고 후사를 지성으로 이으니 부요(富饒)하여[7] 천하의 으뜸이로되, 다만 자식이 없는지라, 일로 한탄하여 명산대천에 기도하는 것을 일삼았다.

이때는 7월 망간(望間)[8]이라. 김전 부처 망월루에 올라 명월을 구경하고 있었는데, 하늘에서 계화(桂花) 한 가지가 장 씨 앞에 떨어지고 향내 진동하거늘 즉시 김전을 청하여 괴이(怪異)함을 구경하더니, 문득 광풍이 대취(大吹)하여 계화 산산이 흩어지거늘, 김전 부처가 길게 탄식하고 누웠더니, 그날 밤 꿈에 달이 떨어지고 금두꺼비가 장 씨 품으로 들어오거늘, 꿈을 깨어 서로 위로하였다.

그달부터 수태(受胎)를 하여 10삭[9]이 차매, 숙향을 낳으니, 기축(己丑) 4월 초파일(初八日) 해시(亥時)[10]였다. 그날 오색구름이 집 안을 두르고 향기 진동하며, 두 여자가 옥병(玉瓶)을 들고 들어와,

"천상 부인이 오시니 집 안을 소쇄(掃灑)[11]하라."

하는데, 기이한 기운이 하늘에 닿았고 향내 진동하였다.

장 씨가 혼미 중에 그 여자를 살펴보니, 옥병에 향탕(香湯)[12]을 부어 아이를 씻겨 누이고 갔다.

김전이 아이를 보니 비록 딸이나 극히 사랑하여 7일 후에 왕균이란 술사를

---

6 옥지환 옥으로 만든 가락지.
7 부요하다 재물을 풍부하게 가지고 있다.
8 망간 음력 보름께.
9 삭 달을 세는 단위. 개월.
10 해시 밤 10시경.
11 소쇄 비로 먼지를 쓸고 물을 뿌림.
12 향탕 향을 넣어 달인 물.

불러 전생의 사주(四柱)를 보일새,

"이 아기는 월궁항아(月宮姮娥)의 정기를 가졌으니, 필연 저렇게 되려니와, 다만 천상에 득죄하여 인간(人間)에 귀양을 왔으니 전생의 죄를 이생에서 다 갚고 후분(後分)[13]은 태평 영화를 볼 것이니 그리 알라."

하고, 그 연월일시를 기록하니, 김전이,

"후분은 알지 못하나 선분(先分)[14]은 우리 아직 구존(俱存)하니 무슨 일이 있으리요?"

하니, 왕균이 웃으며,

"사람의 팔자는 도망하지 못합니다. 그 아기 사주를 보니, 나이 5세 되면 추풍낙엽이 되어 부모를 사모할 것이요, 15세 전에 다섯 번 죽을 액(厄)을 지내고, 17세에 부인에 봉(封)할 것이요, 20세면 부모를 다시 만나 태평을 볼 것이요, 70세 차면 천상(天上)으로 갈 것입니다."

하니, 김전이 그 말을 듣고 행여 염려하여 금쪽에 금자(金字)로 연월일시와 이름과 나이를 쓰고 옥지환 한 짝을 채우고 매일 슬퍼하였다.

숙향이 점점 자라 5세에 다다르니, 이적에 군병이 일어나 형초(荊楚)를 침노(侵擄)하거늘[15], 백성이 다 집을 버리고 피난하매, 김전도 또한 가속(家屬)을 데리고 강릉(江陵)으로 향하더니, 중로에 도적을 만나 행장(行裝)과 노복(奴僕)을 잃고 아내와 숙향을 맡기고 죽을힘을 다해 가더니, 도적이 점점 가까이 오는지라 김전이 힘이 진(盡)하여 가지 못할 지경이 되었다. 김전이 장 씨를 불러,

"도적이 가까이 오고 내 힘이 진하여 달리지 못하니, 우리 살아나면 숙향 같은 자식을 얻어 볼 법이 있거니와, 우리 죽으면 시체를 누가 거두며 제사를 누가

---

13 후분 사람의 평생을 셋으로 나눈 것의 마지막 부분. 늙은 뒤의 운수나 처지를 이름.
14 선분 젊은 때의 운수나 처지를 말함.
15 침노하다 침략하여 약탈하다.

하리요? 비록 망극하나 숙향을 이곳에 버리고 우리 먼저 피난하였다가 평란(平
亂)[16] 후에 돌아와 찾아갑시다."

하니, 장 씨 망극하여 울며,

"내 죽기는 쉽거니와 차마 숙향을 버리고 어디로 가리요?"

한데, 김전이 통곡하며,

"슬프다, 어이 차마 처자(妻子)를 버리고 혼자 살리요? 차라리 셋이 한가지로
죽으리라."

하니, 장 씨가,

"그대 남자 되어 어찌 우리 같은 처자를 중히 여겨 천금 같은 몸을 죽고자 합
니까? 우리를 버리고 먼저 가소서."

하니, 김전이 망극 중에 떠날 틈이 없거늘, 장 씨 숙향을 불러,

"숙향아, 젖 먹어라. 너를 어이할꼬?"

하며, 길가에 앉히고 쪽박과 밥을 주며,

"숙향아, 여기 잠깐 있어라. 배고프거든 이 밥 먹고 목마르거든 이 박으로 물
떠먹고, 잘 있거라. 우리 내일 와서 데리고 가마."

하고, 낯을 한데 대고 일어서니, 그 참혹(慘酷)한 마음을 금하지 못하더라.

이때 숙향이 그 어미 거취(去就)[17]를 보고 치마를 붙들고 울며,

"날 버리고 어디로 가려 하나요? 나도 함께 가사이다."

하고 울거늘, 김전이 그 거동을 보고 울며 달래어,

"내 딸 숙향아, 울지 말고 가만히 숨어 있거라. 소리 나면 도적이 죽이느니라.
가만히 숨어 지내면 내일 와 데려가마."

하고, 장 씨가 옥지환 하나를 숙향의 손에 쥐어 주고 돌아보니 도적이 벌써 가까
이 오는지라. 김전이 숙향을 버리고, 장 씨를 데리고 산에 올라 숨었다. 숙향이

---

16 평란 난리를 평정함.
17 거취 사람이 어디로 가거나 다니거나 하는 움직임.

소리를 크게 하여,

"어머니 아버지, 나를 버리고 가시나이까? 내일 와서 날 데리고 가소서."

하고 울거늘, 그 어린 정상은 차마 보지 못할러라.

김전 부처 달아나며 숙향의 말을 듣고, 간장이 녹은 듯 앞이 어두워 닫지 못하더라.

문득 도적이 숙향을 보고,

"네 어떤 아이기에 혼자 우느냐? 부모 없는 아이냐? 만일 부모 있으면 차마 너를 버리리요?"

하며 자세히 물으니, 숙향이 울며,

"나를 버리고 갔으니 간 곳을 어찌 알리오?"

하니, 모든 도적이 죽이려 하나, 한 도적이 말려,

"제 부모라, 무슨 죄 있으리요? 이 아이를 보니 비상하도다. 꼭 타일에 귀히 될 사람인 듯하니 죽이지 말라."

하고, 업어다가 마을 가운데 두고 가며,

"내 자식도 너 같은 이 있으니, 불쌍하다, 너 부모도 너를 버리고 오죽 서러워할 것이다."

하고, 가더라.

숙향이 도로 도적을 부르며,

"한가지로 가자."

하니, 보는 사람들이 불쌍히 여겨 그 부모를 원망하였다.

숙향이 마을가에 엎드려 다니다가 날이 저물거늘, 인적은 고요하고 기갈(飢渴)이 심하여 갈 바를 알지 못하고 혼자 덤불 밑에 앉아서 부모를 부르고 울더니, 난데없는 잔나비[18]가 와서 삶은 고기 두어 점을 물어다가 먹이니, 배는 부르

---

18 잔나비 '원숭이'를 이르는 말.

나 이때는 10월이라, 밤이 길고 바람이 찬지라. 수족을 만지며 엎드려 우니, 황새 날아와 날개로 숙향을 덮으니 춥지 아니하더라.

밤을 지내고 이튿날 아침에, 한 까치가 날아와 숙향 앞에서 울다가 가거늘, 괴히 여겨 그 까치를 향하여 가니, 큰 산을 넘어 마을이 있거늘, 마을에 가서 어미를 부르며 처량(凄凉)히 우니, 마을 사람이 그 경상(景狀)을 보고 불쌍하게 여겨,

"너는 어디 있으며 뉘 집 자식이냐? 불쌍하도다."

하였다.

숙향이 혈혈(孑孑)히[19] 다니다가 사람을 보고 어미로 여겨 부르거늘, 그 사람이,

"네 어미 아니다."

하니, 숙향이,

"내일 와 데려간다 하더니 오지 아니합니다."

하였다.

숙향의 얼굴이 고우니, 사람이 다 기르고자 하나, 난중에 수작이 어려워 데리고 가지 못하고, 밥 주어 먹이고는,

"우리도 피난하여 이제 산을 넘어가니 너도 아무 데나 가거라."

하였다.

각설(却說)[20]이라.

김전이 아내를 데리고 산중에 감추고 가만히 내려와, 숙향이 있던 데 와서 찾으니 인적이 없는지라. 가만히 숙향을 부르니, 인적이 없거늘, '죽었다.' 하고 급히 올라가 장 씨에게,

"숙향이 간 곳이 없더라."

하니, 장 씨 이 말을 듣고 기절하고,

---

19 혈혈히 의지할 곳이 없이 외롭게.
20 각설 말이나 글 따위에서, 이제까지 다루던 내용을 그만두고 화제를 다른 쪽으로 돌림.

"숙향아, 어데 간고?"

하며, 무수히 통곡하니, 김전이,

"어린것이 멀리 못 갔을 것이오, 또 죽었으면 신체가 근처에 있을 것이로되 종적이 없으니, 아무나 데려갔는가 싶으니, 염려 마시오. 전일(前日) 왕균이 이르던 말을 생각하여 마음을 망치지 말라."

하거늘, 장 씨 왈,

"제 얼굴과 하던 일이 눈에 암암하고 이별할 때 이르던 말이 귀에 쟁쟁하니, 어찌 차마 잊으리요?"

부처 통곡하니, 피눈물이 나더라.

이때 마을 사람이 피난하여 나가고, 까치도 잃고, 숙향 혼자 울며 멀리 바라보며 가니, 산 위에 사람들이 왕래하거늘, 인간만 여겨 산을 바라보며 울더니, 산은 첩첩하고 길이 지험하니, 갈 데 없어, 길가에 앉아 앙천통곡(仰天痛哭)하니[21], 날은 저물고 배는 고파 견디지 못하여 자결(自決)하고자 하는데, 문득 푸른 새가 꽃봉오리를 물고 앉았거늘, 숙향이 그 꽃봉오리를 따 먹으니, 눈이 밝고 배도 부르고 정신이 황홀(恍惚)하거늘, 일어나 그 새를 따라 두어 고개를 넘어가니, 산곡(山谷)에 큰 집이 자옥하거늘, 그 새를 따라 들어가니 한 선녀가 마주 나와 숙향을 안고 들어가 큰 전상(殿上)에 앉히니, 여사부인[22]이 화관(花冠)을 쓰고 칠보장의를 입고 큰 교의(交椅)[23]에 앉았다가 숙향을 보고 맞아서 팔을 밀어 서편 백옥(白玉) 교의에 앉으라 하거늘, 숙향이 어찌할 줄을 몰라 울거늘, 부인이,

"선녀는 인간에 와 불결한 음식을 많이 먹고 정신이 바뀌었는가 싶으니, 경액(瓊液)[24]은 선녀가 마시는 차이다. 바쳐라."

---

21 앙천통곡하다 하늘을 쳐다보며 몹시 울다.
22 여사부인(女士婦人) 학덕이 높고 지식이 있는 점잖은 여자.
23 교의 제사를 지낼 때 신주(神主)를 모시는, 다리가 긴 의자.
24 경액 신비로운 약물, 또는 좋은 술을 비유적으로 이르는 말.

하시니, 선녀가 차를 드리는데, 만호잔(滿瑚盞)[25]에 호박대(琥珀臺)[26]를 받쳐 이슬빛 같은 차를 드리거늘, 숙향이 먹으니, 맛은 젖 맛 같고 향내 나더라.

차를 다 먹고, 그가 전생에 천상(天上)에서 노던 일과 인간(人間)에서 부모를 이별하고 동서 개걸(丐乞)[27]한 정상을 역력히 알고, 제가 비록 아이이나 마음은 어른이라. 공손히 부인께 사례하여,

"나는 천상에서 득죄(得罪)하여 인간에 내려와 고초(苦楚)히 다니는 것을, 부인이 극진히 대접하시니, 감격하여이다."

하니, 부인이 웃으며,

"나를 알아보시나이까?"

하니, 숙향이,

"내 인간에 내려와 정신이 바뀌었사오니 알지 못하나이다."

하니, 부인이,

"이 땅은 명사계(冥司界)[28]라 하는 땅이요, 나는 후토신령(后土神靈)[29]이로소

25 만호잔 자줏빛 마노(瑪瑙)로 만든 잔.
26 호박대 호박으로 만든 쟁반.
27 개걸 빌어서 먹음.
28 명사계 불교에서 말하는 사람이 죽어서 간다는 곳.
29 후토신령 토지를 맡아 다스리는 신.

이다. 선녀 인간에 내려와 고행(苦行)할새, 내 선녀를 위하여 푸른 잔나비와 청조(靑鳥)를 보내었더니 보셨나이까?"

하거늘, 숙향이,

"보았사오니, 부인의 은혜 망극하여 백골난망(白骨難忘)[30]이오니, 부인의 시비(侍婢)나 되어 부인의 은덕을 만분지일(萬分之一)이나 갚고자 합니다."

하니, 부인이 정색하며,

"나는 지하의 후토신령이요, 선녀는 월궁의 으뜸 선녀라. 행여 인간에 귀양 와 이렇게 고행하시나 어찌 감히 그런 말씀을 하시나이까? 오늘 날이 저물었으니 의탁하실 데가 없으신 모양이 자닝하고 또 가실 길이 머오니, 일정(一定)[31] 길에서 고행할 것이니 유숙하여 가시고, 오늘은 우리와 조용히 노시고 내일 가도록 하소서."

하고, 큰 잔치를 배설(排設)하니[32], 음식 기명(器皿)[33]과 모든 풍물이 다 인간에서 보지 못하던 것이더라.

부인이 경액을 권하니, 숙향이 그 약을 받아먹은 후로 정신이 점점 새로워 인간 일은 잊히고 천상 일만 기억하더라. 숙향이,

"전생에 듣자오니, '명사계(冥司界)라 하는 땅은 시왕(十王)[34]이 계시는 집이라.' 하오니, 우리 부모 난중에 나를 버리고 가셨더니, 행여 죽었는지 살았는지 일정 시왕께 물어보고자 합니다."

하니, 부인이 웃으며,

"인간 부모는 무사히 계시거니와, 그 사람들도 세상 사람이 아니라 봉래산 선관(仙官)[35] 선녀로서 인간에 귀양 갔으니, 기한이 차오면 봉래산으로 갈 것이니 이

---

30 백골난망 죽어서 백골이 되어도 잊을 수 없다는 뜻으로, 남에게 큰 은덕을 입었을 때 고마움의 뜻으로 이르는 말.
31 일정 어떤 것의 크기, 모양, 범위, 시간 따위가 하나로 정하여져 있음.
32 배설하다 연회에 쓰는 물건을 차려 놓다.
33 기명 살림살이에 쓰는 그릇을 통틀어 이르는 말.
34 시왕 저승에서 죽은 사람을 재판하는 열 명의 대왕.
35 선관 선경(신선이 사는 곳)의 벼슬아치.

리로 오지 아니할 것입니다."

하니, 숙향이,

"인간에 나가오면 부모의 얼굴을 만나 보리이까?"

하니, 부인이,

"부인이 월궁에 계실 때, 항아에게 득죄하여 죽게 되었더니, 규성(奎星)[36]이 옥황께 여쭈어 구하신 은혜가 있었는데, 이제 규성이 상제께 득죄하여 인간에 내려와 장 승상 부인이 되었다.' 하니, 이제 장 승상 집에 가 전생 은혜를 갚고 10세 후에야 태을 진인(太乙眞人)을 만나 인하여 부모도 만나 볼 것이니, 그러하자면 이제 열다섯 해 되리다."

하니, 숙향이,

"인간 고행을 생각하니 1일이 여삼추(如三秋)[37]라. 이제 열다섯 해를 어찌 지내리이까? 차라리 죽고자 하나이다."

하니, 부인 왈,

"선녀 비록 죽기를 원하시나, 천상의 죄 중하시매, 인간의 다섯 번 액을 지내신 후에야 천상죄(天上罪)를 사(赦)하고 인간의 좋은 일을 보실 것이니, 이전에 도적을 만나 한 번 지내시고, 또 명사계에 와 다녀가시니 두 번 죽을 액을 지내셨거니와, 이 앞에 또 세 번 죽을 액을 보실 것이니, 조심하소서."

하니, 숙향이,

"항아는 나를 위하여 그토록 심려하시는가?"

하며 서로 경액을 권하여 놀기를 좋아하더니, 문득 산에서 닭의 소리 나거늘, 부인이,

"오늘 선녀를 만나 말씀이 가히 없사오나, 가실 때 멀고 또 늦어 가오니 평안

---

36 규성 이십팔수(二十八宿)의 열다섯째 별자리에 있는 문운(文運)을 맡은 별. 여기서는 선녀나 선관의 이름을 가리킴.
37 여삼추 3년과 같이 길게 느껴진다는 뜻으로, 몹시 애타게 기다리는 마음을 이르는 말.

히 놀다가 가소서."

하니, 숙향이 한숨짓고,

　"내 인간을 돌아보니 어디로 가며 뉘 집에 가 의지하오리까?"

하니, 부인이,

　"가실 길은 내 지시하려니와, 이에 장 승상 부인 은덕을 갚고 가소서."

하니, 숙향이,

　"장 승상댁이 예서 얼마나 하니이까?"

하니, 부인이,

　"1,300리오나 그는 근심하지 마소서."

하고, 비단 주머니에 천도(天桃) 열매를 담아 쥐고 나와 큰 사슴의 뿔에 걸고,

　"이 사슴을 타면 순식(瞬息)[38]에 가려니와, 시장하시거든 이 나무 열매로 요기하소서."

하니, 숙향이 예하고 그 사슴을 타니, 구름을 헤치고 가니 아무런 줄을 모를네라. 이윽고 한 곳에 가 서거늘, 숙향이 내려 사슴뿔에 걸린 열매 셋을 먹으니, 배는 부르되 천상 일은 잊게 되고, 도로 아이가 되어 그 사슴을 두려워하더라.

　이날 밤 달이 지고, 밤이 어둡고 수목이 참천(參天)한지라[39]. 나무 밑에 엎드려 졸더니, 잠을 깨어 자세히 물으니,

　"장 승상댁 동산이라."

하였다.

　차설(且說)[40]이라.

　남군 땅 장 승상은 한(漢) 장남의 후예라. 일찍 급제하여 명망(名望)이 일대에

---

38 순식 눈 한 번 깜짝하는 사이, 곧 매우 짧은 시간.
39 참천하다 하늘을 찌를 듯이 공중으로 높이 솟아서 늘어서다.
40 차설 주로 글 따위에서, 화제를 돌려 다른 이야기를 꺼낼 때, 앞서 이야기하던 내용을 그만둔다는 뜻으로 다음 이야기의 첫머리에 쓰는 말.

중하여 아니한 벼슬이 없더니, 40 전에 승상(丞相) 되어 삼조(三朝)[41]를 섬기니, 부귀 천하에 으뜸이요 조정이 훈국 대신(勳國大臣)[42]이라 일컬었다.

신종조(神宗朝)에 이르러 당심이 어지럽거늘, 벼슬을 사양하고 나가지 아니하더니, 이때 외방(外方) 도적이 있거늘, 장 승상이 고향에 돌아와 가사를 다스리니, 금은보화와 노비 전답이 천하에 제일이로되, 다만 자식이 없는지라. 주야로 서러워하더니, 마침내 부인이 꿈을 꾸니, 한 선녀 구름 속으로 내려와 계화(桂花) 한 가지를 주며,

"그대 전생의 죄 중하여 이 생에 자식을 없게 하였더니, 남에게 애매히 잡혀 어려워하실새, 이 계화를 주나니, 간수하라. 오래 있으면 좋은 일이 있으리라."

하고, 가거늘 부인이 그 꿈 말을 승상께 아뢰니, 승상이,

"우리 무자식하여 서러워하니 하늘이 자식을 점지(點指)하시도다. 우리 50이 지났으니, 어찌 자식을 보리요?"

하고, 승상이 외당(外堂)에 나가시니, 예 없던 구름이 어리었고 향내가 바람결에 동산으로부터 오거늘, 승상이 혼잣말로, '이때는 동절(冬節)이라, 오색 안개 있을 때 아니요, 초목이 영락(零落)하니, 향내 괴이하도다.' 하고 향내 따라 동산에 올라가니, 모란 포기에 새잎이 나고, 꽃이 만발한지라. 그 가운데 한 계집아이 울거늘, 승상이 대경(大驚)하여 부인을 청하려 보려 하고 급히 시녀를 부르는 소리에 그 아이 놀라 깨어 울거늘, 승상이,

"네 어떤 아이이며, 이름은 무엇이며, 뉘 집 자식이며, 집은 어디 있으며, 어찌 이 깊은 동산에 왔느뇨?"

하고, 신신(申申)[43]이 물으니, 그 아이가,

"내 이름은 숙향이요, 집은 어느 곳인지 모르고, 어머님이 나를 데려다가 바위

---

41 삼조 삼대의 왕조 또는 삼대의 조정.
42 훈국 대신 나라에 공훈이 있는 훌륭한 신하.
43 신신 다른 사람에게 부탁이나 당부를 할 때 거듭해서 간곡하게 하는 모양.

틈에 두고 가며 '내일 와 데려가마.' 하더니, 종시 오지 아니하매, 내 의탁할 곳이 없어 길에서 울었더니, 난데없는 짐승이 업어다가 이곳에 두고 가더이다."

하니, 승상이,

"일정 난중(亂中)에 부모 잃은 아이로다."

하고, 부인을 청하여 오니, 부인이 숙향을 보고 그 요조(窈窕)한[44] 거동과 현덕한 의용이 꿈에 보던 선녀 같거늘, 승상께,

"하늘이 지시한 자식이오니 우리가 기릅시다."

하고 아뢰고, 친히 안고 들어가 음식을 먹이고 즉시 옷을 지어 입히고 품에 기르며 친자식같이 사랑하더라.

숙향이 나이 7세 되매, 배우지 않은 글과 온갖 수놓기와 모르는 일이 없거늘, 승상과 부인이 기뻐하더라.

세월이 여류(如流)[45]하여, 숙향의 나이 10세가 되었는지라. 승상이 숙향의 재덕을 보시고 집안 세사(細事)를 다 맡기니, 숙향이 위로는 승상 양위(兩位)[46]를 지성으로 섬기고 아래로 모든 가속을 인의(仁義)로 부리니, 비록 열 사람이라도 미치지 못할레라.

승상 양위 다 즐거워하시어, 좋은 가문을 가리어 사위를 삼아, 후사(後事)를 인하여 맡기고자 할새, 모든 족속과 종들이 숙향 하는 일을 보고 항복 아니하는 이 없더라.

이때 사향이란 종이 본디 승상댁 가사를 차지하여 제집 제사(諸事) 가장 부요하더니, 숙향에게 맡긴 후로 제일 원망하여 내치고자 하였다.

숙향이 나이 15세에 다다르니, 얼굴이 더욱 풍염하고 하는 일이 다 부인의 마음과 같더라.

---

44 요조하다 행동이 얌전하고 정숙하다.
45 여류 흐르는 물과 같음. 세월이 매우 빠름을 비유적으로 이르는 말.
46 양위 부모 또는 부모처럼 받드는 사람의 내외를 높여 부르는 말.

이때 숙향이 승상 부처를 모시고 영춘당(迎春堂)에서 잔치하고 즐거워하더니, 문득 저녁 까치 숙향 앞에 와 세 번 울고 동산 땅으로 날아가거늘, 숙향이 놀라,

"까치는 계집의 넋이라 하니, 허다한 사람 가운데 내게 와 울고 가니, 일정 내게 죄 얽히리까 하노이다."

하니, 승상이 즉시 점(占)하여 보고,

"네게 이롭지 아니할 징조로다."

하고, 부인도 염려하여 이날 잔치를 즐기지 아니하시고 파(罷)하니라.

사향이 이날 승상댁 집이 다 빈 줄을 알고, 침방(寢房)에 들어가 부인 금봉채(金鳳釵)와 승상의 은장도(銀粧刀)를 도적하여 숙향의 함(函)에 가만히 숨기고 왔더니, 3일 만에 부인이 동리연(洞里宴)에 가려고 봉채(鳳釵)[47]를 찾으니 없는지라. 놀라 세간을 내어 번고(反庫)하니[48], 승상의 장도칼이 또 없는지라. 가장 놀라 노속(奴屬)을 중히 죄주니, 사향이 거짓 모르는 체하고,

"집안에 무슨 일이 있건대 이리 요란하오이까?"

하거늘, 부인이,

"선조(先祖) 적 숙사하신 은장도와 승상 받으실 때 납채(納采)하던 금봉채가 없으니, 이것은 집의 지극한 보배라, 어찌 아니 찾으리오?"

하거늘, 사향이 가만히 여쭈오되,

"저즘께[49] 숙향이 부인 방에 들어가 세간을 뒤져 보더니, 무엇인지 감추어 제 방으로 가져갔으니, 아무렇게나 두고 보십시오."

하니, 부인이,

"숙향의 마음은 백옥 같거늘, 어찌 그러리요?"

---

47 봉채 봉황의 모양을 대가리에 새긴 큼직한 비녀.
48 번고하다 창고에 있는 물건을 뒤적거려 조사하다.
49 저즘께 '접때(오래지 아니한 과거의 어느 때)'의 잘못.

하니, 사향이,

　"옛날에는 숙향 씨가 그렇지 아니하더니, 요사이 혼인 기별 잠깐 듣고 세간을 따로 끼치려 하고, 그런 일을 하던지, 종들 보는데 가장 흐린 일 많사오되, 승상과 부인이 극히 중히 여기시매 감히 말을 못 하옵더니, 일이 탄로하였으니 두고 보십시오."

하니, 부인이 사향을 의심하고 숙향에게 가,

　"잃은 것이 아니라 혹 사향의 방에 있는가 알지 못하여 묻노라."

하니, 숙향이,

　"인심은 측량하지 못할 것입니다."

하고, 먼저 제 방에 들어가 세간을 다 내어 부인 안전에서 열어 보니, 장도와 봉채가 들었는지라. 사향의 간악한 꾀와 숙향의 애매(曖昧)한 마음을 뉘 능히 분석하리요?

　이때 부인이 그 신물을 보시고, 급히 초당(草堂)에 나가 승상께,

　"우리가 숙향을 친자식같이 중히 여겨 가사를 맡겨 우리와 같은 가문을 구하여 배필을 정하고 후사를 의탁하려 하였더니, 이제는 남의 자식이라. 나를 속여 승상의 장도와 첩의 봉채를 도적하여 제 세간 함에 넣고 종시(終是) 거짓말하다가 내게 드러났사오니, 어찌 처치하오리까?"

하니, 승상이 만단에 혹하여,

　"우리 숙향이 빙설(氷雪) 같은지라. 설마 그러리요? 또 봉채는 계집에게 속한 것이나 장도는 그렇지 아니하니 그 일이 괴이하다. 자세히 살펴보소서."

하였다.

　이때 사향이 곁에 있다가 여쭈오되,

　"숙향이 이전과 달라 수(繡)도 놓으며, 글도 지으며, 밖 사람을 자주 친하며, 모르는 사람이 구구히 안으로 출입하니 그 뜻을 알지 못하나이다."

　승상이,

"괴이한 일이로다. 제 나이 차니, 외인으로 더불어 출입하는 것이 불길한지라. 만일 숙향을 내 집에 두면 뒷말 있을 것이니 빨리 내어보내라."

하거늘, 부인이 그 말 듣고 나오니, 숙향이 제 방에서 머리를 싸매고 누웠거늘, 부인이 책망하여,

"우리 무자식하여 주야(晝夜) 서러워하다가 너를 만나니, 얼굴과 하는 일이 비상하매 일정(一定) 양반의 자식이라 하여 품에 길러 친자식같이 사랑하여 집안 만사를 다 맡기고, 높은 가문을 가려 착한 배필을 얻어 혼사를 정하고자 하던 줄은 너도 알거든, 내 집이 비록 빈한하나 노비 3,000구(口)요, 전답(田畓)이 수만 석이라. 이만하여도 네 일생에 족하거늘, 내 봉채와 장도를 가지고자 하면 나에게 말하면, 무엇이 귀하여 아니 주며, 또 봉채는 계집에게 속한 것이니 비록 가져감이 옳거니와, 장도는 네게 아주 당(當)치 못하거늘, 뭐 하려고 가져갔느냐? 나는 너와 정이 중하나 승상이 저리 노하시니 이 일을 뉘 탓이라 하리요? 아마도 네가 잠깐 집을 떠나 근처에 있으면, 내가 조용히 승상께 사뢰고 다시 데려오마."

하고, 슬픈 마음을 이기지 못하여 눈물이 비 오듯 하니, 숙향이 울며,

"숙향이 전생의 죄 중하여, 이 세상에 나와, 5세에 부모를 여의고 동서 개걸하여 정처 없이 다니며, 초행노숙(草行露宿)[50]하여 기한을 못 이긴들 뉘라서 구휼(救恤)[51]하리요? 덤불 밑에 혼자 앉아 한숨짓고 눈물로 지내 옵더니 하늘이 구제하사 난데없는 큰 사랑 입었다가, 여기 두고 가오니, 승상과 부인이 숙향의 자닝한 신세를 보시고 극히 사랑하사 귀한 의복과 좋은 음식으로 기르시고 친자식같이 어엿비 여기시니 아무리 아이라도 하해[52] 같은 은혜를 생각하니, 호천(昊天)[53]이 망극한지라. 하물며 승상댁에 있은 지 해포[54] 되오되, 일편지심(一片

---

50 초행노숙 잡초가 무성하고 거친 땅으로 다니며 노숙하다.
51 구휼 사회적 또는 국가적 차원에서 재난을 당한 사람이나 빈민에게 금품을 주어 구제함.
52 하해(河海) 큰 강과 바다를 아울러 이르는 말.
53 호천 넓고 큰 하늘.
54 해포 한 해가 조금 넘는 동안.

之心)이 금석같이 굳었으니, 어찌 부인을 속여 일신을 함지(陷地)에 바쳐 천고의 누명을 끼치리이까? 또 장도는 처자에게 당치 않은 것이요, 현고한 부인의 덕으로 성혼하오면 봉채는 자연 올 것이요, 비록 납채에 봉채 오지 아니하더라도 부인이 날 사랑하는 마음으로 봉채 하나를 아끼리요? 이제 내 처자로서 봉채를 무엇에 쓰며 또 비록 성혼하여 1000만 리 구가(舅家)[55]에 가더라도 일정 음신(音信)[56]이 통하여 노속(奴屬)이 왕래할 것이니 중인 첨시(衆人瞻視)[57]에 부인 봉채를 도적하였다가 어디 가 꽂고 나설 것이겠습니까? 그런 몹쓸 일을 하리잇가? 아마도 조물이 시기하고 귀신이 참견하여 이런 모함을 지었거니와, 이 몸도 도리어 발명할 길이 없사오니 부인 안전(眼前)에 죽거든 부인 평일 사랑하던 정을 생각하여 내 눈을 빼어 동문에 걸어 두면 보는 사람이 내 애매한 마음을 볼 것이니, 이때 나의 애매한 발명을 할 것이요, 죽어 지하에 가도 눈을 감으리이다."

하고, 무수히 통곡하다가 죽으려 하니, 부인이 숙향의 사색(辭色)[58]이 변치 아니하고 하는 말이 다 옳거늘, 깨달으사,

"아마도 요사이 우리 숙향을 모함하여 잡으려 하는 사람이 있도다."

하고, 행여 숙향이 죽을까 두려워하여,

"내 너를 위하여 좋도록 할 것이니 과히 염려 말라."

하거늘, 숙향이 감격하여 울며 사례하더니, 사향이 승상의 말을 부인께 거짓 사뢰되,

"숙향의 행실이 불측(不測)하거늘, 빨리 내치라 하였더니, 뉘라서 내 뜻을 거슬러 지금까지 두었는가?' 하시고 대로하시니, 어서 내어보내십시오."

하니, 부인이 망극하여 눈물을 무수히 흘리고,

"승상이 이다지도 노하신다 하니 아뭏거나 네가 의복과 전낭이나 가지고 문

---

55 구가 시부모의 집.
56 음신 먼 곳에서 전하는 소식과 편지.
57 중인 첨시 많은 사람들이 바라봄.
58 사색 말과 얼굴빛을 아울러 이르는 말.

밖 협가(夾家)[59]에 있거라. 내 조용히 승상께 사뢰와 도로 데려올 것이니, 염려 말고 있거라."

하니, 숙향이,

"부인의 은덕이 하 망극하니, 이생에서 갚지 못할까 하였더니, 오늘 노하여 승상께 책망을 보실 줄 어찌 생각하리잇가? 내 몸이 1만 번 죽어도 감수하여이다."

부인이 숙향의 손을 잡고 슬퍼하며,

"너로 하여금 이렇듯 염려하게 함은 내 가벼이 승상께 아뢴 탓이로다."

하고, 무수히 한탄하였다.

사향이 또,

"승상이 이르기를 '양반의 자식이면 그렇지 않을 것이니 쉬이 내치라.' 재삼 독촉하시더니이다."

하고 아뢰니, 부인이 더욱 망극하여, 금양이란 시비를 불러,

"숙향의 옷과 세간을 내어다가 주라."

하시니, 숙향이 이 말을 듣고 울며,

"저즘께 영춘당에서 저녁 까치 내 앞에 와 괴이히 울거늘 스스로 생각하되, '또 하늘이 무슨 일로 미리 재앙을 보내시는고?' 의심하였더니, 이런 액명(厄命)을 얻게 하시니, 하늘 뜻을 거슬러 옷을 가져오리이까? 다만 어머님이 버리고 갈 때, 옥지환 하나를 주고 가셨더니, 어머니를 보듯 가져갔다가 죽사와도 가져가리이다."

하고, 제 방으로 도로 가거늘, 부인이 참혹함을 이기지 못하여 승상께 아뢰되,

"내 생각하니 장도와 봉채는 내 가져다가 숙향의 방에 두고 잊었더니, 내 나이 많은 탓이로소이다. 애매한 숙향을 내치려 하시니 자기가 발명할 길이 없어 자결하려 하오니 그런 자닝한 일이 어디 있으리요? 첩으로 인하여 짐작하

---

59 협가 큰 집에 붙여 지은 작은 집. 또는 행랑방이나 외거 노비의 거처.

시옵소서."

하니, 승상 왈,

"사향이 와서 '부인이 숙향의 행실을 보고 부디 내치고자 하신다.' 하거늘 내 부인의 뜻을 받들어 내치라 하였더니, 이제 부인의 말을 듣자오니, 다 사향의 무소(誣訴)[60]라 이제는 부인 마음대로 하소서."

하거늘, 부인이 기뻐하며 즉시 나와 숙향에게,

"내가 승상께 아뢰니 '내치지 말라.' 하시니, 기뻐하노라."

하시고 들어가니, 승상이 부인에게,

"내 밤에 꿈을 꾸매, 홍도화 가지에 앵무가 깃들었더니, 문득 중이 와 도화 가지를 베니, 앵무 놀라 날아가니, 괴이한지라. 오늘은 저물도록 심중이 불평하여 심히 섭섭하다."

하니, 부인이 술과 안주를 가지고 와 승상께 전하더라.

이때 사향이 숙향을 도로 두는 줄을 알고 숙향을 구박하여,

"승상이 너로 하여 부인을 책하시고, 나로 하여금 급히 숙향을 쫓고 근처에 두지 말라 하시니, 만일 잠시라도 두면 죄를 면치 못할 것이니, 어서 가자."

하니, 숙향이,

"부인이 오시거든 하직이나 하고 가리라."

하니, 사향이 소리를 질러,

"박복하다, 부인조차 책(責)을 보시게 하고 무슨 낯으로 하직하려 하느뇨? 부인이 또 노하여 다시 나와 보실 일이 없으니, 어서 가자."

하고, 손을 잡아 밀어내니, 숙향이 하직도 못 할 줄을 알고, 즉시 손가락을 깨물어 피를 내어 이별시(離別詩)를 지어 창전(窓前)에 붙이고 나오니, 망극한 가운데 사향의 구박이 심한지라.

---

60 무소 없는 일을 꾸며서 관청에 고소함. 여기서는 '없는 일을 꾸미다.'란 의미로 사용되었다.

천지를 분별하지 못하여 천방지방[61] 나올새, 사향이 밀어 내치며,

"어서 가자. 바삐 가자. 승상이 아시면 일이 날 것이요, 죽기가 쉬울 것이니, 근처에 있지 말고 멀리 가라."

하고, 문 닫고 들어가니, 숙향이 망극하여 승상댁을 자주 돌아보며 정처 없이 가더니, 앞에 큰 물이 있거늘, 빠져 죽으려 하고 물가에 와 하늘에 사배(四拜)하고,

"숙향이 전생에 무슨 죄 짓고 이 세상에 나와 5세에 부모를 여의고 외로운 몸이 의탁 없이 다니다가 천행(天幸)으로 장 승상댁에 의지하였다가, 지은 죄 없이 액명을 입고 내침을 보니, 다시 뉘를 의지할리요? 부모 다시 못 보고 비명에 이 물에 죽사오니 천지신명은 숙향의 애매한 정을 슬피 여기시어 장 승상 집으로 하여금 애매히 죽는 줄을 알게 하소서."

하고, 치마를 부여잡고 물에 뛰어드니, 길 가는 사람이 즉시 구하려 하되, 이미 물속에 갔는지라.

이때 물 가운데 모판 같은 것이 숙향을 떠받치고 있거늘, 이윽고 두 동녀(童女)가 연엽주(蓮葉舟)를 타고 급히 와서,

"용녀(龍女)는 부인을 모시고 배에 오르소서."

하니, 그 모판이 변하여 문득 계집이 되어, 숙향을 안고 오르니, 그 두 여동(女童)이 숙향에게 사배하고,

"부인은 어찌 천금 같은 몸을 가벼이 버리시나이까? 우리는 항아의 명을 받아 연엽주를 타고 부인을 구하려 오다가, 옥하주(玉河洲)에서 여동빈(呂洞賓)[62]을 만나 잠깐 술 먹다가 진작 못 왔더니, 용녀 곧 아니면 구하지 못했을 것입니다."

또 선녀가,

"용녀는 어디에서 와서 부인을 구하시니까?"

---

61 천방지방 너무 급하여 허둥지둥 날뛰는 모양.
62 여동빈 중국 한 또는 당 때의 팔선(八仙)의 한 사람.

하니, 용녀가 답하여,

"옛날 사해용왕(四海龍王)이 모두 수정궁(水晶宮)에서 잔치할새, 사랑하던 시녀가 우리로 더불어 놀더니, 행여 용왕이 죄를 줄까 하여 시녀(侍女)를 감추고, 용왕께 고하지 아니하므로, 왕이 노하사 첩을 반하수(盤河水)란 물에 내치거늘, 심심하여 물가에 갔다가 어부에게 잡혀 죽게 되었더니, 천행으로 김 상서 구함을 입어 살아났으매 그 은혜를 갚을 길이 없어 한하였더니, 어제 용왕(龍王)님 옥경(玉京)[63]에 조회(朝會) 가다가 옥황(玉皇)의 말씀을 듣자오니, '월궁 소아(月宮素娥) 천상에 득죄(得罪)하여 인간 김전의 집에 귀양 보냈더니, 반야산 도적에게 죽을 액을 보고, 명사 후토부인(后土夫人)에게 죽을 액을 보고, 포진 물에 가 용왕에게 죽을 액을 보고, 노전에 가 화덕진군에게 죽을 액을 보고, 낙양 옥중에 가 죽을 액을 본 후에 태을진인(太乙眞人)을 만나 두 아들 한 딸을 점지하시더라.' 하고, 용왕의 수국(水國) 관원(官員)을 불러, '대우하였다가 죽이진 말고 곤욕하여 보내라.' 하시거늘, 내 이전 덕을 갚고자 하여 원하여 왔더니 이제 선녀 와서 데려가시니, 나는 가나이다."

하고 갔다.

숙향은 아무런 줄을 몰라, 그 아이에게,

"저는 어떤 사람이온데 물을 평지같이 다니는고?"

하고 물으니, 처녀가,

"저는 동해 용왕의 둘째 딸이요 표진용왕(漂津龍王)의 부인이라. 전일(前日) 부인 부친의 은덕으로 살아났으매, 이제 부인을 구하고 가나이다."

하고 대답하니, 숙향 왈,

"나는 어려서 부모를 여의고 인간의 빈천한 걸인이 되어 의탁할 곳이 없어 남의 집 고공(雇工)살이[64]하다가, 애매한 액명을 입고 차마 세상에 있지 못하여 물

---

63 옥경 하늘 위에 옥황상제가 산다고 하는 가상적인 서울.
64 고공살이 주로 농가에 고용되어 그 집의 농사일, 잡일 등 남의 일을 해 주는 일. 또는 그런 일을 하는 사람.

에 빠져 죽으려 하였더니, 불원천리(不遠千里)[65]와서 구하시고 부인이라 이르시니 지극 황공(惶恐)하여이다."

처녀 웃고,

"이것은 부인이 인간에 내려와 더러운 물을 자시고 계시매, 우리를 몰라보시는가 합니다."

하고, 즉시 차를 드리며,

"이를 자시소서."

한데, 숙향이 받아먹으니, 그제야 월궁 땅의 약을 도적하여 준 죄로 인간에 귀양온 줄과 그 아이들은 이전에 월궁에서 부리던 시비인 줄 알고 붙들고 통곡하며 반가운 마음을 이기지 못할네라.

숙향이,

"천상 죄는 중커니와 인가에 내려와 부모를 보지 못한 일과 장 승상댁에 있을 때 액명을 벗지 못하니, 그를 근심하노라."

하니, 처자가,

"그것은 다 한(恨)치 마소서. 부인의 부모는 봉래산 신선으로 상제께 득죄하여 인간에 내려와 부인을 여의고 전생 죄를 속(贖)하게 하였으니, 그것은 한(恨)치 마소서. 오직 사향은 부인을 음해한 죄로 항아가 노하시어 상제(上帝)께 아뢰어 천벌을 주었으니, 부인의 애매하신 줄은 장 승상 부처 벌써 알아, 물가에 와 부인을 찾지 못하고 날로 슬퍼하더니, 그것은 다 발명하였으나, 다만 천상에서 인간에 보내실 때, 다섯 번 죽을 액을 보게 하였으니, 세 번은 지냈건마는 이 앞의 두 액이 있으니, 조심하소서."

하니, 숙향이 놀라,

"무슨 액이 또 있을꼬?"

---

65 불원천리 1,000리의 먼 거리를 멀다고 여기지 아니함.

하니, 처자가,

"노전(盧田)의 화재를 보시고, 낙양 옥에 갇히어 곤액을 당하시고, 반년을 지내신 후에야, 태을선군(太乙仙君)을 뵈어 영화를 보리니이다."

하니, 숙향이 눈물 흘려,

"이전에 지낸 고행도 생각하면 천지가 망극한데, 또 두 액이 있다 하니 어찌하리오? 슬프다, 내 알기에, 죽지 못한 바에는 장 승상 부인의 집에 가 지극한 은혜를 만분지일이나 갚고, 또 나의 애매한 줄을 알아 계시매 나를 생각할 것이니 그리 가 액을 면하고자 하노라."

하니, 선녀가 답 왈,

"하늘이 벌써 정하신 신수이오니 어찌 마음대로 하리오? 이제 비록 가신들 이액이야 어찌 면하며, 장 승상 집은 10년만 동주(同住)할⁶⁶ 연분이요, 또 그 집에 가시면 태을선군 계신 곳과 3,400리라. 서로 만나실 길이 아득하고, 선군을 다시 못 만나면 부인 힘으로 이생에서는 부모를 만나지 못하리이다."

숙향이 왈,

"선군 계신 데 어디며, 성명은 무엇이라 하는고?"

처녀 답 왈,

"저점⁶⁷에 항아의 말을 들으니, 낙양 땅에 있는 이 공의 자제 되어 자초지종(自初至終)으로 부귀 되리라 하더니이다."

숙향이 한숨짓고,

"한가지로 득죄하여 선군은 영화로 지내게 하고, 나는 고행으로 지내게 하는고?"

하니, 처녀 왈,

"처음에 상제 죄를 주실 때에 부인을 먼저 주시고, 또 선군은 상제 앞에 있어

---

66 동주하다 같은 곳에서 함께 살다.
67 저점 '지난번'을 의미함.

일각도 떠나지 못하는지라. 상제가 가장 사랑하시되, 항아가 청죄하시매 마지못하여 인간에 보내시나, 애정을 잊지 못하여 죄 되게 하였나니이다."

숙향이 왈,

"선군 계신 곳은 멀다 하니 어찌 가며, 선군 만나지 못한 전(前)에 어디 가 의지하며, 부모는 언제 만나 볼꼬?"

처녀가,

"그는 근심 마소서. 부인이 육로로 혼자 가시면 쉬지 못하려니와, 이제 우리와 한가지로 연엽주를 타고 순식(瞬息)에 가실 것이요, 또 천태산(天台山) 마고할미 부인을 기다리니, 의지할 곳이 있을 것이니, 선군을 만난 후면 부모도 쉽게 만나 보오리다."

하고 말을 마치매, 〈파연곡(罷宴曲)〉[68]을 부르고 배를 놓으니, 살같이[69] 가더라. 일각에 한 곳에 이르러,

"배에서 내려 동쪽으로 가소서. 자연 구할 사람이 있으리다."

하고, 구슬 같은 것 두 개를 주며,

"시장커든 이것을 자시오소서."

하고, 서로 이별하기를 슬퍼하더라.

숙향이 배에 내려 돌아보니 간 데 없었다. 하늘을 향하여 무수히 통곡하니 자연 시장한지라. 구슬 같은 것을 먹으니 배는 부르되 천상 일은 하나도 기억하지 못하였다.

숙향이 정처 없이 가다가 생각하되, 비록 곤박하나 젊은 계집이 강포한 욕을 볼까 두려워하여 마을에 들어가 헌 옷 바꾸어 입고, 낯에 검은 칠하고, 한 눈 멀고, 한 팔과 한 다리 저는 체하여, 막대를 짚고 동쪽으로 향하여 가니, 보는 사람이,

---

68 〈파연곡〉 잔치를 끝낼 때에 부르는 노래나 연주하는 음악.
69 살같이 쏜 화살과 같이 매우 빠르게.

"젊은것이 불쌍한 병을 얻었다."

하며 차탄(嗟歎)하였다[70].

각설.

이때에 장 승상 부인이 승상을 모셔 주찬(酒饌)[71]을 받들더니, 승상이 반취하시거늘, 부인이,

"우리 잠깐 모른 탓으로 숙향에게 애매한 죄를 돌려 액명을 입게 하니, 자닝하여이다."

하니, 승상이,

"불쌍하다, 젊은것이 애매한 말을 들었으면 어찌 서럽지 아니하리오? 급히 가 데려오라."

하니, 사향이 알고 밖에서 전도(顚倒)[72]히 들어와,

"그런 줄 모르십니까?"

하고 괴탄(怪嘆)하거늘[73], 부인이,

"무슨 일로 그다지 괴탄하는고?"

하니, 사향이,

"숙향 아씨의 행실을 보니 상인(常人)의 거동이니, 누가 가산을 도적하여 가만히 내닫거늘, 가져가는 것을 보려고 따라가니, 행여 들킬까 하여 더욱 급히 가며, 본 체도 아니합디다. 내가 크게 불러 이르되,

'숙향 아씨, 어찌 부인께 하직도 아니하고 가나뇨?'

하니, 하는 말이,

'부인이 그다지 구박하여 내치니 하직하여 무엇하리요?'

---

70 차탄하다 탄식하고 한탄하다.
71 주찬 술과 안주를 아울러 이르는 말.
72 전도 차례, 위치, 이치, 가치관 따위가 뒤바뀌어 원래와 달리 거꾸로 됨. 또는 그렇게 만듦. 여기서는 엎어지거나 넘어질 정도로 매우 급히 서두르는 모양의 의미로 사용되었다.
73 괴탄하다 괴상하게 여기어 탄식하다.

하고, 어떤 사람을 데리고 갑디다."

하니, 부인이,

"내 숙향을 두고 본 지 10년이로되, 불길한 일이 없었다. 그런 일이 있으리요?"

하고,

"데려오라."

하시되, 사향이 부인 보는 데는 급히 가는 체하고, 마을 집에 앉았다가 이윽하여[74] 들어와 아뢰되,

"벌써 멀리 갔거늘, 부인 말씀을 전하니, 하는 말이 '내 인물과 재주가 이만하니 그만한 옷, 밥을 어디 가 못 얻어먹으리오?' 비난만 하고, 길 가는 사람을 데리고 갑디다. 우리는 남의 종이라도 그런 행실을 보지 못하였습니다."

만단[75]으로 무고하니 어찌 하늘이 무심하리요? 문득 한 도사 중이 승상댁을 찾아오거늘, 승상이 그 중을 보시니, 비범한 중이라, 부인을 치우고 내당(內堂)에 청하니, 그 중이 읍(揖)하고 앉거늘, 승상이 문 왈,

"그대는 어디 있으며 무슨 일로 누지(陋地)[76]에 왔느뇨?"

중이 대 왈,

"나는 천상 상제러니, 옥황상제 명을 받아 승상댁의 옥석(玉石)을 분별하고자 왔으니, 노복을 다 불러내라."

하니, 승상이 왈,

"내 집이 본디 아무것도 가릴 것이 없거늘, 천승(天僧)은 수고로이 오셨도다."

그 중이 왈,

"승상은 숙향과 사향의 일을 자세히 들으셨습니까?"

---

74 이윽하다 시간이 흘러 적당한 때가 되다.
75 만단 수없이 많은 갈래.
76 누지 누추한 곳이라는 뜻으로, 자기가 사는 곳을 겸손하게 이르는 말.

승상이 놀라 대답하지 못하니, 사향이 크게 말하여,

"숙향은 본디 빌어먹는 걸인을, 불쌍히 여겨 승상댁에 두어, 옷과 밥에 싸여 몹쓸 행실을 하다가, 마침내는 승상댁 신물을 감추었다가 천로(淺露)하여[77] 내 쳤거늘, 이 중이 어디 가서 숙향의 거짓말을 듣고 내당에 무단히 들어와 지어 낸 말로 숙향을 위하여 신원(伸寃)하려[78] 하니, 원컨대 승상은 저 중을 바삐 쫓으소서."

하니, 그 중이 웃으며,

"네 승상댁 가사를 맡아 온갖 것을 도적하여 네 세사를 불리다가 숙향의 받듦을 보고 백방 모함하여, 3월 3일에 승상 부처 숙향을 데리고 영춘당 간 사이에, 네가 장도와 옥지환을 가만히 숙향의 함에 넣고, 부인께 모해하고, 또 부인을 속이고 승상께 위조(僞造) 전갈하여, 무죄한 사람을 내치고, 찾으러 가는 체하고 마을 집에 있다가 바삐 돌아와 허부(虛浮)[79]한 말로 부인을 속이고, 너의 간사한 종적을 감추고, 숙향에게 액명을 돌려보냈으니, 승상 부처는 흉계에 빠졌으나, 하늘도 속이랴?"

하고, 소매에서 수레 같은 것을 내어 공중에 던지고 그 중이 수레 위에 올라섰더니, 문득 뇌성(雷聲)이 진동하며 공중에서 등화 같은 불이 내려와 사향을 처벌하니, 어찌 천도(天道)가 무심하리요?

이때 부인이 인사를 차려 울며,

"애매한 우리 숙향이 어디 가, 누구 집에 가 의지하였는고?"

저 있던 방의 옷이며 쓰던 세간은 옛과 같으나, 옛 없던 피로 쓴 글이 창전에 있고 눈물 뿌린 흔적이 완연(宛然)하거늘, 그 글에 하였으되,

---

77 천로하다 얕아서 감추어지지 아니하고 겉으로 드러나다.
78 신원하다 가슴에 맺힌 원한을 풀어 버리다.
79 허부 내용과 실제가 없고 겉모습만 화려함을 일컫는 말.

하늘께 득죄하여 다섯 살에 부모를 잃고 열 해를 장 승상댁에 와 의지하였더니, 부인의 온정과 승상의 휼정(恤情)[80]은 태산이 가볍도다. 조물이 시기하여 참언(讒言)[81]이 폐총(蔽寵)[82]하니, 백옥 같은 이내 몸이 누명을 입었으니, 죽기는 쉽거니와 살기는 어렵도다. 창천(蒼天)아 창천아, 나의 애매한 누명을 벗겨 주소서.

하였거늘, 부인이 그 글을 보고 '일정(一定) 숙향이 죽었도다.' 하여 통곡하다가 들어가 승상께,

"사향은 천벌을 입어 죽기가 옳거니와 애매한 숙향조차 죽게 하였으니, 그런 자닝한 일이 어찌 있으리오? 승상은 첩을 위하여 숙향의 신체나 찾아 주옵소서."

하니, 승상이 왈,

"숙향 죽은 줄 어찌 아는고?"

하니, 부인이 눈물을 지으며 숙향이 피로 쓴 글을 내어 보이되, 승상께 말을 못하여, 악수(握手) 통곡하며,

"숙향이 참으로 죽었도다."

하였다.

마침 승상 조카 장원이란 사람이 왔다가 말을 듣고 왈,

"내 올 때 표진 물가에, 모양이 이러이러한 계집아이가 물에 절하고 우는 양(樣)을 보았더니, 일정 그 아이인가 싶으옵니다."

하니, 승상이 즉시 종을 보내어,

"물가에서 찾으라."

하니, 두루 찾았으나 종적이 없었다. 종이 돌아와 승상께,

---

80 휼정 불쌍하게 생각하여 도와주려는 마음.
81 참언 거짓으로 꾸며서 남을 헐뜯어 윗사람에게 고하여 바침. 또는 그런 말.
82 폐총 사랑을 가리어 버림.

"그 근처 사람에게 물으니, '숙향 아씨가 물에 빠져 죽었다.' 하더이다."

하고 아뢰니, 승상이 차탄(嗟歎)하고 부인도 통곡하기를 마지아니하니, 승상이 부인을 달래어,

"숙향이 비록 친자식이라도 벌써 죽었으니 생각하여 무엇하리요?"

하니, 부인이 왈,

"숙향이 있을 때 친자식같이 만사를 다 맡기고 후사를 전하고자 하였더니 이제는 우리 가사를 어찌하리이까?"

승상이 부인이 슬퍼함을 민망히 여겨, 천하의 공교(工巧)[83]로운 화공(畵工)을 얻어, 숙향을 그려 부인께 바치고자 하더니, 마침 장석이란 종이 여쭈오되,

"숙향 아씨가 10세에 소인이 업고 노류전(路柳前)에서 추천(鞦韆)[84]을 구경했더니, 장사(長沙) 땅에 있는 조전이라 하는 화원이 보고 이르기를, '천하에 다니면서 화상(畵像)을 보았으되, 이 같은 얼굴은 못 보았다.' 하고, 즉시 그려 갔사오니, 그 화상을 사다가 부인께 드리소서."

하니, 승상이 크게 기꺼하여 즉시 "값을 많이 주어 사 오라." 하시니, 조장을 찾아 그 화상을 사 가지고 승상께 드리니, 과연 숙향의 얼굴이 완연하더라.

부인이 그 화상을 보고, 숙향을 다시 본 듯이 여겨 자는 방에 걸어 두고, 조석(朝夕)으로 음식을 놓고 매일 서러워하였다.

각설.

이때에 숙향이 혼자 울며 동쪽으로 가더니, 날이 저물거늘, 갈대를 의지하여 누웠더니, 야반(夜半)에 찬바람이 일어나고 갈밭 사면에 불이 일어나, 하늘이 자욱하거늘, 숙향이 아무것도 할 줄 몰라 하릴없이 하늘에 빌어 왈,

"전생의 죄 중하여 이생에 나와 5세에 부모를 잃고, 천만 가지로 고행을 하여 부모를 다시 보려 하고 구차한 인생이 세상에 부지하였더니, 이 땅에 와 또 불에

---

83 공교 솜씨나 꾀 따위가 재치가 있고 교묘함.
84 추천 그네. 또는 그네뛰기.

타 죽게 되오니 명천(明天)[85] 후토는 자시(自是)[86]로 명감(明鑑)하소서."

홀연 한 노옹이 그리 와 이르되,

"어떠한 아이건대 이 밤에 홀로 화재를 만났느냐?"

하니, 숙향이 망극 중에,

"나도 난중(亂中)에 부모를 잃고 동서로 다니다가 이 땅에 와 화재를 만나 죽게 되었으니, 복원(伏願) 존공(尊公)[87]은 자닝한 인명을 구제하소서."

하니, 그 노옹이,

"네 이르지 아니하여도 알거니와, 벌써 불이 급하니, 네 가진 것을 다 벗어 버리고 몸만 내 등에 오르라."

하거늘, 숙향이 옷과 행장(行裝)을 버리고 노옹에게 업히니, 불꽃이 거의 미치거늘, 노옹이 부채를 펴 부치니, 불이 가까이 오지 아니하더라.

노옹이 숙향을 업어다가 놓고, 옷소매를 떼어 주며,

"몸을 가리고 있거라. 이제는 화재를 면하였으니 태을 은혜를 잊지 말라."

한데, 숙향이 사례하고 문 왈,

"존공은 어디 계시며 성명은 뉘라 하삽니까?"

노옹이,

"내 집은 천산 남천문(南天門) 밖이요, 이름은 화덕진군(火德眞君)이거니와, 나 곧 아니면 불은 커니와[88] 홀연 3,000리를 어찌 왔으리요?"

하고 문득 간 데 없더라.

숙향이 울며 동쪽을 향하여 가더니, 난데없는 한 할미 앞으로 와 곁에 앉으며,

"네 어떠한 아이로 벌거벗고 우느냐? 부모께 득죄하여 내침을 보았느냐? 도적을 만나 의복을 잃었느냐? 남에게 애매한 일을 당하였느냐? 바로 일러라."

---

85 명천 모든 것을 다 아는 하느님.
86 자시 여기서는 '이로부터'라는 의미이다.
87 존공 남의 아버지나 지위가 높은 사람을 높여 이르는 말.
88 커니와 '하거니와'가 줄어든 말. '모르거니와'라는 뜻을 나타낸다.

하니, 숙향이 왈,

"나는 일찍 부모를 잃고 유리개걸(遊離丐乞)[89]하여 다녔습니다."

할미 소 왈(笑曰),

"너 어찌 종적을 숨기는고? 반야산에서 부모가 버리고, 장 승상댁에서 누명을 입고, 갈밭에서 화재를 보았으니, 그것이 다 횡액(橫厄)이라. 근심하지 마소서."

하니, 숙향이 대경하여,

"할미는 어찌 자상히 아느뇨?"

하니, 할미가,

"내 남에게 들었노라."

숙향이 그 할미 신기함을 알고 갈 곳을 물으니, 할미가,

"나는 무자식한 할미다. 나와 한가지로 동유함이 어떠하뇨?"

하니, 숙향 왈,

"좋건마는, 나는 복이 없고, 기갈(飢渴)이 태심하니, 어찌 이 같은 걸인을 구휼하리잇가?"

할미가 그 기색을 보고 삶은 나물을 내어주며,

"이것을 먹어라."

한데, 숙향이 받아먹으니 배도 부르고 몸에 향내 나고, 정신이 씩씩하였다. 할미 또 옷을 벗어 입히고 가자 하거늘, 숙향이 그 할미를 따라 두어 고개를 넘어가니 큰 집이 있었다. 할미 이르되,

"내 집이다."

하거늘, 숙향이 그 집을 자세히 보니, 가장 정쇄(淨灑)하고[90], 세간이 소담하였다. 아이 하나도 없고, 다만 삽살개 하나가 있었다.

숙향이 그 집에 있은 지 반달이로되 종시(終是) 병인으로 자처하더니, 하루는

---

89 유리개걸 정처 없이 떠돌아다니며 빌어먹음.
90 정쇄하다 매우 맑고 깨끗하다.

할미가 숙향의 종적을 알고자 하여,

"그대 얼굴을 보니 가을 달에 검은 구름이 낀 듯하고, 병처를 살피니 진실로 병이 아닌가 싶으니, 나를 꺼리지 말라."

한데, 숙향이 웃고 머리를 숙이고 있거늘, 할미가,

"내 집은 술집이라, 사람이 자주 출입하니, 의복이나 갈아입고, 병체 없이 씻고 있으라."

하고, 출입하거늘, 숙향이 생각하되, 할미 집에 오래 있어 자세히 살피니, 남자는 없고, 마을 사람이 출입하나 가되 들어오지 아니하거늘, 그제야 안색을 고치고 옷을 갈아입고 사창(紗窓)을 의지하여 수(繡)를 놓더니, 할미 들어와 보고 대희하여 숙향을 안고,

"어여쁠사, 내 딸이여. 전생에 무슨 죄로 광한전(廣寒殿)을 이별하고 인간에 내려와서 그토록 고생을 겪는고?"

하니, 숙향이 한숨짓고,

"할미가 나를 위하여 자식같이 사랑하시니, 내 어찌 촌정(寸情)을 꺼리리요? 과연 나는 본디 양반의 자식이라."

전후 고행을 말하고, 또,

"화덕진군이 구하여 겨우 살아난 후, 할미를 만나 왔거늘, 행여 강포의 욕을 볼까 염려하여 거짓 병인 체하였더니, 할미 나를 향하여 자식같이 사랑하시거늘, 나도 친모같이 섬기나니, 원컨대, 서로 누구를 보지 말고 한결같이 불쌍하게 여겨, 내 몸을 그릇되게 하지 마소서. 행여 허황한 나비와 미친 벌이 길가의 버들과 담 안의 꽃가지를 희롱할까 하노라."

하니, 할미 그 말을 듣고 옷깃을 여미고 내려와 절하고 왈,

"낭자 과연 그렇게 하십시오. 내 어찌 차마 낭자를 속여 그릇되게 하리오?"

이후로 더욱 공경하였다. 낭자는 본디 총명한지라, 배우지 못한 일이 없고 인간 만사를 다 아는 고로, 집이 유여(裕餘)하였다.

이때는 3월 망일[91]이라, 낭자 초당(草堂)에 혼자 앉았더니, 홀연 푸른 새 날아와, 매화 가지에 앉아 울거늘, 낭자 왈,

"저 새도 나와 같이 부모를 잃었는가? 어찌 혼자 우는가?"

하고, 자연 마음을 슬퍼하며 울다가, 잠이 들었는지라. 그 새 낭자에게 이르되,

"부모 계신 데 보려거든 나를 따라갑시다."

하거늘, 낭자 새를 따라 한 곳에 가니, 백옥(白玉) 연못 가운데 구름다리를 놓고, 다리 위에 누각을 지었으되, 광채 찬란하였다. 산호(珊瑚) 현판(懸板)에 요지(瑤池)라 썼으니, 서왕모(西王母)의 집이었다.

문득 오색구름이 일어나고, 향내 진동하며, 무수한 선관 선녀(仙官仙女)가 용을 타고 쌍쌍이 들어가고, 채운(彩雲)[92]이 어린 가운데 육룡(六龍)이 옥련(玉輦) 실은 수레를 끄니, 이는 상제가 타신 연(輦)[93]이었다. 그 뒤에 삼태칠성(三台七星)과 모든 선관이 들어가고, 또 모든 부처가 지나가되 숙향을 본 체 아니하였다.

이윽고 흰 구름이 일어나고 그 가운데 옥교자(玉橋子)의 선녀가 시위하여 오는 이는 월궁항아의 행차더라. 숙향을 보고 왈,

"반갑다, 소아야. 인간 고행을 얼마나 겪었느냐? 오늘은 나를 따라가 요지(瑤池) 구경하자."

하거늘, 숙향이 청조를 앞에 세우고 들어가니, 그 집 형용과 위의(威儀)[94]는 실로 측량치 못할네라. 이윽고 시녀가 팔진미를 올리며 각색 풍류(風流)가 진동하였다.

부처가 젊은 선관을 세우고, 상제(上帝)께 뵈오니, 상제 그 선관에게 문 왈,

"태을아, 인간 재미 어떠하더뇨? 소아를 볼 수 있었느냐?"

그 선관이 사죄하였다.

---

91 망일(望日) 음력 보름날.
92 채운 여러 빛깔로 아롱진 고운 구름.
93 연 임금이 거둥할 때 타고 다니던 가마.
94 위의 격식을 갖춘 태도나 차림새.

항아가 옥제(玉帝)께 여쭈오되,

"소아가 죽을 액을 이미 여러 번 지냈사오니, 죄를 사하시고 복록(福祿)을 점지하소서."

상제 열아를 청하여,

"수한(壽限)을 정하라."

하시고, 칠성(七星)에게 명하여,

"자손을 점지하라."

하시고, 남두성에게 명하여,

"복록을 점지하라."

하시니, 열아가 여쭈되,

"수한은 70을 정하였습니다."

하였고, 칠성이,

"두 아들과 한 딸을 점지하였습니다."

하고 여쭈었고, 남두성이,

"두 아들은 정승이 되게 하고 한 딸은 황후 되게 하였습니다."

하고 여쭈었다.

상제가 소아를 청하여 반도(蟠桃) 둘과 계화 한 가지를 주시며,

"태을을 주라."

하거늘, 상제 명을 받아 반도와 계화를 가지고 태을에게 주거늘, 그 선관이 복지(伏地)하여[95] 두 손으로 받아 소아를 눈 주어 보거늘, 소아가 부끄러워하여 몸을 돌이킬 제, 손에 긴 옥지환 박힌 진주가 떨어지거늘, 소아가 줍고자 하더니, 그 선관이 벌써 손에 쥐었거늘, 부끄러워하여 도로 전상(殿上)으로 돌아가려 하더니, 할미 술을 팔고 들어와 이르되,

---

95 복지하다 땅에 엎드리다.

"봄날이 곤하나 그토록 주무시는고?"

하고 깨우거늘, 그 소리에 꿈을 깨어 살피니, 요지(瑤池)의 경개(景槪)와 천상의 풍류 소리가 귀에 들리더라. 할미 왈,

"낭자 천상을 보시니, 어떠하더이까?"

하니, 낭자 놀라 왈,

"내 꿈에 천상에 간 일을 할미는 어찌 아십니까?"

할미 웃으며,

"낭자가 따라가던 청조가 나에게 이르거늘 알았나이다."

하니, 낭자가 괴이히 여겨 꿈에서의 말을 자세히 이르니, 할미 왈,

"그런 좋은 경개를 보시고 잊어버리기 아까우니, 수로 그 경치를 기록하여 후세에 전하소서."

낭자가 그 경상(景狀)을 수로 놓아 내니, 할미 보고 칭찬 왈,

"낭자는 진실로 고금에 없는 재주로다. 아무러나 세상에 이 그림 알아볼 사람이 있는가 보자."

하고, 팔러 가니, 낭자 왈,

"이 경(景)을 아는 이는 천금(千金)을 아끼지 아니할 것이요, 공력(功力)은 백금(百金)이 싸건마는 인가 사람이 누가 알아보리요?"

할미 그 수를 가지고 저자에 가니 아무도 알지 못하더라.

(연대 미상)

김동협 역주, 《어득강전·숙향전》(박이정, 2018)

※ 김광순 소장 필사본 〈숙향전〉은 상·하로 나뉘어 있는데, 상반부는 중간에서 중지되어 있고 후반부는 전혀 다른 필체로 상이한 내용이 적혀 있기에, 중간에 끊긴 앞부분만을 현대어로 옮겼음을 밝혀 둔다.

유충렬전(劉忠烈傳)

작자 미상

부인이 충렬을 품에 안고 샛길로 나와 남천을 바라보고 가없이
도망해 한 곳에 다다르니, 옆에 큰 뫼가 있었다. 높기는 만장이
나 하고 봉우리 위에는 오색구름이 사방에 어리었거늘, 자세히
보니 충렬을 낳으려고 천제하던 남악 형산이라. 전일 보았던 얼
굴이 부인을 보고 반기는 듯 뚜렷한 천제당이 완연히 보이거늘,
부인이 비회를 금치 못해 충렬을 붙들고 방성통곡하며 왈,
"네가 이 뫼를 아느냐. 7년 전에 이 산에 와서 산제하고 너를 낳
았는데 이 지경이 되었구나. 네 부친은 어디 가서 이런 변을 모
르는고. 이 산을 보니 네 부친 본 듯하다."

_본문 중에서

●

●

권지상(券之上)

    각설이라. 대명국(大明國) 영종 황제 즉위 초에 황실이 미약하고 법령이 불행(不行)한 중에, 남만[1]과 북적[2]과 서역[3]이 강성해 모역(謀逆)[4]할 뜻을 두었다. 이런 까닭에 천자(天子) 남경[5]에 있을 뜻이 없어 다른 데로 도읍을 옮기고자 하시었는데, 이때 마침 임경천이라는 창해국[6] 사신(使臣)이 왔다. 천자 반겨 인견하시고[7] 접대한 후에 도읍 옮기는 문제를 의논하시니, 임경천이 주왈(奏曰),

    "소신(小臣)이 옥루[8]에서 육지와 산천을 망기[9]하오니 금황지지[10]가 마땅하옵고, 천하 명산 오악지중[11]에 남악(南嶽) 형산[12]이 가장 신령한 산이요, 일국(一國) 주룡[13]이 되었고, 창오산 구의봉은 변화해 외청룡[14]이 되었고, 소상강 동정

---

1 남만(南蠻) '남쪽 오랑캐'란 뜻으로, 예전에 중국 사람들이 중국의 남쪽 지방에 사는 나라나 민족을 낮잡아 이르던 말.
2 북적(北狄) '북쪽 오랑캐'란 뜻으로, 예전에 중국 사람들이 북쪽 지역에 사는 나라나 민족을 낮잡아 이르던 말.
3 서역(西域) 중국의 서쪽에 있던 여러 나라를 총칭하는 데 사용한 호칭.
4 모역하다 반역을 꾀하다.
5 남경(南京) 명(明)의 도읍지 '난징'을 우리 한자음으로 읽은 이름.
6 창해국(蒼海國) 신선이 산다는 가상의 나라. 창해는 지금의 동해(東海)를 일컬으며, 조선 시대에는 동해를 조선해(朝鮮海) 또는 창해라고 했다.
7 인견(引見)하다 윗사람이 아랫사람을 불러서 만나 보다.
8 옥루(玉樓) '백옥루(白玉樓)'의 준말. 흔히 옥황상제가 산다는 궁전을 일컬으나, 여기서는 '옥으로 꾸민 화려한 누각'이란 뜻으로 쓰였다.
9 망기(望氣) 나타나 있는 기운을 보아서 일의 조짐을 알아냄.
10 금황지지(今皇之地) 지금 황실(皇室)이 있는 곳. 곧 현재의 도읍지를 일컫는다.
11 오악지중(五嶽之中) '중국의 이름난 다섯 개의 큰 산 가운데'란 의미임.
12 형산(衡山) 중국 오악 가운데 남쪽에 있는 산 '형산산'을 우리 한자음으로 읽은 이름.
13 주룡(主龍) 도읍, 집터, 무덤 따위의 뒤쪽에 있는 산의 줄기. 풍수지리에서는 도읍, 집터, 묏자리 등의 운수와 기운이 여기에 매여 있다고 한다.
14 외청룡(外靑龍) 풍수지리에서 묏자리나 집터의 뒷산에서 왼쪽으로 뻗어 나간 산줄기 가운데 가장 바깥쪽에 있는 줄기.

호는 수세(水勢)가 광활해 내청룡[15] 되어 내수구[16]를 막았으니, 제왕주(諸王主)가 장구할 것이옵니다. 또한 소신이 수년 전에 본국(本國)에서 망기하온즉, 북두칠성의 정기가 남경에 하강하고 삼태성[17] 채색이 황성(皇城)에 비쳤으며 자미원[18] 대장성(大將星)이 남방에 떨어졌으니 미구[19]에 신기한 영웅이 날 것이옵니다. 그런데 황상(皇上)께서는 어찌 조그마한 일로 이러한 금성지지[20]를 놓으려 하시며, 선황제(先皇帝) 만만(萬萬) 구방지지[21]를 어찌 일조(一朝)에 놓으려 하시나이까."

천자 이 말을 들으시고 마음이 쇄락해 도읍 옮기는 것을 파(罷)하시고 국사를 다스리니, 시절이 태평하고 인심이 조안하더라[22].

이때 조정에 성은 '유'요 명은 '심'이라는 신하가 있었는데, 전일(前日) 선조 황제(先朝皇帝) 개국 공신 유기의 13대손이요, 전 병부 상서[23] 유현의 손자라. 세대명가[24] 후예로 공후 작록[25]이 떠나지 아니했다. 유심의 벼슬은 정언 주부[26]인데, 위인(爲人)이 정직하고 성정이 민첩하며 일심(一心)이 충성해 국록이 중중(重重)[27]하니, 가산이 요부(饒富)하고 작법[28]이 화평했다. 그리하여 세상 공명은 일대의 제일이요 인간 부귀는 만민이 칭송하되, 다만 슬하에 일점혈육[29]이 없어 일년일도[30]에 선영[31] 제사 당하면 홀로 앉아 탄식하며 우는 말이,

---

15 내청룡(內靑龍) 풍수지리에서 묏자리나 집터의 뒷산에서 왼쪽으로 뻗어 나간 산줄기 가운데 가장 안쪽에 있는 줄기.
16 수구(水口) 풍수지리에서 득(得)이 흘러간 곳.
17 삼태성(三台星) 큰곰자리에 있는 자미성을 지키는 별.
18 자미원(紫微垣) 큰곰자리를 중심으로 170개의 별로 이루어진 별자리. 흔히 천자(天子)를 상징하는 별자리로, 태미원(太微垣)·천시원(天市垣)과 더불어 삼원(三垣)이라고 부른다.
19 미구(未久) 얼마 오래지 않음.
20 금성지지(金城之地) 굳고 단단한 성(城)과 같은 형세를 갖춘 땅.
21 구방지지(舊邦之地) 역사가 오래된 나라의 터.
22 조안(粗安)하다 별다른 큰 탈이 없이 대체로 편안하다는 뜻이다.
23 병부 상서(兵部尚書) 병부의 으뜸 벼슬.
24 세대명가(世代名家) 조상 때부터 대대로 이어 오는 이름난 집안.
25 공후 작록(公侯爵祿) 공후의 관작(官爵)과 봉록(俸祿). 공후는 봉건 시대에 군주가 내려 준 땅을 다스리던 사람이다.
26 정언 주부(正言主簿) 정언은 조선 시대에 사간원에 속한 정6품 벼슬이며, 주부는 각 아문(衙門)의 문서와 부적(符籍)을 주관하던 종6품 벼슬이다.
27 중중 겹겹으로 겹쳐짐.
28 작법(作法) 지켜야 할 규칙이나 규범을 만들어 정함. 여기서는 '집안을 다스림'이라는 뜻으로 쓰였다.
29 일점혈육(一點血肉) 자기가 낳은 단 하나의 자녀.
30 일년일도(一年一度) 1년에 한 번.
31 선영(先塋) 조상의 무덤. 선산.

"슬프다! 나의 몸에 무슨 죄 있어 국록을 먹거니와 어찌하여 자식이 없는고. 세상이 좋다 한들 좋은 줄 어찌 알며, 부귀가 영화로되 영화로운 줄 어찌 알리. 나 죽어 청산에 묻힌 백골 누가 거두어 줄 것이며 선영향화[32]를 누가 주장하리[33]."

하염없는 눈물이 옷깃을 적시는지라. 이렇듯이 서러워하니, 부인 장 씨(張氏)는 이부 상서 장윤의 장녀라. 주부(主簿) 곁에 앉았다가 일심이 비감해 왈,

"상공의 무후[34]함은 모두 소첩이 박복한 탓이라. 첩의 죄를 논지하건대 벌써 버릴 것이로되, 상공의 은덕으로 지금까지 부지(扶支)하오니 부끄러운 말씀을 어찌 다 하오리까. 듣사오니 천하에 절승(絶勝)한 산이 남악 형산이라 하오니, 수고를 생각지 말고 산신께 발원해 정성이나 들여 보사이다."

주부 이 말을 듣고 대 왈(對曰),

"하늘이 점지하시어 팔자에 없는 것이니, 빌어 자식을 나을진대 세상에 무자(無子)한 사람이 어디 있으리오."

장 부인이 여쭈되,

"대체[35]를 생각하면 그 말씀도 당연하되, 만고 성현 공부자[36]도 이구산에 빌어 낳고 정(鄭)나라 정자산[37]도 우성산에 빌어 낳았으니, 우리도 빌어 보사이다."

주부 이 말을 듣고, 삼칠일 재계를 정히 하고 소복(素服)을 정제하며 제물을 갖추고 축문을 별도로 지어 가지고 부인과 함께 남악산을 찾아갔다. 산세 웅장해 봉봉(峯峯)이 높았으며, 청송(青松)은 울울해[38] 태고시(太古時)를 띠고, 강수(江水)는 잔잔해 탄금성[39]을 돋우었다. 7,020봉은 구름 밖에 솟아 있고, 층암절

---

32 선영향화(先塋香火) 조상의 묘에 피우는 향불이라는 뜻으로, 조상에게 제사를 지냄을 이르는 말.
33 주장(主掌)하다 어떤 일을 책임지고 맡다.
34 무후(無後) 대(代)를 이어 갈 자손이 없음.
35 대체(大體) 일이나 내용의 기본적인 큰 줄거리.
36 공부자(孔夫子) '공자(孔子)'를 높여 이르는 말.
37 정자산(鄭子産) 중국 춘추 시대 정(鄭)의 정치가인 공손교(公孫僑). 목공(穆公)의 손자로, 진과 초의 역학 관계를 이용함으로써 정의 평화를 유지했으며, 농지를 정리해 나라의 재정을 재건하고 성문법을 만들었다.
38 울울하다 울창하다.
39 탄금성(彈琴聲) 거문고 타는 소리.

벽 위에는 각색 백화(百花) 다 피었으며, 소상강 아침 안개 동정호로 돌아가고, 창오산 저문 구름은 호산대로 돌아들었다. 강수성을 바라보며 수양 가지 부여잡고 육칠 리(里)를 들어가니, 연화봉(蓮花峯)이 중계[40]로다. 상대(上臺)에 올라서서 사방을 살펴보니, 옛날 하우씨[41]가 구년지수[42] 다스리고 층암절벽 파던 터가 어제 한 듯 완연하고, 산천이 심히 엄숙한 곳에 천제당[43]을 높이 뭇고[44] 백마(白馬)를 잡던 곳이 완연했으며, 추연[45]을 돌아보니 옛날 위 부인[46]이 선동(仙童) 오륙 인을 거느리고 도학(道學)하던 1층 단(一層壇)이 무너져 있었다.

1층 단 별도로 모아 노구밥[47]을 정결히 담아 놓고 부인은 단하(壇下)에 궤좌하고[48] 주부는 단상(壇上)에 궤좌해 분향한 후 축문을 내어 옥성[49]으로 축수하니, 그 축문에 했으되,

"유세차 갑자년 갑자월 갑자일에 대명국 동성문(東城門) 내에 거하는 유심은 형산 신령 전에 비나이다. 오호라! 저는 대명 태조(太祖) 창국 공신지손(創國功臣之孫)[50]이라. 선대의 공덕으로 부귀를 겸전(兼全)하고 일신이 무양하나[51] 연광[52]이 반(半)이 넘도록 일점혈육이 없으니 사후 백골인들 뉘라서 엄토하며[53] 선영향화를 뉘라서 봉사하리오[54]. 인간의 죄인이요, 지하의 악귀로다. 이러한 일을 생각하니 원한이 만심이라. 이러한 고로 더러운 정성을 신령 전에 발원하오니, 황천[55]

---

40 중계(中階) 집을 지을 때에, 기초가 되도록 한 층을 높게 쌓아 올린 단.
41 하우씨(夏禹氏) 중국 하의 우임금을 이르는 말. 곤(鯀)의 아들로서 치수(治水)에 공적이 있어서 순제(舜帝)로부터 왕위를 물려받아 하(夏)를 세웠다고 한다.
42 구년지수(九年之水) 오랫동안 계속되는 큰 홍수. 중국 요(堯) 때 9년 동안이나 계속되었다는 큰 홍수에서 유래한 말이다.
43 천제당(天祭堂) 하늘에 제사를 지내기 위해 지은 사당.
44 뭇다 '쌓다'의 옛말.
45 추연(秋淵) 중국 간쑤성[甘肅省] 구위안[固原縣] 서남쪽에 있는 연못.
46 위 부인(魏夫人) 진(晉) 때 위서(魏舒)의 딸로, 신선이 되어 남악 형산을 주재(主宰)했다고 한다.
47 노구밥 산천의 신령에게 치성을 드리기 위해 노구솥에 지은 밥. 노구솥은 '놋쇠나 구리로 만든 작은 솥'을 뜻한다.
48 궤좌(跪坐)하다 무릎을 꿇고 앉다.
49 옥성(玉聲) 아름다운 목소리.
50 창국 공신지손 나라를 세울 때 특별히 공을 세운 신하의 자손.
51 무양(無恙)하다 몸에 병이나 탈이 없다.
52 연광(年光) 사람이나 생물이 세상에 난 뒤에 살아온 햇수.
53 엄토(掩土)하다 겨우 흙이나 덮어서 간신히 장사를 지내다.
54 봉사(奉祀)하다 조상의 제사를 받들어 모시다.
55 황천(皇天) 우주를 창조하고 주재한다고 믿어지는 초자연적인 절대자. 즉 '하느님'을 의미한다.

은 감동하와 자식 하나 점지하옵소서."

빌기를 다하매, 지성이면 감천이라. 황천인들 무심할까. 단상에 오색구름이 사방에서 옹위하고 산중의 백발 신령이 일제히 하강해 정결하게 지은 제물 모두 다 흠향한다. 길조가 여차하니 귀자(貴子)가 없을쏘냐.

빌기를 다하고 집으로 돌아와 만심(滿心) 고대했다. 그러던 어느 날 한 꿈을 얻으니 천상에 오운(五雲)[56]이 영롱한 가운데 일원(一員) 선관(仙官)이 청룡을 타고 내려와 말하되,

"나는 청룡을 차지[57]한 선관으로 익성[58]이 무도(無道)한 고로 상제에게 아뢰어 익성을 치죄해[59] 다른 방(方)으로 귀양을 보냈는데, 익성이 함심[60]해 백옥루(白玉樓) 잔치 시에 익성과 대전(對戰)하게 되었나이다. 이로 인해 득죄하고 상제께서 인간에 내치시매 갈 바를 모르고 있었는데, 남악산 신령이 부인 댁에 지시하시기로 왔사오니 부인은 애휼하옵소서[61]."

하고, 타고 온 청룡을 오운 간(間)에 방송하며[62] 왈,

"일후(日後) 풍진[63] 중에서 너를 다시 찾으리라."

하고 부인의 품에 달려들거늘, 놀라 깨달으니 일장춘몽이 황홀하다. 부인이 정신을 진정하고 주부를 청입(請入)해 몽사(夢事)를 설화한대, 주부 즐거운 마음 비할 데 없어 부인을 위로해 춘정[64]을 부쳐 두고 생남(生男)하기를 만심 고대하더라. 과연 그달부터 태기가 있어 10삭(十朔)이 채인 후에 옥동자가 탄생할 때, 방 안에 향취 가득하고 문밖에 서기[65]가 비치어 생광(生光)은 만지하고[66] 서채[67]

---

56 오운 여러 가지 빛깔로 빛나는 구름.
57 차지(次知) 각 궁방(宮房)의 일을 맡아보던 사람. 여기서는 '관리해 다스림'의 뜻으로 쓰임.
58 익성(翼星) 이십팔수의 스물일곱째 별자리에 있는 별들.
59 치죄하다 허물을 가려내어 벌을 주다.
60 함심(陷心) 불만을 품거나 해칠 마음을 가짐.
61 애휼(愛恤)하다 불쌍히 여기어 은혜를 베풀다.
62 방송(放送)하다 풀어서 놓아주다.
63 풍진(風塵) 세상에 일어나는 어지러운 일이나 시련.
64 춘정(春情) 남녀 간의 정욕.
65 서기(瑞氣) 상서로운 기운.
66 만지(滿地)하다 땅에 가득하다.
67 서채(瑞彩) 상서로운 빛깔.

는 충천했다. 잠시 후 일원 선녀가 오운 중에서 내려와 부인 앞에 궤좌하고 백옥상(白玉床) 놓인 과실을 부인께 주며 하는 말이,

"소녀는 천상 선녀이온데, 금일 상제께서 분부하시되, '자미원 장성(將星)이 남경 유심의 집에 환생했으니, 네 바삐 내려가 산모를 구완하고 유아를 잘 거두라.' 하시기로 왔사오니, 백옥병(白玉瓶)의 향탕수를 부어 동자를 씻기시면 백병(百病)이 소멸하고, 유리대(琉璃臺)에 있는 과실을 산모가 잡수시면 장생불사하오리다."

부인이 그 말을 듣고 유리대에 있는 과실 세 개를 모두 쥐니, 선녀 여쭈되,

"이 과실 세 개 중에 한 개는 부인이 잡수시고, 또 하나는 공자(公子)를 먹일 것이요, 또 한 개는 일후에 주부가 잡수실 것입니다. 옥황께서 각기 임자를 점지하신 과실인데, 부인께서 어찌 다 잡수시려 하나이까."

하고 과실 한 개를 부인 잡숫게 한 후에, 향탕수로 옥동자를 씻어 채금[68] 속에 뉘어 놓았다. 그런 후에 부인께 하직하고 오운 속에 싸여 갔으나 반공(半空)에 어렸던 서기는 떠나지 아니하더라.

부인이 이 선녀를 보낸 후에 일어나 앉으니, 정신이 상쾌하고 청수(淸秀)한 기운이 전일보다 배나 더한지라. 주부를 청입해 아기를 보이며 선녀가 하던 말을 낱낱이 고하니, 주부 공중을 향해 옥황께 사례했다. 그런 후에 아기를 살펴보니, 아기가 웅장하고 기이했다. 천정이 광활하고 지각[69]이 방원[70]해 초상[71] 같은 두 눈썹은 강산 정기 씌었고 명월 같은 앞가슴은 천지조화 품었으며, 단산[72]의 봉(鳳)의 눈은 두 귀 밑을 돌아보고, 칠성(七星)에 싸인 오악[73] 융준 용안[74] 번듯하다. 북두

---

68 채금(彩衾) 빛깔이 곱고 아름다운 이부자리.
69 지각(地角) 관상에서 광대뼈를 이르는 말.
70 방원(方圓) 모난 것과 둥근 것을 아울러 이르는 말. 여기서는 '둥글고 넓적함'의 뜻으로 쓰임.
71 초상 초승달.
72 단산(丹山) 봉황이 산다는 단혈(丹穴)의 산.《산해경(山海經)》에 "단혈지산(丹穴之山)은 그 위에 금과 옥이 많고 단수(丹水)가 나오며 남쪽으로 흘러 발해(渤海)로 들어가는데, 새가 있으니 모양이 학과 같고 다섯 가지 채색의 무늬가 있는데 이름을 봉황(鳳凰)이라고 한다."라는 기록이 있다.
73 오악(五嶽) 사람의 얼굴에서 이마, 코, 턱, 좌우 광대뼈를 이르는 말.
74 융준 용안(隆準龍眼) 우뚝한 코와 용의 눈처럼 부리부리한 눈.

칠성 맑은 별은 두 팔뚝에 박혀 있고 뚜렷한 대장성이 앞가슴에 박혔으며, 삼태성 정신별이 배상(背上)에 떠 있는데, 주홍(朱紅)으로 새겼으되, '대명국 대사마[75] 대원수'라 은은히 박혔으니, 웅장하고 기이함은 만고에 제일이요, 천추에 하나로다.

주부 기운이 쇄락해 부인을 돌아보며 왈,

"이 아이의 상을 보니 천인 적강[76] 적실(的實)하고[77] 만고 영웅 분명하오. 황상께옵서 도읍을 옮기고자 하여 창해국 사신 임경천에게 물으시니, 임경천이 아뢰기를, '북두(北斗) 정기는 남경에 하강하고 자미원 대장성이 황성에 떨어졌으니 미구에 신기한 영웅이 나리라.' 하더니, 이 아이가 적실하니 어찌 아니 즐거우리까. 오래지 아니하여 대장 절월[78]을 요하(腰下)에 횡대[79]하고 상장군(上將軍) 인수[80]를 금낭에 넌짓 넣고 부귀영화는 선영을 빛내고 맹기 영풍[81]은 사해에 진동할 때, 뉘 아니 칭찬하리오. 산신의 깊은 은덕 사후에도 난망이요, 백골인들 잊을쏘냐."

이름을 '충렬'이라 하고 자(字)는 '성학'이라 한다.

세월이 여류해 충렬이 7세가 됨에 골격은 청수하고 총명은 발췌하고[82], 필법은 왕희지요 문장은 이태백이었으며, 무예와 장략[83]은 손오[84]에게 지내더라. 천문 지리는 흉중에 갈마 두고 국가 흥망은 장중[85]에 매였으니, 말달리기와 용검지술은 천신도 당치 못할레라.

---

75 대사마(大司馬) '병조 판서(兵曹判書)'를 달리 이르던 말이다. 중국 주(周) 때 군사와 군대를 맡아보던 벼슬 이름에서 유래한다.
76 천인 적강(天人謫降) 천상의 사람이 죄를 짓고 인간 세상에 내려옴.
77 적실하다 틀림이 없이 확실하다.
78 절월(節鉞) 조선 시대 때 임금이 지방관에게 하사한 물건. 절은 손에 드는 작은 수기(手旗) 모양의 신표로 중요한 임무 수행자의 증명이었으며, 부월은 긴 자루가 달린 나무 도끼로 정벌(征伐)·형륙(刑戮)·중형(重刑)의 뜻으로 군령을 위반한 자에 대한 생살권(生殺權)을 상징했다.
79 횡대(橫帶) 옆으로 비스듬하게 참.
80 인수(印綬) 병권을 가진 무관이 발병부(發兵符) 주머니를 매어 차던, 길고 넓적한 녹비 끈.
81 맹기 영풍(猛氣英風) 사나운 기운과 영웅다운 풍모.
82 발췌(拔萃)하다 여럿 가운데에서 특별히 뛰어나다.
83 장략(將略) 장수로서의 지략과 기량.
84 손오(孫吳) 중국 춘추 전국 시대의 병법가인 손무(孫武)와 오기(吳起)를 아울러 이르는 말.
85 장중(掌中) '손바닥 안'이라는 뜻으로, 여기서는 '마음대로 다룰 수 있는 권한이 미치는 테두리의 안'을 일컬음.

오호라! 시운이 불행하고 조물이 시기하는지 유 주부 세대 부귀 지극했으나, 사람의 흥진비래[86]가 미쳤으니 어찌 피할 가망이 있을쏘냐.

유 주부는 조참 적소[87]하고 장 부인은 피화 봉수적[88]하다

각설. 이때에 조정에 두 신하 있으되 하나는 도총대장[89] 정한담이요, 또 하나는 병부 상서 최일귀라. 본래 천상 익성(翼星)으로 자미원 대장성과 백옥루 잔치에서 대전한 죄로 상제께 득죄하고 인간에 적강(謫降)해 대명국 황제의 신하 되었는지라. 본시 천상지인(天上之人)으로 지략이 유여(裕餘)하고 술법이 신묘한 중에 금산사 옥관도사를 데려다가 별당에 거처하게 하고 술법을 배웠으니, 만부부당지용[90]과 백만 군을 거느릴 대장지재[91]가 있었다. 벼슬이 일품이요, 포악이 무쌍(無雙)이라. 만민의 생사는 장중(掌中)에 매여 있고 일국의 권세는 손끝에 달렸으니, 초(楚) 회왕의 항적[92]이요 당(唐) 명황[93]의 안녹산이라.

일상 마음이 천자를 도모코자 하되, 다만 정언 주부의 직간(直諫)을 꺼려 하고 또한 퇴재상(退宰相) 강희주의 상소를 꺼려 중지한 지 오래였다. 그런데 영종 황제 즉위 초에 열국 제왕들이 각각 사신을 보내어 조공을 바치되, 오직 토번[94]과 가달[95]이 강포(强暴)만 믿고 천자를 능멸해 조공을 바치지 아니했다. 한담과 일귀 두 사람이 이때를 타서 천자께 여쭈되,

"폐하 즉위하신 후에 덕피 만민[96]하고 위진 사해[97]하며 열국 제신이 다 조공

---

86 흥진비래(興盡悲來) 즐거운 일이 다하면 슬픈 일이 닥쳐온다는 뜻으로, 세상일은 순환되는 것임을 이르는 말.
87 조참 적소(遭讒謫所) 참소(讒訴)를 만나 유배(流配)당함.
88 피화 봉수적(避禍逢水賊) 화를 피하다 수적을 만남.
89 도총대장(都摠大將) 군사(軍事)를 도맡은 최고의 장수.
90 만부부당지용(萬夫不當之勇) 수많은 장부로도 당해 낼 수 없는 용맹.
91 대장지재(大將之才) 대장이 될 수 있는 자질.
92 항적(項籍) 중국 진 말기에 유방(劉邦)과 천하를 놓고 다툰 무장. 진이 혼란에 빠지자 봉기해 진군을 도처에서 무찌르고 관중으로 들어갔으며, 진을 멸망시킨 뒤 서초 패왕이라 칭했으나 해하에서 유방에게 포위되어 자결했다.
93 명황(明皇) 중국 당(唐) 6대 황제인 현종(玄宗)의 시호. 초년에 정사를 바로잡아 '개원의 치'라고 불리는 성당(盛唐) 시대를 이루었으나, 만년에 양귀비를 총애하고 간신에게 정치를 맡겨 안녹산의 난을 초래했다.
94 토번(吐蕃) 중국 당·송 때에 '티베트족'을 이르던 말.
95 가달(可達) 여진족이 세운 나라.
96 덕피 만민(德被萬民) 은덕이 온 백성에게 미침.
97 위진 사해(威振四海) 온 세상에 위엄을 떨침.

을 바치되, 오직 토번과 가달이 강포만 믿고 천명을 거스르고 있나이다. 신등이 비록 재주 없으나 남적[98]을 항복받아 충신으로 돌아오면 폐하의 위엄이 남방(南方)에 가득하고 소신의 공명은 후세에 전하리니, 복원(復願) 황상께서는 깊이 생각하옵소서."

천자 매일 남적이 강성함을 근심하더니, 이 말을 듣고 대희(大喜)해 왈,

"경(卿)의 마음대로 기병하라."

하시니라.

이때 유 주부 조회하고 나오다가 이 말을 듣고 탑전[99]에 들어가 복지 주 왈,

"듣사오니 폐하께옵서 남적을 치기 위해 기병하신다 하니, 그 말씀이 옳으시나이까."

천자 왈,

"한담 말이 여차여차하기로 그런 일이 있노라."

주부 여쭈되,

"폐하, 어찌 망령되게 허락하셨나이까. 왕실은 미약하고 외적은 강성하니, 이는 자는 범을 찌름과 같고 들어오는 토끼를 놓침이라. 한낱 새알이 천근지중[100]을 어떻게 견디리까. 가련한 백성 목숨 백 리(里) 사장(沙場)에 고혼(孤魂)[101]이 되면 그것이 바로 적악[102]이 아니겠나이까. 황상은 기병하지 마옵소서."

천자 그 말을 들으시고 호의[103] 만단하던 차에 한담과 일귀 일시에 합주하되[104],

"유심의 말을 듣자오니, 유심은 살지무석[105]이요 오국[106] 간신과 동류로소이

---

98 남적(南狄) 남쪽 오랑캐. 남만.
99 탑전(榻前) 왕의 자리 앞.
100 천근지중(千斤之重) 1,000근이나 되는 무게. 아주 무겁다는 뜻이다.
101 고혼(孤魂) 의지할 곳 없이 떠돌아다니는 외로운 넋.
102 적악(積惡) 남에게 악한 짓을 많이 함.
103 호의(狐疑) 여우가 의심이 많다는 뜻으로, 매사에 지나치게 의심함을 이르는 말이다.
104 합주(合奏)하다 함께 아뢰다.
105 살지무석(殺之無惜) 죽여도 아깝지 않을 정도로 죄가 무거움.
106 오국(吳國) 중국 춘추 전국 시대에 12열국 가운데 주 문왕(文王)의 백부 태백(太白)이 세운 나라.

다. 대국(大國)을 저버리고 도적놈만 칭찬해 개아미[107] 무리를 대국에 비하고 한 낱 새알을 폐하에 비하니, 일대의 간신이요 만고의 역적이라. 신등은 저어하건대, 유심이 가달을 못 치게 함은 가달과 동심해 내응[108]이 된 듯하니, 유심을 선참[109]하고 가달을 치사이다."

하니, 천자 허락했다.

한림 학사 왕공렬이 유심 죽인단 말을 듣고 복지 주 왈,

"주부 유심은 선황제 개국 공신 유기의 손(孫)이라. 위인이 정직하고 일심이 충전[110]하오며, 남적을 치지 말자는 말이 사리에 당연하옵니다. 그런데 그의 말을 죄라 하여 충신을 죽이시면 태조 황제 사당 안에 유 상공 배향[111]했으니 춘추(春秋)로 행사[112]할 때에 무슨 면목으로 뵈려 하시나이까. 또한 유심을 죽이면 직간할 신하 없을 것이니 황상은 다시 생각하시어 그의 죄를 용서하옵소서."

천자 이 말을 듣고 한담을 돌아보니, 한담이 여쭈되,

"유심을 벌할진대 만사무석[113]이오나, 공신의 후예이오니 죄목대로 다 못 하고 정배(定配)[114]나 하사이다."

천자 왈,

"옳다."

하시고,

"황성 밖으로 원찬[115]하라."

하시니, 한담이 청령[116]하고 승상부[117]에 높이 앉아 유심을 잡아내어 수죄[118]하

---

107 개아미 '개미'의 방언.
108 내응(內應) 내부에서 몰래 적과 통함. 또는 적의 내부에서 몰래 아군과 통함.
109 선참(先斬) 임금에게 알리기 전에 죄인의 목을 먼저 베던 일. 여기서는 단순히 '먼저 목을 벰'이라는 뜻으로 쓰였다.
110 충전(忠專) 오로지 충성만을 함.
111 배향(配享) 공신(功臣)의 신주(神主)를 종묘(宗廟)에 모시는 일.
112 행사(行祀) 제사를 지냄.
113 만사무석(萬死無惜) 만 번 죽어도 아까울 것이 없음.
114 정배 죄인을 지방이나 섬으로 보내 정해진 기간 동안 그 지역 내에서 감시를 받으며 생활하게 하던 형벌.
115 원찬(遠竄) 먼 곳으로 귀양을 보냄.
116 청령(聽令) 명령을 주의 깊게 들음.
117 승상부(丞相府) 승상이 정사(政事)를 행하는 관부(官府).
118 수죄(數罪) 범죄 행위를 들추어 따짐.

는 말이,

"너의 죄를 논지컨대 선참후계[119] 당연하나, 국은이 망극하시어 네 목숨을 살려 주니 일후는 그런 말을 다시 말라."

하고, 연북[120]으로 정배하며 왈,

"어서 바삐 발행하라[121]. 만일 잔말하다가는 능지처참하리라."

주부 이 말을 들으매 분심이 창천해 양구[122]에 하는 말이,

"내 무슨 죄 있건대 연북으로 간단 말인가. 왕망[123]이 섭정하매 한실[124]이 미약하고, 동탁[125]이 작란하니 충신이 다 죽었다. 나 죽은 후에 내 눈을 빼어 동문(東門)에 높이 달아 다오. 가달국 적장 손에 네 머리 떨어지는 것을 완연히 보리라. 지하에 돌아가더라도 오자서[126]의 충혼에 부끄럽게 하지 말라."

한담이 이 말을 듣고 분심이 창천해 왈,

"어명이 이러한데 무슨 발명을 하느냐."

하고, 궐문으로 들어가며 금부도사[127] 재촉해 왈,

"유심을 채질[128]해 연북으로 가라!"

하며 성화(星火) 같은 소리를 지르니, 유 주부 어쩔 수 없이 적소(謫所)로 가려고 집으로 돌아오니, 일가(一家)가 망극해 곡성이 진동하더라.

주부 충렬의 손을 잡고 부인에게 하는 말이,

"우리 연광이 반이 넘도록 일개 자녀 없었는데 황천이 감동해 이 아들을 점지

---

119 선참후계(先斬後啓) 군율을 어긴 자를 먼저 처형한 뒤에 임금에게 아뢰던 일.
120 연북(燕北) 중국 춘추 전국 시대에 허베이성[河北省] 북부에 있던 나라. 또는 그 지역.
121 발행(發行)하다 길을 떠나다.
122 양구(良久) 시간이 꽤 오래됨. 한참 뒤.
123 왕망(王莽) 중국 전한의 정치가로, 자신이 옹립한 평제(平帝)를 독살하고 제위를 빼앗아 국호를 신(新)으로 명명했으나, 뒤에 한(漢) 유수(劉秀)에게 피살되었다.
124 한실(漢室) 중국 한의 왕실.
125 동탁(董卓) 중국 후한(後漢) 말기의 무장(武將). 낙양(洛陽)에 입성해 헌제(獻帝)를 옹립하고 정권을 잡았으며, 장안(長安)으로 천도해 폭정을 행하다 왕윤(王允)의 모략에 걸려 살해되었다.
126 오자서(伍子胥) 중국 춘추 시대 때 초의 사람으로, 아버지와 형이 초의 평왕(平王)에게 피살되자 오를 도와 초를 쳐서 원수를 갚았다.
127 금부도사(禁府都事) 조선 시대에 의금부에 속해 임금의 특명에 따라 중한 죄인을 신문하는 일을 맡아보던 종5품 벼슬.
128 채질 채찍질.

하신지라. 봉황의 짝을 얻어 영화를 보려 했더니, 기운[129]이 소체[130]하고 조물이 시기해 간신의 참소를 보게 되었소. 이제 만 리 적소로 떠나가니 생사를 알지 못할지라. 어느 날에 다시 볼꼬. 나 같은 인생은 조금도 생각 말고 이 자식을 길러 내어 후사를 받들게 하면 황천에 돌아가도 눈을 감고 갈 것이요, 부인의 깊은 은덕 후세에 갚으리다."

하고, 충렬을 붙들고 슬피 울며 하는 말이,

"네 아비 무슨 죄로 만 리 연경[131]에 간단 말인가. 너를 두고 가는 설움 단산(丹山)에 나는 봉황 알을 두고 가는 듯, 북해[132] 흑룡(黑龍)이 여의주를 버리고 가는 듯, 통박하고[133] 설운 원정[134]을 일구(一口)로 난설(難說)이라. 생각하니 기가 막혀 말할 길이 전혀 없고, 일시나 잊자 하니 가슴에 맺힌 한을 죽은들 잊을쏘냐. 너의 아비 생각 말고 너의 모친을 모셔 무사히 지내며, 봄풀이 푸르거든 부자 상면할 줄 알고 있으라."

하고 방성통곡하며 죽도를 끌러 충렬에게 채우면서 왈,

"구천에서 상봉한들 부자 신표[135] 없을쏘냐. 이 칼을 잃지 말고 부디 잘 간수해 두라."

유 주부 처자를 이별하고 행장을 바삐 차려 문밖에 나오니 정신이 아득한지라. 한 번 걷고 두 번 걸어 열 걸음 백 걸음에 구곡간장 다 녹으며, 일편단심 다 녹겠다. 성중(城中)에서 보는 사람 뉘 아니 낙루하며, 강산초목 다 슬퍼한다.

동성문 나서면서 연경을 바라보고 영거사[136]를 따라갈 제, 3일을 행한 후에

---

129 기운(機運) 기회와 운수를 아울러 이르는 말.
130 소체(消滯) 없어지거나 막힘.
131 연경(燕京) 중국의 수도인 베이징[北京]의 옛 이름. 춘추 전국 시대 연의 수도가 이 지역이었던 데서 유래한다.
132 북해(北海) 중국 베이징에 있는 호수 '베이하이'를 우리 한자음으로 읽은 이름.
133 통박(痛迫)하다 마음이 몹시 절박하다.
134 원정(怨情) 원통한 마음.
135 신표(信標) 뒷날에 보고 증거가 되게 하기 위해 서로 주고받는 물건.
136 영거사(領去使) 유배되는 사람을 데리고 가던 임시직의 벼슬아치.

청송령(青松嶺)을 지나 옥해관에 당도하니, 이때는 추팔월[137] 망간이라. 한풍(寒風)은 소슬하고 낙목(落木)은 소소한데[138] 정전(庭前)의 국화꽃은 추구수심[139] 띠어 있고, 벽공(碧空)에 걸린 달은 삼경야회[140]를 돋우었다. 객창한등[141] 깊은 밤에 촛불로 벗을 삼아 객침[142] 베고 누웠으니, 타향의 가을 소리 나그네의 수심 다 녹인다. 공산(空山)에 우는 두견성은 귀촉도 불여귀[143]를 일삼고 청천(青天)에 뜬 기러기는 한창[144] 밖에 슬피 울었다. 행역[145]이 곤한들 잠들 가망이 전혀 없다. 그 밤을 뜬눈으로 지낸 후에 이튿날 길을 떠나 소상강을 바삐 건너 멱라수[146]에 다다르니, 이 땅은 초(楚) 회황제 만고 충신 굴삼려 간신의 패(敗)를 보고 택반[147]에 장사(葬事)하니, 후인(後人)이 비감해 회사정[148]을 높이 짓고 조문(弔文) 지었으되,

일월같이 빛난 충은 만고에 빛나 있고 금석같이 굳은 절개 천추에 밝았으니, 이 땅을 지나가는 사람 뉘 아니 감심(感心)하리!

이렇듯이 슬픈 사연이 현판에 붙어 있는지라. 유 주부 그 글을 보고 충심이 즉 발해 행장에서 필묵을 꺼내 들고 회사정 동벽(東壁) 위에 대자(大字)로 쓰기를,

---

137 추팔월(秋八月) 음력 8월의 가을철을 이르는 말.
138 소소(蕭蕭)하다 바람이나 빗소리 따위가 쓸쓸하다.
139 추구수심(秋九愁心) 가을의 근심.
140 삼경야회(三更夜懷) 한밤중에 느끼는 쓸쓸한 불빛.
141 객창한등(客窓寒燈) '객창에 비치는 쓸쓸한 불빛'이란 뜻으로, 흔히 '외로운 나그네의 신세'를 말함.
142 객침(客枕) 손님을 위해 마련한 베개. 흔히 '객지에서의 외롭고 쓸쓸한 잠자리'를 비유적으로 이름.
143 귀촉도 불여귀(歸蜀道不如歸) 두견새의 울음소리로, '촉(蜀)으로 돌아갈까, 돌아감만 못하리.'라는 뜻. 옛날 중국 촉의 왕 망제(望帝)가 하루아침에 나라를 빼앗기고 타국으로 쫓겨난 뒤 촉으로 돌아가지 못하는 자기 신세를 한탄하며 온종일 울다가 죽었는데, 한 맺힌 그의 영혼이 두견이라는 새가 되어 밤마다 '귀촉도 불여귀'를 부르짖으며 목구멍에서 피가 나도록 울었다고 한다. 훗날 사람들은 이 두견새를 망제의 죽은 넋이 화해서 된 새라 하여 '촉혼(蜀魂)'이라고도 불렀다.
144 한창(寒窓) 자기 집을 멀리 떠나 임시로 있는 곳.
145 행역(行役) 여행의 피로와 괴로움.
146 멱라수(汨羅水) 중국 후난성[湖南省] 동북부에 있는 강(江)으로 전국 시대 때 초의 삼려대부(三閭大夫) 굴원(굴삼려)이 간신들의 참소로 이곳에 유배되었다가 빠져 죽은 곳이다.
147 택반(澤畔) 못의 가장자리에 있는 조금 편평한 땅.
148 회사정(懷思亭) 굴원의 충절을 기리기 위해 멱라수 가에 지은 정자.

문학을 열다: 한국 고전 소설 베스트

대명국 유심은 간신 정한담과 최일귀의 참소를 만나 연경으로 적거[149]하던 중에,
일월같이 밝은 마음 변박할[150] 길 전혀 없고 빙설같이 맑은 절개 보일 곳이 바이
없어 멱라수를 지나다가 굴삼려의 충혼 만나 물에 빠져 죽으니라.

쓰기를 다 한 후에 물가로 내려가서 하늘에 축수하고 일성통곡에 옷자락으로
눈을 가리고 만경창파 깊은 물에 훨쩍 뛰어들려 했다. 이때에 영거(領去)하던 사
신(使臣)이 이를 보고 전지도지[151] 달려와서 주부의 손을 잡고 말려 왈,

"그대의 충성은 천신(天神)도 알 것이라. 그대의 죄안[152]은 천자에게 달려
있는데, 명을 받아 적소로 가다가 이곳에서 죽사오면 나도 또한 죽게 될 것이
오. 그대 무죄함은 천하가 아는 바라. 천행으로 천자 감심하시어 쉬이 방송(放
送)할 줄 모르고 그대 적소를 버리고 죽사오면 죽어서 충혼이 될지라도 산 것
과 같을쏘냐."

이렇듯 한사코 만류해 주부를 백사장으로 끌어내었다. 유 주부 할 수 없이 회
사정을 지나 항주에 다다르니, 서호[153]가 여기로다. 송(宋)나라 망국 시에 일품
대신들이 국사를 돌보지 아니하고 풍악만 일삼아 일일장취(日日長醉)하는 고로
서호의 고운 태도 서시에게 비했으니, 어찌 아니 망극하랴!

그 땅을 지나서 이삼 삭(朔) 만에 연경에 당도한지라. 유 주부 자사에게 예사
(禮謝)하니 자사 주부를 인도해 객실로 전송했다. 주부 물러나와 객실로 들어가
니 이때는 동절(冬節)이라. 연경은 본디 극한지지라. 사방에 3장(丈) 백설 쌓여
있고, 퇴락한 객실 방에는 냉풍이 소슬했다. 백설이 분분해 인적이 끊어지니, 유
주부의 불쌍하고 고생함은 칭량치[154] 못할레라.

---

149 적거(謫居) 귀양살이를 하고 있음.
150 변박(辨駁)하다 옳고 그름을 가리어 논박하다.
151 전지도지(顚之倒之) 조급한 마음으로 몹시 허둥거리는 모양.
152 죄안(罪案) 범죄 사실을 적은 기록. 여기서는 '죄목(罪目)'을 이름.
153 서호(西湖) 중국 저장성 항저우[杭州]의 서쪽에 있는 호수. 중국의 이름난 명승지로 호수 기슭에 고적(古蹟)이
많다.
154 칭량(稱量)하다 사정이나 형편 따위를 헤아리다.

각설이라. 이때에 정한담과 최일귀가 유 주부를 참소해 적소로 보낸 후에 마음이 더욱 교만해진지라. 별당으로 들어가 옥관도사에게 천자를 도모할 묘책을 물으니, 도사 문밖에 나와 천기[155]를 자세히 보고 들어와 하는 말이,

"요사이 밤마다 천기를 살펴보았는데, 두려운 일이 하나 있소이다."

한데, 한담이 문 왈(問曰),

"두려운 일이라 하오니, 무슨 일이 있나이까?"

도사 왈,

"천상의 삼태성이 황성 중에서도 유심의 집에 비쳤소. 유심은 비록 연경에 갔으나 신기한 영웅이 황성 안에 살아 있으니, 그대 도모코자 하는 일이 어려울 듯하오."

한담이 이 말을 듣고 외당(外堂)으로 나와 도사의 말을 일귀에게 말하니, 일귀 대 왈,

"도사의 신기함은 천신보다 뛰어난데, 신기한 영웅이 황성 안에 있다 하니 진실로 마음이 황공하나이다."

한담이 왈,

"내 생각하니, 유심이 연만[156]하도록 자식이 없는 고로 수년 전에 형산에 산제[157]해 자식을 얻었다 하오. 도사의 말씀이 황성에 있다 하니, 의심하건대 유심의 아들인가 하노라."

일귀 왈,

"적실히 그러하면 유심의 집을 함몰해 후환을 없애는 것이 좋을까 하노라."

한담이 옳다 하고, 그날 삼경에 가만히 승상부에서 나와 나졸 10여 명을 차출

---

155 천기(天氣) 하늘에 나타난 조짐.
156 연만(年晚) 나이가 아주 많음.
157 산제(山祭) 산신령에게 드리는 제사. 산신제(山神祭).

해 유심의 집을 둘러싸고, 화약과 염초[158]를 그 집 사방에 묻어 놓고 화심[159]에 불 붙여 일시에 불을 놓으라고 약속을 정했다.

이때에 장 부인이 유 주부를 이별한 후 충렬을 데리고 한숨으로 세월을 보내고 있는데, 이날 밤 삼경에 홀연히 피곤해 침석에서 졸았다. 그런데 어떠한 일 노인이 홍선(紅扇)[160] 1병[161]을 가지고 와서 부인에게 주며 왈,

"이날 밤 삼경에 대변(大變)이 있을 것이니, 이 부채를 갖고 있다가 화광이 일어나거든 부채를 흔들면서 후원 담장 밑에 은신하라. 그리고 인적이 끊어진 후에 충렬만 데리고 남천[162]을 향해 끝없이 도망하라. 만일 그렇지 아니하면 옥황께서 주신 아들 화광 중에 고혼이 되리라."

하고 문득 간데없거늘, 놀라 깨달으니 남가일몽[163]이라. 충렬은 잠이 깊이 들어 있었는데 과연 홍선 한 자루 금침 위에 놓여 있거늘, 부채를 손에 들고 충렬을 깨워 앉히고 경경불매[164]했다. 그러던 차에 삼경이 됨에 일진광풍[165]이 일어나며 난데없는 천불[166]이 사방에서 일어나더니 웅장한 고루거각[167]이 홍로점설[168] 되고 전후에 쌓인 세간 추풍낙엽 되었도다.

부인이 창황[169] 중에 충렬의 손을 잡고 홍선을 흔들면서 담장 밑에 은신하니, 화광이 충천하고 회신[170] 만지며 구산(丘山)같이 쌓인 기물 화광에 소멸하니, 어찌 아니 망극하랴.

---

158 염초(焰硝) 화약(火藥).
159 화심(火心) 불꽃 심지.
160 홍선 붉은 부채.
161 1병(一柄) 한 자루.
162 남천(南天) 남쪽 하늘.
163 남가일몽(南柯一夢) 꿈과 같이 헛된 한때의 부귀영화를 이르는 말. 여기서는 '한바탕 꿈'이라는 의미로 사용되었다.
164 경경불매(耿耿不寐) 염려되고 잊히지 않아 잠을 이루지 못함.
165 일진광풍(一陣狂風) 한바탕 몰아치는 사나운 바람.
166 천불 1,000곳에서 일어난 불길이라는 뜻으로, 여러 곳에서 한꺼번에 일어난 큰 불길을 이르는 말.
167 고루거각(高樓巨閣) 높고 크게 지은 집.
168 홍로점설(紅爐點雪) 빨갛게 달아오른 화로 위에 눈을 조금 뿌린 것과 같다는 뜻으로, 일시에 없어짐을 비유적으로 이르는 말.
169 창황(蒼黃) 미처 어찌할 사이 없이 매우 급작스러움.
170 회신(灰燼) 불에 타고 남은 끄트러기나 재.

사경이 됨에 인적이 고요한데, 다만 중문(中門) 밖에 두 군사가 지키고 있었다. 부인이 문으로 못 나가고 담장 밑을 배회하면서 어슴푸레한 달빛 속에서 두루 살펴보니, 중중한 담장 안에 나갈 길이 전혀 없었다. 다만 물 흘러가는 수챗구멍이 보이거늘, 충렬의 옷을 잡아끌어 그 구멍에 머리를 넣은 후 북북 기어서 나왔다. 겹겹이 쌓인 담장 수채를 다 지나서 중문 밖으로 나오니, 충렬과 부인의 몸이 모진 돌에 긁히어 백옥 같은 몸에 유혈이 낭자하고 월색같이 고운 얼굴 진흙빛이 되었는지라. 불쌍하고 가련한 모습 천지도 슬퍼하고 강산도 비감하더라.

부인이 충렬을 품에 안고 샛길로 나와 남천을 바라보고 가없이 도망해 한 곳에 다다르니, 옆에 큰 뫼가 있었다. 높기는 만장이나 하고 봉우리 위에는 오색구름이 사방에 어리었거늘, 자세히 보니 충렬을 낳으려고 천제하던 남악 형산이라. 전일 보았던 얼굴이 부인을 보고 반기는 듯 뚜렷한 천제당이 완연히 보이거늘, 부인이 비회를 금치 못해 충렬을 붙들고 방성통곡하며 왈,

"네가 이 뫼를 아느냐. 7년 전에 이 산에 와서 산제하고 너를 낳았는데 이 지경이 되었구나. 네 부친은 어디 가서 이런 변을 모르는고. 이 산을 보니 네 부친 본 듯하다."

부인이 통곡하니 슬픈 마음 어찌 다 칭량하리! 충렬이 그 말을 듣고 부인의 손을 잡고 울며 왈,

"이 산에 산제하고 나를 낳았단 말인가. 적실히 그러하면 산신은 이러한 연유를 알련마는 산신도 무정하네."

부인이 이 말을 듣고 목이 메어 말을 못 하거늘, 충렬이 위로하더라. 부인이 진정한 후에 충렬을 앞세우고 번양수를 건너 회수[171]가에 다다르니, 날이 저물어 해는 이미 서산에 걸려 있고 원촌(遠村)에서 저녁 내가 났다. 청강에 놀던 물

---

171 회수(淮水) 중국 화중(華中) 지방을 흐르는 강 '화이허강'을 우리 한자음으로 읽은 이름.

새는 양류(楊柳) 속으로 날아들고 청산에 뜬 까마귀는 운간(雲間)으로 울어 들었다. 해상을 바라보니 원포(遠浦)로 들어가는 돛단배 위에는 저문 안개 떠 있고 강촌의 어적[172] 소리 세우(細雨) 중에 흩날리었다. 부인이 슬픈 마음을 진정하고 충렬의 손을 잡은 채 물가를 배회했으나 건너갈 배가 전혀 없는지라. 하늘을 우러러 탄식을 마지아니하더라.

이때 정한담과 최일귀가 유심의 집에다가 불을 놓고 틈 사이로 엿보니, 일진광풍에 화광(火光)이 일어나며 웅장한 고루거각이 한 조각 재물도 남김없이 모두 불에 타 버리는지라. 그 안에 든 사람은 씨도 없이 다 죽었겠다 하고 별당에 들어가 도사에게 다시 물어 가로되,

"전일에 우리 등이 대사(大事)를 이루고자 할 때 선생님이 '영웅이 있다.' 하고 말하면서 근심하셨는데, 이제도 그러한지 다시 망기하옵소서."

도사가 밖에 나와 천기를 살펴보고 방으로 들어와 하는 말이,

"이제는 삼태성이 황성을 떠나 번양 회수에 비쳤으니, 그 일이 수상한지라. 내 생각하니, 유심의 가권[173]이 적소를 찾으려고 회수로 갔는가 싶노라."

한담이 이 말을 듣고 마음에 생각하되,

'화광이 그렇게 엄장해 분명히 불에 타 죽었으리라 했더니, 일정 영웅이면 벗어남이 괴이하지 아니하다.'

하고, 외당(外堂)으로 나와 날랜 군사 다섯 명을 속출해 분부하되,

"너희 등이 바삐 이 밤에 번양 회수가로 달려가서 나의 말을 전하라. 금명일간[174]에 어떠한 여인이 어린아이를 데리고 물을 건너려 하거든 즉시 결박해 물에 넣으라. 만일 그렇지 아니하면 회수의 사공과 너희 등을 낱낱이 죽이리라."

한데, 나졸이 대경해 회수로 나는 듯이 달려가니 과연 물가에 인적이 있고 여인

---

172 어적(漁笛) 어부가 부는 피리.
173 가권(家眷) 호주나 가구주에게 딸린 식구. 또는 가족.
174 금명일간(今明日間) 오늘과 내일 사이.

의 울음소리가 들리는지라. 사공을 불러내어 한담이 하던 말을 낱낱이 고하니, 사공이 대경해 대 왈,

"감히 대감의 영을 죽사온들 피하오리까."

하고, 소선(小船) 한 척을 물가에 대고 기다리더라.

부인이 충렬을 데리고 건널 배가 없어 물가에 주저하던 차에 난데없는 한 척 소선이 떠 오며 부인을 청하거늘, 부인이 그 간계를 모르고 충렬을 이끌고 배에 올랐다. 그런데 배가 중류(中流)에 이르자 일진광풍이 일어나며 양 돛대 선창에 자빠지고 난데없는 적선(賊船)이 달려들어 부인을 붙잡았다. 무수한 적군이 사방에서 달려들어 부인을 결박해 적선에 추겨 달고 충렬을 물 가운데 내던졌다.

가련하다! 유 주부 천금귀자[175] 백사장 세우 중에 무주고혼[176] 되겠구나. 만경창파 깊은 물에 풍랑이 일어나니, 일점혈육 충렬의 백골인들 어디서 찾을쏘냐. 월색은 창망하고 수운(水雲)은 적막한데, 망망한 구름 속에 강신(江神)이 우는 소리에 강산도 슬퍼하고 천신도 비감하거든, 하물며 사람이야 일러 무엇하랴.

이때 장 부인이 도적에게 결박당한 채 배 안에 거꾸러져 충렬을 찾았으나, 수중(水中)에 빠졌거든 대답할 수 있을쏘냐. 한 번 불러 대답 않고 두 번 불러 소리 없으니, 천만번을 넘게 부른들 대답 소리 들리랴. 또한 사방에 있는 흉악한 도적놈이 노를 바삐 저어 부인에게 소리 말고 가자며 재촉했다. 부인이 망극해 물에 빠져 죽고자 한들 큼지막한 배 닻줄로 연약한 가는 몸을 사방으로 얽었으니 빠질 길이 전혀 없고, 결항해[177] 죽자한들 섬섬한 수족을 빈틈없이 결박했으니 결항할 길 전혀 없는지라. 도적의 배에 실려 하릴없이 잡혀가는데 어느덧 동방이

---

175 천금귀자(千金貴子) 천금처럼 귀한 자식.
176 무주고혼(無主孤魂) 자손이나 모셔 줄 사람이 없어서 떠돌아다니는 외로운 혼령.
177 결항(結項)하다 목숨을 끊기 위해 목을 매어 달다.

밝아 왔다. 도적이 한 곳에 배를 매고 부인을 끌어내어 마상(馬上)에 앉히고 말을 채찍질해 달려가니, 세상에 불쌍한들 이에서 더할쏘냐.

(중략 줄거리)

장 씨 부인은 용왕 장녀의 도움으로 도적들을 물리치고 탈출에 성공하지만 더 이상 의지할 데가 없어 낙망하여 자살하려 하였다. 그러나 한 아낙네가 나타나 만류하고 자기 집으로 데리고 갔다. 이 여인은 장 씨 부인의 먼 친척이었다.

한편, 물에 빠져 떠내려가던 충렬은 남경 상인들에게 구조된다. 초의 땅에 들어간 충렬은 굴원이 빠져 죽은 '회사정'의 벽에서 아버지의 유언을 발견하고 죽으려고 하였는데, 승상 강희주의 도움으로 살아나게 되고 그의 집에서 함께 지낸다. 충신 강희주는 황성에 가서 황제에게 정한담과 최일귀의 처단을 호소하는 상소를 올리지만 오히려 죄를 입어 옥문관으로 유배 가게 되고 강희주 일가는 궁에 딸린 노비로 전락하게 된다.

충렬은 강희주의 딸과 결혼하는데, 그 후 화를 피해 집을 떠나 산으로 들어가 출가를 결심하고 광덕산 백룡사에서 노승을 만나 무술을 배운다. 노승이 충렬에게 온 힘을 다해 신술 비법을 전수해 주자 총명한 유충렬의 도술은 나날이 발전한다. 한편, 정한담과 최일귀도 엄청난 무공과 도술을 쌓아 나간다. 그러나 세력이 강성해진 남북의 오랑캐들이 합세하여 명을 침공하자 역적 정한담과 최일귀는 천자를 배신하고, 명을 공격하는 오랑캐의 선봉장 노릇을 한다.

명이 패전을 거듭하여 항복할 수밖에 없는 상황에 처하자, 신비한 용린갑과 장성검으로 무장한 유충렬이 이들을 제압하기 위해 천사마를 타고 나타난다.

이때에 마룡이 좌수(左手)에는 3,000근 철퇴를 들고 우수(右手)에는 창검을 들고 호통을 지르며 나와 원수를 맞아 싸우는데, 일광주에 쏘이어 두 눈이 캄캄하고 정신이 없는지라. 그래도 운무 속에서 소리를 지르며 칼을 휘둘러 원수를

치려 했으나, 장성검이 번뜩하며 철퇴를 든 마룡의 팔이 땅에 떨어졌다. 마룡이 대경해 공중에 솟아 우수에 잡은 칼로 번개를 냅다 쳤지만, 도리어 자신의 9척 장검 길고 긴 칼이 낱낱이 파쇄되어 빈 자루만 남더라. 제아무리 명장인들 적수(赤手)[178]로 당할쏘냐. 마룡이 본진으로 도망치려고 돌아서자마자 벽력같은 소리가 진동하고 장성검이 번뜩하면서 마룡의 머리가 안개 속에서 떨어졌다. 원수가 마룡의 목은 본진에 던지고 몸은 적진에 던지며 왈,

"이봐, 정한담아! 바삐 나와 죽기를 재촉하라. 네놈도 이같이 죽이리라."

하며 좌우로 횡행하되 공중에서 소리만 나고 일신은 보이지 아니하니, 적진이 대경해 혼불부신하더라[179].

한담이 대로해 용상을 치며 왈,

"억만 군중에 충렬이 잡을 자가 없느냐?"

하니, 최일귀가 적제마를 비껴 타고 10척 장검 빼어 들며 진문 밖으로 썩 나서며 왈,

"대장은 아직 참으소서. 소장이 대적하리다."

하며 나는 듯이 달려 나와 외치기를,

"적장 유충렬은 어제 미결한 싸움을 결단하자!"

하니, 원수 응성하고 천사마에 번듯 오름에 좌수의 신화경(神化經)은 신장(神將)을 호령하고 우수의 장성검은 일월(日月)을 희롱하는지라. 적진을 바라보고 나는 듯이 달려가니, 혼신(渾身)이 일광 되어 가는 줄을 모를레라. 일귀를 맞아 싸워 반합(半合)이 못 되어 장성검이 번뜩하며 일귀의 머리가 땅에 떨어지니, 원

---

178 적수 아무것도 가지지 아니한 상태. 맨손.
179 혼불부신(魂不附身)하다 몹시 놀라 넋을 잃다. 혼비백산하다.

수 일귀의 머리를 칼끝에 꿰어 들고 본진으로 돌아와서 천자께 바쳐 왈,

"이것이 최일귀 머리가 적실하나이까?"

하니, 천자 일귀의 머리를 보고 대분하시어 도마 위에 올려놓고 점점이 오리면서 원수에게 치사해 왈,

"짐이 불명해 이놈의 말을 듣고 경의 부친을 문외 출송[180]했는데, 이놈이 나를 속여 만 리 연경으로 보냈는지라. 이제 설치는 했으나, 경의 은혜를 논지컨대 할부봉양[181]도 부족하리라. 백골이 진토 되어도 그 은혜를 어찌 다 갚으리. 황태후께서는 어디 계시기에 이놈의 고기 맛볼 줄을 모르는가."

하시며 원수의 손을 잡고 백번이나 치사했다. 원수 더욱 감축해 고두사례하고 군중으로 물러 나오니, 중군 조정만이 즐거움을 칭량치 못해 대하(臺下)로 내려와 백배치사하며 즐기더라.

이때 한담이 일귀의 죽음을 보고 분심이 충장해 벽력같은 소리를 천둥같이 지르고 장창과 대검 다 잡아 쥐고 전장(戰場) 500보를 솟구쳐 뛰어 나오더니, 육정육갑[182]을 베풀어 신장들이 좌우를 옹위하게 하고 본인도 신장으로 둔갑해 호통치며 원수를 불러 왈,

"충렬아, 가지 말고 네 목을 바삐 납상[183]하라."

하니, 원수 한담이 나오는 것을 보고 대희해 응성하고 나올 제, 천자 원수에게 당부해 왈,

"한담은 일귀나 마룡의 부류가 아닌지라. 천신의 법을 배워 만부부당지력[184]이 있고 변화불측하니 각별히 조심하라."

하시었다. 원수 크게 웃고 진전(陣前)으로 나와 한담을 망견(望見)하니, 신장이

---

180 문외 출송(門外黜送) 조선 시대에 죄지은 사람의 관작(官爵)을 빼앗고 도성 밖으로 추방하던 형벌.
181 할부봉양(割膚奉養) 살을 베어서 봉양함.
182 육정육갑(六丁六甲) 둔갑술을 할 때에 부르는 신장(神將)의 이름.
183 납상(納上) 웃어른에게 드림.
184 만부부당지력(萬夫不當之力) 수많은 장부(丈夫)로도 능히 당할 수 없는 용맹.

10여 척이요 면목이 웅장하며 황금 투구에 녹포운갑의 조화를 부쳤는지라. 천상 익성의 정신을 흉중에 간직했으니, 일대 명장이요 역적이 될 만했다.

원수 기운을 가다듬어 신화경을 잠깐 펼쳐 익성의 정신을 쇠진케 하고 장성검을 다시 닦아 성채[185]를 찬란케 한 후, 변화를 부려 은신하고 한담에게 호통을 치며 말하기를,

"네놈은 명나라 정종옥의 자식 정한담이 아니냐? 세대로 명나라 녹을 먹고 그 인군을 섬기더니, 무엇이 부족해 충신을 다 죽이고 부모국을 치려 하느냐. 비단 천하 사람뿐 아니라 지하의 귀신들도 너를 잡아 황제 전에 드리고자 할 것이니, 너 같은 만고역적이 살기를 바랄쏘냐. 네놈을 생금해 전후의 죄목을 물은 후에 네 살을 육포 떠서 종묘에 제사하고, 그 남은 고기는 받아다가 우리 부친 충혼당[186]에 석전제[187]를 지내리라. 바삐 나와 나를 보라."

하니, 한담이 분노해 응성한 후 말을 타고 나왔다. 원수 한담을 맞아 싸울 새 칼로 치면 반합에 죽일 것이로되, 산 채로 잡으려고 장성검 높이 들어 정한담을 내리쳤다. 그 순간 한담은 간데없고 편편채운[188]이 일어나며 장성검의 검광이 사라지고 펴 있던 칼이 도로 사리었다. 원수 대경해 급히 물러 나와 신화경을 바삐 펼쳐 들고 일편(一篇)을 외운 후에 장성검을 세 번 치고, 풍백(風伯)을 바삐 불러 채운을 쓸어버렸다. 또한 안순풍이지조화[189]를 부쳐 적진을 살펴보니, 한담이 변신해 채운에 싸여 10척 장검 번득이며 원수를 뒤쫓아 오는지라. 원수가 그제야 깨닫고 왈,

"한담은 과연 천신이로구나. 산 채로 잡으려 하다가는 도리어 환을 당하리라."

하고 싸우러 나갈 제, 진전에 안개가 자욱했다. 원수 공중에서 장성검을 번쩍이

---

185 성채(星彩) 별빛. 여기서는 '장성검의 칼 빛'을 의미한다.
186 충혼당(忠魂堂) 충신의 넋을 모신 사당.
187 석전제(夕奠祭) 상중(喪中)에 행하는 모든 예절 가운데, 염습 때부터 장사 때까지 매일 저녁에 신위 앞에 제물을 올리는 의식.
188 편편채운(翩翩彩雲) 가볍고 빠른 채색 구름.
189 안순풍이지조화 술법의 하나로, 순풍(順風)을 일어나게 하는 조화를 일컬음.

며 번개같이 한담을 내리쳤으나, 칼이 종시 한담의 몸에는 가까이 접근할 수가 없는지라. 적진으로 달려가 진중을 마구 헤칠 듯하니, 한담이 원수를 잡으려고 급히 말머리를 돌렸다. 그 순간 원수의 장성검이 번듯하며 한담의 말이 땅에 거꾸러졌다. 원수가 급히 칼을 들어 한담의 목을 쳤지만 목은 맞지 아니하고 투구만 깨어지니, 적진에서 한담의 투구가 깨어지는 것을 보고 대경해 급히 쟁(錚)을 쳤다. 한담이 기운이 쇠진해 거의 죽게 되었다가 쟁을 쳐 거둠에 겨우 본진으로 돌아왔으나, 정신을 놓고 기운을 수습하지 못했다. 좌우에서 구원하니 한담이 겨우 정신을 차리고 앉으며 왈,

"선생이 어떻게 알고 소장을 불렀나이까?"

하니, 도사 왈,

"적장의 칼끝에 장군의 투구가 깨어지기에 만분 위태한 줄 알고 불렀노라."

했다. 한담이 대경해 머리를 만져 보니 과연 투구 없는지라. 더욱 놀라서 왈,

"적장은 일정 천신이요 사람은 아니로다. 10년을 공부해 사람은 물론 귀신도 측량하지 못하는 술법이 많았지만, 마룡과 최일귀가 죽는 것을 보고 조심해 10년 배운 법을 오늘 모두 다 베풀어 충렬을 잡으려 했나이다. 그런데 충렬을 잡기는커녕 도리어 내 기운이 쇠진해 거의 죽게 되었다가 천행으로 선생의 힘을 입어 목숨이 살아났나이다. 천만 가지로 생각해 보아도 힘으로는 충렬을 잡을 수 없을 듯하니, 선생은 깊이 생각하옵소서."

하니, 도사 이 말을 듣고 간담이 써늘한지라. 이윽히 생각다가 군중에 전령(傳令)해 진문을 굳게 닫고 한담을 불러 왈,

"적장을 잡으려 할진대 인력으로는 잡지 못할 것이니 군장 기계(軍裝機械)를 모아 여차여차했다가 적장을 유인해 진중에 들게 하면, 제 비록 천신이라도 피할 길이 없으리라."

했다. 한담이 대희해 도사의 말대로 약속을 정제하고, 수일(數日)이 지난 후에 갑주를 갖추고 진문에서 나와 원수를 불러 왈,

"네가 한갓 혈기만 믿고 우리를 대적하니 후생가외[190]로다. 빨리 나와 자웅을 결단하라."

했다.

이때에 원수 의기양양해 진전에 횡행타가 한담이 부르는 소리를 듣고 응성출마(應聲出馬)해 1합 못 되어 거의 잡게 되었는데, 적진에서 또 쟁을 쳐 거두었다. 원수가 승승축부[191]해 곧바로 적진 선봉을 헤치고 달려들 때 장대에서 북소리가 울리며 난데없는 안개가 사면에 가득했다. 또한 적장은 간데없고 음풍(陰風)이 소소하며 한설(寒雪)이 분분해 지척을 알 수 없더라.

가련하다! 유충렬이 적장의 꾀에 빠져 함정에 들었으니 명재경각[192]이라. 원수 대경해 신화경을 펼쳐 놓고 둔갑장신(遁甲藏身)해 일신을 감추고 안순법[193]을 베풀어서 진중을 살펴보니, 토굴을 깊이 파고 그 가운데 장창과 검극[194]을 삼대[195]같이 벌여 놓았으며, 사해 신장이 나열해 독한 안개와 모진 사석[196] 사면으로 뿌리면서 '항복하라'고 함성을 지르니, 그 소리에 천지가 진동하더라.

원수 그제야 간계에 빠진 줄 알고 신화경을 다시 펼쳐 육정육갑을 베풀어 신장을 호령하고 풍백을 바삐 불러 운무를 쓸어버리게 하니, 명랑한 청천백일이 일광주를 희롱하고 장성검은 번개처럼 번득였다. 주위를 살펴보니 무수한 군졸이 겹겹이 에워싸고 장대에서는 북을 치며 군사들을 재촉하고 있었다. 원수 분노해 일광주를 다시 만지고 용린갑을 다스리며 천사마를 채찍질해 호통을 치면서 좌충우돌 횡행할 제, 호통 소리 지나는 곳에 뇌성벽력이 진동하니 장수들이 귀가 먹고 눈이 어두워 제 군사를 모르더라. 적군들이 서로 짓밟고 짓밟히면서

---

190 후생가외(後生可畏) 후진들이 선배들보다 젊고 기력이 좋아, 학문을 닦음에 따라 큰 인물이 될 수 있으므로 가히 두렵다는 말.
191 승승축부(乘勝逐赴) 승세를 틈타 계속 적을 뒤쫓아 감.
192 명재경각(命在頃刻) 거의 죽게 되어 곧 숨이 끊어질 지경에 이름.
193 안순법 순풍(順風)이 일어나게 하는 술법이다.
194 검극(劍戟) 칼과 창을 아울러 이르는 말.
195 삼대 삼의 줄기.
196 사석(沙石) 모래와 돌을 아울러 이르는 말.

우왕좌왕 분주할 제, 변화 좋다 장성검은 동천(東天)에서 번득하면 호적[197]이 쓰러지고 서천에서 번득하면 전후 군사 다 죽으니, 추풍낙엽 볼만하고 무릉도원 홍류수[198]는 흐르느니 핏물이라. 선봉과 중군 다 헤치고 적진 장대 달려드니 정한담이 칼을 들고 대상(臺上)에 섰거늘, 원수 호통 소리 크게 하고 장성검을 높이 들어 단칼에 한담의 머리를 베어 들고 후군으로 달려갔다.

이때 황후와 태후가 적진에 잡혀가서 토굴 속에 갇혀 있다가 원수를 보고 말하기를,

"저기 가는 저 장수야! 행여 명나라 장수거든 우리 고부 살려 주소."

했다. 원수 분기등등해[199] 적진을 횡행하던 중에 토굴 속에서 구슬픈 소리가 나자 천사마를 그곳으로 질행했다[200]. 토굴 속에 황후와 태후가 갇혀 있는 것을 보고 급히 말에서 내려 왈,

"소장은 동성문 안에 거하던 유 주부의 아들 충렬이온데, 아비 원수 갚으려고 불원천리 달려와서 정문걸을 한칼에 벤 후에 최일귀와 마룡을 잡고, 한담의 목을 베려 이곳에 왔나이다. 소장과 함께 본진으로 가사이다."

(뒷부분 줄거리)

죽은 줄 알았던 정한담은 술법으로 위기를 모면하고, 이후 충렬이 공방전을 벌이는 동안 간계를 부려 비어 있는 명국의 성으로 쳐들어가 도망하던 태자 일행을 사로잡는다. 그 사실을 알게 된 충렬은 곧바로 목숨이 경각에 달린 천자를 구출한 뒤, 호국으로 다시 잡혀간 황후와 태후, 태자를 구출한다. 또한 생사를 알 수 없었던 아버지와 어머니, 장인인 강 승상, 충렬의 아내인 경화와도 극적으로 해후한다. 호국

---

197 호적(胡狄) 오랑캐.
198 무릉도원 홍류수(武陵桃源 紅流水) 무릉도원에 붉게 흐르는 물. 무릉도원에는 복숭아꽃이 많이 피어 있는데, 그 꽃이 떨어져 물을 타고 흘러내리기에 그 물을 '홍류수'라 한 것이다.
199 분기등등(憤氣騰騰)하다 분한 마음이 몹시 치밀어 오르다.
200 질행(疾行)하다 빨리 가다.

(앞부분 줄거리)

일본에서는 풍신수길[1]이 야망을 품고 조선에 침입한다. 이때, 조선에서는 이일과 신립이 항전을 하지만 실패하고 선조는 난을 피해 서울을 떠난다. 김응서가 신술로 전세를 승리로 이끌고, 이순신이 해전에서 승리를 거둔다. 한편, 곳곳에서 의병이 일어나 의병장 정문부가 청정을 치고, 곽재우와 김덕령의 활약으로 전복되었던 평양을 되찾는다. 권율은 천병[2]이 물러가 경성으로 향한다는 말을 듣고, 행주산성에 올라 결진해 왜적을 무수히 죽여 적세가 피폐해진다. 그러나 적이 경성에 웅거한 지 수년이 지나 굶어 죽는 백성이 무수하였다. 왜군은 지쳐 강화 교섭을 청하지만 조선이 왕자를 보내지 않는다는 이유로 군사를 물리지 않는다. 한편, 원균은 순신의 벼슬을 빼앗고자 순신을 모함하며 이순신의 공을 자신의 공이라 칭하고, 허물을 순신에게 돌려 순신은 옥에 갇힌다. 그러나 이명원과 이항복의 상소로 진실이 밝혀져 이순신은 다시 전선을 거느려 어란포에서 왜적에 맞서 싸운다.

정유년 9월에 적선 수백 척이 바다를 덮어 오거늘, 순신이 다급하게 명령하길,

"10여 척 전선으로 맞아 싸우라."

하는데, 거제 부사 안위가 가만히 도망하려 하는 것이었다. 순신이 이를 보고 맨 앞에서 외쳤다.

"안위 네가 어찌 군법에 죽으려 하느냐? 네가 이제 달아나면 살 수 있을 거라

---

1 풍신수길(豊臣秀吉) '도요토미 히데요시'를 우리 한자음으로 읽은 이름.
2 천병 천자의 군사를 제후국에서 이르던 말.

생각하느냐!"

안위가 당황하여 큰 소리로 대답하길,

"어찌 진격치 아니하리이까."

하고는, 적진에 달려들어 싸우는데, 적선이 안위의 배를 둘러싸고 공격하니 안위가 거의 죽게 되었다. 이를 본 순신이 급히 구원하러 가는데, 적선 수백 척이 함께 나와 순신을 둘러싸고 어지러이 공격하니, 대포 소리가 바다에 진동하고 창검이 사방을 둘러싸는지라. 순신이 바다에서 곤경에 처한 것을 보고 장수들이 탄식하여 말하길,

"우리가 이곳에 있는 것은 오로지 통제사를 믿기 때문이다. 이제 이렇듯 위태로우니 어찌 가만히 있으리오."

하고는, 전선을 휘몰아 적을 공격하니라. 조선 수군이 죽음을 각오하고 싸우니, 적이 당황하여 잠깐 물러나게 되었다. 그러자 순신이 그 틈을 타 적을 많이 죽이니 결국 적이 패하여 달아나더라.

다음 날, 순신은 장사도로 진을 옮기고, 승리의 소식을 조정에 전하였다. 선조 임금이 크게 기뻐하며 순신에게 선물을 보내어 공로를 칭찬하고, 또한 순신의 벼슬을 높이려 하는데, 신하들이 말하였다.

"이제 순신의 벼슬을 높이시면 이후에는 더 올려 줄 벼슬이 없을까 하나이다."

임금이 그 말에 따라 다만 부하 장수들의 벼슬만 높이더라.

순신의 막내아들은 이름이 '면'인데, 본래 지혜와 용맹이 있는 아이라 순신이 가장 사랑하였다. 정유년 9월, 면이 어머니를 모시고 아산 땅에 있던 중에, 갑자기 도적이 오는 것을 보고는 집에서 부리던 일꾼 몇을 데리고 내달아 10여 명을 쏘아 죽였다. 그러고도 계속 뒤를 쫓다가 중간에 복병을 만나 어지러이 싸우다가 마침내 적병에게 죽임을 당하였다. 순신이 이 소식을 듣고 애통함을 금치 못하니, 몸과 마음이 날로 쇠약해지니라.

그 후에 순신이 고금도로 진을 옮기고, 군사를 다스리다가 하루는 싸움에 지쳐 졸고 있는데, 문득 꿈에 면이 나타나 슬피 울며 말하였다.

"왜 소자를 죽인 도적을 베어 원수를 갚아 주지 아니하시나이까?"

"너는 살았을 때 용맹이 뛰어난 아이였다. 비록 죽어 혼이 되었다 하나 어찌 도적을 죽이지 못하느냐?"

"소자가 이미 도적에게 죽었기에 혼백마저도 그 도적을 두려워하나이다."

순신은 다시 묻고자 했으나 문득 잠에서 깨어났다. 장수들을 불러 꿈 이야기를 들려주며 슬픔을 금치 못하더니, 다시 몸이 피곤하여 눈을 감으니 비몽사몽 간에 또 면이 울며 말하였다.

"아버지께서는 소자의 원수를 갚지 아니하시고 어찌 도적을 진 안에 두셨습니까?"

순신이 깜짝 놀라 깨어 군관들을 불러 물었다.

"혹시 우리 진영에 사로잡은 도적이 있느냐?"

"아침에 도적 하나를 잡아 묶어 두었습니다."

순신이 즉시 도적을 잡아 올려 과거에 제가 한 일을 따져 물으니 과연 면이 말한 그 도적이었다. 드디어 사지를 찢어 죽이니라.

백전백승의 장수, 이순신의 죽음

이순신이 전선 수십 척을 거느리고 진도 벽파정 아래에 진을 치니, 적장 마안 둔과 마득시가 전선 200척을 거느리고 공격해 왔다. 순신이 배에 대포를 싣고 바람을 등지고 달려 나오며 포를 어지럽게 쏘니, 마득시가 당하지 못하고 달아나거늘, 순신이 뒤를 따라 공격하여 적장 마안둔까지 잡아 목을 베어 버렸다. 드디어 고금도에 진을 세우니, 군사가 이미 8,000여 명이요, 남쪽 백성이 피란하여 오는 자가 수만 명이 되었다.

무술년(1598) 7월, 명나라 수군 도독 진린이 순신과 더불어 적을 치려고 한양

에서 고금도로 출발할 때, 선조 임금이 강가까지 나와서 배웅하였다. 진린은 본디 천성이 거칠어 두려워하는 자가 많았다. 진린이 이러하니, 그의 군사가 수령을 욕보이는 데 조금도 거리낌이 없고, 어떤 자는 찰방[3]인 이상규를 무수히 때려 피투성이를 만들어 버렸다. 임금이 근심하여 순신에게 편지를 보내길, '진린을 후하게 대접하여 분노를 사는 일이 없도록 하라.' 하였다.

이순신은 진린의 소문을 듣고는, 한편으로 맛난 술과 고기를 준비하여 진린을 맞이하고, 한편으로 천병을 잘 먹여 위로하니, 명나라 군사들이 서로 일러 말하길,

"과연 훌륭한 장수로다."

하고, 진린 또한 기꺼하더라.

하루는 도적의 배 수백 척이 공격해 온다는 보고가 올라왔다. 순신과 진린이 각각 수군을 거느리고 녹도에 이르니, 적이 아군을 보고는 짐짓 뒤로 물러가는 척하며 유인하였다. 순신이 따르지 아니하고 돌아올 때, 진린이 전선 수십 척을 몰아 싸움을 돕게 하였다. 이날 순신은 적의 전선을 물리치고 무수한 왜적의 목을 베었다.

싸움이 끝나고 진린과 순신이 마주 앉아 술을 마시고 있는데, 진린의 부하 장

---

3 찰방(察訪) 조선 시대에, 각 도의 역참 일을 맡아보던 종6품인 문관의 벼슬.

수 천총이 전라도에서 돌아와 말하였다.

"오늘 아침에 도적을 만나 조선 군사는 도적 100여 명을 죽였으나, 우리 군사는 바람이 불리하여 하나도 잡지 못하였습니다."

진린이 듣고는 크게 분노하여 천총을 내치고 잡고 있던 술잔을 땅에 던지니, 순신이 그 뜻을 알아채고는 말하였다.

"우리의 승리는 곧 장군의 승리입니다. 싸움터에 도착한 지 얼마 되지 않아 첩서[4]를 명나라 조정에 보내게 되시니 어찌 아름답지 아니하리오."

이처럼 순신이 천병에게 공을 돌리고, 조선 군사들이 거둔 적의 머리까지 내주니, 진린이 크게 기뻐하여 순신의 손을 잡고 말하길,

"내 일찍이 그대의 이름을 천둥처럼 크게 들었더니 과연 그대로구려."
하고, 다시 술을 내와 즐기니라.

이때부터 진린은 순신이 군사들을 지휘하는 데 엄정함이 있는 것을 보고 탄복할 뿐 아니라, 명나라 전선이 도적을 막기에 불편하다며, 매번 조선의 판옥선[5]을 타고 순신의 지휘를 따랐다. 또한 이순신을 부를 때는 반드시 '이야[6]'라 일컫더라.

천병이 비록 순신을 우러르기는 하나, 조선 백성들에게 해를 끼치는 일이 많았다. 하루는 순신이 명령하길, 섬에 있는 크고 작은 숙소를 불 지르라 하고, 또 스스로 자기 옷가지를 수습하여 배에 내치니, 진린이 이 소식을 듣고 급히 아랫사람을 보내어 까닭을 물었다. 순신이 말하였다.

"조선 백성이 천병 믿기를 저의 부모같이 하는데, 천병이 오히려 노략질에 힘을 쓰니 백성들이 괴로움을 견디질 못하고 있나이다. 내가 대장이 되어 무슨 낯으로 이곳에 머물 수 있겠습니까. 다 버리고 다른 곳으로 가고자 합니다."

---

4 첩서(捷書) 싸움에서 승리한 것을 보고하는 글.
5 판옥선(板屋船) 조선 시대에, 널빤지로 지붕을 덮은 전투선이다. 명종 때에 개발한 것으로, 임진왜란 때에 크게 활약하였다.
6 이야(李爺) '야'는 아버지를 뜻하는 말로, 아버지와 같이 받든다는 것으로 매우 높여서 부르는 말이다.

진린이 듣고는 크게 놀라 단걸음에 달려왔다. 진린이 순신의 손을 잡고 좋은 말로 말리며, 사람을 보내어 그 옷가지를 가져와 순신에게 드리고 가지 말라 간청하였다. 그러자 순신이 조심스럽게 말하였다.

"대인께서 내 말을 들어주신다면 떠나지 않겠소이다."

"내가 어찌 공의 말을 듣지 아니하리오."

"천병이 조선을 소국이라 무시하고 조금도 거리낌이 없으니, 만약 대인이 나로 하여금 지휘케 하면 염려가 없을까 하나이다."

"이 일이 무엇이 어려우리오. 만일 죄를 범하는 자가 있거든 공이 마음대로 처리하시오."

순신이 허락받은 후에 천병 중에 백성을 노략질하는 자를 용서하지 않으니, 천병이 두려워하기를 진린보다 더하더라.

무술년 9월, 군무 총독 형개가 다시 군사를 일으켜 제독 마귀에게 울산을 지키게 하고, 동일원에게는 사천을 지키게 하고, 진린을 재촉하여 도적을 치라 하였다. 진린이 순신과 더불어 수군을 거느리고 좌수영 앞에 진을 쳤다가, 적들이 장차 돌아가려 한다는 것을 알고 즉시 순천 왜교[7]에 이르니, 그곳에 평행장의 선봉 부대가 있었다. 순신이 남해 현감 이행장 등과 더불어 전선 10여 척을 거느리고 적진을 공격하여 왜선 네다섯 척을 깨뜨리고 돌아왔다. 이날 명나라 육군 도독 유정이 군사 2만 명을 거느려 왜교 북쪽 편에 진을 세우고 평행장을 치려 하니, 평의지가 군사를 이끌고 남해에서 나와 행장의 진으로 가거늘, 사도첨사 황세득이 맞아 싸우다가 죽고 말았다.

그해 11월, 적진에서 도망친 변성난이 순신에게 와 말하였다.

"일본 관백 평수길[8]이 죽었으니, 적들이 급히 돌아가려 한답니다."

싸움의 기세는 일본에 불리하게 전개되고 있었다. 이때, 우리 군사에 막혀 돌

---

7 왜교(倭橋) 왜교성(倭橋城)이라고도 함. 순천에 있는 일본식 성곽으로, 정유재란 때 일본군이 만들었다.
8 평수길 풍신수길(도요토미 히데요시).

아가지 못하게 된 평행장은 진린에게 뇌물을 주어 화친을 청하였다. 진린이 순신에게 이 말을 전하나 순신이 듣지 아니하였다. 그러자 이번에는 행장이 직접 순신에게 조총과 보물을 보내며 다시 화친을 청하였다. 하지만 순신은 끝내 듣지 아니하니라.

진린이 이미 행장이 준 뇌물을 받은 터라, 어떻게든 평행장이 돌아갈 수 있게 자신의 군사들을 다른 곳으로 돌려 길을 열어 주려 하였다. 진린이 순신에게 말하였다.

"내 남해에 있는 도적을 치고자 하오."

"남해 도적은 본디 조선 백성으로 왜적이 아니오. 어찌 그들을 해친다는 말을 하십니까? 황제께서 장군을 보내신 것은 왜적을 쳐 민심을 수습코자 하심인데, 지금 장군이 하는 말은 황제의 뜻이 아닌 것 같소이다."

"내 말을 거역하는 것은 황제께 거역하는 것이오. 그래도 따르지 못하겠소?"

"내가 죽는다 해도 죄 없는 백성을 해칠 수는 없소이다."

순신이 끝까지 뜻을 굽히지 않으니 진린도 결국 포기하였다.

11월 17일, 해가 지고 땅거미가 내리기 시작할 무렵 행장이 불을 놓아 곤양, 사천에 있는 왜적에게 도움을 청하였다. 이들은 일본 산주 출신의 군사들로 대단히 용맹한 자들이었다. 행장은 이들을 선봉으로 삼아 조선 수군의 포위를 뚫고 도망하고자 하였다.

순신이 이를 알고 진린과 더불어 노량 앞바다에서 적선 100여 척을 격파하고 돌아왔다. 순신이 하늘을 우러러 네 번 절하고 도적을 모두 없애기를 청하는데, 문득 큰 별 하나가 바다로 떨어지니, 순신이 하늘을 우러러 탄복하였다. 다시 순신이 진린과 더불어 청정의 전선을 맞아 싸우는데, 문득 급한 철환이 날아와 순신의 가슴을 맞혀 바로 등을 뚫고 나가는지라. 순신이 말하길,

"싸움이 급하니 나의 죽음을 알리지 말라."

하고, 명을 전하니, 순신의 조카 완이 대담하고 꾀가 있어 그 사촌더러 말하였다.

"이 지경을 당하여 어찌 슬픔을 참을 수 있을까만은, 만일 장군의 죽음이 새어 나가면 군사들이 동요하리니, 도적이 그 틈을 타 공격하면 시신도 보전하지 못하리라."

그러고는 순신을 대신하여 싸움을 재촉하였다. 때마침, 진린의 전선이 도적에게 둘러싸여 위기에 처해 있는 것을 보고, 완이 군사를 지휘하여 적선을 공격하니 도적이 달아나는지라. 진린이 크게 기뻐하며 말하였다.

"통제사는 어디에 계시느냐?"

완이 진린 앞에 나아가 통곡하며 말하였다.

"숙부께선 이미 돌아가셨나이다."

"통제사가 죽었으니, 이제 누가 능히 나라를 구하리오."

진린이 가슴을 두드리니 두 나라 군사들이 또한 슬퍼하더라.

이때, 행장이 겨우 목숨을 건져 일본으로 돌아가고, 곤양, 사천, 부산 등의 도적들 또한 일시에 돌아가니라.

순신의 아들 회와 조카 완이 시신을 모시고 아산으로 갈 때, 백성들이 슬퍼하고, 진린의 부하 장수들 또한 눈물을 흘리고 만장[9]을 지어 순신의 공덕을 찬양하더라.

선조 임금이 순신의 죽음을 듣고는 하염없이 눈물을 흘리고, 즉시 예관을 통해 음식과 글을 보내어 제사를 지내게 하더라. 또한 순신을 우의정으로 벼슬을 올리고, 영풍부원군에 봉하며 시호[10]를 '충무공'이라 하니, 공의 이때 나이 쉰네 살이니라.

순신의 부하 장수들이 충무공을 위하여 묘당 세우기를 청하는데, 조정이 그 뜻을 따라 경상 좌수영 북쪽에 묘당을 세우고 이름을 '충무사'라 하였다. 또 호남 백성들이 다투어 재물을 내어 비석을 만들어 감사에게 새겨 줄 것을 청하건대, 감사가 지례 현감 신인도를 보내어 비에 새기기를, '조선국 우의정 영풍부원

---

9 만장(輓章) 죽은 이를 슬퍼하여 지은 글. 또는 그 글을 비단이나 종이에 적어 기(旗)처럼 만든 것.
10 시호(諡號) 제왕, 재상, 유현 들이 죽은 뒤에 그들의 공덕을 칭송하여 붙인 이름.

군 충무공 이 장군 타루비[11]'라 하여, 비석은 좌수영을 오가는 길목에 세웠다. 그 뒤 이운용이 통제사로 있을 때, 민심을 받들어 묘당을 세우니 크고 작은 배들이 길을 떠날 때에 고사를 지냈다. 영남 백성들도 노량에 공의 묘당과 비를 세우고, 배가 들고 날 때마다 정성으로 제사를 지내더라.

내 비록 천한 기생이나

왜적이 처음 조선에 나올 때, 진주를 치다가 김시민 장군에게 크게 패한 적이 있었다. 그래서 정유년(1597)에 다시 나올 때, 진주를 깨뜨려 전날의 원수를 갚고자 하였다. 결국 왜적은 진주성을 무너뜨리고 사람을 보는 족족 죽여 버렸다.

이때, 진주성에 논개라는 기생이 있어, 손가락을 꼽을 만한 미인이었다. 왜장이 논개를 데리고 촉석루에서 희롱하고자 하니, 논개가 속으로 생각하길,

'내 비록 천한 기생이나, 어찌 도적에게 몸을 더럽히리오.'

하고, 한 가지 꾀를 내고는 적장에게 말하였다.

"내 천생이 괴이하여 한 가지 고집이 있으니, 내 말을 들어주면 비록 사지라도 내 피하지 아니하겠으나, 그렇지 않으면 내 만 번 죽어도 장군의 명을 따르지 아니하리라."

"바라는 것이 무엇이냐?"

논개가 강을 가리키며 말하였다.

"저 강가 바위 끝에서 둘이 함께 춤을 춘 후에 장군을 따르고자 하나이다."

적장이 허락하고 논개와 함께 바위 위에서 춤을 추게 되었다. 적장이 점점 춤에 빠져 긴장을 풀더니, 그 틈을 타 논개가 적장의 허리를 안고 물에 뛰어들었다. 드넓은 강물이 두 사람을 순식간에 삼켜 버리니, 간 곳을 모르더라. 적장이

---

11 타루비(墮淚碑) 한 사람의 충성과 덕을 기리기 위해 세운 비석으로, '타루'는 '눈물을 흘림'이라는 뜻.

이렇듯 갑자기 죽으니, 적병이 성을 버리고 돌아가고, 이로써 진주를 다시 찾게 되었더라.

논개는 천대받던 기생이었으나 굳센 마음과 민첩한 지혜가 옛사람에 견주어도 조금도 부끄럽지 아니하더라. 뒷날 사람들이 그 바위에 글을 새기길, '한 시대의 큰 강물이요, 천년 세월의 의로움이라.' 하니라.

(중략 줄거리)

강원도 평강에 사는 김덕령은 일찍이 병법을 숭상하여 힘과 용맹이 뛰어났다. 왜적이 침범했다는 말을 듣고 길을 떠나 황해도 동선령에 있던 왜장 청정을 상대로 종횡무진 활약한다. 그러나 이 일이 있은 후, 병조 판서 이옥이 김덕령을 나라가 위기에 처했는데도 움직이지 않았다고 고발한다. 이에 임금이 노하여 덕령을 죽이려 하였다. 덕령은 임금의 명을 어찌할 수가 없어서 만고 충신(萬古忠臣) 김덕령(金德齡)이라는 현판을 세워 주면 죽겠다고 한 뒤, 다리 사이에 있는 비늘을 떼어 내고 그곳을 매로 치라 하고는 죽었다.

왜왕을 베어 임진년의 원수를 갚고자 하나이다

선조 임금이 대궐에 돌아온 뒤, 각 도에 글을 내려 백성을 위로하고, 공을 세운 장수들에게 차례로 벼슬을 내리는데, 김응서를 도원수로 삼고, 제주에서 군사를 일으켜 공을 세운 강홍립을 부원수로 삼아 군사를 총감독하라 하더라.

어느 날은 김응서가 강홍립과 의논하길,

"우리가 나라의 은혜를 입어 이렇게 벼슬도 높아지고 귀하게 되었으니, 죽기를 각오하고 국은을 갚아야 하지 않겠소. 이제 대군을 일으켜 일본을 멸하고 왜왕을 베어 임진년의 원수를 갚음이 어떠하오?"

하니, 홍립이 또한 응낙하고 나아가 임금께 아뢰었다.

"신등은 시골의 천한 사람으로 외람되게도 큰 벼슬을 받자오니 망극할 따름이라. 온 힘을 다하여도 국은을 갚을 길이 없사옵나이다. 생각하옵건대 일본이 이번 싸움에 분을 품고 다시 침범할 듯합니다. 청컨대 군사를 거느리고 일본에 들어가 왜적을 소멸하고 왜왕을 베어 후환이 없도록 함이 마땅할까 하나이다."

"경들의 말이 참으로 좋으나, 만 리 바닷길에 행여 잘못될까 걱정이오. 그러하나 경들의 충심을 막지 못하나니 각별히 조심하라."

선조 임금이 김응서를 팔도 도어사[12]로 삼고 강홍립을 총대장으로 삼으니, 두 장군이 엎드려 절하고 물러 나와 각 도에 공문을 보내니라.

드디어 김응서와 강홍립이 일본으로 떠나는데, 선조 임금이 두 장군의 손을 잡고 말하였다.

"경들이 충성을 다하여 조선의 위엄을 타국에 빛내면 어찌 아름답지 않으리오. 절대 적을 가벼이 보지 말고, 속히 성공하여 돌아와 임금과 신하가 서로 반기게 하라."

두 장군은 명령을 받잡은 후, 홍립은 선봉장이 되고, 응서는 후군장이 되어 정병 2만을 거느리고 길을 떠나니, 이때는 무술년(1598) 4월이라.

(중략 줄거리)

조정에서는 김응서와 강홍립 두 장군으로 하여금 왜국을 쳐서 항복을 받아오라고 하였는데, 강홍립의 작전이 실패하여 대패하고, 군사를 잃은 김응서와 강홍립은 기회를 엿보기 위해 적의 도읍으로 들어갔다. 그리고 강홍립은 화친을 제안한 왜왕의 청을 받아들여 왜왕의 부마(駙馬)가 되었으나 김응서는 끝내 왜왕에게 마음을 주지 않았다. 오히려 강홍립에게 절개를 지키라고 하였으나 듣지 않자, 먼저 강홍립을 죽이고 자결하였다. 왜왕은 두 맹장의 죽음을 틈타 또다시 조선을 칠 계책을 의논하고, 조선에서는 사명당이 왜왕의 항복을 받기 위해 길을 떠난다.

---

12 도어사 어사의 우두머리.

서 '위여' 제서 '위여' 냄새 잘 맡는 사냥개는 이리 '끌끌' 저리 '끌끌' 억새 포기 떡갈잎을 뒤적뒤적 찾아드니 살아날 길 바이없네. 샛길로 가자 하니 부지기수(不知其數) 포수들이 총을 메고 둘러섰네. 엄동설한(嚴冬雪寒) 주린 몸이 어디로 가잔 말가. 종일 청산(靑山) 더운 볕에 상하 평전 너른 들에 간혹 콩알 있겠으니 주우러 가자스라.

이때 장끼 치장 볼작시면, 당홍 대단(唐紅大緞)[17] 두루마기에 초록 궁초(草綠宮綃)[18] 깃을 달아 백릉(白綾)[19] 동정 시쳐 입고, 주먹 벼슬 옥관자에 열두 장목[20] 만신 풍채(滿身風彩) 장부 기상(丈夫氣像) 좋을시고. 까투리 치장 볼작시면 잔누비 속저고리 폭폭이 잘게 누벼, 상하 의복 갖춰 입고 아홉 아들 열두 딸년 앞세우고 뒤세우고 "어서 가자, 바삐 가자." 평원 광야 너른 들에 줄줄이 퍼져 가며 "널랑 저 골 줍고 우릴랑 이 골 줍자." 개개 습유(個個拾遺)[21] 두태(豆太)[22] 하니 불원 인지공양(不願人之供養)[23]이라.

장끼와 까투리가 붉은 콩을 앞에 두고 치열하게 말다툼하다

천생만물 민유록(天生萬物民有祿)[24]하니 일포식(一飽食)도 재수라고 점점 주워 들어갈 때 난데없는 붉은 콩 한 알 덩그렇게 놓였거늘 장끼란 놈 하는 말이,

"어화 그 콩 소담하다. 하늘이 주신 복을 내 어이 마다하리? 내 복이니 먹어보자."

까투리 하는 말이,

---

17 당홍 대단 중국에서 나는, 자줏빛을 띤 붉은 물감을 들인 비단.
18 초록 궁초 무늬가 둥글고 엷은 초록색 비단. '궁초'는 엷고 무늬가 둥근 비단의 하나로 흔히 댕기의 감으로 쓴다.
19 백릉 흰빛의 얇은 비단.
20 장목 '꿩의 꽁지깃'을 의미한다.
21 개개 습유 남이 흘린 것을 낱낱이 주움.
22 두태 콩과 팥을 아울러 이르는 말.
23 불원 인지공양 사람이 공양하는 것을 부러워하지 않음.
24 천생만물 민유록 이 세상 모든 동식물에는 모두 저마다 타고난 녹이 있음.

"아직 그 콩 먹지 마소. 설상(雪上)에 유인적(有人迹)하니 수상한 자취로다. 다시금 살펴보니 입으로 훌훌 불고 비로 싹싹 쓴 자취 심히 괴이하니 제발 덕분 그 콩 먹지 마소."

장끼란 놈 하는 말이,

"네 말이 미련하다. 이때를 의논컨대 동지섣달 설한(雪寒)이라. 첩첩이 쌓인 눈이 곳곳에 덮였으니 천산(千山)에 조비절(鳥飛絶)하고 만경(萬逕)에 인종진(人踪盡)이라[25]. 사람의 자취 있을쏘냐?"

까투리 하는 말이,

"사기(事機)[26]는 그러할 듯하나 간밤에 꿈을 꾸니 대불길(大不吉)하온지라 자량[27] 처사(自量處事)하시오."

장끼 소 왈(笑曰),

"내 거야(去夜)에 일몽(一夢)을 얻으니 황학을 비껴 타고 하늘에 올라가 옥황께 문안하니, 나를 산림처사(山林處士) 봉(封)하시고 만석고(萬石庫)의 콩 한 섬을 상급(賞給)하셨으니, 오늘 이 콩 하나 그 아니 반가울까? 고서(古書)에 이르기를 '기자감식(飢者甘食)이요, 갈자이음(渴者易飮)이라[28].' 했으니 주린 양을 채워 보자."

까투리 이르는 말이,

"그대 꿈 그러하나 이내 꿈 해몽하면 무비(無非) 다 흉몽(凶夢)이라. 어젯밤 이경 초(二更初)에 첫잠 들어 꿈을 꾸니 북망산(北邙山)[29] 음지쪽에 궂은비 흩뿌리며 청천(靑天)의 쌍무지개 졸지에 칼이 되어 자네 머리 '뎅겅' 베어 내

---

25 천산에 조비절하고 만경에 인종진이라 중국 당 시인 유종원의 〈강설(江雪)〉이란 시에 '산에는 새도 날지 않고, 길에는 인적이 끊겼네[千山鳥飛絶 萬逕人踪滅].'라는 구절이 있음.
26 사기 일이 되어 가는 가장 중요한 기틀.
27 자량 스스로 헤아리다.
28 기자감식이요, 갈자이음이라 주린 자 달게 먹고, 목마른 자 쉬이 마신다는 뜻.
29 북망산 흔히 사람이 죽어서 묻히는 곳을 이르는 말. 중국의 베이망산에 역대 왕들의 무덤이 많았다는 데서 유래한 말이다.

리치니 자네 죽을 흉몽이라. 제발 그 콩 먹지 마소."

장끼란 놈 하는 말이,

"그 꿈 염려 마라. 춘당대(春塘臺) 알성과(謁聖科)[30]의 문관 장원(文官壯元) 참
례하여, 어사화(御賜花) 두 가지를 머리 위에 숙여 꽂고 장안 대도(長安大道) 상
에 왕래(往來)할 꿈이로다. 과거나 힘써 보세."

까투리 또 하는 말이,

"삼경 야(三更夜)에 꿈을 꾸니 천 근들이 무쇠 가마 자네 머리 흠뻑 쓰고, 만
경창파(萬頃蒼波) 깊은 물에 아주 풍덩 빠졌거늘, 나 혼자 그 물가에서 대성통곡
(大聲痛哭)하여 보니, 자네 죽을 흉몽이라. 부디 그 콩 먹지 마소."

장끼란 놈 이르는 말이,

"그 꿈은 더욱 좋다. 대명(大明)이 중흥할 때 구원병(救援兵) 청하거든 이내 몸
이 대장되어 머리 위에 투구 쓰고 압록강 건너가서 중원(中原)을 평정하고 승전
대장(勝戰大將) 돼 올 꿈이로다."

까투리 하는 말이,

"그는 그렇다 하려니와, 사경(四更)에 꿈을 꾸니 노인 당상(堂上)[31]하고 소년이
잔치할 제 스물두 폭 구름차일(遮日)[32] 받쳤던 서 발 장대 우지끈뚝딱 부러지며 우
리 둘의 머리에 아주 흠뻑 덮쳐 보이니 답답한 일 볼 꿈이요, 오경(五更)[33] 초에 꿈
을 꾸니 낙락 장송 만정(滿庭)한데 삼태성(三台星) 태을성(太乙星)[34]이 은하수(銀
河水)를 둘렀는데 그중의 한 점 별이 똑 떨어져 자네 앞에 내려져 뵈니 자네 장성
(將星)[35] 그리된 듯. 삼국(三國) 적 제갈무후(諸葛武侯) 오장원(五丈原)에서 운명[36]

---

30 알성과 임금이 문묘에 가서 제례를 올릴 때 성균관 유생에게 실시하여 우수한 자를 선발하던 시험.
31 당상 조부모나 부모가 거하는 곳.
32 구름차일 아주 높이 친 차일.
33 오경 새벽 3시에서 5시 사이.
34 태을성 북쪽 하늘에 있어 전쟁, 재난, 생사를 맡아 다스린다고 하는 신령스러운 별.
35 장성 어떠한 사람에게든 각각 인연이 맺어져 있다는 별.
36 삼국 적 제갈무후 오장원에서 운명 촉한의 승상 제갈량(공명)은 유비가 죽은 후 안으로는 어수선한 문제들을 정리
하고 밖으로는 북방 정벌을 꾀하던 중 조조가 세운 위의 장군 사마의(중달)와 오장원에서 맞붙었다. 그러나 장기전
을 펼치며 대치하던 중 전쟁을 미처 마무리하지도 못한 채 제갈량은 군중에서 병으로 죽고 말았다.

할 제 떨어졌다 하더이다."

장끼란 놈 하는 말이,

"그 꿈 염려 마라. 차일 덮여 보인 것은 일모 청산(日暮靑山)[37] 오늘 밤에 화초 병풍(花草屏風) 잔디 장판에 등걸로 베개 삼고, 칡 잎으로 요를 깔고 갈잎으로 이불 삼아 너와 나와 치켜 덮고 이리저리 뒹굴 꿈이요, 별 떨어져 보인 것은 옛날 헌원씨(軒轅氏)[38] 대부인(大夫人)이 북두칠성(北斗七星) 정기(精氣) 타서 제일 생남(第一生男)하여 있고, 견우직녀성(牽牛織女星)은 7월 칠석(七月七夕) 상봉이라. 네 몸에 태기(胎氣) 있어 귀자(貴子) 낳을 꿈이로다. 그런 꿈만 많이 꾸어라."

하니 까투리 하는 말이,

"계명시(鷄鳴時)[39] 꿈을 꾸니 색저고리 색치마를 이내 몸에 단장하고, 청산녹수(靑山綠水) 노닐다가 난데없는 청삽사리 입술을 악물고 와락 뛰어 달려들어 발톱으로 허위 치니 경황실색(驚惶失色)[40] 갈 데 없어 삼밭으로 달아날 제, 잔 삼대 쓰러지고 굵은 삼대 춤을 추며, 잘은 허리 가는 몸에 휘휘 친친 감겨 뵈니, 이내 몸 과부되어 상복(喪服) 입을 꿈이오니, 제발 덕분 먹지 마소. 부디 그 콩 먹지 마소."

장끼란 놈 대로(大怒)하여 두 발로 이리 차고 저리 차며 하는 말이,

"화용월태(花容月態)[41] 저 간나위[42] 년 기둥서방 마다하고 타인 남자(他人男子) 즐기다가, 참바[43] 올바 주황사로 뒷죽지 결박하여 이 거리 저 거리 종로 네거리, 북 치며 조리돌리고[44] 삼모장과 치도곤으로 난장(亂杖)[45] 맞을 꿈이로다. 그런

---

37 일모 청산 푸른 산에 해가 저묾.
38 헌원씨 중국 태고 시대 전설적인 삼황오제 중 한 사람. 배와 수레를 비롯하여 문자, 음악, 역법 등 많은 문물을 만들고 제도를 확립했다고 한다. 삼황오제는 중국 고대 전설에 나오는 삼황과 오제를 아울러 이르는 말이다.
39 계명시 이른 새벽 닭이 울 때.
40 경황실색 놀라고 두려워 얼굴빛이 달라짐.
41 화용월태 아름다운 여인의 얼굴과 맵시를 이르는 말.
42 간나위 간사한 사람이나 간사한 짓을 낮잡아 이르는 말.
43 참바 삼이나 칡 따위로 세 가닥을 지어 굵다랗게 드린 줄.
44 조리돌리다 죄를 지은 사람을 벌하기 위해 끌고 돌아다니면서 공개적으로 망신을 시키다.
45 삼모장과 치도곤으로 난장 삼모장이나 치도곤은 죄인에게 매질을 하는 형벌에 쓰인 형구를 뜻하며, 난장은 신체의 부위를 가리지 아니하고 마구 매로 치던 고문이다.

꿈 말 다시 마라. 앞정강이 꺾어 놓을라."

까투리 하는 말이,

"홍명수국(鴻鳴水國)의 비필함로(飛必含蘆)는 장부지근신(丈夫之謹愼)[46]이요, 봉비천인(鳳飛千仞)의 기불탁속(飢不啄粟)은 군자지염치(君子之廉恥)[47]로다. 자네 비록 미물(微物)이나 군자의 본을 받아 염치를 알 것이오. 백이숙제(伯夷叔齊) 충렬 염치(忠烈廉恥) 주속(周粟)을 아니 먹고, 장자방(張子房)[48]의 지혜 염치(智慧廉恥) 사병 벽곡(辭病辟穀)[49] 했으니, 원컨대 이런 것을 본을 받아 근신을 하려 하면 부디 그 콩 먹지 마소."

장끼란 놈이 말 듣고,

"네 말이 무식하다. 예절(禮節)을 모르는데 염치를 내 알쏘냐? 안자(顏子)[50] 님 도학 염치(道學廉恥)로도 30밖에 더 못 살고, 백이숙제의 충절 염치(忠節廉恥)로도 수양산(首陽山)에서 굶어 죽어 있고, 장량(張良)의 사병 벽곡으로도 적송자(赤松子)를 따라갔으니, 염치도 부질없고 먹는 것이 으뜸이라. 호타하(滹沱河) 보리밥[51]을 문숙(文叔)이 달게 먹고 중흥 천자(中興天子) 되어 있고, 표모(漂母)의 식은 밥[52]을 한신(韓信)이 달게 먹고 한국 대장(漢國大將) 되었으니, 나도 이 콩 먹고 크게 될 줄 뉘 알쏘냐?"

까투리 하는 말이,

"그 콩 먹고 잘된단 말은 내 먼저 말하오리다. 잔디 찰방(察訪)[53] 수망(首望)[54]으

---

46 홍명수국의 비필함로는 장부지근신 기러기가 물 위를 날 때 반드시 갈대를 무는 것은 장부가 근신하는 것과 같다.
47 봉비천인의 기불탁속은 군자지염치 봉황이 천 길을 날 수 있으되 굶주려도 좁쌀을 먹지 않는 것은 군자가 염치를 지키는 것과 같다.
48 장자방 중국 한고조를 도와 천하를 통일하는 데 큰 공을 세운 장양(張良). 자방은 그의 자.
49 사병 벽곡 병을 핑계로 벼슬을 사양하고 곡식을 끊는다는 뜻으로, 벽곡은 신선이 되는 법으로도 알려져 있다. 장량이 신하로서의 지위가 너무 높아져 신변의 위험을 느끼자 이 방법을 써서 자신을 지켰다고 한다.
50 안자 공자의 수제자이자 중국 춘추 시대의 유학자 안회(顏回).
51 호타하 보리밥 광무제가 왕망의 난을 피해 도망가다가 남궁현에 이르렀을 때, 풍이가 광무제에게 토끼 고기와 함께 바쳤던 보리밥.
52 표모의 식은 밥 유방을 도와 한을 세운 한신(韓信)이 어렵게 지낼 때 빨래하는 아주머니에게 얻어먹은 찬밥.
53 잔디 찰방 찰방은 조선 시대 각 도에 설치된 역을 다스리는 벼슬아치. 여기서 잔디는 무덤을 덮는 잔디를 뜻하므로 잔디 찰방이란, 장끼가 벼슬이나 출세를 말하며 콩을 먹겠다고 하자 까투리가 강력하게 경고하기 위해 재치 있게 지어낸 벼슬 이름이다.
54 수망 조선 시대에 벼슬아치를 임명하기 위해 이조와 병조에서 올리는 세 사람의 후보자 중 한 사람.

로 황천 부사(黃泉府使)[55] 제수(除授)하여 청산을 영이별(永離別)하오리니 내 원망은 부디 마소. 고서를 볼 양이면 고집불통(固執不通) 과하다가 패가망신(敗家亡身) 몇몇인고? 진시황(秦始皇)의 몹쓸 고집[56] 부소(扶蘇)의 말 듣지 않고 민심소동(民心騷動) 40년에 이세(二世) 때에 실국(失國)하고, 초패왕(楚霸王)의 어리석은 고집[57] 범증(范增)의 말 듣지 않다 8,000 제자(八千弟子) 다 죽이고 무면도강동(無面渡江東)[58]하여 자문이사(自刎而死)[59]하여 있고, 굴삼려(屈三閭)의 옳은 말도 고집불통하다가 진 무관(秦武關)[60]에 굳이 갇혀 가련공산(可憐空山) 삼혼(三魂) 되어 강상(江上)의 우는 새 어복충혼(魚腹忠魂)[61] 부끄럽다. 자네 고집 과하다가 오신명(誤身命)하오리다."

장끼란 놈 하는 말이,

"콩 먹고 다 죽을까? 고서를 볼작시면 콩 태 자 든 이마다 오래 살고 귀히 되나니라. 태곳(太古)적 천황씨(天皇氏)는 1만 8,000세(一萬八千歲)를 살아 있고, 태호 복희씨(伏羲氏)[62]는 풍성(風姓)이 상승(相承)하여 15대(十五代)를 전해 있고, 한 태조(漢太祖) 당 태종(唐太宗)은 풍진세계(風塵世界)[63] 창업지주(創業之主)[64] 되었으니, 오곡백곡(五穀百穀) 잡곡 중에 콩 태 자가 제일이라. 궁팔십(窮八十) 강태공(姜太公)은 달팔십(達八十)[65] 살아 있고, 시중천자(詩中天子) 이태백(李太

55 황천 부사 부사는 고려 시대 지방 행정 구역인 '부'의 책임자. 황천은 죽은 사람이 사는 곳으로 본디 없는 황천 부사라는 벼슬 이름을 죽음과 관련하여 새로 지어낸 것이다.
56 진시황의 몹쓸 고집 시황제는 분서갱유에 대해 간언한 태자 부소를 쫓아내었고, 진은 결국 급속히 쇠락하여 멸망했다.
57 초패왕의 어리석은 고집 초패왕 항우는 제갈공명과 더불어 중국 최고의 책사로 꼽히는 범증의 말을 듣지 않아 결국 8,000명에 이르는 부하를 죽게 하고 자신은 자결하고 만다.
58 무면도강동 강동으로 건너갈 면목이 없다는 뜻으로, 일에 실패하여 고향에 돌아갈 면목이 없는 형편을 이르는 말.
59 자문이사 스스로 목을 베어 죽다.
60 진 무관 중국 춘추 시대 진의 지명으로 지금의 산시성[陝西省]이다. 초의 회왕(懷王)이 굴원의 간언을 듣지 않고 진에 간 후 무관에 억류되었다가 결국 이곳에서 세상을 떠났다.
61 어복충혼 멱라수에 투신하여 자살한 굴원의 충성스러운 혼백을 이름.
62 복희씨 중국 고대 전설상의 제왕.
63 풍진세계 편안하지 못하고 어지러운 세상.
64 창업지주 나라를 처음으로 세워 왕조를 연 임금.
65 궁팔십 강태공은 달팔십 강태공이 80년을 가난하게 살다가 80년을 영광스럽게 산 데서 나온 말. 강태공은 중국 주(周) 초기의 정치가로 위수 강가에서 낚시를 하다가 문왕을 처음 만나 그의 군사(軍師)가 되었으며, 무왕을 도와 은을 멸하고 천하를 통일했다.

白)은 기경 상천(騎鯨上天)[66] 하여 있고, 북방의 태을성은 별 중의 으뜸이라. 나도 이 콩 달게 먹고 태공같이 오래 살고 태백같이 상천하여 태을 선관(太乙仙官) 되오리라."

까투리의 간곡한 충고를 무시한 장끼가
차위에 치여 최후를 맞이하다

까투리 홀로 경황없이 물러서니, 장끼란 놈 거동 보소. 콩 먹으러 들어갈 제 열두 장목 펼쳐 들고 꾸벅꾸벅 고개 쪼아 주춤주춤 들어가서 반달 같은 혀 부리로 들입다 꽉 찍으니, 두 고패[67] 둥그러지며 머리 위에 치는 소리 박랑사중(博浪沙中)에서 저격 시황(狙擊始皇) 하다가 버금 수레 맞추는 듯[68] '와지끈뚝딱', '푸드덕푸드덕' 변통 없이 치었구나. 까투리 하는 말이,

"저런 광경 당할 줄 몰랐던가! 남자라고 여자의 말 잘 들어도 패가(敗家)하고, 계집의 말 안 들어도 망신(亡身)하네."

까투리 거동 볼작시면, 상하평전 자갈밭에 자락 머리 풀어놓고 당글당글 구르면서 가슴 치고, 일어나 앉아 잔디 풀을 쥐어뜯어 애통하며 두 발로 구르면서 성붕지통(城崩之痛)[69] 극진하니, 아홉 아들 열두 딸과 친구 벗님네도 불상타[70] 의논하며 조문 애곡(弔問哀哭)하니 가련 공산(可憐空山) 낙목천(落木天)에 울음소리뿐이로다. 까투리 슬픈 중에 하는 말이,

"공산 야월(空山夜月) 두견성(杜鵑聲)은 슬픈 회포(懷抱) 더욱 슬프다.《통감(通鑑)》에 이르기를 '독약(毒藥)이 고구(苦口)나 이어병(利於病)이요, 충언(忠言)

---

66 기경 상천 고래를 타고 하늘에 오른다는 말. 이백이 술에 취해 물에 비친 달을 따려다 익사한 후 고래를 타고 하늘에 올랐다는 전설에서 나온 말이다.
67 고패 깃대 따위의 높은 곳에 기나 물건을 달아 올리고 내리기 위한 줄을 걸치는 작은 바퀴나 고리.
68 박랑사중에서 저격 시황 하다가 버금 수레 맞추는 듯 중국 한(漢)의 장량(張良)이 자기 나라를 멸망시킨 것에 원한을 품고 진의 시황제를 암살하고자 120근의 철퇴를 만들어 창해라는 힘센 장사(창해 역사)를 시켜 시황의 수레를 습격하게 한 곳이 박랑사다.
69 성붕지통 자기를 지켜 주던 성이 무너지는 고통이라는 뜻으로, 남편의 죽음을 맞은 부인의 슬픔을 이르는 말.
70 불상(不詳)하다 상서롭지 않다.

이 역이(逆耳)나 이어행(利於行)이라[71].' 했으니 자네도 내 말 들었으면 저런 변 당할쏜가? 답답하고 불쌍하다. 우리 양주 좋은 금슬 누구에게 말할쏘냐? 슬피 서서 통곡하니 눈물은 못이 되고 한숨은 풍우(風雨) 된다. 가슴에 불이 붙네. 이 내 평생 어찌할꼬?"

장끼 거동 볼작시면 차위[72] 밑에 엎드려서,

"에라 이년 요란하다. 후환을 미리 알면 산에 갈 이 뉘 있으리. 선 미련(先未 練) 후 실기(後失期)[73]라. 죽는 놈이 탈 없이 죽으랴? 사람도 죽기 살기를 맥(脈) 으로 안다 하니, 나도 죽지 않겠나 맥이나 짚어 보소."

까투리 대답하고 이른 말이,

"비위맥(脾胃脈)[74]이 거절(去絶), 간맥(肝脈)은 서늘하고, 태충맥(太沖脈)[75]은 걷어 가고, 명맥(命脈)은 끊어져 가네. 애고 이게 웬일이오? 원수로다 원수로다. 고집불통 원수로다."

장끼란 놈 하는 말이,

"맥은 그러하나 눈청을 살펴보소. 동자부처[76] 온전한가."

까투리 한숨 쉬고 살펴보며 이른 말이,

"이제는 속절없네. 저편 눈의 동자부처 첫새벽에 떠나가고, 이편 눈의 동자부처 지금 떠나가려고 파란 보에 봇짐 싸고, 곰방대 붙여 물고 길목버선 감발하네. 애 고애고 이내 팔자 이다지 기박한가, 상부(喪夫)도 자주 한다. 첫째 낭군 얻었다가 보라매에게 채여 가고, 둘째 낭군 얻었다가 사냥개에게 물려 가고, 셋째 낭군 얻 었다가 살림도 채 못 하고 포수에게 맞아 죽고, 이번 낭군 얻어서는 금슬도 좋거

---

71 독약이 고구나 이어병이요, 충언이 역이나 이어행이라 독한 약은 입에 쓰나 병에는 좋고, 충언은 귀에 거슬리나 일을 행하는 데 이롭다는 말.
72 차위 '덫'의 방언.
73 선 미련 후 실기 미련한 짓을 하면 후에 때를 잃음.
74 비위맥 신체에서 지라, 위의 기능과 연관된 맥.
75 태충맥 발등, 엄지발가락 위의 맥으로 혈액 순환과 연관된 맥.
76 동자부처 눈동자에 비쳐 나타난 사람의 형상.

니와 아홉 아들 열두 딸을 낳아 놓고 남혼여가(男婚女嫁)[77] 채 못 하여 구복(口腹)이 원수로 콩 하나 먹으려다 저 차위에 덜컥 치었으니 속절없이 영이별하겠구나. 도화살(桃花煞)[78]을 가졌는가? 상부살(喪夫煞)[79]을 가졌는가? 이내 팔자 험악하다. 불쌍토다 우리 낭군 나이 많아 죽었는가? 병이 들어 죽었는가? 망신살(亡身煞)을 가졌던가? 고집살(固執煞)을 가졌던가? 어찌하면 살려낼꼬? 앞뒤에 섰는 자녀 뉘라서 혼취(婚娶)하며 복중(服中)의 든 유복자(遺腹子)는 해산(解産) 구완 뉘라 할까? 운림 초당(雲林草堂)[80] 너른 뜰에 백년초(百年草)를 심어 두고 백년해로(百年偕老) 하자더니 단 3년이 못 지나서 영결종천(永訣終天)[81] 이별초(離別草)가 되었구나. 저렇듯이 좋은 풍신(風身) 언제 다시 만나 볼까? 명사십리(明沙十里) 해당화야, 꽃 진다 한을 마라. 너는 명년 봄이 되면 또다시 피려니와 우리 낭군 이번 가면 다시 오기 어려워라. 미망(未亡)[82]일세 미망일세 이내 몸이 미망일세."

한참 통곡하니 장끼란 놈 반눈 뜨고,

"자네 너무 슬퍼 마소. 상부(喪夫) 잦은 네 가문에 장가가기 내 실수라. 이 말 저 말 잔말 마라. 사자(死者)는 불가부생(不可復生)[83]이라. 다시 보기 어려우리니 나를 굳이 보려거든 명일 조반 일찍 먹고 차위 임자 따라가면, 김천 장에 걸렸거나 전주 장에 걸렸거나 청주 장에 걸렸거나, 그렇지 아니하면 감영도(監營道)[84]나 병영도(兵營道)[85]나 수령도(守令都)나 관청고(官廳庫)에 걸리든지, 봉물짐에 얹혔든지 사또 밥상 오르든지, 그렇지 아니하면 혼인집 폐백 건치(乾雉)[86] 되리로다. 내 얼굴 못 보아 슬퍼 말고 자네 몸 수절(守節)하여 정렬부인(貞烈夫人) 되옵소

---

77 남혼여가 아들은 장가들고 딸은 시집간다는 뜻으로, 자녀의 혼인을 이르는 말.
78 도화살 여자가 한 남자의 아내로 살지 못하고 사별하거나 뭇 남자와 상관하도록 지워진 살.
79 상부살 남편을 잃고 과부가 될 흉한 살.
80 운림 초당 구름이 걸쳐 있는 숲에 억새나 짚 따위로 지은 조그마한 집.
81 영결종천 죽어서 영원히 이별함.
82 미망 '미망인', '남편을 여읜 여자'를 의미한다. 아직 따라 죽지 못한 사람이라는 뜻.
83 불가부생 다시 살아날 수 없음.
84 감영도 조선 시대 각 도 관찰사가 집무하던 관청인 감영을 둔 곳.
85 병영도 병마절도사가 있던 고을. 병마절도사는 지금의 군부대에 해당하는 병영을 설치하여 군관을 거느리면서 무예 훈련, 무기·군사 시설 제작과 정비 등을 맡았다.
86 건치 신부가 시부모를 처음 뵐 때 폐백으로 쓰는 말린 꿩고기.

서. 불쌍하다 불쌍하다 이내 신세 불쌍하다. 울지 마라 울지 마라. 내 까투리 울지 마라. 장부 간장(丈夫肝腸) 다 녹는다. 네 아무리 슬퍼하나 죽는 나만 불쌍하다."

장끼란 놈 기를 쓴다. 아래 고패 버티며 밀고 위 고패 당기면서 버럭버럭 기를 쓰니 살 길이 전혀 없고 털만 쏙쏙 다 빠지네.

이때 차위 임자 탁 첨지는 망보다가 만선두리 서피 휘항(鼠皮揮項) 우그려 쓰고, 지팡막대 걸어 짚고 허위허위 달려들어 장끼를 빼어 들고 희희낙락 춤을 추며,

"지화자 좋을시고 안 남산 벽계수에 물 먹으러 네 왔더냐? 밖 남산 작작 도화(灼灼桃花)[87] 화유(花遊)[88]차로 네 왔더냐? 탐식몰신(貪食沒身)[89] 모르고서 식욕이 과하기로 콩 하나 먹으려다가 녹수청산(綠水靑山) 놀던 너를 내 손으로 잡았구나. 산신께 치성(致誠)하여 네 구족(九族)을 다 잡으리라."

장끼의 빼문 혀를 뽑아내어 바위 위에 얹어 놓고 두 손으로 합장하여 비는 말이,

"아까 놓은 저 차위에 까투리마저 치옵소서. 나무아미타불 관세음보살."

꾸벅꾸벅 절하고 탁 첨지 내려간다.

뭇 새가 찾아온 장끼의 장례식장은 난장판이 되다

까투리 뒤미처[90] 밟아 가서 바위에 얹힌 털을 울며불며 찾다가, 칡 잎으로 소렴(小殮)[91]하고 댕댕이로 매장(埋葬)하고 원추리로 명정(銘旌)[92] 써서 애송목에 걸어 놓고, 밭머리 사태 난 데 금정(金井)[93] 없이 산역(山役)하여[94] 하관(下棺)

---

87 작작 도화 몹시 화려하고 아름답게 핀 복숭아꽃.
88 화유 꽃놀이.
89 탐식몰신 먹을 것을 탐하다 죽게 됨.
90 뒤미처 그 뒤에 곧 잇따라.
91 소렴 상례 절차의 하나로 시신에 수의를 입히고 이불로 싸는 일.
92 명정 죽은 사람의 관직과 성씨 따위를 적은 기. 보통 다홍색의 천에 흰 글씨로 쓰며, 장사 지낼 때 상여 앞에서 들고 간 뒤 널 위에 펴 묻는다.
93 금정 무덤 만들 때, 구덩이의 길이와 너비를 재기 위하여 쓰는 틀.
94 산역하다 시체를 묻고 뫼를 만들거나 이장하다.

하고, 산신제(山神祭)와 불신제(佛神祭) 지내려고 제물(祭物)을 차릴 적에, 가랑잎에 이슬 받아 제주(祭酒)잔 삼고 밤 딱지로 접시 삼아 도토리 담아 놓고 속새대로 수저 삼아 친가 유무(親家有無) 형세(形勢)대로 그럭저럭 차려 놓고, 호상 소임(護喪所任)[95]으로 집사(執事)를 분정(分定)하니 누구누구 들었던고?

의관(衣冠) 좋은 두루미는 초헌관(初獻官)[96]이 되어 있고, 몸 가벼운 날랜 제비는 접빈객(接賓客) 되어 있고, 말 잘하는 앵무새는 진설(陳設)[97]을 맡았구나. 따오기 꿇어앉아 축문(祝文)을 읽으니, 그 축문에 했으되,

"유세차(維歲次) 모년 모월 모일(某年某月某日) 미망(未亡) 까투리 감소고우(敢昭告于) 현벽(顯辟) 장끼 학생부군(學生府君) 거현지둔석(去玄地窀穸) 신반실당(神反室堂) 신주기성(神主既成) 복유존령(伏惟尊靈) 사구종신(捨舊終新) 시빙시의(是憑是依)[98]"라 했더라.

이때 철상(撤床)할[99] 듯 말 듯 주저할 제 솔개 하나 떠오다가 주린 중에 굽어보고,

"어느 놈이 만상제냐? 내 한 놈 데려가리라." 하고 주루룩 달려들어 두 발로 꿩의 새끼 하나 툭 채 가지고 공중에 높이 떠서 층암절벽(層巖絶壁) 상상봉(上上峰)에 너울 덤뻑 올라앉아 이리 뒤적 저리 뒤적 하는 말이,

"감기로 불편하여 연십일(連十日) 주리기로 구미(口味)가 떨어졌더니 오늘에야 인간 제일미(人間第一味)를 얻었구나. 문어 전복 해삼 찜은 재상(宰相)의 제일미요, 전초 자반 송엽주(松葉酒)는 수재(手才) 중의 제일미요, 10년 일경(十年一莖)[100] 해궁도(海宮桃)는 서왕모(西王母)의 제일미요, 일년 장춘(一年長春) 약

---

95 호상 소임 초상 때 상례(喪禮)에 관한 일을 주선하고 보살피는 일을 맡음.
96 초헌관 제사 때에 첫 잔을 올리는 일을 맡아보던 제관.
97 진설 제사나 잔치 때 음식을 법식에 따라 상 위에 차려 놓음.
98 유세차 모년 모월 모일 미망 까투리 감소고우 현벽 장끼 학생부군 거현지둔석 신반실당 신주기성 복유존령 사구종신 시빙시의 "오늘은 몇 년 몇 월 며칠 미망 까투리가 벼슬 없이 죽은 남편 장끼께 삼가 고합니다. 육신은 무덤 속으로 가셨사오나 혼은 집으로 돌아가소서. 이제 신주를 만들었사오니 존귀하신 영혼은 옛것은 버리고 새것에 의지하소서."라는 의미이다.
99 철상하다 음식상이나 제사상을 거두어 치우다.
100 10년 일경 10년에 한 번 생긴다는 뜻.

산주(藥山酒)는 상산사호(商山四皓)[101] 제일미요, 절로 죽은 강아지와 꽁지 안 난 병아리는 연장군(鳶將軍)[102]의 제일미라. 굵으나 자나 꿩의 새끼 하나 생겼으니 주린 중에 먹어 보자."

너울너울 춤추다가 "아차." 하고 돌아보니 바위 아래 떨어져서 자취 없이 숨 었구나. 속절없이 물러앉아 허희탄식하는 말이,

"삼국 명장(三國名將) 관공(關公) 님도 화용도(華容道) 좁은 길에 잡은 조조(曹操) 놓으시니[103] 이는 대의(大義)를 생각하심이라. 첨악(諂惡)[104]한 연장군도 꿩의 새끼 놓았으니 그도 또한 선심(善心)이라. 자손 창성(子孫昌盛) 하리로다."

태백산 갈까마귀 북악(北岳)을 구경하고 노중(路中)에 허기(虛氣) 만나 요기 차(療飢次)로 까투리에게 조상(弔喪)하고 과실(果實) 나눠 먹은 후에 탄식하여 이른 말이,

"그 친구 풍신 좋고 심덕 좋아 장수(長壽)할 줄 알았더니 붉은 콩 하나 못 참 아서 비명횡사(非命橫死)한단 말가. 가련하고 불쌍하다. 우리야 그런 콩 보기로 먹을쏘냐? 여보 까투리 마누라님 들어 보소. 오늘 이 말씀이 체면은 틀리나 고 담(古談)에 이르기를 '장사(壯士) 나면 용마(龍馬) 나고 문장(文章) 나면 명필(名 筆) 난다.' 했으니, 그대 상부(喪夫)하자 내 오늘 여기 오자, 3물 조합(三物組合) 맞았으니 꽃 본 나비 불을 헤아리며 물 본 기러기 어옹(漁翁)을 두려할까? 그 성 세(聲勢)와 가문 내 형세(形勢)와 가문 그대 알 터이니 우리 둘이 자수성가(自手 成家)한 셈 잡고 백년동락(百年同樂) 어떠한가?"하니, 까투리 한숨짓고 하는 말이,

"아무리 미물(微物)인들 삼년상(三年喪)도 못 마치고 개가(改嫁)하여 가는 법

---

101 상산사호 중국 진시황 때 난리를 피하여 산시성 상산(商山)에 들어가서 숨은 네 사람. 동원공, 기리계, 하황공, 녹리 선생을 이른다. 호(皓)란 본래 희다는 뜻으로, 이들이 모두 눈썹과 수염이 흰 노인이었다는 데서 유래한다.

102 연장군 '솔개(소리개)'를 칭하는 말.

103 삼국 명장 관공 님도 화용도 좁은 길에 잡은 조조 놓으시니 《삼국지연의》에 나오는 화용도 전투에 관한 이야기. 관 운장은 적장인 조조를 죽일 수 있는 기회를 만났으나, 한때 조조의 은혜를 입은 적이 있기에 의(義)를 중시하여 조조를 놓아주었다.

104 첨악 사특하고 악함.

은 뉘 예문(禮文)에서 보았는가? 고담에 이른 말이 '운종룡(雲從龍)하고 풍종호(風從虎)[105]'라 하며 '여필종부(女必從夫)'라 했으니 임마다 따라갈까?"

까마귀 대로하여 왈,

"네 말이 가소롭다. 《시전(詩傳)》 개풍장(凱風章)에 이르기를 '유자칠인(有子七人)하되 막위모심(莫慰母心)이라[106].'했으니 사람도 일곱 아들 두고 개가하여 갈 제 탄식한 말이라. 하물며 너 같은 미물이 수절이 당(當)한고? 자고로 까투리 열녀정문(烈女旌門) 못 보았네."

이때 부엉이 들어와 조문 후에 까마귀를 돌아보고 이른 말이,

"몸뚱이도 검거니와 부리도 괴이하다. 어른이 올작시면 기거(起居)도 아니하고 은연히 앉았느냐?"

까마귀 노 왈,

"완만(緩慢)한 부엉아, 눈은 우묵하고 귀가 쫑긋하면 어른이냐? 내 몸 검다 웃지 마라. 거죽은 검으려니와 속조차 검을까? '우연비과 산음현(偶然飛過山陰縣)[107]'하다가 이내 몸 검었노라. 나의 부리 웃지 마라. 남월왕(南越王) 구천(句踐)이도 내 입과 방불(彷彿)[108]하나 3시(三時)로 장복하고 10년을 칼 갈아 제후왕(諸侯王) 되었으니 옛글을 몰랐으니 어른을 어찌 홀대하느냐? 저놈을 그저 못 두리라. 명일 식후(食後)에 통문(通文)[109] 놓아 대동(大洞)에 벌 부치고 양안(量案)에서 제명하리로다."

하며 한참 이리 다툴 적에 청천(青天)의 외기러기 운간(雲間)에 떠올랐다가 우연히 내려와서 목을 길게 늘이고서 좌우를 대책(大責)하여 왈,

---

105 운종룡하고 풍종호 구름은 용을 따르고, 바람은 범을 따른다는 말로 어진 임금에게 좋은 신하가 따른다는 뜻.
106 유자칠인하되 막위모심이라 아들이 일곱이 있으되 어머니 마음을 위로하지 못함.
107 우연비과 산음현 성삼문(成三問)이 지은 한시 〈수묵백로도에 부침〉이라는 시에 나오는 구절. "우연히 산음현을 지나다가 왕희지 벼루 씻던 못에 잘못 떨어졌구나."라는 뜻으로 갈까마귀가 겉모양을 미화하는 데 인용하였다.
108 남월왕 구천이도 내 입과 방불 중국 춘추 시대 월 왕 구천은 오와 싸워서 크게 이겼다. 이 전쟁이 끝난 후 오 왕 합려는 전쟁터에서 당한 부상으로 죽어 가면서 태자 부차에게 복수할 것을 유언으로 남겼다. 부차는 섶나무, 즉 각종 땔나무로 만든 불편한 잠자리에서 자며 원한을 잊지 않았고 마침내 월과의 전쟁에서 승리했다.
109 통문 여러 사람에게 알리는 격문, 호소문.

"너희 무슨 어른이뇨? 한나라 소자경(蘇子卿)[110]이 북해상(北海上)에 19년을 갇혔을 제, 고국 소식 모르기로 1장 서간(一張書簡) 맡았다가 한 천자(漢天子)께 내 손으로 바쳤으니 이런 일을 볼 양이면 내가 먼저 어른이라. 너희 무슨 어른이냐?"

까투리가 드디어 최종 선택을 하다

앞 연당(蓮塘) 물오리란 놈 일곱 번 상처(喪妻)하고 남녀 간 혈육 없어 후처(後妻)를 구하더니 까투리 상부(喪夫)한 소식을 알고 통혼(通婚)도 아니하고 혼인(婚姻)길을 차릴 적에 옹옹 명안(鳴雁) 기러기로 안부장이 삼아 두고, 관관저구(關關雎鳩)[111] 징경이로 함진아비 삼아 두고, 기활(氣活) 좋은 황새로 후행(後行)을 삼아 두고, 소리 큰 왜가리로 길잡이로 삼아 두고, 맵시 있는 호반새로 전갈하인(傳喝下人)[112] 삼았구나. 이날 호반새 들어와서 이른 말이,

"까투리 신부(新婦) 계신가? 우리 신랑(新郞) 들어가네."

까투리 울다 하는 말이,

"아무리 과부가 만만한들 궁합(宮合)도 아니 보고 억혼인(抑婚姻)하랴 하오?"

오리 하는 말이,

"과부 홀아비 만나는 데 예절(禮節) 보고 사주(四柱) 볼까? 신부 신랑 둘이 자연 궁합 절로 되니라. 택일(擇日)이나 하여 보자. 일상생기(一上生氣) 이중천의(二中天宜) 삼하절체(三下絶體) 사중유혼(四中遊魂) 오상화해(五上禍害) 육중복덕일(六中福德日)이요, 천덕일덕(天德日德)이 합(合)했으니, 오늘 밤이 으뜸이라. 이성지합(二姓之合)[113]은 백복지원(百福之源)[114]이니 잡말 말고 조금 자세."

까투리 웃고 대답하되,

---

110 소자경 중국 전한 때의 정치가인 소무(蘇武). 선우(單于)에게 붙잡혀 복속할 것을 강요당했으나 이에 굴하지 않아 북해에 19년간 유폐되었다. 끝내 굴복하지 않고 절개를 지켜 귀국했다.
111 관관저구 '관관'하며 우는 물수리.
112 전갈하인 양반이나 상전의 전갈을 전해 주던 하인.
113 이성지합 서로 다른 두 성이 합하였다는 뜻으로, 남녀의 혼인을 이르는 말.
114 백복지원 온갖 복의 근원.

상(上)이 문무백관(文武百官)[5]의 진하
(進賀)[6]를 받으시니, 문득 오색 채운(五色
彩雲)이 만천(滿天)하고 향풍(香風)이
촉비(觸鼻)하더니[7] 공중에서 말하여 가
로되,

"국왕은 옥황(玉皇)의 칙지(勅旨)를 받으라."

하거늘, 상이 놀라서 급히 백관(百官)을 거느리시고 전(殿)에 내리사 분향(焚香)
첨망(瞻望)하니[8], 선관이 오운(五雲) 속에서 이르되,

"이제 옥제(玉帝) 천하에 구차한 중 죽은 영혼을 위로하실 양으로 태화궁(泰
和宮)을 창건(創建)하실새 인간 각 나라에 황금 들보 하나씩을 만들어 올리되,
길이가 5척이요, 너비는 7척이니 춘삼월 망일(望日)에 올라가게 하라."

하고, 언글(言訖)에 하늘로 올라가거늘 상이 신기히 여기시며 전에 오르사 문무
(文武)를 모아 의논하실새 간의대부(諫議大夫)가 여쭈옵길,

"이제 팔도(八道)에 반포하여 금을 모아 천명(天命)을 받듦이 옳으리이다."

상이 옳게 여기사 팔도에 금을 모아 바치라 하고, 공인(工人)을 불러 일변 금
을 불려 길이와 너비의 치수를 맞추어 지어 내니, 왕공 경사(王公卿士)의 집안에
있는 것은 말도 말고 팔도에 금이 진(盡)하고 심지어 비녀에 올린 금까지 벗겨
올리니, 상이 기꺼워하사 3일 재계(齋戒)하시고 그날을 기다려 포진하고 등대
(等待)하더니[9] 진시(辰時)[10]쯤 하여 상운(祥雲)이 대궐 안에 자욱하고 향내가 코
를 찌르며 오문 속에 선관이 청의동자를 좌우에 세우고 구름에 싸였으니 그 형
용이 극히 황홀하더라.

---

5 문무백관 모든 문관과 무관.
6 진하 나라에 경사가 있을 때에 벼슬아치들이 조정에 모여 임금에게 축하를 올리던 일.
7 촉비하다 냄새가 코를 찌르다.
8 첨망하다 높은 곳을 멀거니 바라다보다.
9 등대하다 미리 갖추고 기다리다.
10 진시 오전 8시경.

상이 백관을 거느리시고 부복(俯伏)하시니[11], 그 선관이 전지(傳旨)[12]를 내려 가로되,

"고려 왕이 힘을 다하여 천명(天命)을 순종하니 정성이 지극한지라. 고려국이 우순풍조(雨順風調)하고[13] 국태민안(國泰民安)[14]하여 복조(福兆) 무량하리니 상천(上天)을 공경하여 덕을 닦고 지내라."

말을 마치며, 우편으로 쌍동제학을 타고 내려와 요구에 황금 들보를 걸어 올려 채운(彩雲)에 싸여 남쪽 땅으로 행하니, 무지개가 하늘에 뻗치고 비바람 소리가 진동하며 오색 채운이 각각 동서로 흩어지거늘, 상과 제신(諸臣)이 무수히 사례하고, 6궁(六宮) 비빈(妃嬪)이 땅에 엎디어 감히 우러러보지 못하였다.

이때, 우치는 그 들보를 가져다가 이 나라 안에서는 처치하기가 어려운지라 그 길로 구름을 멍에 하여 서공 지방으로 향하여, 들보 절반을 베어 헤쳐 팔아 쌀 10만 석을 사고 배를 마련하여 나눠 싣고 순풍을 타고 가져가 10만 빈호(貧戶)에 알맞추 갈라 주고 당장 굶어 죽는 어려움을 건지고 이듬해의 농량(農糧)[15]과 종자로 쓰게 하니, 백성들은 너무나 기쁜 나머지 다만 손을 마주잡고 여천대덕(如天大德)[16]을 칭사할 뿐이요, 관장(官長)들도 또한 기가 막히고 어리둥절하여 어찌 된 곡절인지를 몰라 하였다.

우치는 이러한 뒤에 한 장의 방(榜)을 써서 동구(洞口)에 붙였는데 그 글에다,

이번에 곡식을 나누어 줌으로써 혹 나를 칭송하지만 이는 마땅치 아니한지라. 대개 나라는 백성을 뿌리 삼고 부자는 빈민이 만들어 줌이어늘 이제 너희들 양순한 백성과 충실한 임금으로 이렇듯 참혹한 지경에 이르렀건마는 벼슬한 이가 길

---

11 부복하다 고개를 숙이고 엎드리다.
12 전지 승정원의 담당 승지를 통하여 전달되는 왕명서(王命書).
13 우순풍조하다 농사가 잘 되도록 비가 알맞게 오고 바람이 고르게 분다.
14 국태민안 나라가 태평하고 백성이 살기가 편안함.
15 농량 농사지을 동안 먹을 양식.
16 여천대덕 하늘과 같은 큰 덕.

을 트지 아니하고, 가멸한 이가 힘을 내고자 아니함이 과연 천리(天理)에 어그러져 신인(神人)이 공분(公憤)하는 바이기로 내 하늘을 대신하여 이러저러한 방법으로 이리저리하였으니, 너희들은 모름지기 이 뜻을 깨달아 잠시 남에게 맡겼던 것이 돌아온 줄로만 알고 남의 힘을 입는 줄로는 알지 말지어다. 더욱이 자청하여 심부름한 내가 무슨 공이 있다 하리오. 이렇게 말하는 나는 처사(處士)[17] 전우치(田禹治)로다.

하였다.

이때 이 소문이 나라에 들리게 되자 비로소 전후 사연을 알고 임금을 속이고 나라를 소란케 하였으니 그 죄를 용서하지 못한다 하여, 널리 그 증거를 수탐(搜探)하자 우치는 더욱 패씸하게 여기고 스스로 말하되,

"약한 자를 붙들어다 허물함은 굳센 자가 제 잘난 체하는 예사(例事)인지라, 내가 저희들의 굳센 것이 얼마 안 된다는 것을 실상으로 알려야겠다."

하고, 계교를 생각하여 들보 한 머리를 베어 가지고 서울에 가서 팔려 하니 보는 사람마다 의심 아니할 이가 없었다.

마침 토포관(討捕官)[18]이 이를 보고 크게 괴이 여겨 우치더러 물었다.

"이 금이 어디서 났으며 값은 얼마나 하는가?"

우치가 대답하기를,

"이 금이 난 곳이 있거니와, 값인즉 얼마가 될지 달아서 파는데 500냥을 주겠다면 팔까 하오."

토포관이 또 물었다.

"그대 집이 어딘가? 내가 내일 반드시 돈을 가지고 찾아갈 터이다."

우치가 말하되,

---

17 처사 세파의 표면에 나서지 않고 조용히 초야에 묻혀 사는 선비.
18 토포관 각 진영의 도둑을 잡는 일을 맡은 벼슬.

"내 집은 남선부주요, 성명은 전우치라 하오."

토포관은 우치와 이별하고 나서 고을에 들어가 태수(太守)에게 고하자 태수는 크게 놀라,

"지금 본국에는 황금이 없는데, 이는 틀림없이 무슨 연고가 있을 것이다."

하고, 관리들을 압령(押領)하여 발차(發差)하려[19] 하다가 다시 생각하되,

"이는 자세하지 못한 일이니 은자 500냥을 주고 사다가 진위(眞僞)를 알아보자."

하고, 은자 500냥을 주며 사 오라 하니, 토포관이 관리를 데리고 남선부로 찾아가자 우치가 맞아들여 이에 예를 마친 후 토포관이,

"금을 사러 왔소."

하자, 우치는 응낙하고 500냥을 받은 다음 금을 내어 주자 토포관은 금을 받아 가지고 돌아와 태수께 드렸다. 금을 받아 본 태수는 크게 놀라,

"이 금은 들보 머리를 베인 것이 분명하니 필경 우치로다."

하고, 한편 이놈을 잡아 진위를 안 후에 장계(狀啓)함[20]이 늦지 않다 하고, 즉시 20여 명에게 분부하여 빨리 가서 잡아 오라 하자 관리는 영을 듣고 바삐 남선부로 가서 우치를 잡으려 하자, 우치는 좋은 음식을 차려 관리를 대접하면서 말하기를,

"그대들이 수고로이 왔소. 나는 죄가 없으니 결단코 가지 아니하겠으니 그대들은 돌아가 태수에게 우치는 잡혀 오지 않고 태수의 힘으로는 못 잡으리니 나라에 고하여 군명(君命)이 있은 후에야 잡혀가겠노라고 고하라."

하며, 조금도 요동하지 않으므로 관리는 하릴없이 그대로 돌아가 태수에게 사실대로 고하였다.

---

19 발차하다 죄인을 잡아 오라고 사람을 보내다.
20 장계하다 임금의 명을 받은 벼슬아치가 자기 관하의 중요한 일을 왕에게 보고하다.

태수는 이 말을 듣고 놀라 즉시 토병(討兵) 500명을 점고(點考)하여[21] 남선부에 가 우치의 집을 에워싸고 한편 이 일을 나라에 장계하자, 상은 크게 놀라시고 노하사 백관(百官)을 모아 의논을 정하시고 포청(捕廳)으로 잡아 오라 하시고는 친국(親鞫)하실[22] 기구를 차리시고 잡아 오기를 기다리셨다.

이때 금부(禁府)의 나졸(羅卒)들이 군명을 받들고 남선부에 가 우치의 집을 에워싸고 잡으려 하니, 우치는 냉소하며,

"너희 백만 군이 와도 내 잡혀가지 아니하리니 너희 마음대로 나를 철삭(鐵索)으로 대단히 얽어 가라."

하기에, 모든 나졸이 일시에 달려들어 철삭으로 동여매고 전후좌우로 둘러싸고 가는데, 우치가 또 말하기를,

"나를 잡아가지 않고 무엇을 매어 가는가?"

토포관이 놀라서 보니 한낱 잣나무를 매었는지라 좌우에 섰던 나졸이 기가 막혀 아무 말도 못 하는데 우치는,

"네가 나를 잡아가고자 하거든 병 한 개를 주겠으니 그 병을 잡아가거라."

하고, 병 하나를 내어 땅에 놓으므로 여러 나졸이 달려들어 잡으려 하자, 우치는 그 병 속으로 들어갔다. 나졸이 병을 잡아 들자 무겁기가 1,000근이나 되는 것 같은데 병 속에서 이르되,

"내 이제는 잡혔으니 올라가리라."

하기에, 나졸은 또 우치를 잃어버릴까 겁을 내어 병 부리를 단단히 막아서 짊어지고 와서 바치자 상이,

"우치가 요술을 한들 어찌 능히 병 속에 들었으리오."

하시니, 문득 병 속에서 말하기를,

"답답하니 병마개를 빼어 다오."

---

21 점고하다 점을 찍어 가며 사람의 수효를 확인하다.
22 친국하다 임금이 중죄인을 몸소 신문하다.

하거늘, 상이 그제야 병 속에 든 줄 아시고 여러 신하에게 어떻게 처치할 것인가를 물으시니, 여러 신하가 가로되,

"그놈이 요술이 용하오니 가마에 기름을 끓이고 병을 넣게 하소서."

상이 옳게 여기사 기름을 끓이라 하시고 병을 집어넣으니 병 속에서 말하기를,

"신의 집이 가난하여 추워 견딜 수 없삽더니, 천은(天恩)이 망극(罔極)하사 떨던 몸을 녹여 주시니 황감(惶感)하여이다."

하거늘, 상이 진노(震怒)하사 그 병을 깨어 여러 조각을 내니 아무것도 없고 병조각이 뛰어 어전에 나아가 가로되,

"신이 전우치어니와 원컨대 군신 간(君臣間)의 죄를 다스릴 정신으로 백성이나 편안케 함이 옳을까 하나이다."

하고, 조각마다 한결같이 하거늘, 상이 더욱 진노하사 도부수(刀斧手)[23]로 하여금 병 조각을 빻아 가루로 만들어 다시 기름에 넣으라 하시고, 전우치의 집을 불지르고 그 터에 연못을 만드시고 여러 신하와 더불어 우치 잡기를 의논하시자 여러 신하가 여쭈오되,

"요적(妖賊) 전우치를 위엄으로 잡을 수 없사오니, 마땅히 사대문에 방(榜)을 붙여 우치가 스스로 나타나면 죄를 사하고 벼슬을 주리라 하여, 만일 나타나거든 죽여 후환을 없이 함이 좋을까 하나이다."

상이 그 말을 좇으사 즉시 사대문에 방을 붙였는데 그 방에는,

전우치가 비록 나라에 득죄(得罪)하였으나, 그 재주 용하고 도법(道法)이 높으되 알리지 못함은 유사(有司)의 책망이요, 짐의 불명함이니 이 같은 영걸(英傑)을 죽이고자 하였으니 어찌 차탄(嗟歎)치 않으리오. 이제 짐이 전사(前事)를 뉘우쳐 특별히 우치에게 벼슬을 주어 국정(國政)을 다스리고 백성을 평안코자 하나니 전우치는 나타나라.

---

23 도부수 큰 칼과 큰 도끼로 무장한 군사.

라고 써 있었다.

이때 전우치는 구름을 타고 사처(四處)로 다니며 더욱 어진 일을 행하고 있던 중 한 곳에 이르러 보니 백발노옹(白髮老翁)이 슬피 울거늘, 우치가 구름에서 내려와 그 슬피 우는 사유를 물으니 그 노옹이 울음을 그치고,

"내 나이 73세에 다만 한낱 자식이 있더니 애매한 일로 살인 죄수로 잡혀 죽게 되었으므로 서러워 우노라."

우치가 말하되,

"무슨 애매한 일이 있삽나이까?"

노옹이 대답하여,

"왕가라 하는 사람이 있는데 자식이 친하여 다니더니, 그 계집의 인물이 아름다우나 음란하여 조가라 하는 사람을 통간(通姦)하여 다니다가 왕가에게 들키어 양인이 싸워 낭자하게 구타당하더니, 자식이 마침 갔다가 그 거동을 보고 말리어 조가를 제집으로 보낸 후 돌아왔더니, 왕가가 그 싸움 때문에 죽자 그 외사촌이 있어 고장(藁葬)하여[24] 취옥(就獄)함[25]에, 조가는 형조 판서(刑曹判書) 양문덕(楊文德)의 문객(門客)이라 알음이 있어 빠져나오고 내 자식은 살인 정범(殺人正犯)으로 문서를 만들어 옥중에 가두니, 이러하므로 슬피 우는 것이오."

우치는 이 말을 듣고,

"그렇다면 조가가 원범이라."

하고,

"양문덕의 집이 어디오?"

하고 묻자, 노옹이 자세히 가르쳐 준다. 우치는 노옹을 이별하고 몸을 흔들어 변신하여 일진청풍(一陣淸風)이 되어 그 집에 이르니, 이때 양문덕이 홀로 당상(堂上)에 앉았거늘 우치가 그 동정을 살피자 양문덕은 거울을 마주하고 얼굴을 보

---

24 고장하다 시체를 짚이나 거적에 싸서 장사를 지내다.
25 취옥하다 감옥에 들어가거나 들어오다.

고 있는지라. 우치는 변신하여 왕가가 되어 거울 앞에 앉아 있자 양문덕이 괴이여겨 거울을 살펴보니 아무것도 없는지라.

'요얼(妖孽)[26]이 백주에 나를 희롱하는가.'

하고 다시 거울을 살펴보니, 아까 앉았던 사람이 그저 서서,

"나는 이번 조가에게 맞아 죽은 왕상인데 원혼이 되어 원수 갚기를 바랐더니 상공이 이가를 그릇되이 가두고 조가를 놓으니 이 일이 애매한지라, 지금이라도 조가를 가두고 이가를 방송(放送)하라. 그렇게 하지 않는다면 명성(明星)에 가서 송사하겠노라."

하고는 홀연히 간 데가 없는지라. 양문덕은 크게 놀라 즉시 조가를 얽어매고 엄문하니 조가는 애매하다면서 발명(發明)하는지라 왕가는 소리 높여,

"이 몹쓸 조가야! 어찌 내 처를 겁탈하고 또 나를 쳐 죽이니, 어찌 구천(九泉)의 원혼이 없으리오. 만일 너를 죽여 원수를 갚지 못하면 명부(冥府)에 송사하여 너와 양문덕을 잡아다가 지옥에 가두고 나오지 못하게 하리라."

하고는 소리가 없는지라, 조가는 머리를 들지 못하고 양문덕은 놀라 어떻게 할 줄 모르다가 이윽고 정신을 진정하여 조가를 엄문하니 조가는 능히 견디지 못하여 개개복초(個個服招)하였다[27]. 이에 이가를 놓아주고 조가를 엄수(嚴囚)하고[28] 즉시 조정에 상달하여[29] 조가를 복법(服法)[30]하니, 이때 이가는 집으로 돌아가 아비를 보고 왕가의 혼이 와서 여차여차 놓여남을 말하니 노옹이 기쁨을 이기지 못하였다.

이때 우치는 이가를 구하여 보내고 얼마쯤 가다가 홀연히 보니 저잣거리에 사람들이 돝[31]의 머리 다섯을 가지고 다투고 있는지라. 우치가 구름에서 내려 그

---

26 요얼 요망스러운 사람. 또는 요악한 귀신이 부리는 재앙의 징조.
27 개개복초하다 죄를 낱낱이 자백하다.
28 엄수하다 엄중히 잡아 가두다.
29 상달하다 윗사람에게 말이나 글로 여쭈어 알려 드리다.
30 복법 법에 따라 죄를 받음.
31 돝 '돼지'를 이르는 말.

연고를 묻자 한 사람이 이르되,

"저도 쓸 데가 있어 사 가거늘 이 관리 놈이 앗아 가려고 하기에 다투는 것이오."

하거늘, 우치는 관리를 속이려 하여 진언(眞言)을 염하니 그 저(猪)[32] 두 입을 벌리고 달려들어 관리의 등을 물려 하거늘 관리와 구경하던 사람이 일시에 헤어져 달아났다.

우치가 또 한 곳에 이르니 풍악(風樂)이 낭자하고 노랫소리가 요란한지라 즉시 여러 사람의 좌중에 들어가 절하고,

"소생은 지나가는 길손이온데 여러분이 모여 즐기실새 감히 들어와 말석에서 구경코자 하나이다."

여러 사람이 답례한 후 서로 성명을 통하고 앉으매 우치가 눈을 들어 보니 여러 좌객(座客) 중에 운생과 설생(薛生)이란 자가 거만하게 우치를 보고, 냉소하며 여러 사람과 수작하기에 우치는 괘씸함을 이기지 못하더니 이윽고 주반(酒飯)이 나오는지라 우치가,

"제 형의 사랑하심을 입어 진수성찬을 맛보니 만행이로소이다."

고 하자, 설생이 웃으며,

"우리는 비록 빈한하나 명기(名妓)와 진찬(珍饌)이 많으니 전 형(田兄)은 처음 본 듯할 것이오."

우치도 웃으며,

"그러나 없는 것이 많소이다."

이 말에 설생은,

"팔진성찬(八珍盛饌)[33]에 빠진 것이 없거늘 무엇이 부족타 하오?"

"우선 선득선득한 수박도 없고, 시큼달콤한 포도도 없고, 시금시금한 승도

---

32 저 '돼지'를 이르는 말.
33 팔진성찬 여러 가지 진귀하고 맛있는 것을 푸짐하게 잘 차린 음식.

(僧桃)[34]도 없어 빠진 것이 무수하거늘 어찌 다 있다 하오?"

제생이 크게 손뼉을 치며 크게 웃더니,

"이때가 봄철이라 어이 그런 실과가 있겠소?"

"내 오다가 본즉 한 곳에 나무 하나가 있는데 각색 과실이 열리지 아니한 것이 없었소이다."

"그렇다면 형이 그 과실을 만일 따 온다면 우리들이 납두 편배(納頭遍拜)[35]하고, 만일 형이 따 오지 못한다면 형이 만좌중(滿座中)[36]의 볼기를 맞을 것이오."

"좋소이다."

하고, 응낙한 우치는 즉시 한 동산에 가니 도화가 만발하여 금수장(錦繡帳)[37]을 드리운 듯하거늘 우치는 두루 완상(玩賞)하다가[38] 꽃 한 떨기를 훑어 진언을 염하자 낱낱이 변하여 각색 실과가 되었다. 그것을 소매 속에 넣고 돌아와 좌중에 던지니 향기가 코를 스치며 승도·포도·수박이 낱낱이 흩어지는 것이었다. 여러 사람은 한편 놀라고 한편 기꺼워하여 저마다 다투어 손에 집어 구경하며 칭찬하기를,

"전 형의 재주는 보던 바 처음이오."

하고, 창기에게 명하여 술을 가득 부어 권하였다. 우치는 술을 받아 들고 운·설 양인[39]을 돌아보며,

"이제도 사람을 업신여기겠소? 그러나 형들이 이미 사람을 경모(輕侮)한 죄로 천벌을 입었을지라, 내 또한 말함이 불가하다."

하는지라, 운·설 양인이 입으로는 비록 손사(遜辭)[40]하는 체하나 속으로는 종시

---

34 승도 천도복숭아.
35 납두 편배 머리를 숙여 절함.
36 만좌중 사람들이 모든 좌석에 가득 앉은 가운데. 또는 그 사람들.
37 금수장 비단에 수를 놓아 만든 장막.
38 완상하다 즐겨 구경하다.
39 양인 두 사람.
40 손사 겸손한 말.

믿지 아니하더니, 운생이 마침 소피(所避)하려고 옷을 끄르고 본즉 하문(下門)[41]이 편편하여 아무것도 없거늘 이에 크게 놀라서,

"이 어이한 연고로 졸지에 하문이 떨어졌는고?"

하며, 어찌할 줄 모르거늘 모두 놀라서 본즉 과연 민숭민숭한지라 크게 놀라,

"소변을 어디로 보리오."

할 즈음에, 설생이 또한 자기의 아래쪽을 만져 보니 역시 그러한지라, 두 사람이 경황하여 서로 의논하며,

"전 형이 우리들을 기롱(譏弄)하더니 이러한 변괴가 났구나. 장차 이 일을 어찌할 것이오!"

하는데, 창기 중 제일 고운 계집의 소문(小門)[42]이 간데없고 문득 배 위에 구멍이 났는지라 망극하여 어떻게 할 줄을 몰랐다.

그중에 오생(吳生)이란 자가 총명이 비상하여 지감(知鑑)[43]이 있었는데, 문득 깨달아 우치에게 빌었다.

"우리들이 눈이 있으나 망울이 없어 선생께 득죄하였사오니 바라건대 용서하소서."

우치가 웃고 진언을 염하자 문득 하늘에서 실 한 끝이 내려와 땅에 닿았다. 우치는 크게 소리쳤다.

"청의동자 어디 있느냐?"

말이 채 끝나기도 전에 한 쌍의 동자가 표연히 내려오는 것이었다. 우치가 분부하여 가로되,

"네 이 실을 타고 하늘에 올라가 반도(蟠桃) 열 개를 따 오라. 그렇지 않으면 변을 당하리라."

---

41 하문 '음부'를 일상적으로 이르는 말.
42 소문 여자의 음부를 완곡하게 이르는 말.
43 지감 사람을 잘 알아보는 능력.

우치가 말을 마치자 동자는 명을 받고 줄을 타고 공중에 올라갔다. 여러 사람들이 신기하게 여겨 하늘을 우러러보니 동자는 나는 듯이 올라가더니 이윽고 복숭아 잎이 분분(紛紛)이 떨어지며 사발만 한 붉은 천도(天桃) 열 개를 내리쳤는데 조금도 상하지 않았다. 여러 사람들이 일시에 달려와 주워 가지고 서로 자랑하는지라 우치는 여러 사람에게 나누어 주고,

"제 형과 창기 등이 아까 얻은 병은 이 선과(仙果)를 먹으면 쾌히 회복하리라."

하자, 제생과 창기 등이 하나씩 먹은 후 저마다 만져 보니 여전한지라. 사례하기를,

"천선(天仙)이 내려오신 줄 모르고 우리들이 무례하여 하마터면 병신이 될 뻔하였구나."

하며, 지극히 공경하였다. 우치는 가장 존중한 체하다가 구름에 올라 동으로 향해 가다 또 한 곳에 이르러 보니 두어 사람이 서로 이르되,

"차인(此人)[44]이 어진 일을 많이 하더니 필경이 이 지경에 이르니 참 불쌍하도다."

하고 눈물을 흘리므로, 우치가 구름에서 내려 두 사람에게 물어 가로되,

"그대는 무슨 비창(悲愴)한 일이 있어 그렇게 슬퍼하는가?"

두 사람은 대답하였다.

"이곳 호조(戶曹) 고지기[45] 장세창(張世昌)이라 하는 사람이 효성이 지극하고 심지어 집이 빈곤한 사람도 많이 구제하더니, 호조 문서(文書)를 그릇하여 쓰지 아니한 은자(銀子) 2,000냥을 물지 못하여 형벌을 받겠거니 자연히 비참함을 금치 못해서 그러오."

우치가 이 말을 듣고 잠깐 눈을 들어 본즉 과연 한 소년을 수레에 싣고 형장(刑場)으로 나아가고 그 뒤에 젊은 계집이 따라 나오며 우는지라, 우치가 물었다.

---

44 차인 이 사람.
45 고지기 관아의 창고를 보살피고 지키던 사람. 또는 일정한 건물이나 물품 따위를 지키고 감시하던 사람.

"저 여인은 누구뇨?"

"죄인의 부인이오."

하는데, 이윽고 옥졸(獄卒)이 죄인을 수레에서 내려 제구(諸具)를 차리며 시각을 기다리는 것이었다. 우치는 즉시 몸을 흔들어 일진청풍이 되어 장세창과 여자를 거두어 가지고 하늘로 올라가거늘 중인(衆人)이 일시에 말하되,

"하늘이 어진 사람을 구하시는도다."

하고, 기뻐하였다.

이때 형관(刑官)이 크게 놀라 급히 이 연유를 상달하니 상감과 백관이 모두 놀라고 의심하였다.

차설, 우치가 집으로 돌아와 본즉 두 사람의 기색이 엄엄하였으므로 급히 약을 흘려 넣었는데, 이윽고 깨어나 정신이 황홀하여 진정하지 못하는 것이었다.

우치가 전후 사정을 말하자 장세창 부부는 고개를 숙여 사례하며,

"대인(大人)의 은혜는 태산 같으니 차생에 어찌 다 갚으리이까?"

우치는 손사하고[46] 집에다 두었다.

하루는 한가함을 타 우치는 명승지를 두루 구경하다가 한 곳에 이르니 사람이 슬피 우는 소리가 들리기에 가서 우는 이유를 물어보니 그 사람이 공손히 말하기를,

"나의 성명은 한자경(韓子景)인데 부친의 상사를 당하여 장사 지낼 길이 없고 또한 겸하여 날씨가 추운데 70 모친을 봉양할 도리가 없어 우는 것이오."

우치는 아주 불쌍히 여겨 소매에서 족자 하나를 내어 주며,

"이 족자를 집에 걸고 '고지기야.' 부르면 대답할 것이니, 은자 100냥만 내라 하면 그 족자 소리를 응하여 즉시 줄 것이니 이로써 장사 지내고 그 후로부터는

---

46 손사(遜謝)하다 겸손하게 사양하다.

매일 한 냥씩만 들이라 하여 자친[47]을 봉양하라. 만일 더 달라 하면 큰 화를 입을 것이니 욕심을 내지 말고 부디 조심하오."

그 사람은 믿지 아니하나 받은 후 사례하며,

"대인의 존성(尊姓)[48]을 알고 싶소이다."

하거늘,

"나는 남선부 사람 전우치로다."

그 사람은 백배사례하고 집에 돌아와 족자를 걸고 보니 아무것도 없이 큰 집 하나를 그리고 집 속에 열쇠 가진 동자 하나를 그렸는지라. 시험해 보리라 하고 "고지기야." 하고 부르니 그 동자가 대답하고 나왔다. 매우 신기하게 여겨 은자 100냥을 들이라 하니, 말이 끝나기 전에 동자가 은자 100냥을 앞에 놓았다. 한자경은 크게 놀라며 또한 기뻐하여 그 은을 팔아 부친의 장사를 지내고 매일 은자 한 냥씩 들이라 하여 일용에 쓰니 가산이 풍족하여 노모를 봉양하며 은혜를 잊지 못하였다.

하루는 쓸 곳이 있어서,

'은자 100냥을 당겨쓰면 어떠할까?'

하고, 고지기를 부르니 동자 대답하거늘 한자경이,

"내 마침 은자 쓸 곳이 있나니 은자 100냥만 먼저 쓰게 함이 어떠하뇨?"

고지기 듣지 아니하므로 재삼 간청하니 고지기 문을 열거늘 한자경이 따라 들어가 은자 100냥을 가지고 나오려 하니 벌써 문이 잠겼는지라. 한자경은 크게 놀라 고지기를 불렀으나 대답이 없었다.

크게 노하여 문을 박차니 이때 호조 판서가 마루에 좌기(坐起)할새[49] 고지기 고하되,

---

47 자친(慈親) 남에게 자기 어머니를 높여 이르는 말. 여기서는 '모친'의 의미로 사용되었다.
48 존성 남의 성을 높여 이르는 말.
49 좌기하다 관아의 으뜸 벼슬에 있던 이가 출근하여 일을 시작하다.

"돈 넣은 곳에서 사람 소리가 나니 매우 괴이하더이다."

호판이 의심하여 추종(騶從)[50]을 모으고 문을 열고 보니 한 사람이 은을 가지고 섰는지라, 고지기는 깜짝 놀라 급히 물었다.

"너는 어떤 놈이기에 감히 이곳에 들어와 은을 도둑하여 가려느냐?"

한자경이 대답하기를,

"너희는 어떤 놈이기에 남의 내실에 들어와 무례하게 구느냐? 바삐 나가거라."

하고 재촉하자, 고지기 미친놈으로 알고 잡아다가 고하니 호판이 분부하되,

"이 도둑놈을 꿇어앉히라."

하고 치죄(治罪)할새, 한자경이 그제야 정신을 차려 자세히 보니 제집은 아니요, 호조인지라 놀라 가로되,

"내가 어찌하여 이곳에 왔던고? 의아한 꿈인가?"

하더니, 호판이 묻기를,

"너는 어떠한 놈이어늘 감히 어고(御庫)[51]에 들어와 도둑질하니 죽기를 면치 못할지라. 네 당류(黨類)[52]를 자세히 아뢰라."

한자경이 말하기를,

"소인이 집에 걸린 족자 속에 들어가 은을 가지고 나오려 하더니 이런 변을 당하오니 소인도 생각지 못하리로소이다."

호판이 의혹하여 족자의 출처를 물으니 자경이 전후 사정을 고하자 호판이 크게 놀라 묻기를,

"너는 언제 전우치를 보았느냐?"

대답하기를,

"본 지 5삭(五朔)이나 되었나이다."

---

50 추종 상전을 따라다니는 하인.
51 어고 궁중에서 임금이 사사로이 쓰는 창고.
52 당류 같은 무리나 편에 드는 사람들.

호판은 한자경을 엄수(嚴囚)하고 각 창고를 조사하는데, 은궤(銀櫃)를 열고 본즉 은은 없고 청개구리가 가득하며 또 돈고를 열어 보니 돈은 없고 누런 뱀만 가득하거늘 호판이 이를 보고 크게 놀라 이 연유를 상달하니, 상이 크게 놀라 여러 신하를 모아 의논하시더니 각 창고의 관원이 아뢰며,

"창고의 쌀이 변하여 버러지뿐이요, 쌀은 한 섬도 없나이다."

또 각 영(營) 장신(將臣)[53]이 보고하기를,

"창고의 군기(軍器)가 변하여 나무가 되었나이다."

또 궁녀 고하기를,

"내전에 범이 들어와 궁인을 해하나이다."

하거늘, 상이 크게 놀라 급히 궁노수(弓弩手)[54]를 발하여 내전에 들어가 보니 궁녀마다 범 하나씩 탔는지라 궁노를 발하지 못하고 이 연유를 상주하니, 상이 더욱 놀라시어 궁녀 앞질러 보라 하니, 궁노수 하교를 듣고 일시에 쏘니 흑운(黑雲)이 일며 범 탄 궁녀 구름에 싸이어 하늘로 올라 호호탕탕(浩浩蕩蕩)히[55] 헤어지는지라 상이 차경(此景)을 보시고,

"다 우치의 술법이니 이놈을 잡아야 국가 태평하리라."

하시고, 차탄하시더니 호판이,

"이 고(庫)에 은 도둑을 엄수하였삽더니, 이놈이 우치의 당류라 하오니 죽이사이다."

상이 윤허(允許)하시매 이 한가를 행형(行刑)[56]할새 문득 광풍이 대작하여 한자경이 간데없으니 이는 전우치의 구함이었다. 행형관(行刑官)[57]이 이대로 상달하였다.

---

53 장신 조선 후기에, 도성을 지키던 각 영(營)의 장수.
54 궁노수 활과 쇠뇌를 쏘던 군사. 궁노는 활과 쇠뇌를 아울러 이르는 말이다.
55 호호탕탕히 끝없이 넓고 넓게. 또는 기세 있고 힘차게.
56 행형 형을 집행함.
57 행형관 형을 집행하던 벼슬아치.

이때에 우치 자경을 구하여 제집으로 보내어,

"내 그대더러 무엇이라 당부하였뇨. 그대를 불쌍히 여겨 그 그림을 주었거늘 그대 내 말을 듣지 아니하고 하마터면 죽을 뻔하였으니, 이제 누구를 원망하고 누구를 한탄하리오."

하고 제집으로 보내었다.

우치 두루 돌아다녀 한 곳에 다다라 보니 사문(四門)에 방을 붙였거늘, 내심에 냉소(冷笑)하고 궐문(闕門)에 나아가 크게,

"전우치 자현(自現)하나[58]이다."

정원(政院)에서 연유를 상달하는데 상이 가로되,

"이놈의 죄를 사하고 벼슬을 시켰다가 만일 영난함이 또 있거든 죽이리라."

하시고, 즉시 입시(入侍)하라 하시니, 우치 들어와 복지 사은(伏地謝恩)하니 상이 가로되,

"네 죄를 아느냐?"

우치 똑 복지사례[59]하며,

"신의 죄 만사무석(萬死無惜)이로소이다."

"내 네 죄를 보니 과연 신기한지라, 중죄를 사하고 벼슬을 주노니 너는 진충보국(盡忠報國)하라[60]."

하시고, 선전관(宣傳官)에 동자관(東子官) 겸 사복내승(司僕內承)을 하사하시니, 우치 사은 숙배하고 하처(下處)[61]를 정하고 궐내(闕內)에 입직(入直)할새[62], 행수 선전관(行首宣傳官) 이조사(李曹司) 보채기를 심히 괴롭게 하는지라, 추이 갚으려 하더니 하루는 선전이 퇴질을 차례로 할새 우치조차 차례를 당함에 가만히

---

58 자현하다 죄를 범한 사람이 제 스스로 범죄 사실을 관아에 고백하다.
59 복지사례 땅에 엎드려 공손히 고마움에 대한 사례를 표함. 또는 땅에 엎드려 공손히 용서를 빎.
60 진충보국하다 충성을 다하여 나라의 은혜를 갚다.
61 하처 '사처(손님이 길을 가다가 묵음. 또는 묵고 있는 그 집)'의 옛말.
62 입직하다 관아에 들어가 차례로 숙직하다. 또는 차례로 당직하다.

망두석(望頭石)[63]을 빼어다가 퇴를 맞추니, 선전들이 손바닥에 맞치어 아파 능히 치지 못하고 그쳤다.

이리저리 수삭(數朔)이 됨에 선전들이 모두 하인을 꾸짖어 허참(許參)[64]을 재촉하라 하니, 하인들이 연유를 고하는데 우치는,

"나는 괴를 옮겼기로 더 민망하니 명일 백사장(白沙場)으로 제진(齊進)하라[65]."

서원(書員)이 품(稟)하되,

"자고(自古)로 허참을 적게 하려도 수백금(數百金)이 드오니 사오일을 숙설(熟設)하와[66] 치르리이다."

"내 벌써 준비함이 있으니 너는 잔말 말고 개문 입시(開門入侍)하여 하인 등을 대령(待令)하라."

서원과 하인이 물러 나와 서로 의논하되,

"우치 비록 능하나 이 일 새에는 믿지 못하리라."

하고, 각처에 지휘하여 명일 평생(平生)[67]에 백사장으로 제진하게 하였다.

이튿날 모든 하인이 백사장에 모이니, 구름차일은 반공(半空)에 솟아 있고, 포진(布陣)과 수석(首席) 금병(金屛)이 눈에 휘황찬란하며 풍악이 진천(震天)하며 수십 간 뜸집[68]을 짓고 일등 숙수아(熟手兒)[69] 열 명이 앞에 안반을 놓고 음식을 장만하니, 그 풍비(豐備)함은 금세(今世)에 없을 터였다.

날이 밝으매 선전관 사오 인이 일시에 준총(俊驄)을 타고 나오니, 포진이 극히 화려한지라. 차례로 좌정(坐定)함에 오음 육률(五音六律)을 갖추어 풍악을 질주(迭奏)하니, 맑은 소리 반공에 어리었다.

각각 상을 들이고 잔을 날려 술이 반감(半酣)함에 우치는,

---

63 망두석 무덤 앞의 양쪽에 세우는 두 개의 돌기둥. 망주석.
64 허참 새로 부임한 관원이 선임자들에게 음식을 차려 대접하던 일.
65 제진하다 여럿이 한꺼번에 나아가다.
66 숙설하다 잔치 때에 음식을 만들다.
67 평생 해가 뜰 무렵.
68 뜸집 띠나 부들 따위로 지붕을 이어 간단하게 지은 집.
69 숙수아 잔치와 같은 큰일이 있을 때에 음식을 만드는 아이.

"조사(曹司) 일찍이 호협 방탕(豪俠放蕩)하여 주사청루(酒肆靑樓)에 다녀 아는 창기(娼妓) 많으니, 오늘 놀이에 계집이 없어 가장 무미(無味)하니, 조사 나아가 계집을 데려오리이다."

차시에 제인[70]이 모두 반취(半醉)하였는지라, 저마다 기꺼이 가로되,

"가히 오입쟁이로다."

우치 하인을 데리고 나는 듯이 남문으로 들어가더니 오래지 아니하여 무수한 계집을 데려다가 장(帳) 밖에 두고, 큰 상을 물리고 또 상을 들이니 수륙진찬(水陸珍饌)[71]이 성비(盛備)[72]하여 풍악이 진천한 중 우치는,

"이제 계집을 데려왔으니 각각 하나씩 수청하여 흥을 돋움이 가하나이다."

한데, 제인이 가장 기뻐하고 차례로 하나씩 불러 앉히는데, 제인이 각각 계집을 앉히고 보니 다 제인의 아내였다.

놀랍고 분하나 서로 알까 저어하며 아무 말도 못 하고 크게 노하여 모두 상을 물리고 각기 말을 타고 집으로 돌아와 보니, 노복이 혹 발상(發喪)하고[73] 통곡하며 집안의 소요함도 있어 경괴(驚怪)하여 묻기를,

"부인이 어느 때에 기세(棄世)하셨느뇨[74]?"

시비가,

"오래지 아니하나이다."

하거늘, 제인이 경악하며 그중 김선전이란 자는 집에 돌아오니 노복이 발상하고 울거늘 묻고자 하노니, 모든 노복이 이에 반겨 하며,

"부인이 의복을 마르시더니, 관격(關格)[75]이 되어 기세하셨더니 지금 회생(回生)하였나이다."

---

70 제인(諸人) 모든 사람. 또는 여러 사람.
71 수륙진찬 산과 바다에서 나는 온갖 진귀한 물건으로 차린, 맛이 좋은 음식.
72 성비 잔치 따위를 성대하게 베풂. 또는 그런 차림.
73 발상하다 상례에서, 죽은 사람의 혼을 부르고 나서 상제가 머리를 풀고 슬피 울어 초상난 것을 알리다.
74 기세하다 웃어른이 돌아가시다. 세상을 버린다는 뜻에서 나온 말이다.
75 관격 음식이 급하게 체해 먹지도 못하고, 대소변도 보지 못하고 인사불성이 되는 병.

하거늘, 김선전이 크게 노하여,

"어찌 나를 속이려 하느냐?"

하고, 분기를 참지 못하여,

"이 몹쓸 처자가 양가 문호(良家門戶)를 돌아보지 않고 이런 해참한[76] 일을 하되 전혀 몰랐으니 어찌 통탄치 아니하리오."

하며, 분기(忿氣) 돌돌(咄咄)하여 죽어 모르려 하다가 진위를 알려 하여 들어가 본즉 부인이 과연 죽었다가 깨었거늘, 부인이 일어나 비로소 김선전을 보고,

"내 한 꿈을 꾸니 한 곳에 간즉 대연을 배설하고 모든 선전관이 열좌(列坐)하고 나 같은 노소 부인(老少夫人)이 모였는데, 한 사람이 가로되 기생을 데려왔다 하니 하나씩 앞에 앉혀 수청케 하는데, 나는 가군의 앞에 앉히기로 묵연히 앉았더니, 좌중 제객이 다 불호(不好)하여 노색(怒色)을 띠었더니, 가군이 먼저 일어나며 제인이 또 각각 흩어지는 바람에 내 꿈을 깨었습니다."

하거늘, 김선전이 부인의 말을 듣고 할 말이 없는 중 가장 의혹하여, 하루는 동관으로 더불어 즉일 백사장 놀음의 창기 말과, 각각 부인이 혼절(昏絶)하던 일을 전하여,

"이는 반드시 전우치의 요술로 우리들에게 욕뵈임이라."

하였다.

이때 함경도(咸鏡道) 가달산(可達山)에 한 도적이 있어 재물을 노략하며 인민을 살해하매 본읍 원이 관군을 발하여 잡으려 하되 능히 잡지 못하고 나라에 장계(狀啓)한데, 상이 크게 근심하사 조정에 전지(傳旨)하사 파적지계(破敵之計)[77]를 의논하라 하시니, 우치가 상주하기를,

"도둑의 형세 심히 크다 하오니, 신이 홀로 나아가 적세(敵勢)를 보온 후 잡을 묘책(妙策)을 정하리이다."

상이 크게 기뻐하사 어주(御酒)를 주시고 인검(引劍)을 주시며 이르되,

"도적 세[78] 호대(浩大)하거든[79] 이 칼로 사졸을 호령하라."

하시니, 우치 사은하고 물러 나와 즉시 말에 올라 장졸을 거느리고 여러 날 만에 가달산 근처에 다다라 보니 큰 산이 하늘에 닿는 듯하고 수목이 총잡(叢雜)하며[80] 기암괴석(奇巖怪石)이 중중하니 가장 험악한지라. 우치 군사를 산하에 머무르고, 스스로 하사하신 인검을 가지고 몸을 흔들어 변하여 솔개가 되어 가달산을 바라고 갔다.

원래 가달산 중(中) 수천 명 적당 중에 한 괴수(魁首)있으니, 성은 엄(嚴)이요, 명은 준(俊)이라. 용맹이 절륜(絶倫)하고 무예(武藝) 출중(出衆)하였다.

이때 우치 공중에서 두루 살피더니, 엄준이 엄연히 홍일산(紅日傘)을 받고 천리백총마를 타고, 채의 홍상(彩衣紅裳)한 시녀를 좌우에 벌리니 종자 100여 명을 거느리고 바야흐로 산 사냥을 하거늘, 우치가 자세히 살펴보니 기골이 장대하고 신장이 8척이요, 낯빛이 붉고 눈이 방울 같으며, 수염은 비늘을 묶어 세운 듯하니, 일대 걸물(一代傑物)이었다.

엄준이 추종들을 거느리고 이 골 저 골로 한바탕 사냥하다가 분부하되,

"오늘은 각처 갔던 장수들이 다 올 것이니, 마땅히 소 10필만 잡고 잔치하리라."

하는 소리 쇠북을 울리는 것 같았다.

차시(此時) 우치 일계를 생각하고 나뭇잎을 훑어 신병(神兵)을 만들어 창검을 들리고 기치(旗幟)를 벌려 진(陳)을 이루고 머리에 쌍통구를 쓰고 몸에 황금 쇄자갑(鎖子甲)[81]에 황라(黃羅) 전포(戰袍)를 겹쳐 입고 천리오추마(千里烏騅馬)[82]

---

78 세(勢) 권력이나 기세의 힘. 또는 기운.
79 호대하다 매우 넓고 크다.
80 총잡하다 나무가 무더기로 자라서 빽빽하다.
81 쇄자갑 돼지가죽으로 만든 미늘을 서로 꿰어서 지은 갑옷.
82 천리오추마 검은 털에 흰 털이 섞인 천리마.

를 타고 손에 청사랑 인도를 들고 짓쳐 들어가니, 성문을 굳게 닫거늘 우치 문 열리는 진언을 염하니 문이 절로 열리는지라. 들어가며 좌우로 살펴보니 장려(壯麗)한 집이 두로 벌렸고, 사처(四處) 창고에 미곡(米穀)이 가득하며, 차차 전진하여 한 곳에 이르니 전각(殿閣)이 굉장하여 주란화동(朱欄畫棟)[83]이 반공에 솟았거늘, 우치 이윽히 보다가 몸을 변하여 솔개 되어 날아 들어가 보니 도둑 두목이 황금 교자(黃金轎子)에 높이 앉고 좌우에 제장(諸將)을 차례로 앉히고 크게 잔치하며, 그 뒤에 대정(大庭)이 있으니 미녀 수백 인이 열좌하여 상을 받았거늘, 우치 하는 양을 보려 하고 진언을 염하니, 무수한 줄이 내려와 모든 장수의 상을 거두어 가지고 중천(中天)에 높이 떠오르며, 광풍(狂風)이 대작하니 눈을 뜨지 못하고 그러한 운문 차일(雲紋遮日)과 수놓은 병풍이 무너져 공중으로 날아가니, 엄준이 정신을 진정치 못하여 뜰아래 나뭇등걸을 붙들고, 모든 군사 차반을 들고 표풍(漂風)하여[84] 굴렀다.

우치 한바탕 속이고 이에 바람을 거두며 앗아 온 음식을 가지고 산하에 내려와 장졸을 나누어 먹이고 그곳에서 잤다.

이때 바람이 그치며 엄준과 제상이 비로소 정신을 차리고 보니 많은 음식이 하나도 없거늘 엄준이 가장 괴이히 여겼다.

이튿날 평명에 우치는 다시 산중에 들어가 갑주(甲冑)를 갖추고 문전에 이르러 크게 호령하여,

"반적(叛賊)은 바삐 나와 내 칼을 받으라."

하니, 수문(守門)한 군사 급히 고한대 엄준이 크게 놀라 급히 장졸을 거느리고 문 밖에 나와 진을 벌이고 엄준이 휘검 출마(揮劍出馬)하여 가로되,

"너는 어떠한 장수관대 감히 와 싸우고자 하는가?"

"나는 전교(傳敎)를 받자와 너희를 잡으러 왔으니 내 성명은 전우치로다."

---

83 주란화동 단청을 곱게 하여 아름답게 꾸민 집.
84 표풍하다 바람결에 떠서 흘러가다.

"나는 엄준이라. 네 능히 나를 저당(抵當)할까[85]?"

하며 달려드니, 우치는 맞아 싸울새 양인의 재주 신기하여 맹호 밥을 다투는 듯, 청황룡(靑黃龍)이 여의주(如意珠)를 다루는 듯, 양인의 정신이 씩씩하여 진시(辰時)로부터 사시(巳時)[86]에 이르도록 승부(勝負) 없으매 양진(兩陣)에서 징을 쳐 군을 거두고 제장이 엄준을 보고 치하하여,

"작일 천변(天變)을 만나 마음이 놀랐으되, 오늘 범 같은 장수를 능적(能敵)하시니 하늘이 도우심이라. 그러나 적장의 용맹이 절륜하니 가히 경시치 못하리로다."

엄준이 크게 웃으며,

"적장이 비록 용맹하나 내 어찌 저를 두려워하리오. 명일은 결단코 우치를 베이고 바로 경성으로 향하리라."

하고, 이튿날에 진문(陣門)을 대개(大開)하고, 엄준이 크게 호령하여,

"전우치는 빨리 나와 내 칼을 받으라. 오늘은 맹세코 너를 베리라."

하고, 장검(裝劍) 출마하여 전우치를 비방하니, 우치 크게 노하여 말을 내몰아 칼춤 추며 즉취(卽取) 엄준하여 교봉(交鋒)[87] 30여 합에 적장의 창이 번개 같은지라. 우치 무예(武藝)를 이기지 못할 줄 알고 몸을 흔들어 변하여 제 몸은 공중에 오르고 거짓 몸이 엄준을 대적할새, 문득 크게 꾸짖어 가로되,

"내 평생에 생살(生殺)을 아니하려다가 이제 너를 죽이리라."

하더니, 다시 생각하여,

"이놈을 생금(生擒)하여 만일 순종하면 죄를 사하여 양민을 만들고, 불연즉(不然卽)[88] 죽여 후환을 없이 하리라."

하고, 공중에 칼을 번득이며,

---

85 저당하다 맞서서 겨루다.
86 사시 오전 10시경.
87 교봉 서로 병력을 가지고 전쟁을 함.
88 불연즉 그렇지 않으면.

"적장 엄준은 나의 재주를 보라."

하니, 엄준이 크게 놀라 하늘을 쳐다보니 한 떼 구름 속에 우치의 검광(劍光)이 번개 같거늘 대경실색(大驚失色)하여 급히 본진으로 돌아오는데, 앞으로 우치 칼을 들어 길을 막고 또 뒤로 우치를 따르고, 좌우로 칼을 들어 짓쳐 오고, 또 머리 위로 우치 말을 타고 춤추며 엄준을 범함이 급한지라. 엄준이 정신이 아득하여 말에서 떨어지니, 우치 그제야 구름에서 내려 거짓 우치를 거두고 군사를 호령하여 엄준을 결박하여 본진으로 보내고 적장을 엄살(掩殺)하니, 적진 장졸이 잡혀감을 보고 싸울 뜻이 없어 손을 묶어 사라지려 하거늘, 우치 한 사람도 상치 아니하고 꾸짖어,

"여등(汝等)[89]이 도둑을 좇아 각 읍을 노략하고 백성을 살해하니, 그 죄 비경(非輕)할지나[90] 특별히 죄를 사하노니, 여등은 각각 고향에 돌아가 농업에 힘쓰고 가산을 다스려 양민이 되라."

한데, 모든 장졸이 고두사은(叩頭謝恩)하고 행장을 수습하여 일시에 흩어졌다.

우치 엄준의 내실(內室)에 들어가니, 녹의홍상(綠衣紅裳)한 시녀와 가인(佳人)[91]이 수백 명이라, 각각 제집으로 보내고, 본진에 돌아와 장대(將臺)[92]에 높이 낮아 좌우를 호령하여 엄준을 계하에 꿇리고 여성 대매(厲聲大罵)하여[93],

"내 재주와 용맹이 있거든 마땅히 진충보국(盡忠報國)하여 후세에 이름을 전함이 옳거늘 감히 역심(逆心)을 품고 산적이 되어 재물을 노략하여 인민을 살해하니 마땅히 삼족(三族)을 멸할지라. 어찌 잠시나 용대(容貸)하리오."

하고, 무사를 호령하여 원문 밖에 참(斬)하라 하니 엄준이 슬피 빌기를,

"소장의 죄상은 만사무석(萬死無惜)이오나, 장군의 하해(河海) 같으신 덕으로 잔명(殘命)을 살리시면 마땅히 허물을 고치고 장군의 휘하에 좇으리이다."

---

89 여등 '너희'를 문어적으로 이르는 말.
90 비경하다 일이 가볍지 않고 중대하다.
91 가인 미인(美人). 이성으로서 애정을 느끼게 하는 사람.
92 장대 지휘하는 장수가 올라서서 명령하던, 돌로 만든 대.
93 여성 대매하다 성난 목소리로 크게 꾸짖다.

하며, 뉘우치는 눈물이 비 오듯 하여 진정이 표면에 드러나거늘, 우치 침음 반향(沈吟半晌)[94]하여 가로되,

"내 실로 회과천선(悔過遷善)[95]하면 죄를 사하리라."

하고, 무사를 분부하여 묶인 것을 끄르고 위로한 후 신병을 파하고 첩서(捷書)를 닦아 올린 후, 산채(山砦)를 불 지르고 즉시 발행할새, 엄준이 이미 산채를 불 지르고, 또 우익(右翼)이 없고 우치의 재주를 항복하여 은혜를 사례하고 고향에 돌아가 양민이 되니라.

우치는 궐하(闕下)에 나아가 복지(伏地)하니 상이 인견(引見)하시고 파적(破賊)한 설화를 들으시고 칭찬하시며 상을 후히 주시니, 우치는 천은을 감축(感祝)하여 집에 돌아와 모친을 뵈옵고 상사(賞賜)하신 물건을 드리니 부인이 감축하였다.

우치 서울에 돌아온 후 조정 백관이 다 우치를 보고 성공함을 치하하되 선전관은 한 사람도 온 자 없으니, 이는 전일 놀이에 부인들을 욕보인 허물 때문이었다.

우치 짐작하고 다시 속이려 하더니, 하루는 월색이 조용함을 틈타 오운을 타고 황건역사(黃巾力士)[96]와 이매망량(魑魅魍魎)[97]을 다 모으고 신장(神將)을 명하여 모든 선전관을 잡아 오라 하니, 오래지 아니하여 잡아 왔거늘, 우치 구름 교의에 높이 앉아 좌우에 신장이 벌리어 서서 등촉이 휘황한데 황건역사와 이매망량이 각각 1인씩 잡아들이거늘, 모든 선전관이 떨며 땅에 엎디어 쳐다보니, 우치 구름 교의에 단좌(端坐)하고 좌우에 신장이 나열하였고, 등촉이 휘황한 중 그 위풍이 늠름하였다.

문득 우치 큰 소리로 꾸짖되,

"내 너희들이 교만한 버릇을 징계(懲戒)하려 전일 너희들의 부인을 잠깐 욕되

---

94 침음 반향 오랫동안 깊이 생각함.
95 회과천선 허물을 뉘우치고 나쁜 짓을 고쳐 착하게 됨.
96 황건역사 힘이 센 신장(神將)의 하나.
97 이매망량 온갖 도깨비. 산천, 목석의 정령에서 생겨난다고 한다.

게 하였으나 극한 죄 없거늘, 어찌 이렇듯 함원(含怨)하여 아직도 산 체하니, 내 너희를 다 잡아 풍도(酆都)로 보내리라. 내 밤이면 천상 벼슬에 다사(多事)하고, 낮이면 국가에 중임이 있어 지금껏 천연(遷延)하더니, 이제 너희를 잡아옴은 지옥에 보내어 만모(慢悔)한[98] 죄를 속(贖)하려 함이라.”

하고 역사(力士)로 하여 곧 몰아내려 하니 모두 청령(聽令)하고[99] 달려들거늘 우치 다시 분부하기를,

“너희는 이 죄인을 압령(押領)하여 냉옥(冷獄)에 가두고 법왕(法王)께 주하여 이 죄인들을 지옥에 가두고 8만 겁(八萬劫)이 지나거든 업축(業畜)[100]을 만들어 보내라.”

하는지라. 모든 선전관이 경황한 중 이 말을 들으니 혼비백산(魂飛魄散)하여 빌기를,

“우리들이 암매(暗昧)하여[101] 그릇 큰 죄를 범하였사오니, 바라건대 죄를 사하시면 다시 허물을 고치리이다.”

우치가 양구(良久)에,

“내 너희를 풍도로 보내고 누천년(累千年)[102]이 지나도록 인세(人世)에 나오지 못하게 하렸더니, 전일 안면을 고념(顧念)하여 아직 놓아 보내나니, 후일 다시 보아 처치하리라.”

하고 모두 내치거늘, 이때 선전관이 다 깨달으니 한 꿈이라. 정신을 진정치 못하여 땀이 흐르고 심혼(心魂)이 요요(搖搖)하였다.

하루는 선전관이 모두 전일 몽사(夢事)를 말하니 다 한결같은지라, 이러므로 그 후로는 우치 대접하기를 각별히 하였다.

---

98 만모하다 거만한 태도로 남을 업신여기다.
99 청령하다 명령을 주의 깊게 듣다.
100 업축 전생의 죄로 인하여 이승에서 괴로움을 받도록 태어난 짐승.
101 암매하다 어리석어 생각이 밝지 못하다.
102 누천년 여러 천 년의 오랜 세월.

이때 상이 호판(戶判)에게 묻기를,

"전일 호조의 은이 변하였다 하니 어찌 된고?"

"지금껏 변하여 있나이다."

상이 또 창고를 물으시니,

"다 변한 대로 있나이다."

하거늘, 상이 근심하는데 우치가 말하기를,

"신이 원컨대 창고와 어고를 가 보옵고 오리이다."

한데, 상이 허하시니 우치 호판을 따라 호조에 이르러 문을 열고 보니 은이 예와 같거늘 호판이 크게 놀라,

"내가 작일에도 보고 아까도 변함을 보았거늘 지금은 은으로 보이니 가장 괴이하도다."

하고, 창고에 가 문을 열고 보니 쌀이 여전하고 조금도 변한 데가 없거늘 모두 놀라고 신기히 여기었다.

우치 두루 살펴보고 궐내에 들어가 이대로 상달하니 상이 들으시고 기꺼워하시었다.

이때에 간의대부(諫議大夫)가 상주하기를,

"호서(湖西) 땅에 사오십 명이 둔취(屯聚)하여[103] 찬역(簒逆)할[104] 일을 의논하여 불구에 기병(起兵)하리라 하고 사자 문서를 가지고 신에게 왔사오니 그자를 가두고 사연을 주하나이다."

상이 탄하여,

"과인(寡人)이 박덕(薄德)하여 처처에 도둑이 일어나니 어찌 한심치 아니하리오."

하시며, 금부와 포청(捕廳)으로 잡으라 하시니 불구에 적당을 잡았거늘, 상이 친

---

103 둔취하다 여럿이 한곳에 모여 있다.
104 찬역하다 임금의 자리를 빼앗으려 반역하다.

국(親鞫)하실새, 이에 그중 한 놈이 아뢰기를,

"선전관 전우치는 재주 과인하기로 신등이 우치로 임금을 삼아 만민을 평안하려 하더니, 명천(明天)이 불우(不佑)하사 발각하였사오니 죄사무석(罪死無惜)[105]이로소이다."

하니, 이때 우치 문사랑청(問事郎廳)[106]으로 시위(侍衛)하였더니, 불의에 이름이 역도(逆徒)의 초사(招辭)[107]에 나는지라. 상이 크게 노하사,

"우치 모역함을 짐작하되 나중을 보려 하였더니, 이제 발각하였으니 빨리 잡아 오라."

하시니, 나졸이 수명하고 일시에 따라 들어 관대를 벗기고 옥계하(玉階下)에 꿇리니, 상이 진로하서 형틀에 올려 매고 수죄(數罪)하사,

"네 전일 나라를 속이고 도처마다 장난함도 용서치 못할 바이어늘 이제 또 역률에 들었으며 발병하니 어찌 면하리오."

하시고,

"나졸을 호령하고 한 매에 죽이라."

하시니, 집장과 나졸이 힘껏 치나 능히도 매를 들지 못하고 팔이 아파 치지 못하거늘 우치 아뢰기를,

"신의 전일 죄상은 죽어 마땅하나 금일 일은 만만[108] 애매하오니 용서하옵소서."

하니,

"주상이 필경 용서치 아니시리라."

"신이 이제 죽사올진대 평생에 배운 재주를 세상에 전치 못하올지라, 지하에 돌아가오나 원혼이 되리니 복원 성상은 원을 풀게 하옵소서."

---

105 죄사무석 죄가 무거워서 죽어도 안타깝지 아니함.
106 문사랑청 죄인의 취조서를 작성하여 읽어 주는 일을 맡아보던 임시 벼슬. 지금의 법원 서기와 같음.
107 초사 죄인이 자신의 범죄 사실을 진술하는 말.
108 만만 보통 정도보다 훨씬 더 넘어선 상태로.

상이 헤아리시되,

'이놈이 재주 능하다 하니 시험하여 보리라.'

하시고,

"네 무슨 능함이 있기에 이리 보채느뇨?"

"신이 본시 그림 그리기를 잘하니, 나무를 그리면 나무가 점점 자라고, 짐승을 그리면 짐승이 기어가고, 산을 그리면 초목이 나서 자라니, 이러므로 명화라 하오니, 이런 그림을 전치 못하옵고 죽사오면 어찌 원통치 않으리까."

상이 생각하기를,

'이놈을 죽이면 원혼이 되어 괴로움이 있을까.'

하여, 즉시 맨 것을 끌러 주시고 지필을 내리사 원 풀라 하시니, 우치 지필을 받고 곧 산수를 그리니 천봉만학(千峰萬壑)과 만장폭포(萬丈瀑布) 산상을 좇아 산 밖으로 흐르게 하고, 시냇가에 버들을 그려 가지 늘어지게 그리고, 밑에 안장 지은 나귀를 그리고 붓을 던지며 사은하매 상이 묻기를,

"너는 방금 죽일 놈이라. 사은함은 무슨 뜻이뇨?"

우치 말하기를,

"신이 이제 폐하를 하직하옵고 산림으로 들어 여년(餘年)[109]을 마치고자 하와 주(奏)하나이다."

하고, 나귀 등에 올라 산동구에 들어가더니 이윽고 간데없거늘 상이 크게 놀라,

"내 이놈의 꾀에 또 속았으니 이를 어찌하리오."

하시고, 그 죄인들은 내어 버리라 하시고 친국을 파하시니라.

이때, 우치 조정에 있을 때에 매양 이조 판서(吏曹判書) 왕연희(王延喜) 자기를 시기하여 해코자 하더니 이날 친국 시에 상께 참소하여 죽이려 하거늘, 몸을 변하여 왕연희가 되어 추종을 거느리고 바로 왕연희 집에 가니, 연희 궐내에서

---

109 여년 앞으로 남은 인생.

나오지 않았거늘, 이에 내당에 들어가 있더니, 일몰할 때 왕공이 돌아오매, 부인과 시비 등이 막지기고(莫知其故)하거늘[110] 우치 말하기를,

"이는 천년 된 여우가 변하여 내 얼굴이 되어 왔으니 이는 변괴(變怪)로다."

하니 왕연희는,

"어떤 놈이 내 얼굴이 되어 내 집에 있는가?"

하고 소리를 벽력같이 지르거늘, 우치는 즉시 하리(下吏)를 명하여 냉수(冷水) 한 그릇과 개 피 한 사발을 가져오라 하니 즉시 가져왔거늘, 우치 연희를 향하여 한 번 뿜고 진언을 염하니 왕연희는 변하여 꼬리 아홉 가진 여우가 되는지라. 노복 등이 그제야 칼과 몽둥이를 가지고 달려들거늘 우치는 만류하여,

"이 일은 우리 집 큰 변괴니 궐내에 들어가 아뢰고 처치하리라."

하고, 아주 단단히 묶어 방중에 가두라 하니, 노복이 네 굽을 동여 방에 가두고 숙직하였다.

왕공이 불의지변(不意之變)을 만나 말을 하려 하여도 여우 소리처럼 되고, 정신이 아득하여 기운이 시진하니 그 아무리 할 줄 모르고 눈물만 흘리더니 우치 생각하되,

'사오일만 속이면 목숨이 그칠까.'

하여, 차야(此夜)에 우치가 왕공 가둔 방에 이르러 보니 사지(四肢)를 동여 꿇려졌거늘 우치는,

"연희야, 너는 나와 평일에 원수 없거늘 구태여 나를 해하려 하느냐? 하늘이 죽이려 하시면 죽으려니와 그렇지 아니하면 죽지 아니하리니, 네 미혹(迷惑)하여 나라에 참소하고 득총(得寵)하려 하기로, 나는 너를 칼로 죽여 한을 설할 것이로되 내 평생에 살생 아니하기로 너를 용서하나니, 일후 만일 어전(御前)에서 나를 향하여 무고한 짓을 하면 그때는 용서하지 않으리라."

---

110 막지기고하다 일의 까닭을 알지 못하다.

하고, 진언을 염하니 왕연희 의구(依舊)한지라, 연희 벌써 우치인 줄 알고 황겁하여 재배하고,

"전 공의 재주는 세상에 없는지라. 내 삼가 교훈을 불망하리이다."

하고, 무수히 사례하였다.

"내 그대를 구하고 가나니, 내 돌아간 후 집안이 소요하리니, 여차여차하고 있으라."

하고, 우치는 구름에 올라 남쪽으로 갔다.

이런 말을 왕공이 듣고,

"우치의 술법이 세상에 희한하니, 짐짓 사람을 희롱함이요, 살해는 아니하도다."

하고, 즉시 노복을 불러 요정(妖精)을 수색하라 하니 노복 등이 가서 보니 간데없거늘 크게 놀라 이대로 고하니, 공이 거짓 노한 체하여,

"여등이 소홀하여 잃도다."

하고, 꾸짖어 물리쳤다.

이때에 우치 집에 돌아와 한가히 돌아다니더니, 한 곳에 이르러 보니 소년들이 한 족자를 가지고 다투어 보며 칭찬하기를,

"이 족자 그림은 천하에 짝 없는 명화(名畵)라."

하거늘, 우치 그림을 보니 미인도 그리고 아이도 있어 희롱하는 모양이로되, 입으로 말은 못 하나 눈으로 보는 듯하니 생기(生氣) 유동(流動)한지라. 모든 소년이 보고 흠앙(欽仰)함[111]을 마지 아니하거늘 우치 한 계교를 생각하고 웃으면서,

"그대들 눈이 높아 그러하거니와 물색(物色)을 모르는도다."

"이 족자 그림이 사람을 보고 웃는 듯하니, 이런 명화는 이 천하에 없을까 하노라."

---

111 흠앙하다 공경하고 우러러 사모하다.

"이 족자값이 얼마나 하뇨?"

"값인즉 은자 50냥이니 그림값은 그림 분수(分數)보담 적다."

"내게도 족자 하나 있으니 그대들은 구경하라."

하고, 소매에서 족자 하나를 내어놓으니, 모두 보건대 역시 한낱 미인도(美人圖)였다.

인물이 가장 아름답고 녹의홍상을 정제(整齊)하였으니, 옥모화용(玉貌花容)이 짐짓 경국지색(傾國之色)[112]이라. 그 미인이 유마병을 들었으니 가장 신기롭고 묘하였다.

여러 사람이 보고 칭찬하기를,

"이 족자가 더욱 좋으니, 우리 족자보다 낫도다."

하니 우치는,

"내 족자의 화려함도 사람의 이목(耳目)을 놀래려니와 이 중에 한층 더 묘한 것을 구경케 하리라."

하고, 가만히 부르기를,

"주 선랑(酒仙娘)은 어디 있느뇨?"

하더니, 문득 족자 속의 미인이 대답하고 나오니 우치는,

"미랑(美娘)은 모든 상공께 술을 부어 드리라."

선랑은 즉시 응낙하고 벽옥배(碧玉杯)에 청주를 가득 부어 드리니, 우치는 먼저 받아 마시매 동자(童子) 마침 상을 올리거늘, 안주를 먹은 후에 연하여 차례로 드리니 제인이 받아먹은즉 맛이 가장 청렬(淸冽)하였다.

여러 사람들이 각각 일배주를 파한 후 주 선랑이 동자를 데리고 상과 술병을 거두어 가지고 족자 그림이 도로 되니 사람들은 크게 놀라,

"이는 신선이요 조화(造化)가 아니라. 이 희한한 그림은 천고에 듣지도 못하

---

112 경국지색 나라 안에 으뜸가는 미인.

고 보던 바 없느니라."

하고 기리기를 마지않더니, 그중에 오생(吳生)이란 사람이,

"내 한번 시험하여 보리라."

하고 우치에게 청하니,

"우리들의 술은 나쁘니 주 선랑을 다시 청하여 한 잔씩 먹게 함이 어떠하뇨?"

우치 허락하거늘, 오생이 가만히 부르기를,

"주 선랑아, 우리들의 술은 나쁘니 더 먹기를 청하노라."

하니, 문득 선랑이 술병을 들고 나오고 동자는 상을 가지고 나오니, 사람들이 자세히 보니 그림이 화하여 사람이 되어 병을 기울여 잔에 가득 부어 드리거늘, 받아 마신즉 향기 입에 가득하고 맛이 기이한지라. 사람들은 또 한 잔씩 마시니 술이 잔뜩 취하였다.

"우리들은 오늘날 존공(尊公)을 만나 선주(仙酒)를 먹으니 다행하거니와, 또한 묘한 일을 많이 보니 신통함이야 어찌 측량하리오."

하자, 그 사람의 말을 들은 우치는,

"그림의 술을 먹고 어찌 사례하리오."

"그 족자를 내 가지고자 하오니 팔고자 하는가?"

"내 가진 지 오랜지라. 그러나 정히 욕심을 내는 자 있으면 팔려 하노라."

"내게 누만금(累萬金)이 있으나 이런 보배는 처음 보는 바이다. 원컨대 형은 내 집에 가 수일만 머무르면 1,000금을 주리라."

우치 족자를 거두어 가지고 오생의 집으로 가니, 사람들은 대취(大醉)하여 각각 흩어졌다.

우치 족자를 오생에게 전하고 말하기를,

"내 명일 돌아올 것이니 값을 준비하여 두라."

하고 가 버렸다.

오생이 술에 대취하여 족자를 가지고 내당에 들어가 다시 시험하려 하고 족

자를 벽상에 걸고 보니 선랑이 병을 들고 섰거늘, 생이 가만히 선랑을 불러 술을 청하니 선랑과 동자 나와 술을 더 권하거늘, 생이 그 고운 태도를 보고 사랑하여 이에 옥수(玉手)를 이끌어 무릎 위에 앉히고 술을 받아 마신 후 춘정(春情)을 이기지 못하여 침석(寢席)에 나아가고자 하더니 문득 문을 열고 급히 들어오는 여자가 있었다. 이는 생의 처 민 씨(閔氏)였다.

위인이 투기에는 선보이요 싸움에는 대장이라, 생이 어쩌지 못하더니 금일 생이 선랑을 보고 안고 있음을 보고 크게 노하여 급히 달려드니, 선랑이 일어나 족자로 들어가거늘 민 씨 더욱 화를 내어 따라 들어 족자를 갈가리 찢어 버리니 생이 놀라며 민 씨를 꾸짖을 즈음에 우치가 와서 부르거늘, 오생이 나와 맞아 인사를 마친 후 전후수말[113]을 자세히 고하니, 우치 즉시 몸을 흔들어 거짓 몸은 오생과 수작하고 정 몸은 곧 안으로 들어가 민 씨를 향하여 진언을 염하니, 문득 민 씨 변하여 대망(大蟒)[114]이 되어 방이 가득하게 하고 가만히 나와 거짓 몸을 거두고 정 몸을 현출(顯出)하여 오생에게,

"이제 형의 부인이 나의 족자를 없앴으니 값을 어찌하려 하느뇨?"

하매 오생은,

"이는 나의 죄라. 어찌하여 값을 아니 내리오. 마땅히 환을 하여 주시면 즉시 갚으리이다."

우치는,

"그러나 그대 집에 큰 변괴 있으니 들어가 보라."

오생이 경아(驚訝)하여 안방에 들어와 보니 문득 금빛 같은 대망이 두 눈을 움직이며 상 밑에 엎드렸거늘 생이 대경실색하여 급히 내달으며 우치를 보고 이르기를,

"방 안에 흉악한 짐승이 있으매 쳐 죽이려 하노라."

---

113 전후수말(前後首末) 처음부터 끝까지의 과정.
114 대망 열대 지방에 사는 매우 큰 뱀 또는 이무기를 이르는 말.

"그 요괴를 죽이지는 못하리라. 만일 죽이면 큰 화를 당할 것이니, 내게 한 부적이 있으니 그 부적을 허리에 붙이면 금야(今夜)에 자연 사라지리라."

하고, 소매 속의 부적을 내어 가지고 안방에 들어가 대망의 허리에 붙이고 나와서 오생에게,

"이곳에 경문(經文) 외우는 자 있느뇨?"

생이 말하기를,

"이곳에 없나이다."

"그러면 방문을 열고 보지 말라."

당부하고, 즉시 거짓 민 씨 하나를 만들어 내당에 두고 돌아갔다.

생이 우치를 보내고 내당에 들어오니 민 씨 금침에 싸여 누웠거늘,

"우리 집의 여러 천년 묵은 요괴가 그대 얼굴이 되어 외당에 나와 신선의 족자를 찢어 버리므로 아까 그 신선이 대망이 되어 스스로 녹을 부적을 허리에 매고 갔으니 족자값을 어찌하리오."

하고 근심하였다.

이튿날 우치가 돌아와서 방문을 열고 보니 민 씨는 그대로 대망으로 있거늘, 우치는 대망을 꾸짖기를,

"네 가군(家君)을 업신여겨 요악(妖惡)을 힘써 남의 족자를 찢고 또 나를 수욕(羞辱)한 죄로 금사망(金絲網)을 씌워 여러 해 고초를 겪게 하잤더니, 이제 만일 전과(前過)를 고쳐 회과천선(悔過遷善)할진대 이 허물을 벗기려니와 불연즉 그저 아니 두리라."

하니, 민 씨는 고두사죄하거늘[115], 우치 진언을 염하니 금사망이 절로 벗어지거늘 민 씨는 절을 하며,

"선관의 가르치심을 들어 회과하오리이다."

---

115 고두사죄(叩頭謝罪)하다 머리를 조아리며 잘못을 빌다.

우치 내당에 있는 민 씨를 거두고 구름에 올라 돌아왔다.

하루는 양봉환(梁奉煥)이란 선비가 있어 어려서 한가지로 글을 배웠더니, 우치 찾아가니 병들어 누웠거늘 우치 경문(驚門)하거늘,

"그대 병이 이렇듯 중요한데 어찌 늦게야 알았느뇨?"

양생은,

"때로는 심통이 아프고 정신이 혼미하여 식음(食飮)을 전폐(全廢)한 지 이미 오래니 살지 못할까 하노라."

"그 병세 사람을 생각하여 났도다."

"과연 그러하니라."

"어떤 가인(佳人)을 생각하느뇨?"

"나는 연장 40에 여색에 뜻이 없노라."

"남문(南門) 안 현동(玄洞) 사는 정 씨(鄭氏)라 하는 여자 있으니, 일찍 과거(寡居)하여 다만 시모(媤母)를 뫼셔 사는데 인물이 절색이라. 마침 그 집 문 사이로 보고 돌아온 후 상사(相思)하여 병이 되매 아마도 살아나지 못할까 하노라."

"말 잘하는 매파(媒婆)를 보내어 통혼(通婚)하라."

"그 여자 절개 송죽(松竹) 같으니, 마침내 성사치 못하고 속절없이 은자 수백 냥만 허비하였노라."

"내 형장(兄丈)[116]을 위하여 그 여자를 데려오리라."

"형의 재주 유여하나 부질없는 헛수고만 하리로다."

"그 여자 춘광(春光)[117]이 얼마나 되느뇨?"

"23세로다."

"형은 방심하고 나의 돌아오기만 기다리라."

하고, 구름을 타고 나아가 버렸다.

---

116 형장 나이가 엇비슷한 친구 사이에서, 상대편을 높여 이르는 이인칭 대명사.
117 춘광 젊은 사람의 나이를 문어적으로 일컫는 말.

차설. 정 씨 일찍 과거하고 홀로 세월을 보내며 슬픈 심회를 생각하고 죽고자 하나 임의치 못하고, 위로 노모를 모시고 다른 동기 없어 모녀 서로 의지하여 세월을 보내었다. 하루는 정 씨 심신이 산란하여 방 안에서 배회하더니 구름 속으로 일위(一位) 선관이 내려와 낭성(娘姓)을 불러 가로되,

"주인 정 씨는 빨리 나와 남두성(南斗星)의 명을 받으라."

정 씨 이 말을 듣고 모친께 고하니, 부인이 또한 놀라 뜰에 내려 복지하고 정 씨 역시 복지한데, 선관이 말하기를,

"선랑은 천명을 순수(順受)하여 천상(天上) 요지(瑤池) 반도연(蟠桃宴)에 참여하라."

정 씨는 이 말에 크게 놀라서,

"첩은 인간 더러운 몸이요, 또한 죄인이라 어찌 천상에 올라가 옥제(玉帝) 좌하에 참예하리까?"

선관은,

"정 선랑은 인간의 더러운 물을 먹어 천상의 일을 잊었도다."

하고, 소매에서 호로(葫蘆)[118]를 내어 향온(香醞)[119]을 가득 부어 동자로 하여금 권하니, 정 씨 받아 마시매 정신이 혼미하여 인사를 모르거늘, 선관이 정 씨를 가르치매 문득 채운으로 오르는지라.

이때 강림 도령(降臨道令)이 모든 거지를 데리고 저잣거리로 다니며 양식을 빌더니, 홀연 채운이 동남으로 지내며 향취 옹비하거늘 강림이 치밀어 보고 한번 구름을 가리키니, 운문(雲門)이 열리며 일위 미인이 땅에 떨어지거늘, 우치 크게 놀라 급히 좌우를 살펴보니 아무도 법술(法術)을 행하는 자 없거늘, 우치 괴이히 여겨 다시 행술(行術)하려 하더니 문득 한 거지 내달아 꾸짖어 가로되,

---

118 호로 호리병박.
119 향온 멥쌀과 찹쌀을 쪄서 식힌 것에 보리와 녹두를 섞어 만든 누룩을 넣어 담근 술.

"필부 전우치는 들어라. 네 요술로 나라를 속이니 그 죄 크되 다만 착한 일 하는 방편을 행하므로 무사함을 얻었거니와, 이제 흉악한 심장으로 절부(節婦)를 훼절(毁節)코자 하니, 어찌 명천(明天)이 버려 두시리오. 이러므로 하늘이 나를 내리사 너 같은 요물을 없애게 하심이니라."

우치 크게 화를 내어 보검을 빼어 치려 하더니 그 칼이 변하여 큰 범이 되어 도리어 저를 해하려 하거늘, 우치 몸을 피하고자 하더니 문득 발이 땅에 붙어 움직이지 못할지라. 급히 변신(變身)코자 하나 법술이 행치 못하거늘 놀라서 그 아이를 보니 비록 의복은 남루하나 도법이 높은 줄 알고 몸을 굴하여 빌어 가로되,

"소생이 눈이 있으나 망울이 없어 선생을 몰라본 죄 만사무석이오나, 고당(高堂)에 노모 계시되 권세 잡고 가멸 있는 자 너무 백성을 못살게 굴기로 부득이 나라를 속임이요 또 정 씨를 훼절하려 함이니, 원컨대 선생은 죄를 사하시고 전술을 가르쳐 주소서."

강림하여 가로되,

"그대 이르지 아니해도 내 벌써 아나니, 국운이 불행하여 그대 같은 요술이 세상에 작란하니 소당(所當)은 그대를 죽여 후폐(後弊)를 없이 하겠으나 그대의 노모를 위하여 특별히 일명을 살리노니, 이제 정 씨를 데려다가 빨리 제집에 두고, 병든 양가에게는 정 씨 대신으로 할 사람이 있으니, 이는 조실부모 혈혈무의(孑孑無依)[120]하나 마음이 어질고 성품이 유순할뿐더러 또한 성이 정 씨요, 연기(年紀) 23세라, 만일 내 말을 어기면 그대의 몸이 큰 화를 면치 못하리라."

우치 사례하여 가로되,

"선생의 고성대명(高姓大名)[121]을 알고자 하옵니다."

기인이 답하되,

---

120 혈혈무의 홀몸으로 의지할 곳이 없이 외로움.
121 고성대명 남의 성과 이름을 높여 이르는 말.

"나는 강림 도령이라. 세상을 희롱코자 하여 거리로 빌어먹고 다니노라."

우치 가로되,

"선생의 가르치심을 삼가 봉행(奉行)하리이다."

강림이 요술 내던 법을 풀어 주니, 우치 백배사례하고 정 씨를 구름에 싸 가지고 본집에 가 공중에서 그 시모를 불러 가로되,

"아까 옥경(玉京)에 올라가니 옥제 가로되, '정 선랑의 죄 아직 남았으니 도로 인간에 내보내어 여액(餘厄)을 다 겪은 후 데려오라.' 하시매 도로 데려왔노라."

하고, 소매에서 향온을 내어 정 씨의 입에다 넣으니 이윽고 깨어 정신 차리거늘 시모 정 씨에게 선관의 하던 말을 이르고 신기히 여기었다.

차시, 우치 강림 도령에게 돌아와 그 여자 있는 곳을 물으니, 강림이 낭중(囊中)으로 환형단(換刑丹)을 내어 주며 그 집을 가리키거늘, 우치 하직하고 정 씨를 찾아가니 그 집이 일간초옥(一間草屋)[122]이요, 풍우(風雨)를 가리지 못하였다.

이에 들어가 보니 한 여자 시름을 띠고 홀로 앉았거늘 우치 나아가 달래 말하기를,

"낭자의 고단하신 말씀은 내 이미 알았거니와 이제 청춘이 삼칠(三七)[123]을 지낸 지 오래되 취혼(娶婚)치 못하고 외로운 형상 가긍한지라. 내 낭자를 위하여 중매하리라."

하고 환형단을 먹인 후 진언을 염하니 정 과부의 모양과 일호차착(一毫差錯)[124] 없이 되는지라. 우치 가로되

"양생이란 사람이 있는데 인물이 가장 아름답고 가산도 부유하나 정 과부의 재색을 사모하여 병이 들었으니 낭자 한번 가 이리이리하라."

하고 즉시 보를 씌워 구름 타고 양생의 집에 이르니 우치 거짓 정 씨를 외당에

---

122 일간초옥 한 칸밖에 안 되는 작은 초가집.
123 삼칠 여기서는 '21세'를 의미한다.
124 일호차착 아주 작은 잘못이나 어긋남.

두고 내당에 들어가 양생을 보니 생이 물어 가로되,

"정 씨의 일이 어찌 된고?"

우치 가로되,

"정 씨의 행실이 빙설(氷雪) 같기로 일언을 못 하고 왔노라."

생이 말하되,

"이제는 속절없이 죽을 따름이로다."

하고 탄식함을 마지아니하니 이에 우치 갖가지로 조롱하여 가로되,

"내 이제 가서 정 씨보다 백배 나은 여자를 데려왔으니 보라."

한데 양생이 가로되,

"내 미인을 많이 보았으되 정 씨 같은 상은 없나니 형은 농담 말라."

우치 가로되,

"내 어찌 희롱하리오. 지금 외당에 있으니 보라."

양생이 겨우 몸을 일으켜 외당에 나와 보니 적실(的實)한 정 씨어늘 반가움을 측량치 못한데 우치 가로되,

"내 진심갈력(盡心竭力)하여[125] 낭자를 데려왔으니 가사(家事)를 선치(善治)하고 잘 살라."

하니 양생이 백배사례하였다. 우치는 양생과 이별하고 돌아갔다. 선시(先時)에 야계산(耶溪山) 중에 도사 있으니 도학이 높고 마음이 청정하여 세상 명리(名利)를 구치 아니하며, 다만 박전(薄田) 다섯 이랑과 화원(花園) 10간으로 세월을 보내니 이곳 지상선(地上仙)이라. 성호(姓號)는 서화담(徐花潭)이니 나이 55세에 얼굴이 연화(蓮花) 같고 양안(兩眼)은 추수(秋水) 같고 정색은 돌올(突兀)하였다. 우치 서화담의 도학이 높음을 알고 찾아가니 화담이 맞아 가로되,

"내 한번 찾고자 하더니 누사(陋舍)에 왕림하시니 만행이로다."

---

125 진심갈력하다 마음과 힘을 있는 대로 다하다.

우치 일러 칭사하고 한담하더니 문득 보니 화담의 아우 용담(龍潭)이 들어왔다.

우치 용담을 보니 이목이 청수(淸秀)하고 골격이 비상한지라. 용담이 우치더러 말하되,

"선생의 높은 술법을 한번 구경코자 합니다."

하고 구구히 간청하거늘, 우치 한번 시험코자 하여 진언을 염하니 용담의 쓴 관이 변하여 쇠머리가 되거늘 용담이 노하여 또 진언을 염하니 우치의 쓴 관이 변하여 범의 머리가 되는지라. 우치 또 진언을 염하니 용담의 관이 변하여 백룡(白龍)이 되어 공중에 올라 안개를 피우거늘, 용담이 또 진언을 염하니 우치의 관이 변하여 청룡(靑龍)이 되어, 구름을 헤치고 안개를 발하여 쌍룡이 서로 싸워 청룡이 백룡을 이기지 못하고 동남으로 달아나거늘, 화담이 비로소 웃고,

"전 공이 내 집에 오셨다가 이렇듯 하니 네 어찌 무례치 않으리오."

하고, 책상에 얹힌 연적을 한 번 공중에 던지니 연적이 변하여 일도 금광(一道金光)이 되어 하늘에 퍼지니 양룡이 문득 본래의 관이 되어 땅에 떨어지는지라. 양인이 각각 거두어 쓰고, 우치 화담을 향하여 사례하고 인하여 구름 타고 돌아왔다. 화담이 우치를 보내고 용담을 꾸짖어 말하되,

"너는 청룡을 내고 저는 백룡을 내니 청(靑)은 목(木)이요, 백(白)은 금(金)이니, 오행(五行)에 금극목(金克木)이라. 목이 어찌 금을 이기리오. 또 내 집에 온 손이라, 부질없이 해코자 하느뇨?"

용담이 다만 칭사(稱辭)하고 거짓 노하여 우치를 미워하는 뜻이 있었다. 우치 집에 돌아온 지 3일 만에 또 화담을 찾아가니 화담이 가로되,

"그대에게 청할 말이 있으니 좇을소냐?"

우치가,

"듣기를 원하나이다."

하자, 화담이 가로되,

"남해(南海) 중에 큰 산이 있으니 이름은 화산(華山)이요, 그 산중에 도인(道人)이 있으되 도호(道號)는 운수 선생(雲水先生)이라. 내 젊어서 글을 배웠더니, 그 선생이 여러 번 서신으로 물었으나 회서(回書)를 못 하였더니, 전 공을 마침 만났으니 그대 한번 다녀옴이 어떠하뇨?"

우치 허락하거늘 화담이 가로되,

"화산은 해중(海中)에 있는 산이라, 쉬이 다녀오지 못할까 하노라."

"소생이 비록 재주 없사오나 순식간에 다녀오리다."

하고, 우치 말하니 화담이 믿지 아니하거늘, 우치 미심에 업신여기는가 하여 노하여,

"생이 만일 못 다녀오면 이곳에서 죽고 살아나지 않으리라."

"연즉 가려니와 행여 실수할까 하노라."

하며 화담이 말하니, 즉시 글을 닦아 주거늘, 우치 글을 받아 가지고 해동청(海東靑) 보라매 되어 공중에 올라 화산으로 가더니, 해중에 이르러는 난데없는 그물이 앞을 가리었거늘, 우치 높이 떠 넘고자 하니 그물이 하늘에 닿았고, 아래로 해중을 연하여 좌우로 하늘을 펴 있으니 갈 길이 없어 10여 일 애쓰다가 할 수 없어 돌아와 화담을 보고 웃으며,

"화산을 거의 다 가서 그물이 하늘에 연하여 갈 길이 없삽기로 모기가 되어 그물 틈으로 나가려 한즉 거미줄이 첩첩하여 나가지 못하고 왔나이다."

하자, 화담이 웃어 말하기를,

"그리 큰소리치고 가더니 다녀오지 못하였으니, 이제 산문(山門)을 나가지 못하리로다."

우치 황겁하여 닫고자 하더니, 화담이 벌써 알고 속이려 하는지라, 우치 착급(着急)하여[126] 해동청이 되어 달아나니 화담이 수리되어 따를새 우치 또 변하여 갈

---

126 착급하다 몹시 급하다.

범[127]이 되어 닫더니, 화담이 변하여 청사자(靑獅子)되어 물어 엎지르고 가로되,

"네 여러 가지 술법을 가지고 반드시 옳은 일을 위하여 행하니 기특하나 사특(邪慝)함은 마침내 정대함이 아니오. 재조는 반드시 웃길이 있나니, 오래 일로써 세상에 다니면 필경 불측한 화를 입을 것이므로 일찍 광명한 세상에 돌아와 정대한 도리를 강구함이 옳지 아니하뇨. 내 이제 태백산(太白山)에 대종신리(大宗神理)를 밝히려 하니 그대 또한 나를 좇음이 좋을까 하노라."

우치 말하되,

"가르치시는 대로 하리이다."

화담이 인하여 각각 집에 돌아와 약간 가사를 분별한 후, 우치 화담을 모시고 태백산 비탈 밑에 청사를 얽고 임검(壬儉)으로부터 오는 큰 이치를 강구하여 보배로운 글을 많이 지어 석실(石室)에 감추니, 그 후일은 세상 사람이 알지 못하나 일찍 강원도 사는 양봉래라 하는 사람이 단군(檀君) 성적(聖跡)을 뵈오려 하여 태백산에 들어갔다가 화담과 우치 두 분을 보고 돌아올새 두 분이 이르되,

"우리는 이리이리하여 이곳에 들어와 있거니와, 그대로 보니 잠시 언행(言行)이 유심 한산(有心閑散)한 줄 알지라. 내 전할 것이 있노니 삼가 받들라."

하고, 비서(秘書) 몇 권을 주니, 봉래 받아 가지고 나와 정성으로 공부하여 오묘한 뜻을 통하고, 가만한 가운데 도통(道統)을 전하니, 한두 가지 드러나는 일이 있으나 세상이 다만 신선의 도로 알고, 봉래 또한 밝은 빛이 드러날 때를 기다릴 뿐이오. 화담과 우치 두 분이 태백산 중에서 도 닦으시는 일만 세상에 전하였다.

(연대 미상)

구인환 역, 《전우치전》(신원문화사, 2003)

---

127 갈범 '칡범(몸에 칡덩굴 같은 어룽어룽한 줄무늬가 있는 범)'의 잘못.

춘향전(春香傳)

작자 미상

이 도령 거동 보소. 단순호치(丹脣皓齒) 반쯤 벌여 용사교담으로 말씀하여 이른 말이,
"네 얼굴 보아하니, 일국의 절색(絶色)이라. 네 바삐 오르거라!"
춘향이 거동 보소. 추파(秋波)를 잠깐 들어 이 도령을 살펴보니, 만고의 호걸이요 진세 간 귀남자(貴男子)라. 천정(天庭)이 높았으니 소년공명할 것이요, 오악이 조화를 이루었으니 보국충신(輔國忠臣)될 것이매, 춘향이 흠모하여 아미를 숙이고 무릎 꿇고 단정히 앉을 뿐이로다.

_본문 중에서

숙종 대왕 즉위 초에 성덕이 넓으시사 성자성손(聖子聖孫: 성군聖君의 자손)은 계계승승하사 금고 옥촉[1]은 요순시절이요, 의관문물(衣冠文物)은 우·탕(禹湯: 우임금·탕임금)의 버금이라. 좌우 보필은 주석지신(柱石之臣)[2]이요, 용왕 호위 간성지장[3]이라. 조정에 흐르는 덕화 향곡(鄕曲: 시골구석)에 퍼져 있고, 사해(四海: 온 세상)의 굳은 기운 원근에 어리었다. 충신은 조정에 가득하고, 효자 열녀는 집집마다 있다. 아름답구나 아름답구나, 우순풍조(雨順風調)하니 일대 건곤(乾坤: 天地) 성명세(聖明世)[4]라.

이때에 삼천동 거하시는 이한림이라 하는 양반이 있으되 세대 잠영지족[5]으로 국가 충신지 후예라.

일일은 전하께옵서 충효록을 올려 보시고 충효자를 택출(골라냄)하사 자목지관(字牧之官)[6] 임용하실새 이한림으로 과천 현감에 금산 군수 바꾸어 배치하여 남원 부사 제수하시니, 이한림이 사은숙배[7] 하직하고 즉시 길 떠날 여장을 준비하여 남원부에 도임(到任)하고 선치민정(善治民情)[8]하니, 사방에 일이 없고 백성들은 더디옴을 칭송하고 강구연월(康衢煙月: 태평한 세월)에 문동요((聞童謠: 동요

---

1 금고 옥촉 풀이한 이들마다 모두 조금씩 뜻을 달리하는데, 여기에서는 금고는 '제왕의 보물', 옥촉은 '사시의 기운 조화'로 풀이함.
2 주석지신 나라에 중요한 구실을 하는 신하.
3 간성지장(干城之將) 나라를 지키는 믿음직한 장군.
4 성명세 덕이 거룩하고 슬기로운 세상.
5 잠영지족(簪纓之族) 대대로 높은 벼슬을 하여 온 집안.
6 자목지관 백성을 돌보아 다스리는 책임이라는 뜻으로, '수령'을 달리 이르는 말.
7 사은숙배(謝恩肅拜) 예전에, 임금의 은혜에 감사하며 공손하고 경건하게 절을 올리던 일.
8 선치민정 백성의 사정을 잘 살펴서 다스림.

를 들음)라. 시화연풍(時和年豐)[9]하고 백성이 효도하니 요순시절이라.

이때는 때마침 춘삼월이라. 춘조(春鳥: 봄철의 새)는 비거비래(飛去飛來: 날아가고 날아 옴) 쌍쌍하여 춘정을 도웁는데, 사또 자제 이 도령이 연광(年光: 나이)은 이팔(二八: 16세)이요, 풍채는 두목지(杜牧之)라. 문장은 이태백이요, 필법은 왕희지라.

이때에 도련님이 방자 불러 이른 말이,

"이곳 경처(景處)[10] 어드메냐?"

방자 놈 여짜오되,

"글공부 세우는 도련님이 경처 알어 무엇 하시랴오?"

이 도령 하시는 말이,

"어허, 이놈! 네 모른다. 시중천자(時中天子) 이태백(이백)은 채석강에 놀아 있고, 적벽강 추야월(秋夜月)에 소자첨(소식蘇軾: 소동파) 놀았으니 아니 노던 못하리라."

방자 다시 여짜오되,

"서울로 이를진대 자문(慈門: 紫霞門) 밖 내달아 칠성암 청련암 세금정이 어떠한지 몰라와도 전라도 53관(五十三關) 중에 남원이라 하는 고을 광한루라 하는 곳이 놀음직하나이다."

이 도령 이른 말이,

"광한루 구경 가게 행장을 차리어라!"

방자 놈 거동 보소. 서산나귀 솔질 살살 하여 갖은 안장(鞍裝) 지을 적에 붉은 실로 잘 꾸민 굴레와 산호 채찍에 좋은 안장, 비단 언치, 황금 재갈, 청홍사(靑紅絲) 고운 굴레, 붉은 줄과 붉은 털로 꾸민 치레, 덥벅 달아 앞뒤 걸어 질끈 매고

---

9 시화연풍 나라가 태평하고 풍년이 듦.
10 경처 경치가 뛰어난 곳.

층층 다래[11] 은엽 등자[12] 호피돋움 새(모양새)가 난다.

　　도련님 치레 보소. 신수 고운 얼굴 분세수 정히 하고, 감태같은[13] 채머리(머리채) 해남을 많이 발라 반달 같은 용려리로 설설 흘려 비껴 궁초(宮綃)댕기 석황(石黃: 염료 이름) 물려 맵시 있게 잡아매고, 보라 수주[14] 잔누비 돌징 육사단 겹배자 밀화[15]단추 달아 입고, 분주 바지 세포 버선 통행전 무릎 아래 넌짓 매고, 영초단 허리띠 모초단 도리줌치 대구 팔사 갖은 매듭 고를 내어 넌짓 매고, 청사 도포 몸에 맞게 지어 입고, 궁초 띠를 흉 중에 넌짓 매고, 맹호연의 본을 받아 갖은 안주 국화주를 왜화병에 가득 넣어 나귀 등에 넌짓 싣고 은죽산 부산대 별간죽 길게 맞춰 삼동초 꿀물 맞게 추겨 천은(天銀)설합에 가득 넣어 자주 녹피 끈을 달아 방자 놈에게 채운 후에 나귀 등에 섭적(서부렁섭적)[16] 올라 홍선(紅扇: 붉은 부채)으로 일광을 떡 가리고 맹호연 본을 받아 호호달랑달랑 달랑.

　　오작교 다리 가의 광한루 섭적(선뜻) 올라 좌우를 둘러보니 산천물색[17] 새로옵다. 악양루 고소대와 오초동남수는 동정호로 흘러지고 연자(연자루) 서북에 팽택(호수 이름)이 완연하고, 또 한 곳 바라보니 백백홍홍(白白紅紅: 희고 붉은 꽃들) 난만[18] 중에 앵무 공작 날아든다.

　　산천경개 둘러보니 반송솔[盤松][19] 떡갈잎은 춘풍에 너울너울, 폭포 유수 시냇가에 계변화(溪邊花)[20]는 벙긋벙긋, 낙락 장송은 울울하고 녹음방초 승화 시

---

11 다래 말의 배 양쪽에 달아 흙이 튀는 것을 막는 도구.
12 은엽 등자 은엽으로 만든 등자. 은엽은 운모의 일종이며, 등자는 발을 놓는 발판이다.
13 감태같다 머리털이 까맣고 윤기가 있다.
14 수주 품질 좋은 비단.
15 밀화 밀랍 같은 누런빛이 나고 젖송이 같은 무늬가 있는 호박.
16 섭적 힘들이지 아니하고 가볍게 선뜻 건너 뛰어서 올라서는 모양.
17 산천물색(山川物色) 자연의 경치.
18 난만(爛漫) 꽃이 활짝 피어 화려함.
19 반송솔 키가 작고 가지가 옆으로 퍼진 소나무.
20 계변화 시냇가 주변에 핀 꽃들.

(綠陰芳草勝花時)²¹라. 벽도화지(碧桃花枝: 복숭아꽃 가지) 만발한데 별유건곤(別有乾坤)²² 여기로다.

난간에 비기어 앉아 한 곳을 바라보니, 어떠한 일 미인이 봄새 울음 한가지로 온갖 춘정(春情) 못다 이기어 두견화(진달래꽃)도 질끈 꺾어 머리에도 꽂아 보며 함박꽃도 질끈 꺾어 입에 함숙(함쑥) 물어 보고, 옥수 나삼 반만 걷고 청산유수 흐르는 물에 손도 씻고 발도 씻고, 물도 머금어 양수(양치질)하고, 조약돌 덥석 주워 버들가지 꾀꼬리도 희롱하고, 버들잎도 주루룩 훑어 내어 물에도 훨훨 흘려 보고, 백설 같은 흰나비는 곳곳마다 춤을 추고, 황금 같은 꾀꼬리는 숲숲이 날아들어 온갖 소리 할 적에,

춘향이 거동 보소. 춘흥(春興)을 못 이기어 추천(鞦韆: 그네)을 하려 하고, 연숙마(軟熟麻)²³ 추천줄(그넷줄)을 수양버들 상상지(맨 윗가지)에 칭칭 얽어 감아 매고, 세류(細柳) 같은 고운 몸을 단정히 놀릴 적에 청운 같은 고운 머리 반달 같은 용어리로 어리 설설 흘려 빗겨 전반같이²⁴ 넌짓 땋아 뒷단장 은죽절(銀竹節)²⁵과 앞치레 볼작시면, 밀화장도(蜜花粧刀) 옥장도며, 광원사 겹저고리 백방사주 진속곳 서수화 유문 초록 장옷 남방사주 홑단치마 훨훨 벗어 걸어 두고, 자주 비단 수당혜(繡唐鞋)²⁶를 석석 벗어 던져 두고 황건 백건 지우자를 뒷단장에 떡부치고 섬섬옥수 넌짓 들어 추천줄을 갈라 잡고 백릉(白綾)버선 두 발길로 섭적 올라 발 구를 제, 한

---

21 녹음방초 승화 시 녹음과 꽃다운 풀이 꽃보다 더 아름다운 때. 녹음방초는 푸르게 우거진 나무와 향기로운 풀이라는 뜻으로, 여름철의 자연 경관을 이르는 말이다.
22 별유건곤 좀처럼 볼 수 없는 아주 좋은 세상.
23 연숙마 삶아서 부드럽게 누인 삼 껍질.
24 전반같이 머리를 땋아 늘인 여자의 머리채가 숱이 많고 치렁치렁한 모습으로.
25 은죽절 은으로 대 마디 형상처럼 만든, 여자의 쪽에 꽂는 장식품.
26 수당혜 수놓은 비단으로 신울을 만든 당혜.

번 굴러 힘을 주며 두 번 굴러 통통 차니 반공(반공중)에 훨쩍 솟아 가지가지 놀던 새는 평림(平林)으로 날아들고 비거비래(飛去飛來)하는 양은 지황건이 난봉(鸞鳳) 타고 옥경(玉京)으로 행하는 듯, 무산선녀(巫山仙女) 구름 타고 양대상(陽臺上)에 나리는 듯, 그 태도 그 형용은 세상 인물 아니로다.

이 도령이 정신이 어질하며 안경(眼境: 안계眼界)이 희미하여 방자 불러 이른 말이,

"저 건네 화류(花柳: 꽃과 버들) 간에 아른아른 하는 게 무엇인지 알겠느냐?"

방자 놈 여짜오되,

"과연 분명 모르나이다."

이 도령이 이른 말이,

"금이냐? 옥이냐?"

방자 여짜오되,

"금생여수(金生麗水)[27] 아니어든 금이 어찌 나온다 하며 옥출곤강(玉出崑岡)[28] 아니어든 옥이 어이 있으리까?"

"네 그리할진댄 신선이며 귀신인가?"

방자 여짜오되,

"영주(영주산) 봉래(봉래산) 아니어든 신선 오기 만무하고 천음우습(千陰雨濕)[29] 아니어든 귀신 있기 괴이하여이다."

"네 말이 그러할진대 네 정녕 무엇인가?"

방자 다시 여짜오되,

"이 고을 기생 월매 딸 춘향이란 기생 아이 낮이면 추천(그네)하고 밤이면 풍월 공부하여 도고(道高)하기로[30] 일읍에 낭자하여이다."

---

27 금생여수 《천자문》에 나오는 글귀로, 중국 형남의 여수강(麗水江)에서 금이 많이 나옴을 두고 한 말.
28 옥출곤강 옥(玉)이 곤산(崑山)에서 많이 남.
29 천음우습 하늘이 흐리고 비가 내려서 축축함.
30 도고하다 도덕적 수양이 높다.

이 도령 대희(大喜)하고 이른 말이,

"그러할시 분명하면 잔말 말고 불러오라!"

방자 놈 거동 보소. 도련님 분부 뫼시어 춘향 불러오러 갈 제, 논틀(논틀길)이며 밭틀이며 뒤축을 높이 찌고 껑충거려 건너가서 춘향 불러서 오게 하여 하는 말이,

"책방 도련님 분부 내려 너를 급히 부르신다."

춘향이 깜짝 놀래어 이른 말이,

"너다려 춘향이니 오향이니 고양이니 잘양이니 종조리새(종다리, 종달새) 열씨(삼씨) 까듯 다 외워 바치라더냐?"

방자 이른 말이,

"추천(그네)을 할 양이면 네 집 후원에서 할 것이제 탄탄대로에 나와 에굽은[31] 늙은 버들 장장채승(長長綵繩)[32] 그넷줄을 양손에 갈라 쥐고 백릉버선 두 발길로 백운 간에 노닐 적에 물명주 속곳 가래(가랑이) 동남풍에 펄렁펄렁, 박속 같은 네 살결이 백운 간에 희뜩희뜩하니 도련님 네 태도 잠깐 보고 정신이 희미하여 너를 급히 부르시니 네 어이 거역하리."

춘향이 거동 보소. 추천하던 그 태도로 한 번 걸어 주저하고 두 번 걸어 사양하니, 방자 놈 이른 말이,

"네 교태 한번에 나의 수로 갈 데 있냐? 사양 말고 바삐 가자!"

춘향이 거동 보소. 옥태화용(玉態花容) 고운 얼굴 백모래밭에 금 자라 걷듯[33], 대명전 대들보의 명매기 걸음[34]으로 앙금살짝 걸어와서 공경하여 예한 후에,

이 도령 거동 보소. 단순호치(丹脣皓齒) 반쯤 벌여 용사교담으로 말씀하여 이른 말이,

---

31 에굽다 약간 휘우듬하게 굽다.
32 장장채승 오색의 비단실로 꼰 긴 동아줄.
33 백모래밭에 금 자라 걸음 맵시를 내고 아양을 부리며 아장아장 걷는 여자의 걸음을 비유적으로 이르는 말.
34 대명전 대들보의 명매기 걸음 맵시 있게 아장거리며 걷는 걸음을 비유할 때 쓰는 말로, 맹매기는 '칼새'를 이른다.

"네 얼굴 보아하니, 일국의 절색(絶色)이라. 네 바삐 오르거라!"

춘향이 거동 보소. 추파(秋波)를 잠깐 들어 이 도령을 살펴보니, 만고의 호걸이요 진세(속세, 이 세상) 간 귀남자(貴男子)라. 천정(天庭)이 높았으니 소년 공명할 것이요, 오악(이마, 턱, 코, 좌우 광대뼈)이 조화를 이루었으니 보국충신(輔國忠臣)[35] 될 것이매, 춘향이 흠모하여 아미(蛾眉: 미인의 눈썹)를 숙이고 무릎 꿇고 단정히 앉을 뿐이로다.

이 도령 하는 말이,

"네 연세 몇이며, 네 성은 무엇인가?"

춘향이 여짜오되,

"연세는 16세요, 성은 성가라 하나이다."

이 도령 거동 보소.

"허! 그 말 반갑도다. 네 연세 들어하니 날과 동갑이요, 성자(姓字)는 들으니 이성지합(二姓之合)이라. 천연(天緣)[36]일시 분명하다. 날 섬김이 어떠하뇨?"

춘향이 거동 보소. 팔자청산(八字靑山: 八字春山. 미인의 고운 눈썹을 비유하는 말) 찡그리며 주순(朱脣: 붉은 입술)을 반쯤 벌여 가는 목 겨우 열어 여짜오되,

"충불사이군(忠不事二君)[37]이요, 열불경이부(烈不更二夫)[38] 절(節: 절개)은 옛 글에 있사오니, 도련님은 귀공자요 소녀는 천첩이라. 한 번 정을 붙인 연후에 인하여 버리시면 독숙공방(獨宿空房: 독수공방獨守空房) 홀로 누워 우는 내 아니고 뉘가 할꼬. 그런 분부 마옵소서."

이 도령이 이른 말이,

"네 말을 들어 보니 어이 아니 기특하리. 우리 둘이 인연 맺을 적에 금석뇌약

---

35 보국충신 충성을 다하여 나랏일을 돕는 신하.
36 천연 하늘이 맺어 주어 저절로 정하여져 있는 인연.
37 충불사이군 충신은 두 임금을 섬기지 않음.
38 열불경이부 열녀는 두 지아비를 섬기지 않음.

(金石牢約)[39] 맺으리라. 네 집이 어드메뇨?"

춘향이 거동 보소. 섬섬옥수(纖纖玉手) 높이 들어 한 곳 넌짓 가르치되,

"저 건네 동편의 송정(松亭)이요 서편의 죽림(竹林)이라. 앞뜰에 매화 피고 뒷뜰에 도화(복숭아꽃) 피어 초당 앞에 연못 파고 연못 위에 석가산(石假山)[40] 뭍은 곳이 소녀의 집이로소이다."

춘향을 보낸 후에 책실로 돌아와 춘향을 생각하니, 말소리 귀에 쟁쟁, 고운 태도 눈에 암암, 해 지기를 기다리사 방자 불러 이른 말이,

"오늘 해가 어느 때뇨?"

방자 여짜오되,

"동에서 아귀트나이다[41]."

이 도령 이른 말이,

"어허, 이놈 괘씸한 놈! 서로 지는 해가 동으로 도루 가랴. 다시금 살피어라!"

이윽고 방자 아뢰되,

"일락함지(日落咸池)[42] 황혼하고 월출동령(月出東嶺)[43] 달이 밝았소."

석반(夕飯: 저녁밥)이 맛이 없어, 전전반측(輾轉反側)[44] 어이하리.

방자 불러 분부하되,

"퇴령(退令)[45]을 기다리라!"

하고 서책을 보려 할 제, 맹자를 내어 놓고 읽을새,

"맹자견양혜왕하신데 왕왈 수불원천리이래하시니 역장유이이오국호이까?"

"아서라, 그 글도 못 읽것다!"

---

39 금석뇌약 쇠나 돌처럼 굳고 변함없는 약속. 금석지약(金石之約).
40 석가산 정원 따위에 돌을 모아 쌓아서 조그마하게 만든 산.
41 아귀트다 싹눈이 비집고 나오는 것이 보이기 시작하다. '아귀'는 사물이 갈라진 부분을 의미한다.
42 일락함지 해가 함지에 떨어진다는 뜻으로, 해가 짐을 이르는 말.
43 월출동령 달이 동쪽 고갯마루에서 나옴.
44 전전반측 누워서 몸을 이리저리 뒤척이며 잠을 이루지 못함.
45 퇴령 지방 관아에서 구실아치(관리)와 사령들에게 물러가도록 허락하던 명령.

"시전을 들여라. 관관저구 재하지주[46]로다. 요조숙녀는 군자호구[47]로다."

"아서라, 그 글도 못 읽것다!"

"대학을 들여라. 대학지도는 재명명덕하며 재신민[48]하며 재춘향(在春香)이니라."

"아서라, 그 글도 못 읽것다!"

"주역을 들여라. 원(元)은 형(亨)코 정(貞)코[49] 춘향이 코 내 코 딱 대이니 좋고 하니,"

"아서라, 그 글도 못 읽것다!"

"천자(千字: 천자문)를 들여라. 하늘 천 따 지 검을 현 춘향이 누루 황 집 우 집 주 넓을 홍 춘향아 거칠 황."

방자 여짜오되,

"천자가 도련님께 당치 않소."

도련님 크게 꾸짖어,

"네 무식하다. 천자라 하는 게 칠서(七書: 四書三經)의 본문이라. 천자를 새겨 읽을 게 들어 보아라!"

"천개 자시 생천[50]하니 태극이 광대 하늘 천 天

지벽어 축시[51] 생후하니 오행 팔괘로 따 지 地

삼십삼천[52] 공부공[53]하니 인심지시 검을 현 玄

---

46 관관저구(關關雎鳩) 재하지주(在河之洲) '암수 정다운 물수리 물가에 노닐다.'라는 의미이다.
47 요조숙녀(窈窕淑女)는 군자호구(君子好逑) '아름다운 여인은 군자의 좋은 짝'이라는 의미이다.
48 대학지도(大學之道)는 재명명덕(在明明德)하며 재신민(在新民) '대학의 도는 밝은 덕을 밝히는 데 있고 백성을 새롭게 하는 데에 있다.'라는 의미이다.
49 원은 형코 정코 원형정. 원은 형하고 정하다는 의미로, 《주역》 건괘(乾卦)에 나오는 "원형이정은 천도(天道)의 네 가지 덕(德)으로 '원'은 봄이니 만물의 시초인 인(仁)이 되고 '형'은 여름이니 만물이 자라 예(禮)가 되고 이는 가을이니 만물이 이루어져 의(義)가 되고 '정'은 겨울이니 만물을 거두어 지(智)가 된다[乾元亨利貞]."에서 가져온 말이다.
50 천개 자시 생천 하늘이 자시(밤 12시경)에 열려 하늘이 생김.
51 지벽어 축시 땅은 축시(오전 2시경)에 열림.
52 삼십삼천 불교의 용어로 우주를 통솔하는 제척전을 뜻한다.
53 공부공 불교의 의미가 담긴 말로, 비고도 비었다는 뜻.

이십팔수[54] 금목수화토지정색[55]의 누루 황 黃

일월이 생하여 천지가 명하니 만물을 원하여 집 우 宇

토지가 두터 초목이 생하니 살기를 취하여 집 주 宙

인유이주야 ◯ 천하이광하니[56] 12제국의 넓을 홍 洪

삼황오제 붕하신 후에 난신적자[57] 거칠 황 荒

동방이 계명 일월이 생하니 소관부상의 날 일 日

서산낙조 일모궁하니 월출동령의 달 월 月

한심 미월[58] 시시 불어 삼오일야[59]의 찰 영 盈

태백이 애월을 낙대로 달 건지랴 점점 수그려 기울 측 仄

하도낙서[60] 벌인 법 일월성신의 별 진 辰

무월동방 원앙금의 춘향 동침의 잘 숙 宿

춘향과 날과 동침할 제 사양 말고 벌릴 열 列

일야동침의 백 년을 기약 온갖 정담에 베풀 장 張

금일 한풍이 소소래하니 침실에 들거라 찰 한 寒

베개가 높거든 내 팔을 베어라 이만큼 올 래 來

침실이 온하면 서열을 취하여 이리저리 갈 왕 往

불한불열[61]이 어느 때냐 엽락오동 가을 추 秋

백발이 장차 우거지니 소년 풍도를 거둘 수 收

추절한풍 사렴타가는 설한풍의 겨울 동 冬

---

54 이십팔수 천구(天球)를 황도(黃道)에 따라 스물여덟으로 등분한 구획. 또는 그 구획의 별자리.
55 금목수화토지정색 '금·목·수·화·토의 정색'이라는 뜻. 정색은 섞임이 없이 순수한 빛깔. 곧 순수한 청·황·적·백·흑의 다섯 가지 빛깔을 이른다.
56 인유이주야 ◯ 천하이광하니 '◯'는 탈자로, 다른 판본에서는 '인의위주(仁義爲宙)하야 천하지광(天下地廣)하니'라고 씌어 있기도 하나 정확한 글자는 알 수 없다.
57 난신적자(亂臣賊子) 나라를 어지럽히는 불충한 무리.
58 미월 눈썹같이 생긴 초승달.
59 삼오일야(三五日夜) 음력 보름날 밤. 특히 음력 8월의 보름을 이른다.
60 하도낙서(河圖洛書) 하도와 낙서를 아울러 이르는 말. 하도는 주역의 팔괘의 근원이 된 것. 낙서는 낙수에서 나온 신령스러운 거북의 등에 있었다는 글이다.
61 불한불열(不寒不熱) 날씨가 춥지도 덥지도 아니하고 알맞게 따뜻함.

소한 대한 염려 마소 우리 임 의복에 감출 장 藏

부용작야 세우 중에 광윤유태[62] 부를 윤 潤

이 해가 어이 그리 긴고 인제도 사오 시 남을 여 餘

외로이 정담을 이루지 못하여 춘향 만나 이룰 성 成

나는 일각이 여삼추라 1년 사시의 송구영신의 해 세 歲

군자호구 이 아니냐 춘향과 나와 혀를 물고 쪽쪽 빨아도 남을 여 呂 자(字) 아니냐."

"아서라, 그 글도 못 읽것다."

방자 불러 이른 말이,

"하마 거의 야심이라. 초롱의 불 밝히어라! 춘향 집 찾아가자!"

일개 방자 앞세우고 춘향집을 다다르니 인적이 야심한데 대접 같은 금붕어는 임을 보고 반기는 듯, 월하(月下)의 두루미는 흥을 겨워 짝을 부른다.

이때 춘향이 칠현금(七絃琴: 거문고) 빗겨(비스듬히) 안고 〈춘면곡(春眠曲)〉[63] 타올 때, 이 도령이 그 거문고 소리를 반겨 듣고 글 두 구를 읊었으되,

"세사(世事)는 금삼척(琴三尺)이요 생애는 주일배(酒一杯)라. 서정강상월이요 동각설중매라[64]."

춘향 어미 듣고 나와,

"신동인가? 선동인가?"

이 도령 이른 말이,

"선동이러니 할미 집에 술 있다 하기로 내 왔노라."

하거늘, 할미 대답하되,

"이게 주가(酒家)가 아니라. 이 아래 행화촌을 찾어갑소."

---

62 광윤유태(光潤有態) 윤기가 흘러 아름다움.
63 〈춘면곡〉 조선 시대 12가사의 하나. 임을 여의고 괴로워하는 남자의 정회를 다정다감한 시재로 읊은 노래.
64 서정강상월(西亭江上月)이요 동각설중매(東閣雪中梅)라 '서쪽 정자에는 강 위로 달이 뜨고 동쪽 누각엔 눈 속에 매화가 피었구나.'라는 의미이다.

이 도령 하는 말이,

"내 일정(분명) 선동이 아니로세."

방자 이르오되,

"이 골 사또 자제 도련님이 춘향 구경 와 계시니 잔말 말고 들어가소!"

춘향이 이 말 듣고 바삐 나와 소매를 부여잡고,

"들어가세. 들어가세."

춘향의 방을 들어가서 방 안 치레 볼작시면, 청능화 도벽(도배)에 황능화 띠를 띠고 황능화 도벽에 청능화 띠를 띠고, 왜경 대경 가께수리(조그만 왜궤) 이렁저렁 벌여 놓고 자개 함롱 반닫이며 벽상을 둘러보니 온갖 그림 다 붙이었다. 어떠한 그림 붙이었는고? 부춘산 엄자릉은 간의대부 마다하고 백구(白鷗: 갈매기)로 벗을 삼고 원학(猿鶴)으로 이웃 삼아 양구(羊裘)[65]를 떨쳐입고, 추(秋) 동강(桐江) 칠리탄(七里灘)에 낚싯줄 던진 경을 역력히 그려 있고, 진처사 도연명은 팽택영을 마다하고 오류촌 북창하에 국화주를 취케 먹고 백학을 희롱하며 무현금[66] 무릎 위에 놓고 소리 없이 슬픈 경을 역력히 그려 있고,

또 저편 바라보니 남양 초당 풍설 중에 한 종실(漢宗室) 유황숙[劉備]이 와룡선생(제갈공명) 보려 하고 걸음 좋은 적토마를 뚜덕꾸벅(뚜벅뚜벅) 바삐 몰아 지성으로 가는 경을 역력히 그려 있고, 또 저편 바라보니 상산사호 네 노인이 바둑판 앞에 놓고 어떠한 노인은 백기(白碁: 흰 바둑돌)를 들고 또 한 노인은 흑기(黑碁: 검은 바둑돌)를 들고 또 한 노인은 구절죽장(九節竹杖)[67]에 호로병 매어 후리쳐 질끈 잡고 요마만큼 하여 있고 또 한 노인은 훈수(訓手)를 하다가 무렴(無廉)[68]을 보고 바위 위에 홀로 앉아 조는 양을 역력히 그려 있고, 또 저편 바라보니 채석강 명월야(明月夜: 밝은 달 밤)에 시중천자(詩中天子) 이태백은 포도주 취케 먹고

---

65 양구 양가죽으로 만든 옷.
66 무현금(無絃琴) 줄 없는 거문고. 줄이 없어도 마음속으로는 울린다고 하여 이르는 말이다.
67 구절죽장 중이 짚는, 마디가 아홉인 대나무로 만든 지팡이.
68 무렴 염치가 없음을 느껴 마음이 부끄럽고 거북함.

낚싯배 빗겨 앉아 지는 달 건지려고 물 밑에 손 넣는 양을 역력히 그려 있고, 백이숙제 고사리 캐는 경과 만고성인 공부자[孔子] 그림, 오강의 항우 그림, 광충다리 춘화 그림을 역력히 그렸는데,

구경을 다 한 후에 이 도령 춘향다려 이른 말이,

"나도 태후집 자제로서 경성에 생장하여 청루 미색(靑樓美色)과 좋은 계집 많이 보고 구경하였으되, 네 인물 네 태도는 세상 사람 아니로다! 근원 있어 그러한가. 연분 있어 그러한가. 네가 일정(분명) 국색(國色)인가. 내가 미쳐 그러한가. 이리 생각하고 저리 생각하되 놓고 갈 뜻 전혀 없다. 만일 나곳 아니던들 너의 배필 뉘가 되며, 만일 네곳 아니던들 나의 가인(佳人) 뉘가 될꼬. 너 죽어도 내 못 살고 나 죽어도 네 못 살리로다! 나 살아야 너도 살고 너 살아야 나도 살고 너의 연세 들어 하니 날과 같이 이팔(16세)이라. 이도 또한 천연(天緣)인지 반갑기도 그지없다."

우리 둘이 잊지 말자. 깊은 맹세 맺을 적에 공단(貢緞) 대단(大緞: 비단의 종류 이름) 도리줌치 주홍 당사(唐絲) 벌매듭[69]을 차례로 끌러 놓고 면경(面鏡)[70] 석경(石鏡)[71] 들어내어 춘향 주며 이른 말이,

"대장부 정절행이 석경 빛과 같을진대 진토(티끌 먼지) 중에 빠져서도 천만년이 지나간들 변할쏘냐."

춘향이 재배하고 석경 받아 품에 품고 저도 또한 신[信物: 信標]을 낼 제, 섬섬옥수를 들어 보라 대단 속저고리 제 색 고름 어루만져 옥지환(玉指環: 옥가락지)을 끌러 내여 옥수(玉手)에 걸어 들고 단정히 무릎 꿇고 앉아 이 도령께 드릴 적에 가는 목 겨우 열어 옥성(玉聲: 아름다운 목소리)으로 여쭈오되,

"여자의 정절행이 옥지환과 같을지라. 진토 중에 빠져서도 천만년이 지나간

---

69 벌매듭 끈목을 벌 모양으로 매는 매듭.
70 면경 주로 얼굴을 비추어 보는 작은 거울.
71 석경 유리로 만든 거울.

는데 갑자기 몸이 노곤해졌다. 부인이 난간에 기대어 잠깐 조는데, 꿈인지 생시인지 아련한 가운데 하늘 문이 열리며 한 선녀가 내려왔다. 선녀는 부인께 두 번 절하고는 아뢰었다.

"소녀는 옥황상제의 시녀이온데 상제께 죄를 지어 인간 세계로 쫓겨나게 되었습니다. 어디로 가야 할지 몰라 하자 부처께서 부인 댁으로 가라 하옵기에 왔나이다."

선녀는 말을 마치자마자 부인의 품속으로 뛰어들었다. 부인이 놀라 깨달으니 평생 바라던 태몽이었다. 부인이 매우 기뻐 시랑을 청하여 꿈 이야기를 이르고 자식 보기를 바랐다.

과연 그달부터 태기가 있어 열 달이 차자, 하루는 집 안에 향기가 진동하였다. 부인이 몸이 노곤하여 잠자리에 누웠다가 아이를 낳았다. 여자아이였다. 선녀가 하늘에서 내려와 옥으로 만든 병을 기울여 향기 나는 물로 아기를 씻겨 눕혔다.

"부인은 아기를 잘 길러 후일에 복을 받으소서."

선녀는 나가면서 다시 말하였다.

"오래지 않아 다시 뵈올 날이 있을 것입니다."

그러더니 문득 간 데가 없었다. 부인이 시랑을 청하여 아이를 뵈니, 얼굴이 복숭아꽃 같고 향기가 진동하니 월궁항아와 같았다. 부부의 기쁨을 측량할 수 없었으나 사내아이가 아님에 한탄하였다. 부부는 아이의 이름을 계월이라 하고 보물같이 사랑하였다.

계월은 점점 자라면서 얼굴이 화려해지고 또한 영민해졌다. 재주가 있는 사람은 하늘이 시기한다고 세상에서 말하므로 시랑은 계월의 앞날이 염려되었다. 그래서 하루는 곽 도사라는 사람을 청하여 계월의 얼굴을 보였다. 도사가 얼굴을 이윽히 들여다보고는 말하였다.

"이 아이의 얼굴을 보니, 다섯 살에 부모를 이별하였다가 열여덟에 다시 만나 높은 벼슬을 누릴 것이며 천하의 으뜸으로 이름을 날릴 것이니 아주 길하오!"

시랑이 부모와 헤어진다는 말을 듣고 놀라 말하였다.

"좀 더 명백히 가르쳐 주옵소서."

"그 밖에는 아는 일이 없고 천기를 누설치 못하므로 대강 말하였소이다."

도사는 말을 마치고는 하직하고 가 버렸다. 시랑은 도사의 말을 들은 것이 오히려 듣지 않은 것만도 못하였다. 이 어린것이 다섯 살에 우리를 이별하고 고생을 한다니 과연 정말일까? 부인도 시랑의 말을 듣고 어쩔 줄 몰라 잠을 이루지 못하였다.

몇 날 며칠을 고민한 끝에 부부는 묘한 방법을 하나 생각해 내었다. 계집아이에게 사내 옷을 입히면 운명도 알아보지 못할 것이다! 시랑과 부인은 계월에게 사내 옷을 입혀 초당에 두었다. 집안사람들에게도 사내아이처럼 대하게 하였다. 그러고는 여느 계집애들처럼 바느질을 가르치는 대신 사내애들처럼 글을 가르치니, 계월은 한 번 배운 것은 결코 잊지 않았다. 계월의 재주에 놀라 시랑이 한탄하였다.

"네가 만일 남자로 태어났다면 우리 집안을 빛내었을 텐데, 애달프구나!"

세월이 물처럼 흘러 계월의 나이가 다섯 살이 되었다.

하루는 시랑이 친구 정 도사를 보려고 집을 나섰다. 원래 정 도사는 황성에서 시랑과 함께 벼슬했던 제일 친한 벗이었는데, 수십 년 전에 간신배들의 참소를 받아 벼슬을 하직하고 호계촌에 돌아와 살고 있었다. 호계촌까지는 무려 350리 길이었다. 시랑이 여러 날 만에 호계촌에 다다르니 정 도사가 시랑을 보고 문밖에 나와 손을 잡고 크게 기뻐하였다. 두 사람은 서로 마주 앉아 오랫동안 쌓인 회포를 풀었다.

"이 몸이 벼슬을 하직하고 이곳에 돌아와 자연을 벗 삼아 세월을 보내되 다른 벗이 없어 언제나 적적했는데, 뜻밖에 시랑이 천 리를 멀다 하지 않고 이렇게 버림받은 몸을 찾아 위로하여 주시니 참으로 감격스럽소이다."

시랑이 정 도사의 집에서 사흘을 지내며 즐기다가 다시 집으로 길을 나섰다. 돌아오는 길에 북촌이란 동네에 이르자 날이 저물었다. 주막에서 하룻밤을 보내고 이튿날 새벽에 떠나려 하는데 멀리서 징과 북 소리가 들리며 함성이 진동하고 땅이 울렸다. 시랑이 놀라 바라보니 많은 사람들이 쫓겨 오고 있었다. 시랑이 급히 물으니 어떤 사람이 말하였다.

"북방 절도사(北方節度使)[2] 장사랑이 양주 목사 주도와 협력하여 10만 군사를 일으켜, 성주에 있는 90여 성을 항복받고 기주 자사(刺史) 장기덕의 목을 베고 지금은 황성을 범하였소. 백성들을 무수히 죽이고 재산을 노략하기에 살길을 찾아 피란하는 사람이 헤아릴 수 없을 정도라오."

시랑이 이 말을 듣자 정신이 아득해졌다. 시랑이 놀랍고 두려워서 도적을 피해 산으로 들어가며 부인과 계월을 생각하여 슬피 우니, 그 모습이 가련하더라.

이날 밤에 부인은 시랑이 돌아오기를 기다리다가 문득 요란한 소리에 놀라 깨었다. 시비 양윤이 들어와 북방의 도적이 천병만마(千兵萬馬)를 몰아 들어오며 백성들을 무수히 죽이고 노략하니 어찌하느냐고 아뢰었다. 부인이 크게 놀라 계월을 안고 통곡하였다.

"이미 시랑은 길에서 도적의 모진 칼에 맞아 죽었겠구나!"

부인이 자결하려고 하자 곁에 있던 양윤이 막으며 말하였다.

"아직 시랑의 생사도 모르는데, 어찌 이렇게 함부로 하시나이까?"

부인이 그 말을 옳게 여겨 겨우 마음을 진정하고, 계월을 양윤의 등에 업히고 남쪽으로 향하였다.

10리를 가자 큰 강이 길을 막았다. 부인이 절망하여 하늘을 우러러 통곡하였다.

"지금 도적이 급히 쫓아오고 있으니 차라리 이 강물에 빠져 죽으리라!"

부인이 계월을 안고 물에 뛰어들려 하자 양윤이 붙들었다. 어찌하여 하늘은 이토록 가혹하단 말이냐! 부인과 양윤이 계월을 부둥켜안고 같이 울었다. 밤바람은 차고 부인과 양윤의 눈물은 뜨거웠다. 두 사람이 한참 우는데 문득 북쪽에

---

2 북방 절도사 북쪽 지역을 방어하였던 지역 사령관.

서 뭐라 외치는 소리가 들렸다. 부인은 도적이 오는가 싶어 놀라 엎드렸다. 그때 어두운 강물 위로 웬 사람이 나뭇잎처럼 작은 배를 타고 오며 외쳤다.

"부인은 잠깐만 참으소서!"

잠깐 사이 배가 강가에 닿았다. 부인이 갈대숲에서 머리를 들어 보니 희미한 달빛에 하얀 저고리와 치마가 반사되었다. 두려움이 잦아들었다.

"부인은 겁내지 말고 어서 배에 오르십시오."

어린 계월이 엄마의 치맛자락을 잡고 일어섰다. 양윤은 눈을 동그랗게 뜨고 부인을 바라보았다. 부인은 머뭇거릴 수 없었다. 이제 곧 새벽이 오면 도적들에게 발각될 것이었다. 부인은 양윤과 계월의 손을 한 손씩 잡았다. 세 사람이 아무 말도 하지 않고 배에 다가갔다. 여인은 계월을 안아 올렸다. 멀리서부터 불어온 바람이 부인의 볼에 차갑게 부딪쳤다. 여인은 치맛자락을 바람에 날리며 배를 젓기 시작하였다. 강가에서 배가 멀어지자 여인이 입을 열었다.

"부인은 소녀를 알아보시나이까? 소녀는 부인께서 해산하실 적에 찾아갔던 선녀입니다."

부인이 정신을 차려 자세히 보고 그제야 깨달았다.

"우리는 하잘것없는 인간이라 눈이 어두워 몰라보았습니다! 그때에 누추한 자리에 왔다가 총총 이별한 뒤로 생각이 간절하여 잊을 날이 없었는데, 오늘 여기서 만나 보니 다행입니다. 또한 물에 빠져 죽을 사람을 구하시니 무어라 감사의 말씀을 드리며, 이 은혜를 어찌 다 갚으리오?"

선녀가 말하였다.

"소녀는 동빈 선생[3]을 모시러 가는 길이었는데, 만일 더디 왔더라면 구하지 못할 뻔하였습니다."

말을 마치자 선녀는 낮고 부드러운 소리로 노래를 부르며 배를 저었다. 선녀

---

3 동빈 선생 중국 전설에 등장하는 선관의 이름.

의 목소리가 엄마의 치맛자락을 잡은 계월을 아늑하게 감쌌다. 배는 빠르기가 쏘아 놓은 화살과 같았다. 순식간에 배는 강 건너편에 닿았다. 선녀는 강변에 배를 대고 내리기를 재촉하였다. 부인이 배에서 내려 무수히 치사하니 선녀가 말하였다.

"부인은 삼가 몸을 지키어 소중하게 여기소서."

말하는 선녀의 입가엔 온화한 미소가 감돌았으나 눈빛은 흔들렸다. 이미 날은 밝았다. 선녀가 배를 저어 가니 그 가는 바를 알 수 없었다.

부인이 공중을 향해 무수히 사례하고 갈대밭 속으로 들어가며 살펴보니, 출렁이는 물결은 만 겹이요 높이 솟은 봉우리는 1,000개나 되었다. 과연 어디로 가란 말이냐? 부인은 정신이 아득해졌다가 옆에서 계월이 배가 고프다고 칭얼거리는 소리에 퍼뜩 정신이 들었다. 부인과 양윤이 계월의 손을 잡고 시냇가를 따라 먹을 것을 찾아 나섰다. 세 사람이 두루 다니며 칡뿌리도 캐어 먹고 버들강아지도 훑어 먹으며 겨우 정신을 차려 점점 들어가니 한 정자가 있었다. 가까이 가서 현판을 보니 '엄자릉(嚴子陵)의 조대(釣臺)[4]'라고 새겨져 있었다. 그 정자에 올라 잠깐 쉬다가, 양윤은 밥을 얻어 오라고 마을로 보내고 부인은 계월을 안고 홀로 앉아 있었다.

그때 부인이 문득 강 쪽을 보니 큰 배 한 척이 정자를 향하여 오고 있었다. 부인은 놀라 계월을 안고 갈대밭으로 들어가 숨었다. 배가 점점 가까이 와 정자 앞에 멈추더니 한 놈이 외쳤다.

"아까 강 위에서 보니 여인 하나가 앉았다가 우리를 보고 저 수풀로 들어갔으니 어서 찾아보라!"

그러자 모든 사람이 한꺼번에 내달아 갈대밭 속으로 달려들었다. 마침내 부인을 찾자 여러 사람이 우르르 달려들어 부인을 잡았다. 부인이 정신이 아득하

---

4 엄자릉의 조대 엄자릉의 낚시터. 엄자릉은 후한 때의 사람으로, 광무제의 벼슬 제안을 뿌리치고 부춘산에서 낚시를 하며 살았다.

여 양윤을 부르며 통곡한들 밥 빌러 간 양윤이 어찌 알겠는가? 도적들이 부인의 등을 밀치며 잡아다가 뱃머리에 꿇어앉히고 온갖 말로 겁을 주었다. 원래 이 배는 수적(水賊)[5]의 배였다. 수적들이 물 위로 다니며 재물을 탈취하고 여자도 납치하였는데, 마침 이곳을 지나다가 부인을 보았던 것이다. 수적의 괴수 장맹길이라는 놈이 부인의 아름다운 용모를 보더니 단번에 반해 말하였다.

"내 평생에 천하일색을 얻고자 하였는데, 그대야말로 하늘이 내게 주는 선물이로다!"

맹길이 껄껄거리자 곁에 있던 도적들이 모두 함께 웃었다. 도적들에게 둘러싸인 부인은 계월을 꼭 끌어안았다. 하늘에 퍼지는 도적들의 웃음소리가 끔찍하게만 들렸다. 어린 계월은 당차게도 오히려 엄마를 위로하는 듯 부인을 끌어안았다. 부인이 하늘을 우러러 탄식하였다.

"여태까지 시랑의 생사를 알지 못하고 목숨을 보전하여 오다가 이곳에 와서 이런 변을 당할 줄 어찌 알았으리오!"

부인이 갑자기 통곡하니 세상의 짐승들과 풀과 나무 모두가 슬퍼하는 듯하였다. 맹길이 부인의 슬퍼함을 보고 부하들에게 분부하였다.

"저 여인이 움직이지 못하게 비단으로 동여매고, 아이는 자리에 싸서 강물에 넣어라."

도적들이 달려들어 부인의 양팔을 붙잡고 계월을 떼어 내려 하였다. 부인은 팔을 잡히자 몸을 기울여 계월의 옷을 입으로 물었다. 도적들이 계월을 잡아 올리자 옷자락을 문 부인이 따라 올라왔다. 맹길이 달려들어 계월의 옷을 칼로 베고 계월을 강물에 던지니, 그 불쌍하고 민망한 일을 어찌 다 기록하리오.

계월이 물에 떠가며 울며 외쳤다.

"어머니, 이것이 웬일이오? 어머니, 나 죽소, 바삐 살려 주옵소서! 물에 떠가는

---

5 수적 강이나 바다에서 배를 타고 다니며 남의 재물을 강제로 빼앗아 가는 도둑.

자식을 고기밥이 되라 하나이까? 어머니, 어머니 얼굴이나 다시 보옵시다. 죽어
도 눈을 감지 못하겠소!"

울음소리가 점점 멀어지니, 사랑하던 자식이 눈앞에서 죽는 양을 보던 부인
은 어찌 정신이 아득하지 아니하리오. 부인이, "계월아, 계월아, 나와 함께 죽자!"
하며 통곡하다가 기절하니 뱃사람들은 비록 도적이나 눈물을 흘리지 않는 사람
이 없었다.

슬프다! 양윤이 밥을 빌어 가지고 오다가 바라보니 정자 앞에 사람이 무수하
였다. 부인의 곡성이 들려 바삐 가 보니 사람들이 부인을 동여매고 분주하였다.

양윤이 이 모습을 보고 얻어 온 밥을 그릇째 던지고 달려들어 부인을 붙들고
대성통곡하였다.

"이것이 웬일이오, 차라리 오다가 물에 빠져 죽었던들 이런 일을 당하지 않았
을 것을. 이 일을 어찌하리오? 아기는 어디 있나이까?"

"아기는 물에 빠져 죽었다."

양윤이 이 말을 듣고 가슴을 두드리며 물에 뛰어들려 하니 맹길이 도적들에
게 호령하여 양윤을 잡아매라 하였다. 도적들이 달려들어 양윤을 마저 동여매니
양윤이 죽지 못하고 통곡할 뿐이었다.

맹길이 무리를 재촉하여 부인과 양윤을 배에 싣고 급히 노를 저어 제집으로
돌아왔다. 부인과 양윤을 방에 가두고 맹길이 제 계집 춘낭을 불러 말하였다.

"내가 부인을 데려왔으니 좋은 말로 달래서 내 뜻을 따르게 해라."

춘낭이 방에 들어와 부인에게 물었다.

"부인은 무슨 일로 이곳에 왔나이까?"

부인이 답하였다.

"주인 부인은 죽게 된 사람을 살리소서!"

부인이 지금까지의 일을 모두 말하니 춘낭이 말하였다.

"부인의 형색을 보니 참으로 참혹합니다. 주인 놈이 본래 수적으로 사람을 많

이 죽이고 또한 용맹하여 1,000리 길도 한 번에 다녀오니 도망하기도 어렵고, 죽자 하여도 못 할 것이니 아무리 생각하여도 불쌍하고 또 가련합니다. 저도 본래 이놈의 계집이 아니라 번양 땅에 사는 번듯한 집안의 딸이었는데, 일찍이 과부가 되어 있다가 이놈에게 잡혀왔습니다. 겨우 목숨을 도모하여 이놈의 계집이 되었으나 모진 목숨이 죽지 못하고 고향을 생각하면 정신이 아득합니다. 그러나 제가 생각해 둔 묘책이 하나 있습니다. 다행히 이 계교대로 되면 첩도 부인과 함께 도망하려 하오니 의심하지 마옵소서."

춘낭이 말을 마치더니 도적의 무리가 있는 곳으로 갔다. 도적들은 등불을 밝히고 여럿이 좌우로 갈라 앉아 잔치를 벌여 술과 고기를 즐기고 있었다.

도적들은 각각 잔을 들어 맹길에게 축하의 말을 건네었다.

"오늘 장군이 미인을 얻었사오니 한 잔 술로 축하합니다!"

도적들이 각각 한 잔씩 권하니 맹길이 크게 취해 쓰러지고, 다른 장수들도 모두 잠이 들었다. 이에 춘낭이 바삐 들어와 부인에게 일렀다.

"도적들이 깊이 잠들었으니 바삐 서쪽 문을 열고 도망하시지요."

춘낭이 급히 수건에 밥을 싸 가지고 부인과 양윤을 데리고 이날 밤에 도망하여 서쪽으로 향하였다. 그러나 부인은 정신이 혼미하여 한 걸음 걷기도 어려웠다.

차차 동이 트니, 강 위에서 기러기 우는 소리가 슬픈 마음을 도왔다. 문득 바라보니 한쪽은 태산이요, 다른 한쪽은 큰 강이었다.

부인이 강가의 갈대밭으로 들어가다가 기운이 쇠진하자 춘낭을 돌아보며 말하였다.

"날은 이미 밝았고 기운은 다해서 길을 갈 수 없으니 어찌하리오."

부인이 말을 마치고 하늘을 우러러 울었다. 문득 갈대밭에서 한 여승이 나와 부인에게 절하며 여쭈었다.

"어떠한 부인이길래 이런 험한 곳에 왔나이까?"

"스님은 어디 계신 분인지 모르겠으나, 저를 불쌍히 여기소서."

부인이 지난 일을 말하고 간청하니 그 여승이 말하였다.

"부인의 모습을 보니 참으로 가엾습니다. 소승은 양식을 싣고 일봉암으로 가는 길이었습니다. 처량한 곡성이 들려 배를 강변에 대고 찾아왔으니, 우선 소승을 따라 급한 화를 면하소서."

여승이 부인에게 어서 배에 오르기를 재촉하니 부인이 감사한 마음을 이기지 못하며 춘낭과 양윤을 데리고 배에 올랐다.

이때 맹길이 잠을 깨어 방에 들어가니 부인과 춘낭이 간 곳이 없었다. 분을 참지 못하여 부하들을 거느리고 두루 찾다가 강 위를 바라보니 여승과 세 사람이 배에 앉아 있었다. 맹길이 소리를 크게 질러 도적들을 재촉하여 따라갔다. 여승이 깜짝 놀라 배를 바삐 저어 가니 빠르기가 살과 같았다. 맹길이 바라보다가 하릴없이 탄식만 하고 돌아갔다.

이때 여승이 배를 절 문밖에 대고 내리라 하니 부인이 배에서 내려 여승을 따랐다. 누대에 올라 여러 스님들에게 절하고 앉으니, 그중에 한 노승이 물었다.

"부인은 어디에 계셨으며, 무슨 일로 이 산중에 들어오셨습니까?"

부인이 답하였다.

"저는 형주 땅에 살았는데, 난리가 나자 산에 피신하여 떠돌았습니다. 다행히 스님을 만나 이곳에 왔으니, 덕이 높으신 스님께 몸을 의탁하여 머리를 깎고 중이 되어 다음 생이나 닦고자 하나이다."

노승이 그 말을 듣고 말하였다.

"소승에게는 상좌(上佐)가 없으니 부인의 소원이 그러하시면 마음대로 하십시오."

부인이 즉시 목욕재계하고 머리를 깎아 중이 되어 부인은 노승의 상좌가 되고, 춘낭과 양윤은 부인의 상좌가 되었다.

부인은 이날부터, '시랑과 계월을 보게 해 주십시오.' 하고 불전에 축수하며 세월을 보내었다.

각설, 이때 계월은 물에 떠가며 울며 외쳤다.

"어머니, 저는 이제 죽거니와, 어머니는 아무쪼록 목숨을 보전하여 부디 아버지를 만나소서!"

계월이 점점 멀리 떠가니 슬픈 울음소리도 잦아졌다.

이때에 무릉포에 사는 여공이라는 사람이 배를 타고 서촉에 가다가 강 위를 바라보니 어떤 아이가 자리에 싸여 물에 떠가며 우는 소리가 들렸다.

여공이 그곳에 이르러 배를 머무르고 건져 보니 어린아이였다. 그 아이의 용모를 보니 인물이 준수하고 아름다웠다. 아이가 정신을 차리지 못함을 보고 여공이 약을 먹이니 한참 만에야 깨어나며 모친을 부르는데, 그 소리가 애처로워 차마 듣기 힘들었다.

*

차설, 여공이 그 아이를 데리고 집에 돌아와 물었다.

"너는 어떤 아이길래 만경창파 중에 이런 일을 당하였느냐?"

계월이 울며 말하였다.

"저는 어머니와 함께 가고 있었는데, 어떤 사람들이 몰려와 어머니는 동여매고 저는 자리에 싸서 물에 던졌습니다. 죽게 된 것을 공께서 구해 주시니 다행히 살아났습니다."

여공이 이 말을 듣고, '분명 수적을 만났구나.' 하고 속으로 헤아리고 다시 물었다.

"네 나이가 몇이며 이름이 무엇이냐?"

"나이는 다섯 살이고 이름은 계월입니다."

"살던 곳은 어디더냐?"

"아버지 이름은 모르고, 남들이 부르기를 홍 시랑이라 하였습니다."

여공이 헤아리되, '홍 시랑이라 하니 분명 양반의 자식이로다.' 하고 말하였다.

"이 아이는 내 아들과 동갑이요, 또한 얼굴이 비범하니 잘 길러 장래에 영화를 보리라."

여공은 계월을 친자식같이 여겨서 새로이 '평국'이라는 이름을 지어 주었다. 여공의 아들은 이름이 보국이었다. 보국은 생김새가 비범하여 여공이 항상 애지중지하였는데, 이때부터는 평국과 함께 친형제처럼 지내게 하였다.

세월이 물같이 흘러 두 아이가 일곱 살이 되자 모든 일에 비범하니 뭇사람들이 모두 칭찬하였다. 여공은 아이들에게 글을 가르치고자 훌륭한 선생을 두루 구하였다. 마침 강호 땅의 월호산 명현동에 곽 도사란 사람이 있다는 말을 듣고 여공이 두 아이를 데리고 찾아갔다. 도사가 초당에 앉아 있다가 여공을 보자 안으로 모셨다. 여공이 예를 갖춘 뒤 앉아 여쭈었다.

"저는 무릉포에 사는 여공이온데, 늦게야 자식을 두었습니다. 아이가 영민하기에 도사의 덕택으로 사람이 될까 하여 왔나이다."

도사가 답하였다.

"아이를 부르소서."

여공이 두 아이를 불러 뵈니, 도사가 이윽히 보다가 말하였다.

"이 아이들의 얼굴로 보아 친형제가 아닌 것이 분명하니, 내게 감추지 말고 바로 이르소서."

"선생의 사람 보는 눈이 귀신같소이다."

도사가 답하였다.

"이 아이를 잘 가르쳐 널리 이름을 빛내게 하리다."

여공이 이 말에 감사를 표하고 하직하여 돌아갔다.

(중략 줄거리)

계월의 아버지 홍 시랑은 산중에 숨어 있다가 역적들에게 붙들려 어쩔 수 없이 그들의 편에 속하게 된다. 그러나 군사를 모아 반격에 나선 황제에게 붙잡혀 벽파도로 유배를 가게 되고, 꿈속에서 남편의 소식을 들은 양 씨 부인은 벽파도를 찾아가 홍 시랑과 다시 만나 계월을 잃게 된 사연을 말한 후 함께 슬퍼하며 그곳에서 지내게 된다.

한편 곽 도사에게 맡겨져 문무를 익히던 평국(홍계월)과 보국은 마침 나라에서 태평과를 여니 시험에 응시하여 평국은 장원에, 보국은 부장원에 뽑히어 금의환향한다. 그러나 곧 서달이 난을 일으키자 평국은 대원수로, 보국은 중군장으로 전쟁에 참여하여 서달을 물리치고 큰 공을 세운다. 이 과정에서 벽파도로 도망친 서달을 쫓아갔다가 벽파도에 있던 홍 시랑과 양 씨 부인을 만나, 계월과 부모가 상봉하고 같이 돌아와 천자로부터 전쟁에 이긴 공을 인정받고 홍 시랑의 잘못도 용서를 받아 홍 시랑은 위국공에, 양 씨 부인은 정렬부인에 봉해지고 재물을 하사받는다. 그런데 전장에서 돌아온 평국의 몸에 이상이 생겨 의원의 진찰을 받게 된다.

차설, 어의가 평국을 진맥하다가 괴이한 일이 있어 수상하다고 아뢰니 천자가 놀라서 물었다.

"무슨 일이 있느뇨?"

어의가 땅에 엎드려 다시 아뢰었다.

"평국의 맥을 보니 남자의 맥이 아니라 이상합니다."

천자가 그 말을 듣자 다시 말하였다.

"평국이 여자라면 어찌 적진에 나가 10만 대병을 물리치고 왔으리오? 그러나 평국의 얼굴이 꽃처럼 붉고 신체가 연약해 보여 의심할 만하니 아직은 아무에게도 말하지 말라."

이때에 평국이 병세가 점점 나으니, 어의가 다녀갔음을 새롭게 생각하게 되었다.

'어의가 나의 맥을 보았으니 분명 나의 정체가 탄로 났을 것이다. 이제는 어쩔 수 없게 되었으니 다시 여자의 옷으로 갈아입고 규중에 몸을 숨기어 세월을 보

넘이 옳겠구나.'

이런 생각이 들자 곧 남자 옷을 벗고 여자 옷으로 갈아입고 부모에게 갔다.

평국이 위공 부부 앞에 앉아 흐느끼며 두 볼에 눈물이 떨어지니 부모가 또한 눈물을 흘리며 위로하였다. 계월이 슬픔에 겨워 우는 모습은 가을날 연꽃이 가는 비에 젖은 듯하고, 하늘의 초승달이 깊은 구름에 잠긴 듯하였다.

'이제는 다시 평국으로 살지 못하리라. 나의 비밀은 사라졌고, 영웅의 시절도 끝이 났구나.'

이날 밤 계월이 천자에게 상소문을 올리니 천자가 받아 보았다.

한림 학사 겸 대원수 좌승상 청주후 평국은 머리를 조아려 천자에게 백번 절하옵고 한 장 글을 올리옵나이다. 신첩(臣妾)[6]이 다섯 살 때에 장사랑의 난을 당하여 부모를 잃었고, 다시 수적 맹길의 난을 만나 물에 빠져 죽을 것을 여공의 은덕으로 살아왔습니다. 당시에 생각하기를 여자의 몸으로 살아서는 규중에 늙어 부모의 해골도 찾지 못할 것 같아서 남자의 복식을 갖추어 입고 황상을 속이고 조정에 들어왔습니다. 신첩의 죄는 만 번 죽어도 애석하지 않음을 잘 알기에 황상에서 내려 주신 임명장과 도장을 다시 바치나이다. 신첩은 이미 임금을 속인 무거운 죄를 지었사오니 속히 벌하여 주옵소서.

천자가 상소문을 읽고 용상(龍牀)을 내리치고는 좌우를 돌아보며 말하였다.

"평국의 행동을 보고 누가 여자로 알았으리오! 이는 정말로 드문 일이로다. 비록 천하가 넓고 넓다지만 글재주와 칼 재주를 모두 갖추고 내게 충성을 다한 평국과 같은 이를 어디서 찾을 수 있으리오? 평국이 나라를 보살피고 아울러 부모에게 효도하는 마음은 어떤 남자와도 견줄 수 없으리로다. 그러니 이제 평국

---

6 신첩 여자가 임금을 상대하여 자기를 낮추어 이르던 대명사.

이 여자임이 드러났지만 어찌 벼슬을 거두리오."

천자가 이렇듯 말하며 관리에게 명하여 임명장과 도장을 다시 계월에게 보내고, 계월의 상소문에 답신을 전하였다. 계월이 황공하고 감사하여 받아 보니, 답신은 이러하였다.

경의 상소를 보니 참으로 놀랍고도 장한 일이오. 지금 경이 충성심과 효심을 모두 갖추어 반란을 꾀한 적들을 물리쳐서 나라를 지킴은 모두 경의 크나큰 은덕이니, 짐이 어찌 경의 여자 됨을 꺼려 하겠소 이에 임명장과 도장을 도로 보내니 조금도 염려하지 말고 충성을 다하여 나라를 지키고 짐을 도우라.

계월이 천자의 명을 사양하지 못하여 여자의 옷을 입고 그 위에 조복(朝服)[7]을 입었다. 또한 전쟁터에서 부리던 장수 100여 명과 군사 1,000여 명에게 갑옷을 입혀 집 앞의 들판에 진을 치고 있게 하니 그 위엄이 엄숙하였다.

하루는 천자가 평국의 아비인 위공을 궁궐로 불러들여 말하였다.

"짐이 원수의 상소를 본 뒤로 고민이 많은지라. 평국이 규중에서 홀로 늙으면 나중에라도 그대의 혼백이 의지할 곳이 없을 것이니 어찌 슬프지 아니하리오! 또한 짐이 평국의 혼인을 직접 중매를 서고 싶은데, 경의 마음이 어떠하뇨?"

위공이 땅에 엎드려 아뢰었다.

"신의 뜻도 그러하오니 소신이 나아가 의논하여 보겠습니다만, 평국의 배필로 누구를 삼고자 하시나이까?"

천자가 일렀다.

"평국과 함께 공부하던 보국을 맺어 주고자 하는데, 경의 마음이 어떠하뇨?"

"신의 뜻도 그러하오니 폐하의 뜻이 마땅하옵니다. 평국이 물에 빠져 죽을 목

---

7 조복 관리가 조정에 나아가 하례를 할 때 입던 예복.

숨이었지만 여공의 덕택으로 살았습니다. 여공은 평국을 친자식같이 길러 평국은 부귀영화를 누리고, 이별하였던 저와도 만나게 되었습니다. 이뿐만 아니라 보국은 평국과 더불어 공부하고 같은 날에 급제하여 폐하의 성덕으로 벼슬을 받아 만 리 전장에서 생사고락을 함께하였습니다. 더구나 전쟁에서 이기고 돌아와서는 이제 한집에서 같이 살고 있사오니 천생연분인가 하나이다."

위공이 궐에서 돌아와 계월을 불러 앉히고 천자의 말을 낱낱이 전하니 계월이 말하였다.

"소녀의 소원은 평생 동안 부모님 슬하에서 지내다가, 부모님 돌아가시면 저도 죽어 다시 남자가 되어 공자와 맹자의 행실을 배워 다시 이름을 날리는 것이었습니다. 그러나 이미 근본이 탄로 났고, 천자의 명령도 이와 같습니다. 또한 부모님 슬하에 다른 자식이 없어 조상의 제사 또한 모실 수 없습니다. 자식이 되어 부모의 말씀을 어찌 거역하오며, 천자의 명령 또한 어찌 거역하오리까? 천자의 말씀을 좇아 보국을 섬겨 여공의 은혜를 만분의 일이라도 갚고자 하오니, 아버님은 천자께 이런 사연을 아뢰어 주십시오."

말을 마치자 계월의 눈에서 눈물이 그렁거리다가 툭 떨어졌다. 계월은 남자 못 됨을 한탄하였다.

위공은 즉시 대궐에 들어가 계월의 말을 천자에게 전하였다. 천자는 크게 기뻐하며 바로 여공을 불러들이라고 하였다. 서둘러 입궐한 여공에게 천자가 말하였다.

"평국과 보국을 부부가 되게 하고자 하니 경의 뜻이 어떠하뇨?"

여공이 아뢰었다.

"폐하의 해와 같고 달과 같으신 덕택으로 어진 며느리를 얻게 되었사오니 감사한 마음에 아뢰올 말씀이 없사옵니다."

여공이 물러 나와 보국을 불러 천자의 말씀을 전하니 보국이 매우 기뻐서 땅에 엎드려 천자의 은혜에 감사하였고, 부인과 집안의 여러 사람들이 모두 기뻐하였다. 이즈음에 천자는 혼인 날짜를 정하는데, 마침 춘삼월 망간이 좋은 날이라 하니, 천자가 택일단자(擇日單子)[8]와 예단(禮緞)[9] 수백 필을 갖추어 위공의 집으로 내려보내었다. 위공이 이를 받아 기뻐하며 택일단자를 가지고 계월의 침소에 들어가 전하니, 계월이 받아 보고 말하였다.

"보국은 내가 중군장으로 데리고 있던 사람인데, 이제 그 사람의 아내가 될 줄 어찌 알았으리오. 지금 혼인을 하면 다시는 군례(軍禮)[10]를 받지 못하게 될 터이니, 바라옵건대 아버지께서는 마지막으로 제가 보국에게 군례를 받을 수 있도록 천자께 아뢰어 주십시오."

위공이 계월의 뜻을 천자에게 올리니 천자가 크게 웃고 즉시 군사 5,000명과 장수 100여 명을 무장시켜 원수에게 보내었다. 계월이 군사가 도착함을 알고 여복을 벗고 갑옷을 갖추어 입었다. 한 손에는 용과 봉황을 새긴 창을, 다른 손에는 명령을 내리는 깃발을 잡고 나서서 군대를 행군하여 진지를 세우게 하였다. 그리고 보국에게 중군장으로서 출두하라는 명령을 내렸다. 집에 있던 보국은 난데없는 명령에 놀랐다가 그것이 계월의 명령임을 알고 분함을 참을 수가 없었다. 그러나 전에 평국의 위풍당당함을 보았기에 감히 거역하지 못하고 갑옷을 갖추어 입고 군문(軍門)에 대령하였다.

이때에 원수는 좌우를 돌아보며 호통을 쳤다.

"중군장이 어찌 이다지도 거만한가? 바삐 오라!"

원수의 호령이 서릿발 같고 군졸들의 대답 소리가 쩌렁쩌렁하여 온 장안이 끓는 듯하였다. 중군장이 그 위세에 놀라고 겁을 먹어서 허리를 깊숙이 숙인 채 갑옷을 끌며 들어오니, 얼굴은 땀으로 범벅이 되었다. 중군장이 장대 앞에 이르러 멈춰 서서 고개를 숙여 예의를 표하자, 원수가 정색을 하고 꾸짖었다.

---

8 택일단자 혼인 날짜를 정하여 상대방에게 적어 보내는 쪽지.
9 예단 예물로 주는 비단.
10 군례 군대에서 행하는 예식.

"군법이 지엄하거늘, 너는 중군장으로서 즉시 대령하여 나의 명령을 기다릴 것이지 어찌하여 늦었느냐? 네가 군령을 가볍게 생각하여 게으른 마음을 품었으니 너의 죄가 무엄하도다. 즉시 군법으로 너를 다스릴 것이로되, 그간의 정을 생각하지 않을 수 없다. 그러나 그저 넘어갈 수는 없으리라. 여봐라, 중군장을 어서 잡아들여라!"

원수의 명령이 떨어지자마자, 거대한 무사들이 고함을 지르며 우르르 달려들어 중군장의 양쪽 팔을 꽉 끼고 머리와 허리를 움켜쥐더니 번쩍 들어 장대 앞에 무릎을 꿇리었다. 중군장이 깜짝 놀라고 두려워 정신을 잠시 잃었다가 겨우 진정하여 아뢰었다.

"소장이 몸에 병이 있어 치료하는 중이라 서둘러 명령을 따르지 못하였습니다. 게으른 죄를 생각하면 만 번 죽어 마땅하지만 병든 몸이 매를 맞으면 생명을 보존하지 못하겠고, 만일 죽으면 부모에게 불효가 되리니, 엎드려 바라옵건대 원수께서는 넓은 바다와 같은 은덕을 베풀어서 옛정을 생각하시어 살려 주시면 불효를 면할까 하나이다."

중군장이 머리를 조아려 거듭거듭 애걸하니 원수가 속으로는 우습지만 겉으로는 다시 쩌렁쩌렁한 목소리로 호령하였다.

"중군장이 병이 있으면 어찌 영춘각에서 애첩 영춘과 함께 밤낮으로 풍류를 즐기느뇨? 그러나 나도 옛정이 있으니 이번에는 용서하거니와 다시는 이런 일이 없도록 하라."

원수가 분부하니 보국이 절하고 물러났다. 원수가 이렇게 온종일 즐기다가 군사를 물리고 본궁으로 돌아왔다. 이때에 보국도 원수와 하직하고 돌아와 욕본 사연을 부모에게 낱낱이 일렀다. 여공이 그 말을 듣고 크게 웃고 한편으로는 칭찬하여 말하였다.

"내 며느리는 다시없을 영웅 군자로다. 계월이 너를 꾸짖은 것은 다름이 아니라 어명으로 배필을 맞이하게 되었기 때문이다. 너를 중군장으로 부리다가 이제 다시는 그러지 못하게 되어 마지막으로 너를 부려 본 것이니 너는 조금도 허물치 말라."

그로부터 며칠이 지나 드디어 혼례일이 닥쳤다. 계월은 녹색 치마에 붉은 저고리를 입어 단장하였는데, 시비들이 좌우에서 겨드랑이를 붙들어 조심스럽게 나오는 모습이 자못 그윽하여 마치 비녀를 꽂은 장부와 같았다. 아름다운 태도와 곱디고운 형상은 세상에 비할 바가 없었다. 또한 담장 밖에서 여러 장수와 군졸들이 갑옷을 갖추어 입고 깃발과 칼과 창을 들고 좌우로 갈라서 있으니 그 엄숙함 또한 헤아릴 수 없었다.

이때 보국이 또한 예복을 갖추어 입고 화려한 안장을 얹은 말에 늠름하게 앉아 봉황 부채로 얼굴을 가리고 계월이 있는 궁으로 들어섰다. 나무로 만든 기러기를 앞에 두고 계월과 보국이 서로 절을 하는 거동은 하늘에서 선관과 선녀가 천도복숭아를 옥황상제께 올리는 것처럼 우아하였다.

예식을 마치고 해가 지자 신랑이 상기된 얼굴로 침실로 향하니, 시녀가 화촉 (華燭)을 준비하여 길을 안내하였다. 신랑이 들어오자 붉은 치마에 비취색 저고리를 입은 선녀 같은 계월이 일어나 맞이하였다. 촛불에 비친 얼굴을 서로 바라보게 되니 그 모습은 하늘의 해와 달이 빛나는 듯하였다. 보국이 얼굴 가득 웃음을 지으며 한참을 들여다보더니 가까이 와 손을 잡고 말하였다.

"전일에 대원수 지위에 높이 앉아서 나를 엄숙하게 꾸짖을 때에는 어찌 오늘과 같은 날이 있을 줄 알았으리오?"

신부는 쪽 진 머리를 숙이고 미소만 띨 뿐 아무 말도 하지 않았다. 보국도 미소를 짓더니 촛불을 불어 끄고는 계월의 손을 잡고 화려한 비단 휘장 안으로 들어가 동침하니, 그 즐거움이 극진하였다. 이튿날 날이 밝자 두 사람이 위국공과 정렬부인에게 인사를 드리니 위공 부부가 즐거움을 이기지 못하였다. 또한 기주후와 공렬 부인[11]을 뵈오니, 기주후가 기뻐서 말하였다.

"세상일은 정말 헤아릴 수가 없도다. 내가 너를 며느리로 삼을 줄 어찌 알았으리오?"

이 말을 듣자 계월이 일어나 다시 절하고 아뢰었다.

"저의 죽을 목숨을 구하신 은혜와 13년을 양육하셨는데도 제 근본을 아뢰지 않은 죄는 말로 다할 수 없습니다. 다행히 하늘이 도와 이제 시아버지와 시어머니로 모시게 되었으니 이는 진정으로 소녀가 바라던 바이옵니다."

계월 부부가 시부모를 모시고 이렇듯 정담을 나누며 하루를 보내었다. 해가 져서 본궁으로 돌아가려고 금덩[12]을 타고 군사들의 호위를 받으며 중문으로 나오는데, 계월이 눈을 들어 영춘각을 바라보니 보국의 애첩 영춘이 난간에 걸터앉아 내려다보고 있었다. 계월이 분노가 치솟아 가마를 세우고 무사를 호령하여 영춘을 잡아들이라고 하였다. 무사들이 영춘을 잡아 가마 앞에 무릎 꿇리자 계월이 호령하였다.

"네가 중군장의 힘만 믿고 교만함이 가소롭구나! 감히 난간에 높이 걸터앉아 내게 예의를 갖추지 않으니 너같이 요망한 년을 어찌 살려 두리오? 당당히 군법으로 처단하리니, 무사들은 무엇하느냐! 문밖에 내어 목을 베어라!"

말이 끝나기도 전에 무사들이 달려들어 영춘을 잡아 내어 베었다. 이 광경을 본 군졸과 시비 들이 놀라고 두려워 바로 보지 못하였다.

이때에 보국이 영춘이 죽었단 말을 듣고 분을 이기지 못하여 부모에게 달려갔다.

"계월이 전에 대원수가 되어 소자를 중군장으로 부릴 때에는 군대의 상관과 부하 사이였으니 어쩔 수 없었으나, 지금은 소자의 아내가 아니옵니까? 어찌 소

---

11 기주후와 공렬 부인 여기서는 '여공 부부'를 가리킨다.
12 금덩 황금으로 호화롭게 장식한 가마.

자가 사랑하는 영춘을 함부로 죽일 수 있단 말입니까?"

여공이 보국의 말을 듣고 만류하여 말하였다.

"계월은 비록 네 아내가 되었지만 벼슬은 그대로 있다. 또한 계월은 의기가 당당하여 너를 부릴 만한 사람이지만, 오히려 예로써 너를 섬기니 어찌 함부로 말할 수 있겠느냐. 또 영춘이 네 첩이랍시고 스스로 교만을 떨다가 죽었으니 누구를 원망하겠느냐? 하물며 계월이 잘못하여 노비를 죽인다고 하여도 누가 감히 잘못하였다 하리오? 너는 조금도 괘념치 말고 마음을 변치 말라. 만일 영춘을 죽였다고 이를 마음에 두면 부부 사이도 나빠질 것이요, 또한 천자께서 정하신 일이 잘못되면 너 또한 해로울 것이니 부디 조심하여라."

보국이 오히려 얼굴색이 변하여 말하였다.

"부친께서는 부당한 말씀을 하십니다. 세상에 어느 대장부가 계집에게 괄시를 당하며 살겠습니까?"

보국이 이후로는 계월의 방에 들지 아니하였다. 계월이 생각하되, '보국이 영춘의 일로 오지 않으니, 누가 보국을 남자라 하리오.' 이러면서 남자가 되지 못하였음을 분하게 여겨 눈물로 세월을 보내었다.

각설, 이때에 황성의 남쪽 관문을 지키는 남관장이 급한 장계를 올렸다. 천자가 열어 보니, 내용은 이러하였다.

> 오 왕과 초 왕이 나라를 배반하여 지금 장안을 침범하고자 하옵니다. 오 왕은 구덕지를 얻어 대원수로 삼았고, 초 왕은 장맹길을 얻어 선봉으로 삼아 장수 1,000여 명과 군사 10만을 거느리고 벌써 남쪽의 성 10여 개를 무너뜨렸습니다. 형주 자사 이완태를 베고 쳐들어오고 있으나 소장의 힘으로는 막을 길이 없어서 감히 요청하오니, 황상은 어진 장수를 보내어 막으소서.

천자가 보고 깜짝 놀라서 조정의 모든 신하를 불러 의논하였다.

우승상(右丞相)[13] 정연태가 나서서 말하였다.

"이 도적을 막을 자는 좌승상 평국밖에 없사오니, 어서 평국을 부르소서."

천자가 이 말을 듣고 한참을 고민하다가 겨우 입을 열었다.

"평국이 전에는 당당한 남자로 벼슬에 있어서 함께 나라의 일을 의논하였지만, 지금은 규중의 여자로 있으니 어찌 불러서 전쟁터에 보내리오."

이에 여러 신하가 아뢰었다.

"평국이 지금 규중에 있지만 원수로서 이름이 세상에 드높고, 또한 여전히 벼슬을 맡고 있사오니 어찌 장수로 전쟁터에 보내는 것을 꺼려하시나이까?"

천자가 이 말을 듣고 마지못하여 평국을 부르게 하였다.

이때 평국은 규중에 홀로 있으면서 매일같이 시비 한 명과 장기나 바둑을 두면서 세월을 보내고 있었다. 어느 날 황궁에서 관리가 나와 천자가 급히 부른다는 말을 전하니 평국이 놀라 급히 여복을 벗고 관복으로 갈아입었다. 평국이 관리를 따라 궁에 들어와 천자 앞에 엎드리니 천자가 기뻐 말하였다.

"경이 규중에 있어서 오랫동안 보지 못하여 내가 밤낮으로 그리워했는데, 이제 다시 보니 기쁘기 한량없도다. 짐이 덕이 없어서 지금 오 왕과 초 왕이 나라를 배신하여 여러 성을 함락하고 황성을 침범하고자 하니, 경은 어서 빨리 출전하여 나라를 평안하게 하라."

평국이 고개를 숙이고 엎드려 말하였다.

"신첩이 외람되게도 폐하를 속이고 높은 벼슬을 받아 영화롭게 지냄이 황공하였는데, 이제 죄를 용서하시고 이처럼 아껴 주시니 신첩이 비록 어리석고 모자라지만 힘을 다하여 폐하의 성은을 만분의 일이라도 갚고자 하오니 근심치 마옵소서!"

---

13 우승상 의정부에 속한 정1품 벼슬로, 우리나라의 우의정에 해당한다.

차설, 천자가 기뻐하며 즉시 대군을 마련하여 평국에게 주었다. 평국이 군대를 접수하자 진지를 구축한 뒤, 친히 붓을 들어 보국에게 명령을 내리었다.

지금 적군이 몰려오니 중군장은 바삐 대령하여 군령을 어기지 말라.

보국이 전령(傳令)을 받아 들고 분함을 이기지 못하여 부모에게 달려갔다.

"계월이 또 소자를 중군장으로 부리려고 하오니 세상에 이런 일이 또 어디 있습니까?"

여공이 위로하였다.

"그러게 내가 전에 뭐라고 하더냐. 계월을 괄시하다가 이런 일을 당하였으니 누구를 탓하겠느냐? 나라의 일이 급하니 어쩔 도리가 없다."

여공이 보국에게 어서 출전하라고 재촉하니 보국이 하릴없이 갑옷을 갖추어 입고 서둘러 군대에 합류하였다. 원수가 모든 장수를 모아 놓고 말하였다.

"이제 적군을 맞아 큰 전투를 벌이게 되었다. 만일 명령을 거역하는 자가 있으면 군법으로 다스리리라."

중군장이 이 말을 듣고 두렵고 놀라 처소로 돌아와 명령이 나기만 기다렸다. 원수가 여러 장수들에게 각각 임무를 정하여 주고, 9월 열 이틀에 행군하여 11월 초하루에 남관에 당도하였다. 사흘을 머물다가 다시 떠나 닷새 만에 천축산(天竺山)[14]을 지나 한 곳에 이르니, 적군이 너른 광야에 진을 쳤는데 굳고 단단함이 철통과 같았다. 원수가 적진을 향하여 진을 치고 호령하였다.

"이제 전투를 앞에 두었으니 명령을 어기는 자는 엄히 다스리겠다!"

호령이 서릿발과 같으니 여러 장수와 군졸들이 두려워하여 어쩔 줄을 몰라

---

14 천축산 중국 간쑤성에 있는 산.

하고, 보국 또한 조심하였다.

이튿날 원수가 중군장에게 오늘은 직접 나가 싸우라고 분부하였다. 중군장이 명을 받들어 말에 올라 장검을 들고 적진을 마주하여 외쳤다.

"나는 명나라 중군장 보국이다. 대원수의 명을 받아 너희의 머리를 베려 하니 바삐 나와 나의 칼을 받아라!"

적장 운평이 이 소리를 듣고 대로하여 말을 몰아 달려들자, 보국도 망설임 없이 장검을 들고 맞아 싸웠다. 수합이 못 되어서 보국이 칼을 날려 운평의 칼 든 팔을 베니 운평이 말에서 떨어졌다. 보국이 달려들어 운평의 머리를 베어 들고 본진으로 돌아가려 하는데, 적장 구덕지가 이 광경을 보고 분한 마음에 장검을 높이 들고 말을 몰아 달려들었다. 또한 난데없이 적병들이 사방에서 우르르 쏟아지니 보국이 당황하여 피하고자 했으나, 벌써 수많은 적병들이 고함을 지르며 보국을 1,000여 겹으로 에워싸고 말았다. 짓쳐 오는 병사들을 보며 보국이 하늘에 탄식할 때에 원수가 사태가 다급함을 알고 급히 말을 몰아 적진으로 뛰어들었다. 원수가 장검을 날리며 적진을 휘젓고 다니니 동에 번쩍하면 서쪽 장수를 베고, 남에 번쩍하면 북쪽 장수를 베었다. 적병들이 놀라고 당황하여 어찌할 줄 모르는 사이에 원수가 벌써 적장 50여 명을 베고 보국을 구하여 본진으로 돌아갔다.

장대 앞에 도착하여 원수가 말에서 내리자, 보국이 부끄러워서 원수 보기를 민망해하였다. 그러자 원수가 보국을 조롱하여 말하였다.

"저러하고도 평소에 남자라고 나를 업신여기더니 이제부터는 어이하리오?"

원수가 말을 마치더니 장대에 앉아 구덕지의 머리를 함에 담아 황성으로 보내었다.

이때에 오 왕과 초 왕이 구덕지가 죽는 것을 본 뒤 크게 실망하여 서로 말하였다.

"평국의 용맹함을 보니 옛날 조자룡(趙子龍)[15]이라도 당해 내지 못할 지경이

---

15 조자룡 《삼국지연의》에 등장하는 용맹한 장수. 유비를 도와 촉을 세웠다.

니 어찌 그를 대적하리오? 더구나 우리 장수 구덕지가 죽었으니 이제 누구와 함께 큰일을 도모하리오? 진실로 우리 두 나라가 평국의 손에 망하리로다."

오 왕과 초 왕이 사태가 심상치 않음을 깨닫고 눈물을 흘리니, 곁에 있던 장수 맹길이 말하였다.

"대왕께서는 염려치 마옵소서. 소장에게 한 가지 묘한 계책이 있으니, 평국이 아무리 영웅이라 해도 이 계교는 절대 빠져나갈 수 없을 것입니다."

초 왕이 이 말을 듣고 기뻐 물었다.

"경에게 어떤 계교가 있는지 듣고자 하노라."

"평국이 모르게 군사를 거느리고 양자강(揚子江)을 건너가서 바로 황성을 기습하면, 천자가 분명 황성을 버리고 항서를 올릴 것입니다. 천자가 항복하면 제아무리 평국이라 해도 도리가 없을 것이니 이보다 좋은 계책이 어디 있겠습니까?"

오 왕과 초 왕이 모두 옳다고 여기니, 맹길이 즉시 부하 관평을 불러 명령하였다.

"그대는 나를 대신하여 본진을 지키라. 평국이 아무리 싸우고자 하여도 나서지 말고 내가 돌아오기를 기다리라."

이날 밤 자정에 맹길이 장수 100여 명과 군사 1,000명을 거느리고 몰래 황성으로 갔다.

이때에 천자는 원수가 보낸 구덕지의 머리를 받아 보고 크게 기뻐하사 뭇 신하들을 모아 놓고 평국 부부를 칭찬하며 태평하게 지내고 있었다. 하루는 오나라와 초나라 쪽을 지키는 장수가 장계를 올렸으니, 그 내용은 이러하였다.

　　양자강 백사장 위로 느닷없이 천병만마가 들이닥치더니 황성을 향하여 맹렬히 달려가고 있나이다!

천자가 장계를 보고 놀라 모든 신하를 불러 의논하고자 하였다. 그러나 벌써 맹길의 군대가 황성의 동쪽 문을 깨부수고 장안으로 짓쳐들어왔다. 백성들을 무수히 살해하고 대궐에 불을 지르니 그 불빛이 하늘에 닿았다. 장안의 모든 백성이 혼란스럽게 도망하니 물이 끓어오르는 것만 같았다.

천자가 크게 놀라고 두려워서 용상을 두드리다가 그만 기절하니 우승상 정연태가 천자를 등에 업고 북문으로 도망하고자 하였다. 천자를 모시는 신하 200여 명이 정연태를 따라 북문을 나와 천태령을 넘어가는데, 적장 맹길이 뒤쫓아오며 고함을 질렀다.

"명나라 황제는 도망치지 말고 항복하라!"

맹길의 칼날이 번뜩이는 것을 보자 신하들이 혼비백산하여 달아났다. 그러나 곧 큰 강이 가로질러 흘러서 길이 막혔다. 오도 가도 못하게 되자 천자가 하늘을 우러러 탄식하였다.

"아아, 이제는 죽으리로다. 앞에는 큰 강이오, 뒤에는 적병이 급하니 이 일을 어찌하리오?"

천자가 슬픔을 이기지 못하여 스스로 죽고자 했으나 맹길이 벌써 들이닥쳐서 창으로 천자를 겨누었다.

"죽기가 아깝거든 항서를 바삐 올리라!"

맹길의 말에 천자 곁을 지키던 신하가 애걸하였다.

"종이와 붓이 없으니 성안에 들어가서 항서를 써 올리겠습니다. 부디 장군은 우리 천자를 해치지 마소서."

이 말에 맹길이 눈을 부릅뜨고 꾸짖었다.

"네 왕이 목숨을 아끼거든 손가락을 깨물고 옷자락을 찢어 항서를 올리라!"

천자가 맹길의 호통에 놀라 입고 있던 곤룡포(衮龍袍)의 소매를 찢더니 하늘을 우러러 대성통곡하였다.

"아아, 수백 년을 지켜 오던 나라가 내게 와서 망할 줄을 어찌 알았으리오!"

마침내 천자가 손가락을 입에 물어 깨물고자 하니, 하늘의 해가 빛을 잃고 땅의 풀과 나무 들은 푸르름을 잃었다.

이때에 원수는 진중에서 적진을 깨뜨릴 묘책을 생각하고 있었다. 한참을 고민하다가 마음이 산란하여 잠시 밖으로 나와 밤하늘을 바라보니 천자의 별자리에 어두운 기운이 가득하고 근처의 별들이 모두 살기를 띠고 있었다. 원수가 깜짝 놀라 중군장을 불러 말하였다.

"별자리를 살펴보니 천자의 목숨이 매우 위태하도다. 내가 급히 말을 몰아 가려 하니, 너는 군대를 거느려 진문을 굳게 닫고 내가 돌아오기를 기다려라."

중군장이 놀라는 사이, 원수는 갑옷을 갖추어 입고 한 필의 말에 올랐다. 그러고는 한 손에 칼을 쥐고 밤새 황성을 향하여 달려 한참 만에 동녘이 밝아올 즈음해서 황성에 도착하였다. 쉬지 않고 먼 길을 오느라 원수의 몸은 땀으로 흥건하여 갑옷 속이 모두 젖었다.

원수가 성안에 들어가 보니 장안이 비었고 궁궐은 불에 타 겨우 그슬린 뼈대만 남아 있었다. 놀라고 슬퍼서 큰 소리로 울며 두루 돌아다녔으나 한 사람도 만날 수가 없었다. 천자가 간 곳을 알 수 없어서 어찌할 줄 몰라 하고 있는데, 문득 수챗구멍에서 한 노인이 나오다가 원수를 보고 급히 다시 들어가는 것이 보였다. 원수가 얼른 쫓아가며 외쳤다.

"나는 도적이 아니라 대원수 평국이니 놀라지 말고 나와서 천자의 거처를 알려 주시오!"

그 노인이 그제야 울면서 도로 기어 나오는데, 원수가 자세히 보니 기주후 여공이었다. 원수가 깜짝 놀라 급히 말에서 내려 땅에 엎드려 통곡하며 말하였다.

"시아버님은 무슨 까닭으로 이 수챗구멍에 몸을 감추고 있으며, 저의 부모와 시어머님은 어디로 피난하여 계십니까?"

여공이 원수의 옷을 붙들고 울며 말하였다.

"뜻밖에 도적이 들어와 대궐에 불을 지르고 마구 노략질을 해 대니 장안 사람들이 모두 도망하였다. 나도 다급하게 도망가려 하였으나 갈 길을 몰라 겨우 이

구멍에 들어가 난리를 피하였으니, 네 부모와 시어머니가 간 곳도 모르겠다."

원수가 여공의 손을 잡고 위로하였다.

"설마 다시 만날 날이 없사오리까? 황상은 어디로 가셨나이까?"

"여기에 숨어서 보니, 한 신하가 천자를 업고 북문으로 도망하여 천태령을 넘어갔으나 그 뒤로 도적들이 쫓아갔으니 반드시 위급하시리라."

"천자를 구하려 하오니 제가 돌아오기를 기다리소서."

원수가 놀라 말하더니 말에 올라 천태령으로 향하였다. 순식간에 천태령 꼭대기에 다다라 아래를 내려다보니 10리 사방에 적병들이 쫙 깔려서 온 평야를 뒤덮었고, 항복하라는 소리에 산천이 진동하고 있었다. 원수가 이 소리를 듣자 털이 쭈뼛쭈뼛 치솟아 저 멀리까지 크게 고함을 질렀다.

"적장은 들으라! 우리 황상을 해치지 말라! 대원수 평국이 여기 왔노라!"

천태령 꼭대기에서 갑자기 날카롭고도 분노에 찬 소리가 메아리쳤다. 평야에서 천자를 희롱하던 맹길이 이 소리를 듣고 놀라서 천태령을 올려다보았다. 웬 장수 하나가 벌써 말을 채찍질하여 산 중턱을 넘어 날 듯이 내려오고 있었다. 그 장수의 칼날이 번쩍거리는 것을 보자 맹길은 덜컥 겁이 나서 도망하려고 말 머리를 돌렸다. 그러자 다시 가까이에서 고함 소리가 터져 나왔다.

"네가 가면 어디로 가느냐? 도망치지 말고 내 칼을 받아라!"

말이 끝나기 무섭게 원수가 탄 말이 붉은 입을 벌려 순식간에 맹길의 말 꼬리를 물고 늘어졌다. 맹길이 다급하여 몸을 돌려 긴 창을 높이 들어 원수를 찌르려 하자, 원수가 성을 내어 칼을 휘두르니 맹길의 두 팔이 잘려 땅에 떨어졌다. 맹길을 즉시 사로잡고 또한 좌우로 짓쳐 가며 적진의 장수와 군졸 들을 모조리 베고 다니니 무수한 장졸들이 죽었다.

이때 천자는 여러 신하와 더불어 넋을 잃고 앉아 어찌할 줄 모른 채 손가락을 깨물어 막 항서를 쓰려던 참이었다. 원수가 적진 사이에서 이를 발견하고 나는 듯이 달려왔다. 그러고는 말에서 내려 땅에 엎드려 통곡하며 여쭈었다.

"폐하는 옥체를 상하게 하지 마소서. 평국이 왔나이다."

천자가 정신이 혼미한 중에도 평국이란 말을 듣자 불현듯 반갑고도 슬픈 마음이 들어 평국의 손을 잡고 눈물을 흘렸다. 무어라 말을 하고 싶은 듯했지만 아무 말을 못 하니, 원수가 황상의 옥체를 보호하였다. 이윽고 천자가 정신을 진정하고 원수를 다시 돌아보며 감격에 겨워 말하였다.

"짐이 이 들판에서 허망하게 쓰러져 죽게 된 것을 원수의 덕으로 살아 나라를 다시 잇게 되었으니, 이 은혜를 무엇으로 다 갚으리오? 강산을 반으로 나누어도 부족하리로다."

그러더니 천자가 다시 의아해하며 물었다.

"원수는 만 리 변방(萬里邊方)[16]에서 어찌 알고 와서 나를 구하느뇨?"

원수가 고개를 숙이고 아뢰었다.

"하늘의 별자리를 보고 황상의 위태하심을 알게 되었습니다. 사태가 시급할 듯하여 중군장에게 군사를 부탁하고 밤낮으로 말을 달려 황성에 도착하였더니, 이미 장안이 비었고 폐하의 거처도 알 수 없었습니다. 그래서 여기저기 헤매던 차에 우연히 시아버지 여공이 수챗구멍에서 나오는 것을 보고 폐하의 가신 곳을 물어 급히 이곳으로 오게 되었습니다. 적장 맹길을 사로잡고 이제 폐하의 옥체 또한 보존하게 되었으니 어찌 다행이 아니겠습니까?"

말을 마치자 원수는 인사를 올리고 남은 적진 장졸들을 낱낱이 결박하였다. 사로잡은 군졸들을 앞에 세우고 황성으로 가는 길에, 원수의 말은 천자가 타고, 맹길의 말은 원수가 탔다. 행군을 독려하는 북을 맹길의 등에 지우고 팔을 높이 들어 울리니, 뒤따르는 병사들은 만세를 부르며 위풍당당하게 황성으로 향하였다.

이때 천자가 말 위에서 용포를 휘날리고 춤을 추며 즐거워하니, 뭇 신하들과 원수도 일제히 팔을 들어 춤을 추고 만세를 부르며 천태령을 넘었다. 그러나 장

---

16 **만 리 변방** 황성에서부터 만 리나 떨어진 변경.

안에 도착하여 보니 황성 안이 적막하고 대궐은 불에 타 터만 남아 있었다.

"짐이 덕이 없어 죄 없는 백성들과 황후와 태자가 난리 통에 외로운 혼백이 되고 말았으니, 무슨 면목으로 다시 천자의 자리에 올라 천하를 차지하리오!"

천자가 좌우를 돌아보며 통곡하니, 원수가 여쭈었다.

"폐하는 너무 염려치 마옵소서. 하늘이 황상을 내실 때에 저 무도한 도적도 함께 내어 우선 고난을 당하게 하셨지만, 또한 소신을 보내어 그 역경을 이기게 하셨으니 이 모든 것이 다 하늘이 정하신 바입니다. 어찌 하늘이 정한 운수를 탓하오리까? 슬픔을 참으시고 어서 황후와 태자의 거취를 탐지하소서."

천자가 비통한 목소리로 말하였다.

"대궐이 빈터만 남았으니 어디로 가서 내 몸을 눕힐꼬."

이때에 여공이 수챗구멍에서 나와 천자 앞에 엎드려 통곡하였다.

"소신이 살기만 도모하고 폐하를 모시지 못하였으니 소신을 속히 죽여 뒷사람들에게 징계로 삼으소서."

천자가 쓸쓸하게 답하였다.

"짐이 경 때문에 변을 당함이 아닌데 어찌 경의 죄라 하리오. 다시는 그런 말은 하지 말라."

여공이 또 아뢰었다.

"폐하께서 아직 안정을 취하실 궁궐이 없사오니 우선 종남산 밑에 있는 원수의 집으로 자리를 옮기심이 좋을까 하나이다."

천자가 그 말을 듣고 종남산 아래로 와서 보니 외로운 집만 덩그러니 남아 있었다. 원수가 아랫사람들에게 명하여 전각 한 채를 깨끗이 치우고 천자를 모시게 하였다.

이튿날 날이 밝자 원수가 와서 아뢰었다.

"이제 도적을 베겠으니 폐하는 굽어살펴 주소서."

원수가 높은 장대를 세우고 거기에 천자의 자리를 마련하였다. 그러고는 그 밑에 따로 원수의 자리를 두어 앉더니 무사에게 호령하였다.

"도적들을 차례로 앉히라!"

무사들이 도적들을 끌고 나와 장대 아래에 무릎을 꿇렸다. 원수가 차례로 죄를 물은 뒤, 무사들에게 베라 하였다. 그러더니 한 도적을 가리키며 천자에게 아뢰었다.

"저 도적은 소신의 원수이옵니다. 죄목을 낱낱이 적어 올리오니 살펴 주옵소서."

말을 마치고 원수가 자리에 앉자 무사들이 맹길을 결박하여 가까이 데려와 꿇어앉혔다. 원수가 큰 소리로 물었다.

"네가 초나라 땅에 산다고 하니, 그 지명을 자세히 말하라."

맹길이 말하였다.

"원래는 소상강 근처에서 살았나이다."

"네가 수적이 되어 강으로 돌아다니며 장사하는 배들을 탈취하였느냐?"

"과연 흉년을 당하였을 적에 배고픔을 견디지 못하여 무리를 끌고 다니며 사람을 살해하고 재물을 빼앗아 먹었나이다."

원수가 또 물었다.

"그렇다면 아무 년에 엄자릉의 조대에서 홍 시랑 부인을 비단으로 동여매고 그 품에 안겨 있던 어린아이를 산 채로 강물에 넣은 일이 있느냐? 바른대로 말하여라."

맹길이 그 말을 듣고 땅에 엎어지며 울먹였다.

"이제는 죽게 되었으니 어찌 장군을 속이리까. 과연 그러한 일이 있었나이다."

원수는 노기가 얼굴에 번져 눈썹이 떨리고 볼이 붉어지더니 큰 소리로 말하였다.

"나는 다른 사람이 아니라 그때에 네가 자리에 싸서 강물에 던진 계월이다."

맹길이 이 말을 듣고 더욱 정신이 아득하여 어찌할 줄 몰라 하니, 원수가 벌떡 일어나 직접 맹길에게 가 맹길의 상투를 잡고 외쳤다.

"자, 이제 내가 누구인지 똑똑히 보거라. 내 너를 죽여 원수를 갚겠노라."

원수가 맹길의 머리를 팽개치자 무사들이 데리고 나가 베었다. 원수가 이를 보고 천자에게 아뢰었다.

"폐하의 넓으신 덕택으로 평생 마음속에 간직하였던 소원을 다 풀었사오니 이제 죽어도 한이 없나이다."

천자가 원수의 사연을 듣고 위로하였다.

"이는 다 경의 충성심과 효심에 하늘이 감동하심이라."

도적들을 처단하고 천자가 보국의 소식을 알지 못하여 걱정하니 원수가 아뢰었다.

"신이 보국을 데려오겠사옵니다."

원수가 바로 떠나려 하는 즈음에 중군장이 올린 장계가 도착하였다. 천자가 즉시 열어 보니 이렇게 쓰여 있었다.

대명국 대사마 대장군 중군장인 보국은 황상께 백번 절하옵고 아뢰나이다. 원수 평국이 황상을 구하러 간 뒤 소신이 무거운 책임을 홀로 맡았으나 도적을 물리칠 방법이 없었는데, 하늘이 도우사 한 번 크게 북을 울리며 진격하여 초나라와 오나라의 항복을 받았나이다.

*

천자가 읽기를 마치매 원수를 돌아보고 말하였다.

"이제 보국이 오나라와 초나라 두 왕을 사로잡았다 하니 나라에 큰 복이 아닐 수 없도다. 이런 기별을 듣고 짐이 어찌 앉아서 맞으리오."

천자가 뭇 신하들을 거느리고 직접 보국을 맞으러 나갈 때, 평국으로 선봉을 삼고 천자는 스스로 중군장이 되어 좌우에 장수들을 둘러 세우고 보국의 진을 향하였으니, 선봉장 평국이 갑옷을 갖추어 입고 백마를 타고 손에 깃발을 쥐고 맨 앞에 서서 나아갔다.

이때에 보국이 초나라와 오나라의 두 왕을 잡아 앞세우고 승전고를 울리며 황성으로 향하였다. 여러 날 만에 황성에서 30리쯤 되는 곳에 다다라 앞을 보니, 한 장수가 오고 있었다. 보국이 살펴보니 깃발과 칼 빛은 원수의 것이지만 말은 평소 원수가 타던 말이 아니라 백마였다. 보국이 의심하여 말하였다.

"전군은 진을 치라!"

백마가 점점 달려오매 보국이 생각하였다.

'이는 분명 적장 맹길이 숨겨 둔 복병이로다. 우리 원수의 모습을 흉내 내어 나를 속여 유인함이로다.'

보국이 의심이 깊어지며 어찌할 줄 모르거늘 이때에 천자가 이 거동을 보고 원수 평국을 불렀다.

"짐이 보국을 보니, 원수를 보고 적장으로 여겨 의심하는 것 같도다. 원수는 거짓으로 적장인 체하고 중군장을 속여 짐으로 하여금 구경케 하라."

원수가 웃으며 아뢰었다.

"폐하께서 말씀하심이 소신의 뜻과 같사옵니다. 이제 하교를 받들어 행하겠습니다."

원수가 갑옷 위에 검은 군복을 껴입고 백사장에 나서며 깃발을 높이 들고 말을 채찍질하여 보국의 진으로 달려갔다. 이에 보국은 정말로 적장인 줄 알고 갑옷을 단단히 여미고 말 위에 올라 달려들었다. 평국이 곽 도사에게 배운 도술을 부리니 갑자기 큰 바람이 일어나고 검은 구름과 안개가 자욱하여 지척을 분간할 수 없게 되었다. 보국이 놀라고 겁을 내어 어찌할 줄 몰라 하는 사이에 평국이 소리를 높게 지르며 달려들어 보국의 창을 빼앗아 내던지고 보국의 멱살을 잡아 공중으로 치켜들었다. 그러고는 보국이 숨이 막혀 버둥거리는 것도 아랑곳하지 않고 말을 채찍질하여 천자 있는 곳으로 달려가니, 보국이 몸을 뒤틀어 겨우 한 차례 숨을 크게 쉬고 외쳤다.

"평국은 어디 가서 보국이 죽는 줄 모르는고?"

보국이 울며 외치는 소리가 처량하게 퍼지자 진지에 있던 군사들이 모두 술렁거리고 천지가 떠들썩해졌다. 원수가 이 말을 듣고 보국을 땅에 내려놓고는 웃으며 말하였다.

"네가 어찌 평국에게 달려오며 평국을 부르느냐?"

평국이 손뼉을 치며 크게 웃으니 보국이 그제야 고개를 들어 보니 과연 평국이었다. 보국이 평국을 보니 슬픈 마음은 간데없고 도리어 부끄러움을 걷잡을 수 없었다.

천자가 이 광경을 보고 크게 웃으며 보국의 손을 잡아 이끌었다.

"중군장은 오늘 원수에게 욕봄을 조금도 마음에 두지 말라. 이는 원수가 제 스스로 한 것이 아니라 짐이 경 등의 재주를 보려고 시킨 것이다. 지금은 원수가 전쟁터에서 그대를 부끄럽게 했지만, 난리가 끝나 황성에 돌아가면 예로써 그대를 섬길 것이니 부부의 도리를 상하지 말라."

이렇게 중군장을 위로하니 그제야 보국이 웃으며 땅에 엎드려 아뢰었다.

"폐하의 하교가 지당하옵니다."

평국과 보국이 천자를 모시고 황성으로 환궁할 때, 오초 두 나라 왕의 등에 북을 지우고 무사로 하여금 북을 울리게 하였다. 군대가 너른 평야를 가로지를 적에는 북소리가 묵직하게 들판에 덮이었다.

일행은 마침내 황성에 다다랐다. 천자가 원수의 집으로 거처를 정하여 자리를 마련한 뒤, 무사에게 명하여 오초 두 나라의 왕을 결박하여 계단 아래에 무릎을 꿇린 뒤 꾸짖었다.

"네 무엇이 부족하여 태평성대에 나라를 배반할 마음을 품고 임금을 속여 세상을 요란케 하고, 황성을 침범하여 백성을 두렵게 하며 재물을 노략질하였더냐? 이제 하늘이 무심치 아니하여 너희를 잡아 왔으니 종묘사직에 다행이라, 너희를 다 죽여 국법을 바르게 하고 나라를 평안히 할 것이니 너희는 원한을 품지 말고 마땅히 죽음을 받아들여라."

천자는 즉시 무사에게 성문 밖에 내어 참하라고 명하였다. 또한 황후와 태자가 화재를 당하여 죽은 줄로 알고 그들을 위해 제사를 치르게 하였다. 천자가 제문을 지어 직접 읽으니 모든 신하가 일시에 통곡하였다. 원수가 겨우 옥체를 보호하여 간신히 진정케 하였다. 또한 천자는 군사들을 쉬게 하고 여러 장수들에게는 공에 맞게 차례로 상을 주었다. 조서를 내려 조정에 새로 품계를 둘 적에, 보국을 좌승상에, 평국을 대사마 대장군 위왕(大司馬大將軍衛王)[17]에 봉하고는 못내 기뻐하였다. 이에 평국이 여쭈었다.

"제가 무엄하게도 폐하의 넓으신 은혜를 입어 벼슬은 승상의 자리에 올랐고 또한 천하를 평정하였습니다. 나라가 다시 안정을 찾은 것은 모두 폐하의 복이옵거늘 어찌 첩의 공이라 하십니까? 하물며 저는 팔자가 사나워 친부모와 시어머니를 잃었으니, 이제는 벼슬에서 물러나 여자의 도리를 지키며 살고자 하옵니다."

말을 마친 평국이 그동안 지휘하던 군대의 목록과 대원수의 도장, 명령을 내리던 깃발을 바치며 울었다. 천자가 슬픔을 이기지 못하여 위로하였다.

"이는 모두 짐이 박복한 탓이니 오히려 경을 보기가 부끄럽도다. 그러나 위국공 부부와 공렬 부인이 난리를 당하여 어느 곳으로 피난하였는지 소식이 있을 것이니 경은 안심하라."

천자가 다시 생각하다가 말하였다.

"경이 규중에 머물기를 원하여 군대의 목록과 대원수의 도장을 다 바치니, 다시는 경을 보지 못하겠구려. 여자로 살겠다는 경의 형편을 내 충분히 알고 있지만, 임금과 신하의 의리를 잃지 말고 한 달에 한 번씩 조회에 참석하여 짐의 울적한 마음을 덜게 하라."

천자가 신하에게 명하여 군대의 목록과 대원수의 도장을 다시 내려 주었다.

---

17 대사마 대장군 위왕 대사마 대장군은 군대를 통솔하는 장군의 벼슬로, 위왕은 작위이다.

"이 목록과 도장은 하늘이 경에게 맡긴 것이니 어찌 내가 도로 받을 수 있겠는가? 안심하고 받으라."

평국이 천자의 말을 듣자 어찌할 바를 몰라 머리를 조아려 절하고 목록과 도장을 받았다. 평국이 보국과 함께 궁을 나서 집으로 돌아오니 그 위엄을 누가 두려워하지 않으리오.

평국이 집에 돌아오자 곧 여자의 옷으로 갈아입고 그 위에 또 조복을 입고 여공을 뵈었다. 평국이 방에 들어오는 것을 보고 여공이 기뻐서 일어나 자리에 앉으니, 원수가 마음에 못내 미안하였다. 평국이 여공에게 위국공 부부와 공렬 부인이 난리를 당하여 사라진 것을 아뢰었다.

평국은 부모와 시어머니가 분명 오랑캐의 손에 죽었으리라 생각하여 제사상을 차리고 조정의 신하들을 모두 청하였다. 그러고는 제문을 지어 승상 보국과 더불어 머리를 풀고 부모와 시어머니의 이름을 부르며 슬피 우니, 곁에 있던 사람들이 차마 보지 못하였다. 해가 져서 사람들이 제각각 집으로 돌아가자 그 뒤부터는 평국이 예로써 여공을 섬기니 여공이 한편으로는 기쁘고 한편으로는 두려워하였다.

각설, 이때 위국공은 식솔들을 이끌고 피난을 가 있었다. 부인과 사돈인 공렬 부인, 그리고 춘낭과 양윤을 데리고 동쪽을 향하여 가다가 한 물가에 이르렀다. 마침 그곳에서는 여러 시녀가 황후와 태자를 모시고 강가에 앉아 건너지 못하고 서로 붙들고 통곡하고 있었다. 위공이 이 모습을 보고 급히 달려와 땅에 엎드렸다. 황후와 태자가 이에 못내 기뻐하며 눈물을 흘리니 위공이 위로하였다.

"이번 변란은 어찌할 수가 없었으나 천자께서 성덕이 넓으시니 어찌 하늘이 무심하겠습니까. 엎드려 바라옵건대 황후 전하께서는 옥체를 보호하옵소서."

위공이 사방을 둘러보니 앞으로는 강이 흐르고 옆으로는 큰 태산이 있어서 하늘에 닿을 듯하였다. 많은 사람들을 이끌고 강을 건널 수는 없어서 산으로 이어진 좁은 길에 들어섰다. 얼마 못 가서 수많은 봉우리와 골짜기가 눈앞에 펼쳐

졌는데, 커다란 봉황과 공작이 사방으로 날아다니고 푸른 소나무와 대나무가 울울창창하여 지척을 살피기 어려웠다. 그래도 씩씩하게 발걸음을 돋우며 앞으로 들어가니 솔숲 울창한 사이에 한 초당(草堂)이 보였다. 위공이 속으로 다행이라 생각하며 집 밖에 서서 주인을 청하였다.

한 도사가 집에 앉아 있다가 위공이 부르는 것을 보고 급히 내려와 위공의 소매를 잡고 물었다.

"무슨 일로 이 깊은 산중에 들어오셨습니까?"

위공이 인사하고 탄식하여 말하였다.

"나라의 운세가 불행하여 뜻밖에 난리를 만나게 되니 황후와 태자를 모시고 피난하다가 이곳에 왔나이다."

도사가 놀라서 다시 물었다.

"어데 계십니까?"

"황후와 부인들은 밖에 계십니다."

"그럼 황후와 부인들은 안으로 모시고 위공과 태자는 초당으로 가시지요. 여기서 잠시 머무시다가 나중에 시절이 평온해지면 그때에 황성으로 가시는 게 어떻겠습니까?"

위공이 인사하고 집 밖으로 나와 사람들을 차례로 모시었다. 그리고 그렇게 피난 생활이 이어졌다. 깊은 산속이라 찾아오는 이도 없고 위험할 것도 없었다. 그러나 밤낮으로 황성 소식을 알 길이 없어 사람들은 서러워하였다.

하루는 도사가 산 위에 올라 하늘의 기운을 살펴보더니 쓸쓸한 표정으로 내려왔다. 도사는 위공을 보더니 말하였다.

"제가 오늘 하늘의 기운을 살피오니, 이제는 평국과 보국이 도적을 소멸하고 황성에 돌아와 여공을 섬기며 상공과 부인의 위패(位牌)를 모시고 밤낮으로 통곡하며 지내고 있습니다. 황상께서도 황후와 태자의 안부를 알지 못하여 눈물로 지내고 계시니 상공은 이제 그만 돌아가소서."

위공이 놀라서 물었다.

"제가 평국의 아비 되는 줄은 어찌 아십니까?"

"자연히 알 만하여 알고 있습니다."

도사가 위공에게 길을 재촉하며 편지 한 장을 평국에게 전하여 달라고 부탁하였다. 위공이 편지를 소매에 넣으며 도사에게 사례하였다.

"그대의 덕택으로 죽을 목숨을 구하여 무사히 돌아가니 은혜가 잊기 어렵거니와, 이 땅의 지명은 무엇이라 하옵니까?"

"이 땅의 지명은 익주이옵고, 산의 이름은 천명산이라 하옵니다. 저는 정처 없이 다니는 사람이라 산수를 구경하러 다니다가 황후와 상공을 구하려고 이 산중에 왔습니다. 이제는 저도 이곳을 떠나 촉나라의 명산으로 들어가려 하오니, 이후로는 다시 뵈올 길이 없을 것입니다. 만나고 헤어짐에 아쉬움이 없을 수 없사오나 사정이 절박하오니 부디 조심하여 평안히 행차하옵소서."

도사가 길을 재촉하니 위공이 도사에게 인사하고 헤어졌다.

위공이 황후와 태자와 부인들을 모시고 절벽 사이로 난 좁은 길을 따라 산을 내려오니, 전에 보았던 강이 있었다. 강가의 백사장을 걷자니 옛일이 생각나 위공은 눈물을 흘렸다. 일행이 다시 며칠을 더 걸으며 너른 들판을 건너고 고개를 넘어 오경루라는 곳에 도착하였다. 그리고 이튿날 다시 길을 나서 파주 성문 밖에 다다르니 수문장이 문을 굳게 닫고 군사로 하여금 묻게 하였다.

"너는 누구길래 행색이 그렇게 초라한가? 바른대로 일러 너의 정체를 숨기지 말라!"

성 아래에서 시녀와 위공이 크게 소리 질러 답하였다.

"우리는 변란에 황후와 태자를 모시고 피난하였다가 지금 황성으로 돌아가는 길이니, 너희는 의심치 말고 성문을 바삐 열라!"

군사가 이 말을 듣고 급히 관장에게 아뢰니, 관장이 이 말을 듣고 놀라 급히 나와 성문을 열고 땅에 엎드렸다.

"진실로 저희가 뉘신지 모르옵고 성문을 더디 열었으니 마땅히 벌을 받기를 원하나이다."

태자와 위공이 관장을 위로하였다.

"그대들은 마땅한 도리로 일하였을 뿐이니 안심하고 염려치 말라."

태자와 위공이 성안으로 들어갈 때에 수문장은 황후와 태자가 왔음을 알리는 편지를 천자에게 올렸다.

이때에 천자는 황후와 태자가 변란에 죽은 줄 알고 궐내에 위패를 모시고 날마다 제사를 지내고 있었는데, 하루는 남쪽의 관문을 지키는 장수로부터 편지가 올라왔다. 천자가 열어 보니 이와 같이 적혀 있었다.

위국공 홍무가 황후와 태자를 모시고 남관에 머무르고 있습니다.

천자가 읽기를 마치매 매우 기쁘면서도 슬픔이 다시금 밀려왔다. 곧바로 계월에게 알리니, 계월이 천자의 연락을 받고 기쁜 나머지 바로 조복을 입고 궐로 들어왔다. 계월이 천자에게 축하의 말씀을 아뢰고 나오려 하는데, 천자가 말하였다.

"경은 하늘이 짐을 위하여 내린 사람이라. 이번에도 그대의 아비인 위공이 황후와 태자를 보호하여 목숨을 보전케 하였으니, 이 은혜를 무엇으로 갚으리오."

계월이 머리를 조아려 아뢰었다.

"이는 다 폐하의 넓으신 덕을 하늘이 살피신 것이니, 어찌 신의 아비에게 공이 있다 하겠습니까."

계월이 말을 마치고 바로 승상 보국에게 황후를 맞으러 가게 하였다. 천자가 모든 신하를 거느리고 요지원에서 기다리고, 계월은 대원수의 위의(威儀)를 갖추고 낙성관까지 영접하러 나갔다. 또한 승상의 위의를 갖추고 길을 나섰던 보국도 남관에 다다라 위공 부부와 모친을 보니 저절로 눈물이 났다. 위공 역시 승상의 손을 잡고 울며 말하였다.

"하마터면 너를 다시 보지 못할 뻔하였다."

이튿날 황후와 태자를 모시고 보국이 황성으로 출발할 때, 춘낭과 양윤과 다른 시녀들은 교자를 타고 길의 양쪽으로 늘어서고, 위공은 황금 안장을 올린 준마에 앉았다. 삼천 궁녀는 푸른 저고리에 붉은 치마를 입고 꽃을 새긴 촛대에 불을 밝혀 들고 황후와 태자가 탄 가마를 에워싸고 왔다. 좌우에서 풍악 소리를 울리고 승상은 맨 뒤에서 군사를 거느려 오니 그 찬란함을 어찌 다 헤아릴 수 있으리오.

떠난 지 3일 만에 낙성관에 다다르니 이때 계월이 낙성관에 미리 와 기다리고 있다가 황후 행차가 오는 것을 보고 급히 나가 영접하며 평안히 행차하심을 여쭈었다. 그리고 물러 나와 부모 앞에 엎드려 통곡하자 위공과 두 부인이 계월의 손을 함께 잡고 우니 기쁨과 슬픔이 모두 어리었다. 밤새도록 지난 일을 이야기하고 이튿날 날이 밝자 길을 떠났다.

청운관에 다다르니 천자가 뭇 신하들을 거느리고 자리를 갖추어 기다리고 있었다. 황후 일행이 천자에게 다가와 땅에 엎드리니 천자가 눈물을 흘리었다. 천자가 반갑고도 감격에 겨워 피난하였던 사연을 물으니 황후와 태자가 그간 고생하였던 사연을 낱낱이 말하고 위공을 만났던 일을 자세히 아뢰었다. 천자가 듣고 위공에게 치사하였다.

"경이 아니었다면 황후와 태자를 어찌 다시 보리오."

위공 부부가 천자의 말에 사례하고 물러 나왔다. 천자는 이날로 바로 환궁하여 큰 잔치를 열어 원수와 보국과 위공을 불러 모든 신하와 더불어 며칠을 즐기었다.

하루는 천자가 호부 상서(戶部尙書)[18]를 불러 하교하였다.

"궁궐을 전과 같이 건축하되, 좋은 날에 궐이 완성되도록 각별히 정성을 들여라."

호부에서 건축을 시작하여 하루하루 쉬지 않더니 불과 몇 달 만에 일을 마치

---

18 호부 상서 호부를 관리하는 으뜸 벼슬아치. 호부는 나라의 인구 수, 공물, 곡식 등을 담당하던 부서의 이름.

었다. 천자는 기이한 꽃과 향기 나는 난초들을 곳곳에 심고 층층마다 꽃밭을 두게 한 뒤, 황후와 함께 거닐며 즐기었다.

어느 날 위공이 계월과 보국을 불러 도사가 준 편지를 건네니 계월이 받았다. 편지 봉투를 열어 보니 선생의 필적이었다.

한 장의 편지를 평국과 보국에게 부치나니 슬프다, 명현동에서 함께 공부하던 옛 정이 백옥같이 굳고 소중하였는데 한 번 이별한 뒤로는 보지 못하였도다. 나는 깊은 산 적막한 곳에 있으면서 너희를 생각하면 눈물이 옷깃에 젖는구나. 이제 다시는 보지 못할 것이니 부디 위로는 천자를 섬겨 충성을 다하고 아래로는 부모를 섬겨 효성을 다하여라. 전쟁터를 누비며 적들을 물리치던 그 씩씩함과 용맹함은 이제 억제하여 예로써 낭군을 섬기어라. 어려서 부모를 잃고 마음에 쌓았던 한과 그리움일랑 그만 풀어 버리고 부디 건강히 지내기를 기원하노라.

평국과 보국은 편지를 읽으며 흐느꼈다. 그리고 스승의 은혜를 생각하며 하늘을 향하여 절하였다.

한편 천자는 위공과 여공을 궁궐로 불러들여 위공은 초 왕에, 여공은 오 왕에 봉하면서 많은 비단을 보내고 격려의 인사를 하였다.

"오나라와 초나라 두 나라가 임금을 잃고 정치가 없어진 지 오래되어 백성들의 삶이 고달프니 더 이상 두고 볼 수 없도다. 경들은 급히 가서 왕위에 올라 나라를 잘 다스리라."

오 왕과 초 왕이 천자의 은혜에 사례하고 물러나 오나라와 초나라로 길을 떠날 때, 계월과 보국이 각각 아비를 이별하여 슬퍼함은 이루 말할 수 없었다.

두 임금이 길을 나서 여러 날 만에 자기가 맡은 나라에 다다르니 문무백관이 모두 나와 예로써 맞이하였다. 두 왕이 즉위하여 나라의 이름을 고치고 정성을 다하여 백성을 보살피니, 온 백성이 임금을 칭송하였다.

이즈음에 승상 보국의 나이 45세로서, 3자 1녀를 두었으니 모두 아비와 어미를 닮아 충효를 갖추었다. 큰아들은 오나라의 태자로, 둘째 아들은 초나라 태자로 삼고, 셋째 아들은 높은 집안에 장가를 들게 하였다. 아들들은 모두 높은 지위에 올라 임금에게 충성하고 백성을 어질게 사랑하였다. 천자의 성덕이 세계에 진동하니 시절은 평화롭고 풍요로워서 백성들은 배불리 먹고 흥겨운 노래를 불렀다. 산에는 도적이 없고 길에 떨어진 물건조차 누구도 함부로 주워 가지 않았다. 계월의 자손이 대대로 높은 벼슬을 하며 만세에 이어졌으니 이렇게 아름답고 기이한 이야기가 세상에 어디 다시 있으리오. 여기 계월의 삶을 대강 기록하여 세상에 남기노라.

(연대 미상)

이정원 편역,《홍계월전》(휴머니스트, 2015)

옥루몽(玉樓夢)

남영로

남영로(1810~1857)

〈옥루몽〉의 작가에 대해서는 아직까지 논란의 여지가 있지만, 대체로 남영로일 것으로 여겨지고 있다. 남영로는 숙종 때 영의정을 지낸 남구만의 5대손으로 알려져 있으며, 그 가문이 문장과 서화에 능하여 남영로도 글과 그림에 뛰어났다고 한다. 젊은 시절에 몇 차례 과거에 응시했으나 떨어지고 그 후에는 과거를 폐하고 은거하며 청빈한 생활을 하였다고 한다. 〈옥련몽〉과 〈옥루몽〉은 이때에 지은 작품으로 알려져 있다.

천상(天上)의 이야기이다.

옥황상제가 사는 백옥경(白玉京)[1] 열두 누각(樓閣) 중에서 제일 크고 화려한 곳을 백옥루(白玉樓)라 하였다. 옥황상제는 백옥루를 수축(修築)하고[2] 낙성(落成)의 잔치를 크게 벌였다.

옥황상제는 번쩍번쩍 빛나는 유리잔에 유하주(流霞酒)[3]를 철철 넘도록 따라서 문창성군(文昌星君)에게 주면서 이날의 잔치를 축하하는 시 한 수를 읊으라고 분부하였다. 문창성군은 즉석에서 붓을 들어 시 3장을 지어 바쳤다. 그 셋째 장의 시구가 마침내 말썽을 일으켰다.

雲裡靑龍玉絡頭

平明騎出向丹邱

閒從碧戶窺人世

一點秋煙辨九州

구름 속 청룡이 머리 옥으로 얽어매어,

밝을 무렵 타고 나와서 단구(丹邱)[4]로 향하는구나.

한가히 푸른 문으로 인간 세상 엿보니,

---

1 백옥경 하늘나라의 옥황상제가 산다는 상상의 서울.
2 수축하다 집이나 다리, 방죽 따위의 헐어진 곳을 고쳐 짓거나 보수하다.
3 유하주 신선이 마신다는 좋은 술.
4 단구 신선이 산다는 곳. 밤낮이 늘 밝다고 함.

한 점 가을 연기에 구주(九州)⁵가 분명하도다.

옥황상제는 이 마지막 장의 시구를 읽어 내려가다 문득 불쾌한 기색을 감추지 못하고 태을진군(太乙眞君)을 돌아다보며, 문창성군의 시구가 속세(俗世)와 인연이 얽혀 있으니 이 어쩐 일인가 물었다. 문창성군은 비록 연소하되 앞으로 옥황상제의 기대가 큰 선관(仙官)이기 때문이었다. 태을진군이 대답하되,

"문창성군의 양미간에는 요즘 부귀의 기상이 서리어 있사오니, 잠시 인간 세상으로 귀양 보내어 겁기(劫氣)⁶를 없애심이 좋을까 하나이다."

잔치가 파한 후 옥황상제는 영소보전(營嘅寶殿)으로 돌아가다가 걸음을 멈추고 문창성군에게 말하였다.

"오늘 밤은 달빛이 좋으니 그대로 옥루(玉樓)에 머물러 달이나 즐기고 돌아가라."

문창성군은 옥황상제를 배웅하고 다시 백옥루로 올라갔다.

그날은 7월 칠석, 첫가을의 좋은 시절이었다. 문창이 달을 바라다보며 심심한 생각에 사로잡혀 있을 때 아리따운 옥녀(玉女)가 홀연히 나타났다.

"옥황상제께서 문창이 취할 것을 염려하시고 저에게 반도(蟠桃) 여섯 개와 옥액(玉液) 한 병을 전하시며 오늘 밤 옥루에서 달구경 하시는 풍정(風情)을 도우라 하셨노라."

뒤를 이어서 하늘나라 백옥루에는 여러 아리따운 선녀들이 몰려들었으며, 산들거리는 금빛 바람, 반짝거리는 은하(銀河), 그림같이 아름다운 풍경이 벌어졌다. 영산회(靈山會)에 갔다가 마하지(摩訶池)를 지나는 길에 한창 피어 있는 옥련화가 하도 아름다워서 꺾어 가지고 왔다는 제천선녀(諸天仙女)가, 공중으로 홀쩍 던지는 연꽃, 그 연꽃을 받아 보고 미소하더니 곧 시 한 구를 꽃잎에 써서

---

5 구주 전국을 나눈 아홉 개의 주. 천하를 비유함.
6 겁기 궁한 사람의 얼굴에 나타난 언짢은 기색.

다시 공중으로 던져 주는 문창.

　　可憐玉蓮苑

　　淸淨摩訶池

　　尙得春風意

　　任君折一枝

　　어여쁘다 옥련화[7]

　　맑은 마하지에 피었도다.

　　오히려 봄의 뜻을 알았기에,

　　한 송이 꺾는 대로 그대에게 바치노라.

　　문창성군과 제천선녀가 노는 광경을 질투하여 천요성(天妖星)이 달려들었고, 또 남쪽으로부터 머리에 칠보관(七寶冠)을 쓰고 홍란(紅鸞)을 타고 날아든 홍란성(紅鸞星). 그들은 달 밝은 백옥루의 첫 가을밤을 마음껏 즐겼다. 맨 나중으로 도화성(桃花星)도 나타나서 끝자리에 앉았다.

　　도화성은 마고선자(麻姑仙子)[8]에게 들었다 하며, 군산(君山)에 새로 담겨 있는 천일주(天日酒)[9]를 가져오자고 제의하였다. 홍란이 선뜻 시녀에게 명령하여 심부름을 시켰다. 시녀는 당장에 술 한 말을 들고 돌아왔다.

　　천일주 술잔이 한참 돌아갔다. 문창은 흥겨워 너털웃음을 참지 못하였으며, 선녀들도 술에 취하여 백옥루 난간에 몸을 의지하고 조용히 잠들어 버렸다.

　　이때 한편에서 석가세존(釋迦世尊)[10]은 영산 도량(靈山道場)[11]에서 일을 마치

---

7 옥련화 연꽃. 옥련은 '연'을 높여 이르던 말이다.
8 마고선자 선인의 이름.
9 천일주 빚어 담근 지 1,000일 만에 먹는 술.
10 석가세존 석가모니의 존칭.
11 영산 도량 석가가 성도(成道)한 땅.

고 연화대(蓮花臺)[12]에 앉아서 제자들에게 불법을 강의하고 있었다. 그러자 중 한 사람이 나타나서 이런 말을 하였다.

"마하지에 활짝 핀 열 송이 옥련화 중 한 송이가 없어졌습니다."

세존은 보살에게 명령하여 그 연꽃의 행방을 살피도록 하였다. 보살은 하늘 높이 올라가서 옥련화를 찾아 세존에게 도로 바치고, 선녀들이 술에 취해 쓰러 져 있는 광경을 말하였다. 세존은 꽃을 받아 살펴보다가 꽃잎에 써 있는 시구를 보자 미소를 띠며 밀다심경(密多心經)을 외었다. 그랬더니 꽃잎에 쓴 글자가 하 나하나 탑 위에 떨어져 스무 개의 구슬이 되었다.

세존이 또다시 파리채를 들어 탑을 치니 그 스무 개의 구슬은 쌍쌍이 흐트러 지더니 다섯 개로 변해 가지고 더욱 광채를 발하였다. 세존은 보살에게 다섯 개 의 구슬을 주었다. 보살은 왼손에 다섯 개의 구슬을 들고 세존에게 절하고서 오 른손에는 꽃을 들고 남천문으로 올라갔다.

거기서 보살은 아래 세상을 굽어보았다. 온갖 욕심과 괴로움 속에서 무수한 인간들은 꿈을 깨지 못하고 허덕이고 있었다. 보살은 연꽃과 구슬을 한꺼번에 허공을 향해서 던졌다. 다섯 개의 구슬은 사방으로 흐트러져 행방을 알 수 없게 되고, 다만 한 송이 연꽃이 흰 구름 사이를 날아서 아래 세상으로 떨어지더니 한

---

12 연화대 연꽃 모양으로 만든 자리.

군데에 명산(名山) 하나를 이루어 놓았다. 신기하고도 알 수 없는 일이었다. 보살의 힘이 장차 어떠한 일을 일으킬지 흥미진진한 일이다.

남쪽 고장에 옥련봉(玉蓮峰)이라는 산이 있었다. 둘레가 500여 리, 높이가 1만 8,000장(丈)이나 되며 산에 있는 돌들이 모두 백옥같이 희었다. 이 산에는 수백 년이 지나는 동안에 몇 군데 촌락이 생겼으며 그 촌락 중에 양현(楊賢)이라는 처사(處士)가 살고 있었다. 부인 허 씨(許氏)와 산에 올라 나물을 캐고 시내에서 고기를 낚으며 쓸쓸하고 조용한 세월을 보내고 있었다. 슬하에 소생이 하나도 없어서 언제나 이들 부처는 울적한 심사로 지냈다.

하루는 우연히 옥련봉에 부부가 함께 올라갔다가 낙락 장송이 늘어져 있는 석벽 속에서 관세음보살의 진상(眞像)[13]을 발견하고 기도를 드려서 아들 낳기를 발원(發願)하였다.

과연 그날부터 허 씨는 태기가 있었다. 열 달이 지난 뒤에 허 씨는 귀동자를 하나 낳았다. 이름하여 창곡(昌曲)이라 하였다. 어느 날 중 한 사람이 지나가다가 이 어린아이의 준수하고 총명하며 재질이 넘치게 생긴 얼굴을 보고,

"허어, 이 아이는 문창(文昌) 무곡(武曲)의 정기를 타고난 아이로다. 반드시 다음날 귀한 몸이 될 수 있으리라."

라고 하는 말을 들었기 때문에, 양 처사가 이렇게 아들의 이름을 지은 것이었다.

창곡의 나이 여섯 살이 되자 벌써 글자를 모아서 글귀를 지을 줄 알게 되니, 양 처사는 그 놀라운 재질을 아껴서 오히려 글을 가르치지 않을 정도였다.

세월이 흘러 창곡의 나이 열여섯 살이 되었다. 총명하고 재질이 뛰어난 소년이 그대로 산속에 파묻혀 있을 리 없었다. 황성(皇城)에 가서 과거를 보고 입신양명(立身揚名)하겠다고 부모를 졸라 댔다.

부인 허 씨는 아들과 떨어지기 싫은 안타까운 심정을 어찌할 수 없었으나, 마

---

13 진상 참모습. 생긴 그대로의 모습.

침내 옷가지와 비녀를 팔아서 노잣돈을 만들고 한 마리 청노새와 동자 하나를 딸려서 길을 떠나보냈다.

때는 녹음방초(綠陰芳草) 우거진 첫여름이었다. 길을 떠난 지 10여 일 만에 창곡은 소주(蘇州) 땅에 다다랐다. 난데없이 숲속에서 뛰어나오는 오륙 인의 도둑을 만났으나 창곡은 대담무쌍하게도 입고 있는 옷을 모조리 벗어서 도둑에게 주었다.

창곡은 속옷 바람으로 겁을 집어먹고 쩔쩔매는 동자를 달래 가지고 한군데 주막으로 들어갔다. 이곳에서 주막집 주인으로부터 이 지방의 자세한 형편을 알 수 있었다. 이 고을을 다스리는 자사(刺史)란 위인들은 주색(酒色)에 빠져서 정사를 돌보지 않아 도둑을 잡을 생각도 없다는 사실, 내일은 이곳 소주 자사 (蘇州刺史)가 압강정(壓江亭)이란 곳에서 주연(酒宴)[14]을 베풀고 소주와 항주(杭州)의 문인·재사를 모아 놓고 시 짓기를 하고 장원(壯元)한 사람에게는 상을 주기로 되어 있다는 일, 또 한 가지 색다른 소식도 있었다. 항주라는 고장은 기녀 (妓女)가 아름답기로 이름난 곳으로, 그중에서도 뛰어나고 이름 높은 기생이 강남홍(江南紅)인데, 흔히 홍랑(紅娘)이라 부른다 하였다. 강남홍은 가무(歌舞)와 문장을 겸비한 항주 일색으로서 자사·수령(守令) 들이 모조리 반해서 야심을 품고 침을 흘리지만, 그 성품이 곧고 마음씨가 맑아서 그 나이 이칠(二七)[15]인데도 아직 가까이한 사람이 없다는 흥미 있는 사실을 알게 되었다. 또한 이번 소주 자사는 승상(丞相) 황의병(黃義炳)의 아들로서, 본래부터 풍류와 주색에 빠져 있던 까닭에 강남홍을 제 손아귀에 넣으려고 야심만만하다는 사실도 알게 되었다.

이튿날 창곡은 압강정이란 곳으로 달려갔다. 소주·항주의 수많은 선비들을 따라서 정자 위로 올라갔다. 의관을 정제(整齊)하고 늘어앉은 소항문사(蘇杭

---

14 주연 술을 마시며 즐겁게 노는 간단한 잔치로, 술잔치를 의미함.
15 이칠 여기서는 '14세'를 뜻함.

文士)[16]들의 옆으로는 기녀 100여 명이 꽃밭을 이루고 제각기 어여쁜 얼굴을 자랑하고 있었다.

창곡은 재빠르게 미인 강남홍의 얼굴을, 말석(末席)에 앉아 멀리서나마 찾아낼 수 있었다. 쌀쌀하면서도 총명한 기색이 유난히 넘쳐흐르는 강남홍의 매력적인 눈동자, 강남홍도 무수한 선비들을 무심히 볼 리 없었다. 비록 말석에 앉아 있는 초라한 소년 창곡이었지만 그 가난한 선비의 행색 가운데에서 준수하고 뛰어난 기상을 찾아내지 못할 리 없었다.

황 자사(黃刺史)는 강남홍에게 노래를 한 곡조 부르라 하였다. 그러나 강남홍은,

"마땅히 제공(諸公)의 금수문장(錦繡文章)[17]을 빌려 가곡(歌曲)으로 불러 볼까 하옵나이다!"

하면서 제 노래를 부르려 들지 않았다. 이리하여 강만홍의 기분을 맞추기에 정신이 없는 자사는 시령(詩令)을 내렸다. 말석에 앉은 창곡이 일필휘지(一筆揮之)[18]하여 훌쩍 집어 던진 시구,

崔嵬亭字對江頭

畵棟朱欄壓碧流

白鷺慣開鍾磬響

斜陽點點落平洲

큰 강 머리에 높은 정자 솟았으니 그림 기둥,

붉은 난간 푸르게 흐르는 물을 눌렀도다.

흰 새들 종소리로 익히 들어,

---

16 소항문사 쑤저우(소주)와 항저우(항주)의 문사.
17 금수문장 비단결과 같은 부드럽고 아름다운 문장.
18 일필휘지 단숨에 흥취 있고 줄기차게 글씨를 써 내려감.

저무는 석양에 점점이 물가에 떨어지듯 내리도다.

平沙籠月樹籠煙

積水空明一色天

好是君從平地望

畵中樓閣鏡中仙

넓은 모래사장엔 달이 어리었고 나무엔 연기 어리었으니,

밀려오고 밀려가는 물은 맑고 밝아 하늘빛과 같도다.

좋도다, 그대여! 평지로부터 바라보라.

그림 가운데 누각이요, 거울 속의 신선이로다.

江南八月聞香風

萬朶蓮花一朶紅

莫打鴛鴦花下起

鴛鴦飛去折花叢

강남 8월에 향기로운 바람 일어,

1만 송이 연꽃 속에서 한 송이 붉었도다.

한 쌍 원앙새를 놀래어 꽃 아래 일어나게 말라.

원앙새 날아가면 꽃송이만 꺾일까 두렵도다.

　　강남홍은 그 시구를 들여다보다가 금봉채(金鳳釵) 비녀를 뽑아 술병을 치며 청아한 음성으로 읊었다. 모든 사람의 귀를 놀라게 하였으나 어떤 사람의 시구인지는 알 수 없었다.

　　자사는 시구의 작자를 밝히라고 하였으나, 그것을 알아챈 강남홍은 타향에서 온 선비 창곡에게 화가 미칠까 두려워하여 그것을 반대하였으며, 자사들도 강남

홍의 뜻을 허락하였으나, 마침내 그것이 이 고장 선비의 시구가 아니라는 것이 탄로 나고야 말았다.

강남홍은 즉흥시(卽興詩) 몇 구절을 지어 부름으로써 창곡에게 이 자리를 급히 뜨도록 암시하였으며 종장(終章)에 가서는,

"항주성 돌아들 데 큰길가 청루 몇 곳인가. 문 앞 벽도화는 우물 위에 피어 있고, 달 머리에 솟은 누각 강남 풍월 분명하다."

라고 불러서 자기 집까지 암시해 놓았다.

"장원시(壯元詩)를 가져오라!"

황 자사의 명령이 내려졌다. 황 자사 봉(封)을 뜯어 보니 '여남 양창곡(汝南楊昌曲)'이란 다섯 자가 나타났다. 압강정에는 일대 소동이 일어났다. 모든 소주·항주의 선비들이 극도로 흥분하였다.

"괘씸한 놈이로다. 이방(異方)에서 나타난 놈이 이곳 잔치를 업신여기고 옛사람의 시구를 훔쳐 좌중을 농락하였도다! 그놈을 냉큼 잡아들여라."

황 자사가 두 눈을 무섭게 뜨고 호령을 하였다. 이러고 보니 소주·항주의 여러 선비들 가운데는 팔을 걷어 올리며 거기 맞장구를 치고 내닫는 패들도 있었다.

"시주 풍류(詩酒風流)[19]로 이름 높은 우리 소주·항주 어찌 일개 아이 녀석에게 농락을 당하리요. 우리의 수치 이에 더 큼이 있으리요! 그놈을 당장에 잡아들여 분을 풀도록 할지어다."

두 주먹을 불끈 쥐고 펄펄 뛰며 일어서는 선비들이 하나둘이 아니었다. 창곡이 떠난 뒤로 강남홍은 여간 걱정을 한 것이 아니었다. 창곡이 타향 사람으로 아무래도 처음 길이니 창주의 번화한 길에서 방황하고 자기 거처를 찾지 못할 것만 같아서 불안하기 짝이 없었다.

---

19 시주 풍류 시와 술과 풍류.

(뒷부분 줄거리)

양창곡은 과거 시험을 보러 올라가던 길에 기생 강남홍을 만나 정을 맺게 된다. 강남홍은 양창곡에게 윤 소저를 배필감으로 추천하고, 양창곡이 상경하자 윤 소저의 시녀가 된다. 강남홍은 소주 자사 황 공이 겁탈하려 들자 강물에 뛰어들지만 이 일을 미리 짐작한 윤 소저의 도움으로 목숨을 건진다. 양창곡은 과거에 급제하여 한림 학사가 되고 윤 소저와 혼인한다. 그 뒤 양창곡은 황각로의 딸과 혼인하라는 천자의 명을 거절하여 유배되는데, 그곳에서 기생 벽성선을 만나 인연을 맺고, 천자의 생일을 맞아 유배에서 풀려나 예부 시랑을 제수받아 상경한다. 그는 천자의 명을 계속 거절할 수 없어 황각로의 딸과 혼인하고 벽성선을 서울로 데려온다. 이때 적들이 쳐들어오자 나라에서는 양창곡을 대원수로 삼아 출전시킨다. 그동안 만국의 원수가 되어 있던 강남홍은 양창곡이 명의 원수로 출전했음을 알고 명으로 와 부원수가 된다. 만국을 도우러 온 축융국의 공주 일지련은 생포된 후 양창곡을 연모하게 되어 부왕을 설득해 명에 항복하게 한다. 한편 서울에 올라온 벽성선은 황 부인의 모함을 받고 시련을 겪다가 승전하고 돌아오는 양창곡을 만나 구출된다. 천자는 양창곡을 연왕(燕王)에, 강남홍은 난성후(鸞城侯)에 봉하고, 황 부인은 죄상을 밝혀 유배 보낸다. 황 부인이 유배지에 가서 참회하고 돌아오자 양창곡은 윤 부인, 황 부인 두 부인과 강남홍·벽성선·일지련의 세 첩을 거느리고 부귀영화를 누리며 살다가 천상에 올라가 다시 선관이 된다.

(1840년)

구인환 편역, 《옥루몽》(신원문화사, 2003)